ANTIFRÁGIL

Nassim Nicholas Taleb

Antifrágil

Coisas que se beneficiam com o caos

TRADUÇÃO
Renato Marques

10ª reimpressão

Grafia atualizada segundo o Acordo Ortográfico da Língua Portuguesa de 1990, que entrou em vigor no Brasil em 2009.

Título original
Antifragile: Things that Gain from Chaos

Capa
Helena Hennemann/ Foresti Design

Ilustração de capa
Eduardo Foresti/ Foresti Design

Preparação
Stella Carneiro

Índice remissivo
Probo Poletti

Revisão técnica
Guido Luz Percú

Revisão
Ana Maria Barbosa
Carmen T. S. Costa
Clara Diament

Dados Internacionais de Catalogação na Publicação (CIP)
(Câmara Brasileira do Livro, SP, Brasil)

Taleb, Nassim Nicholas
Antifrágil : coisas que se beneficiam com o caos / Nassim Nicholas Taleb ; tradução Renato Marques. — 1ª ed. — Rio de Janeiro : Objetiva, 2020.

Título original: Antifragile: Things that Gain from Chaos.
Bibliografia.
ISBN 978-85-470-0108-7

1. Complexidade (Psicologia) 2. Incerteza (Teoria da informação) – Aspectos sociais 3. Liderança 4. Processo decisório 5. Solução de problemas I. Título.

20-34417 CDD-155.9042

Índice para catálogo sistemático:
1. Incertezas : Administração : Psicologia 155.9042

Maria Alice Ferreira - Bibliotecária - CRB-8/7964

Todos os direitos desta edição reservados à
EDITORA SCHWARCZ S.A.
Praça Floriano, 19, sala 3001 — Cinelândia
20031-050 — Rio de Janeiro — RJ
Telefone: (21) 3993-7510
www.companhiadasletras.com.br
www.blogdacompanhia.com.br
facebook.com/editoraobjetiva
instagram.com/editora_objetiva
twitter.com/edobjetiva

para Sarah Josephine Taleb

Sumário

Prólogo

I. COMO AMAR O VENTO

O vento apaga a vela e energiza o fogo.

O mesmo vale para a aleatoriedade, a incerteza, o caos: você quer usá-los, não esconder-se deles. Você quer ser o fogo e almeja o vento. Isso sintetiza a atitude inquieta deste autor diante da aleatoriedade e da incerteza.

Nós não queremos apenas sobreviver à incerteza, a quase se perder nela. Queremos sobreviver à incerteza e, além disso — como certa classe de romanos estoicos —, ter a última palavra. A missão é como domesticar, e dominar, e mesmo conquistar, o invisível, o opaco e o inexplicável.

Como?

II. O ANTIFRÁGIL

Algumas coisas se beneficiam com os impactos; elas prosperam e crescem quando são expostas à volatilidade, à aleatoriedade, à desordem e ao estresse, e adoram a aventura, o risco e a incerteza. Contudo, apesar da ubiquidade do fenômeno, não existe uma palavra para nomear o oposto exato de frágil. Vamos chamá-lo de antifrágil.

A antifragilidade está além da resiliência ou da robustez. O resiliente resiste às colisões e permanece igual; o antifrágil fica cada vez melhor. Essa característica está por trás de tudo que muda ao longo do tempo: evolução, cultura, ideias, revoluções, formas de governo, inovação tecnológica, sucesso cultural e econômico, sobrevivência corporativa, boas receitas (canja de galinha ou *steak tartare* com um toque de conhaque, talvez), o surgimento de cidades, culturas, sistemas jurídicos, florestas equatoriais, resistência bacteriana... até mesmo a nossa própria existência como espécie neste planeta. E a antifragilidade determina a fronteira entre o que é vivo e orgânico (ou complexo), como o corpo humano, e o que é inerte, digamos um objeto físico como o grampeador em cima da sua escrivaninha.

O antifrágil adora a aleatoriedade e a incerteza, o que também significa — decisivamente — o amor pelos erros, por certa classe de erros. A antifragilidade tem um atributo singular de nos tornar aptos a lidar com o desconhecido, de fazer as coisas sem compreendê-las — e fazê-las bem. Permita-me ser mais contundente: somos muito mais eficientes agindo do que pensando, graças à antifragilidade. Eu preferiria acima de tudo ser burro e antifrágil a extremamente inteligente e frágil.

É fácil ver coisas a nosso redor carregadas de estresse e de volatilidade: sistemas econômicos, seu corpo, sua alimentação (o diabetes e muitas doenças modernas similares parecem estar associados a uma falta de aleatoriedade na alimentação e à ausência de um estressor, a fome ocasional), sua psique. Há inclusive contratos financeiros que são antifrágeis: são concebidos justamente para se beneficiarem com a volatilidade do mercado.

A antifragilidade nos faz entender melhor a fragilidade. Assim como é impossível melhorar a saúde sem reduzir a doença ou aumentar a riqueza sem antes diminuir os prejuízos, antifragilidade e fragilidade são graus em um espectro.

Não previsão

Assimilando os mecanismos da antifragilidade, podemos construir um amplo e sistemático guia para a tomada de decisões *não preditiva*, sob condições de incerteza, nos negócios, na política, na medicina e na vida em geral — onde quer que predomine o desconhecido, em qualquer situação em que exista aleatoriedade, imprevisibilidade, opacidade ou a compreensão parcial das coisas.

É muito mais fácil descobrir se alguma coisa é frágil do que prever a ocorrência de um evento capaz de danificá-la. A fragilidade pode ser medida; o risco não é mensurável (exceção feita aos cassinos ou à mente de pessoas que se autointitulam "especialistas em riscos"). Isso fornece uma solução para o que chamei de problema do Cisne Negro — a impossibilidade de calcular os riscos de acontecimentos raros e com consequências importantes e prever sua ocorrência. Podemos lidar com sensibilidade aos danos resultantes da volatilidade, mais do que com a previsão do evento que poderia causar o dano. Assim, propomos que sejam viradas de cabeça para baixo nossas abordagens atuais de previsões, prognósticos e gerenciamento de riscos.

Em cada domínio ou área de aplicação, propomos regras para deslocar o frágil na direção do antifrágil, reduzindo a fragilidade ou tirando proveito da antifragilidade. E quase sempre somos capazes de detectar a antifragilidade (e a fragilidade) usando um simples teste de assimetria: toda e qualquer coisa que apresenta mais vantagens do que desvantagens a partir de eventos aleatórios (ou de certos impactos) é antifrágil; o inverso é frágil.

Privação da antifragilidade

Por certo, se a antifragilidade é o atributo de todos os sistemas naturais (e complexos) que sobreviveram, privar esses sistemas de volatilidade, aleatoriedade e estressores os danificará. Eles enfraquecerão, morrerão ou implodirão. Estamos fragilizando a economia, nossa saúde, a vida política, a educação, quase tudo... ao eliminar a aleatoriedade e a volatilidade. Assim como passar um mês na cama (de preferência, com uma edição integral de *Guerra e paz* e acesso a todos os 86 episódios da série *Família Soprano*) resulta em atrofia muscular, sistemas complexos enfraquecem e até mesmo morrem quando são privados de estressores. Boa parte do nosso mundo moderno e estruturado nos tem prejudicado com diretrizes políticas de cima para baixo e geringonças (apelidadas neste livro de "delírios soviéticos de Harvard") que fazem precisamente isto: insultam a antifragilidade dos sistemas.

Esta é a tragédia da modernidade: como acontece com pais e mães neuróticos e superprotetores, aqueles que estão tentando ajudar são, muitas vezes, os que mais nos prejudicam.

Se quase tudo que é imposto de cima para baixo fragiliza e bloqueia a antifragilidade e o crescimento, tudo que vai de baixo para cima prospera com a quantidade adequada de estresse e desordem. O próprio processo de descoberta (ou de inovação, ou de avanço tecnológico) depende de experimentações e improvisos antifrágeis e da exposição agressiva a riscos, mais do que da educação formal.

Vantagens à custa dos outros

O que nos leva ao maior fragilizador da sociedade, e o maior gerador de crises, é a ausência do fator "arriscar a própria pele". Alguns tornam-se antifrágeis à custa dos outros, obtendo vantagens (ou ganhos) da volatilidade, das variações e da desordem, e expondo outras pessoas aos riscos das perdas ou danos. E essa *antifragilidade-à-custa-da-fragilidade-de-outros* é oculta — devido à cegueira diante da antifragilidade nos círculos intelectuais soviéticos de Harvard, essa assimetria raramente é identificada, e (até agora) nunca foi ensinada. Ademais, conforme descobrimos durante a crise financeira deflagrada em 2008, essa irrupção de riscos-para-os-outros é facilmente escondida, em função da crescente complexidade das instituições modernas e das questões políticas. Se no passado as pessoas de certo nível ou status eram aquelas e somente aquelas que assumiam riscos, que arcavam com as consequências decorrentes de suas ações, e os heróis eram aqueles que faziam isso para o bem dos outros, hoje presenciamos exatamente o oposto. Estamos testemunhando a ascensão de uma nova classe de heróis às avessas, ou seja, burocratas, banqueiros, frequentadores de fóruns econômicos em Davos que são membros da AICPI (Associação Internacional de Citadores de Pessoas Importantes) e acadêmicos com poder em demasia e nenhuma desvantagem e/ou responsabilidade concreta. Eles manipulam o sistema, enquanto os cidadãos pagam o preço.

Em nenhum outro momento da história tantas pessoas que não assumem riscos, ou seja, que não se expõem, exerceram tanto controle.

A mais importante regra ética é a seguinte: Não terás a antifragilidade à custa da fragilidade de outrem.

III. O ANTÍDOTO PARA O CISNE NEGRO

Quero viver tranquilamente em um mundo que não compreendo.

Cisnes Negros (com iniciais maiúsculas) são eventos de larga escala imprevisíveis e irregulares, com consequências descomunais — imprevistas por determinado observador; esse não previsor é geralmente chamado de "peru" quando é ao mesmo tempo surpreendido e prejudicado por tais eventos. Defendi o argumento de que a maior parte da história deriva de acontecimentos Cisne Negro, enquanto nos preocupamos em aprimorar nossa compreensão do trivial, e, assim, desenvolvemos modelos, teorias ou representações que não são capazes de rastreá-los ou medir a possibilidade desses impactos.

Os Cisnes Negros sequestram nosso cérebro, fazendo-nos sentir que "meio que" ou "quase" os previmos, pois são explicáveis em retrospectiva. É justamente por causa dessa ilusão de previsibilidade que não percebemos o papel que representam em nossa vida. A vida é mais, muito mais labiríntica do que mostra a nossa memória — nossa mente tem como principal ocupação transformar a história em algo suave e linear, o que nos faz subestimar a aleatoriedade. Mas, quando a encontramos, sentimos medo e reagimos de forma exagerada. Por causa desse medo e dessa ânsia por ordem, alguns sistemas humanos, ao subverterem a lógica invisível ou não tão visível das coisas, tendem a ser expostos a danos causados por Cisnes Negros e a quase nunca obterem nenhum tipo de benefício. Quem busca a ordem chega à pseudo-ordem; só obtém algum grau de ordem e controle quem aceita a aleatoriedade.

Sistemas complexos são repletos de interdependências — difíceis de detectar — e de respostas não lineares. "Não linear" significa que, quando você dobra a dose de, digamos, um medicamento, ou quando duplica o número de funcionários em uma fábrica, não obtém o dobro do efeito inicial, mas sim muito mais ou muito menos. Dois fins de semana na Filadélfia não são duas vezes tão agradáveis quanto apenas um — eu tentei. Quando a resposta é representada em um gráfico, não aparece como uma linha reta ("linear"), mas sim como uma curva. Nessas conjunturas, simples associações causais são equivocadas; é difícil ver como as coisas funcionam se observamos apenas as partes isoladas.

Sistemas complexos criados pelo homem tendem a desenvolver efeitos cascata e reações em cadeia que diminuem, e até mesmo eliminam, a previsibilidade, e causam acontecimentos de tamanho colossal. O mundo moderno pode até estar se aprimorando em conhecimento tecnológico, mas, paradoxalmente, vem tornando as coisas muito mais imprevisíveis. Agora, por razões que têm a ver com o aumento do artificial, o afastamento de modelos ancestrais e naturais e a perda de robustez em função de complicações na concepção de tudo, o papel dos Cisnes Negros está aumentando. Além disso, somos vítimas de uma nova doença, chamada, neste livro, de *neomania*, que nos faz construir sistemas vulneráveis ao Cisne Negro — o "progresso".

Um aspecto irritante do problema do Cisne Negro — com efeito, a questão principal e, em larga medida, ignorada — é que as probabilidades de eventos raros simplesmente não são computáveis. Sabemos muito menos sobre inundações ocorridas há cem anos do que sobre as enchentes de cinco anos atrás — o erro do modelo avoluma-se quando se trata de pequenas probabilidades. *Quanto mais raro o acontecimento, menos manejável, e menos sabemos sobre a frequência de sua ocorrência* — todavia, quanto mais raro o acontecimento, mais confiantes têm se tornado os "cientistas" envolvidos na previsão, na modelagem e no uso do PowerPoint em conferências, com equações apresentadas em planos de fundo multicoloridos.

Ajuda muito que a Mãe Natureza — graças à sua antifragilidade — seja a maior especialista em eventos raros e a melhor administradora de Cisnes Negros; em seus bilhões de anos, ela teve êxito em chegar até aqui sem precisar recorrer a instruções de algum diretor formado numa prestigiosa universidade de elite estilo Ivy League e nomeado por um comitê de seleção. A antifragilidade não é apenas o antídoto para o Cisne Negro; compreendê-la nos torna menos temerosos intelectualmente no sentido de aceitar o papel desses acontecimentos como necessários para a história, a tecnologia, o conhecimento, tudo.

Robusto não é robusto o suficiente

Leve em conta que a Mãe Natureza não é apenas "segura". Ela é agressiva para destruir e substituir, selecionar e reorganizar. Quando se trata de eventos aleatórios, "robusto" com certeza não é bom o suficiente. A longo prazo, tudo que tem a mais ínfima vulnerabilidade se quebra, dada a implacável crueldade do tempo — ainda assim, nosso planeta está aqui há talvez 4 bilhões de anos e, de maneira convincente, não pode ser apenas por robustez: seria necessária uma robustez perfeita para que uma rachadura não acabasse por fazer ruir o sistema. Dada a impossibilidade de alcançar a robustez perfeita, precisamos de um mecanismo por meio do qual o sistema se regenere continuamente, usando eventos aleatórios, impactos imprevisíveis, estressores e volatilidade, em vez de sofrer com os efeitos deles.

O antifrágil ganha com os erros de previsão, no longo prazo. Se seguirmos essa ideia de cabo a rabo, então muitas coisas que se beneficiam com a aleatoriedade deveriam estar dominando o mundo hoje — e as coisas que são prejudicadas por ela deveriam desaparecer. Bem, acontece que é exatamente assim. Temos a ilusão de que o mundo funciona graças a desígnios planejados, a pesquisas universitárias e ao financiamento burocrático, mas há provas convincentes — muito convincentes — que mostram que tudo isso é uma ilusão, a ilusão que chamo de *ensinar os pássaros a voar*. A tecnologia é o resultado da antifragilidade, explorada por indivíduos que correm riscos na forma de experimentações e improvisos e tentativa e erro, o planejamento movido a nerds nos bastidores. Engenheiros e experimentadores desenvolvem coisas, ao passo que os livros de história são escritos por acadêmicos; teremos de refinar as interpretações históricas de crescimento, inovação e muitas coisas afins.

Sobre a mensurabilidade de (algumas) coisas

A fragilidade é bastante mensurável; o risco, nem um pouco, especialmente o risco associado a eventos raros.*

Eu disse que somos capazes de avaliar, e até mesmo mensurar, a fragilidade e a antifragilidade, embora não possamos calcular os riscos e as probabilidades de impactos e eventos raros, por mais sofisticados que nos tornemos. O gerenciamento de risco, conforme é praticado, é o estudo de um evento que acontecerá no futuro, e apenas alguns economistas e outros lunáticos podem alegar — contra a experiência — que podem "mensurar" a incidência futura desses eventos raros, com otários dando-lhes ouvidos — contra a experiência e o histórico de desempenho desse tipo de alegação. Mas a fragilidade e a antifragilidade são parte dos atributos vigentes de um objeto, uma mesinha de centro, uma empresa, uma indústria, um país, um sistema político. Podemos detectar a fragilidade, vê-la até mesmo em muitos casos, mensurá-la ou ao menos medir a fragilidade comparativa com um pequeno erro, enquanto as comparações de risco têm sido (até agora) pouco confiáveis. Ninguém pode afirmar com algum grau de confiabilidade que determinado evento ou

* Exceção feita aos cassinos e algumas áreas bem definidas, como situações e construções criadas pelo homem.

impacto remoto é mais provável do que outro (a menos que você goste de enganar a si mesmo), mas é possível afirmar, com muito mais confiança, que um objeto ou uma estrutura é mais frágil do que outro se determinado evento acontecer. É possível assegurar com tranquilidade que sua avó é mais frágil do que você a mudanças repentinas de temperatura, que uma ditadura militar é mais frágil do que a Suíça se houver alguma mudança política, que um banco é mais frágil do que outro na hipótese de surgir uma nova crise, ou que um edifício moderno precariamente construído é mais frágil do que a Catedral de Chartres na eventualidade de um terremoto. E, essencialmente, é possível, inclusive, fazer a previsão de qual deles durará mais tempo.

Em vez de uma discussão sobre o risco (que é preditiva e frouxa em igual medida), defendo a noção de fragilidade, que não é preditiva — e, ao contrário do risco, tem uma palavra interessante que é capaz de descrever seu oposto funcional, o conceito não frouxo de antifragilidade.

Para medir a antifragilidade existe uma receita semelhante à pedra filosofal, utilizando uma regra compacta e simplificada que nos permite identificá-la dentre vários domínios, da saúde à construção de sociedades.

Inconscientemente, viemos tirando proveito da antifragilidade na vida prática e, conscientemente, rejeitando-a — em especial na esfera intelectual.

O fragilista

Nossa ideia é evitar interferir no que não entendemos. Pois bem, algumas pessoas são propensas ao contrário. O fragilista pertence à categoria de pessoas que, geralmente, estão de terno e gravata, muitas vezes às sextas-feiras; reage com impassividade glacial às piadas que você conta e tende a desenvolver problemas nas costas ainda muito jovem, por ficar sentado a uma escrivaninha, andar de avião e esquadrinhar minuciosamente os jornais. Com frequência, ele se envolve em um estranho ritual, algo que se costuma chamar de "reunião". Ora, além dessas características, o seu default é achar que aquilo que ele não vê não existe, ou que aquilo que ele não entende não existe. Em sua essência, tende a confundir o desconhecido com o inexistente.

O fragilista acredita no *delírio soviético de Harvard*, a superestimação (não científica) do alcance do conhecimento científico. Por causa desse delírio, ele é o que se chama de *racionalista ingênuo*, *racionalizador*, ou, às vezes, apenas *racionalista*, no sentido de que acredita ter acesso automático às *razões* por trás das coisas. E não confundamos racionalização com racional — os dois são quase sempre diametralmente opostos. Com exceção da física, e em linhas gerais em domínios complexos, as razões por trás das coisas tendem a tornar-se menos óbvias para nós, e menos óbvias ainda para o fragilista. Esse atributo das coisas naturais de não chamar a atenção para si mesmas em um guia do usuário não é, infelizmente, um obstáculo considerável: alguns fragilistas se reunirão para escrever seu próprio guia do usuário, graças à sua definição de "ciência".

Assim, graças ao fragilista, a cultura moderna vem desenvolvendo, cada vez mais, uma cegueira diante do misterioso, do impenetrável, do que Nietzsche chamou de dionisíaco, na vida.

Ou, para traduzir Nietzsche no menos poético, mas não menos perspicaz, dialeto do Brooklyn, isso é o que nosso personagem Tony Gordo chama de "jogo de otário".

Em suma, o fragilista (planejamento médico, econômico, social) é aquele que faz você se envolver em políticas e ações, todas artificiais, nas quais os *benefícios são pequenos e visíveis, e os efeitos colaterais, potencialmente graves e invisíveis.*

Há o fragilista médico, que intervém com veemência para negar a capacidade natural do corpo de se curar, e receita medicamentos com efeitos colaterais potencialmente muito graves; o fragilista político (o planejador social intervencionista), que confunde a economia com uma máquina de lavar roupa que precisa de consertos constantes (feitos por ele mesmo) e a explode de vez; o fragilista psiquiátrico, que medica crianças para "melhorar" a vida intelectual e emocional delas; a fragilista mãe-helicóptero; o fragilista financeiro, que faz as pessoas usarem modelos "de risco" que destroem o sistema bancário (e depois os usa de novo); o fragilista militar, que desarranja sistemas complexos; o fragilista previsor, que encoraja você a correr mais riscos; e muitos outros.*

* Hayek não direcionou para o risco e a fragilidade sua ideia sobre a formação orgânica de preços. Para Hayek, os burocratas eram ineficientes, não fragilistas. Essa discussão começa com a fragilidade e a antifragilidade, e nos leva a uma discussão lateral sobre a formação orgânica de preços.

Com efeito, o discurso político carece de um conceito. Os políticos, em suas falas, objetivos e promessas, visam aos tímidos conceitos de "resiliência", de "solidez", não de antifragilidade, e no processo estão asfixiando os mecanismos de crescimento e evolução. Não chegamos onde estamos graças à noção frouxa de resiliência. E, o que é pior, não chegamos onde estamos graças aos formuladores de políticas públicas — e sim, graças ao desejo por riscos e erros de uma classe de pessoas que precisamos incentivar, proteger e respeitar.

Quando o simples é mais sofisticado

Um sistema complexo, ao contrário do que as pessoas acreditam, não requer normas e regulamentos complicados ou políticas rebuscadas. Quanto mais simples, melhor. Complicações levam a cadeias multiplicativas de efeitos inesperados. Por causa da opacidade, uma intervenção resulta em consequências imprevisíveis, acompanhadas de pedidos de desculpas pela parte "imprevisível" das consequências, e, em seguida, leva a outra intervenção para corrigir os efeitos secundários, conduzindo a uma explosiva série de ramificações de respostas "imprevisíveis", cada uma pior do que a anterior.

Entretanto, tem sido difícil colocar em prática a simplicidade na vida moderna, pois ela é contra o espírito de certo tipo de pessoa que busca a sofisticação de modo a justificar a profissão que exerce.

Menos é mais e geralmente mais eficaz. Assim, mostrarei um pequeno número de artifícios, diretrizes e proibições — como viver em um mundo que não compreendemos, ou antes, como *não ter medo* de trabalhar com coisas as quais, evidentemente, não entendemos e, sobretudo, de que maneira devemos trabalhar com essas coisas. Ou, melhor ainda, como ter a audácia de encarar nossa ignorância e não sentir vergonha de sermos humanos — agressiva e orgulhosamente humanos. Mas pode ser que isso exija algumas mudanças estruturais.

O que eu proponho é um roteiro para modificar nossos sistemas fabricados pelo homem de modo a deixar que o simples — e o natural — sigam seu curso.

Mas a simplicidade não é tão fácil de ser alcançada. Steve Jobs descobriu que "você tem que trabalhar com afinco para clarear seu pensamento e torná-lo simples". Os árabes têm uma expressão para a prosa incisiva: *nenhuma habilidade para compreendê-la, maestria para escrevê-la.*

Heurísticas são regras básicas e gerais simplificadas que tornam as coisas simples e fáceis de implementar. Mas sua principal vantagem é que o usuário sabe que elas não são perfeitas, apenas adequadas, e assim ele se sente menos enganado pelos poderes que elas exercem. Quando nos esquecemos disso, elas se tornam perigosas.

IV. ESTE LIVRO

A jornada para esta ideia de antifragilidade foi, talvez, não linear.

Percebi um dia, de repente, que a fragilidade — que ainda carecia de uma definição técnica — podia ser expressa como *aquilo que não gosta de volatilidade*, e *aquilo que não gosta de volatilidade* não gosta de aleatoriedade, de incerteza, de desordem, de erros, de estresse etc. Pense em qualquer coisa frágil, digamos, os objetos em sua sala de estar, como uma moldura de vidro, a televisão ou, melhor ainda, a porcelana nos armários. Se você os classifica como "frágeis", então, necessariamente, quer que sejam deixados em paz, quietude, ordem e previsibilidade. Um objeto frágil não teria como se beneficiar de um terremoto ou da visita daquele sobrinho hiperativo. Além disso, tudo que não gosta de volatilidade não gosta de estressores, de danos, do caos, de acontecimentos, de desordem, das consequências "imprevisíveis", da incerteza e, decisivamente, do tempo.

E a antifragilidade origina-se — mais ou menos — dessa definição explícita de fragilidade. Ela gosta de volatilidade et al. Ela gosta também do tempo. E há uma poderosa e proveitosa conexão com a não linearidade: tudo que é não linear em sua resposta é frágil ou antifrágil diante de determinada fonte de aleatoriedade.

O mais estranho é que esse atributo óbvio de que *tudo que é frágil odeia a volatilidade*, e vice-versa, tem sido completamente excluído dos discursos científico e filosófico. Completamente. E o estudo da sensibilidade das coisas à volatilidade é a estranha especialidade profissional a que dediquei a maior parte da minha vida adulta, duas décadas — sei que é uma especialidade inusitada, prometo explicar mais tarde. Meu foco nessa profissão era identificar itens que "adoram a volatilidade" ou que "odeiam a volatilidade"; portanto, tudo que tive que fazer foi expandir as ideias do domínio financeiro no qual eu estava concentrado para a noção mais ampla de tomada de decisões sob a incerteza em vários campos, da ciência política à medicina e ao que comer no jantar.*

E, nessa estranha profissão de gente que trabalha com a volatilidade, havia dois tipos de pessoas. Na primeira categoria, acadêmicos, produtores de relatórios de dados e comentaristas que estudam eventos futuros e escrevem livros e artigos; e, na segunda, os profissionais com atuação prática que, em vez de estudarem eventos futuros, tentam entender como as coisas reagem à volatilidade (mas os profissionais com atuação prática em geral estão ocupados demais trabalhando para ter tempo de escrever seus livros, artigos, documentos, discursos, equações e teorias e receber homenagens dos Membros Altamente Constipados e Ilustres das Academias). A diferença entre as duas categorias é fundamental: como vimos, é muito mais fácil entender se algo é prejudicado pela volatilidade — e, portanto, é frágil — do que tentar antever acontecimentos prejudiciais, como esses Cisnes Negros de grandes proporções. Mas apenas os profissionais com atuação prática (ou as pessoas que fazem coisas) tendem a entender de forma natural.

A (bem feliz) família da desordem

Uma observação técnica. Insistimos em dizer que a fragilidade e a antifragilidade significam um ganho ou um prejuízo potenciais decorrentes da exposição a *algo* relacionado à volatilidade. O que é esse *algo*? Em termos simples, fazer parte da família estendida da desordem.

> A Família Estendida da Desordem (ou Grupo): (i) incerteza; (ii) variabilidade; (iii) conhecimento imperfeito e incompleto; (iv) acaso; (v) caos; (vi) volatilidade; (vii) desordem; (viii) entropia; (ix) tempo; (x) o desconhecido; (xi) aleatoriedade; (xii) tumulto; (xiii) estressor; (xiv) erro; (xv) dispersão de resultados; (xvi) desconhecimento.

* O termo técnico que usei para "odeia volatilidade" foi "*short vega*" ou "*short gamma*", significando "prejudicado se a volatilidade aumentar", e "*long vega*" ou "*long gamma*" para coisas que se beneficiam. No restante do livro, usaremos "*short*" e "*long*" para descrever exposições negativas e positivas, respectivamente. É fundamental que eu nunca tenha acreditado em nossa capacidade de prever a volatilidade, uma vez que me concentrei apenas em como as coisas reagem a ela.

Acontece que incerteza, desordem e o desconhecido são completamente equivalentes em seus efeitos: sistemas antifrágeis se beneficiam (até certo ponto) de todos eles, ao passo que sistemas frágeis são penalizados por quase todos eles — mesmo que você tenha de encontrá-los em edifícios separados nos campi universitários e que alguns filosofastros, que nunca correram riscos reais na vida, ou, pior, nunca tiveram uma vida, digam a você que "*evidentemente*, eles não são a mesma coisa".

Por que o item (ix), tempo? Em relação a funcionalidade, o tempo é semelhante à volatilidade: quanto mais tempo, mais eventos, mais desordem. Considere que, se você conseguir sofrer prejuízos limitados e se for antifrágil diante de pequenos erros, o tempo fará surgir o tipo de erro ou erros reversos que acabarão sendo benéficos. Isso é apenas o que sua avó chama de experiência. O frágil se quebra com o tempo.

Somente um livro

Isso torna este livro minha obra mais importante. Tive apenas uma ideia mestra, levada um passo adiante por vez, o último passo — este livro — sendo mais similar a um grande salto. Estou reconectado ao meu "eu prático", à minha alma de profissional com atuação prática, pois essa é a fusão de toda a minha história como profissional e "especialista em volatilidade", combinada aos meus interesses intelectuais e filosóficos em aleatoriedade e incerteza, que, anteriormente, haviam seguido caminhos distintos.

Meus textos não são ensaios autônomos sobre temas específicos, com começos, fins e datas de validade; ao contrário, são capítulos não sobrepostos a partir daquela ideia central, um corpus principal focado na incerteza, na aleatoriedade, na probabilidade, na desordem e no que fazer em um mundo que não compreendemos, um mundo com elementos e características invisíveis, o aleatório e o complexo; ou seja, a tomada de decisões sob a opacidade. O corpus é chamado de *Incerto* e é constituído (até agora) de uma trilogia, acrescida de adendos filosóficos e técnicos. A regra é que a distância entre um capítulo aleatório de um livro, digamos, *Antifrágil*, e outro capítulo aleatório de outro livro — por exemplo, *Iludidos pelo acaso* — deve ser similar à distância entre os capítulos de um calhamaço. A regra possibilita que o corpus ultrapasse domínios (alternando-se entre segmentos de ciência, filosofia, negócios, psicologia, literatura e autobiografia), sem descambar para a promiscuidade.

Assim, a relação deste livro com *A lógica do Cisne Negro* seria a seguinte: apesar da cronologia (e do fato de que este livro leva a ideia do Cisne Negro a sua conclusão natural e prescritiva), *Antifrágil* figuraria como o volume principal, e *A lógica do Cisne Negro*, uma espécie de backup, teórico, talvez até mesmo seu apêndice primário. Por quê? Porque *A lógica do Cisne Negro* (e seu antecessor, *Iludidos pelo acaso*) foram escritos para nos convencer de uma situação catastrófica e foram categóricos nisso; este aqui parte da posição de que não é preciso convencer ninguém de que (a) os Cisnes Negros dominam a sociedade e a história (e as pessoas, por causa da racionalização posterior ao fato, julgam-se capazes de compreendê-los); (b) como consequência, não sabemos exatamente o que está acontecendo, em especial sob severas não linearidades; assim, podemos partir de imediato para as questões práticas.

Sem coragem, sem crença

Em conformidade com o ethos do profissional com atuação prática, a regra neste livro é a seguinte: eu como a minha própria comida.

Em cada linha que redigi ao longo da minha vida profissional, só escrevi sobre coisas que fiz, e os riscos que recomendei que outras pessoas corressem ou evitassem foram os que eu mesmo corri ou evitei. Se eu estiver errado, serei o primeiro a sofrer as consequências. Quando, em *A lógica do Cisne Negro*, alertei sobre a fragilidade do sistema bancário, estava apostando em seu colapso (particularmente quando minha mensagem foi ignorada); caso contrário, a meu ver não teria sido ético escrever a respeito disso. Essa restrição pessoal aplica-se a todos os domínios, incluindo a medicina, a inovação tecnológica e as coisas simples da vida. Isso não quer dizer que experiências pessoais de um indivíduo constituam uma amostra suficiente para fornecer uma conclusão acerca de uma ideia; significa apenas que a experiência pessoal de um indivíduo confere o carimbo de autenticidade e de sinceridade de opinião. A experiência é desprovida da seleção a dedo que encontramos nos estudos, especialmente aqueles chamados de "observacionais", nos quais o pesquisador encontra antigos padrões e, graças à imensa quantidade de dados, é capaz de cair na armadilha de uma narrativa inventada.

Ademais, quando escrevo, sinto-me corrupto e antiético se tiver de pesquisar um assunto em uma biblioteca como parte do ato de escrever. Isso age como um filtro — é o único filtro. Se o tema não for interessante o suficiente para que eu o procure de forma *independente*, por minha própria curiosidade ou para meus propósitos, e se eu não tiver feito isso antes, então eu jamais deveria escrever a respeito dele, ponto-final. Isso não quer dizer que as bibliotecas (físicas e virtuais) não sejam legítimas; significa que elas não devem ser a *fonte* de nenhuma ideia. Estudantes pagam para escrever artigos sobre temas dos quais têm de extrair conhecimento de uma biblioteca como um exercício de autoaprimoramento; um profissional que é remunerado para escrever e é levado a sério por outros deveria usar um filtro mais potente. Apenas ideias destiladas, aquelas que estão inculcadas em nós há muito tempo, são aceitáveis — e aquelas que vêm da vida real.

É hora de trazer à tona a não muito conhecida noção filosófica de *comprometimento doxástico*, uma classe de crenças que vai além do falatório, e com a qual estamos suficientemente comprometidos para correr riscos pessoais.

Se você vir alguma coisa

A modernidade substituiu a ética pelo juridiquês, e, com um bom advogado, a lei pode ser fraudulentamente manipulada.

Então, demonstrarei a transferência de fragilidade, aliás, o roubo de antifragilidade, por parte de pessoas que "arbitram" o sistema. Essas pessoas serão chamadas pelo nome. Poetas e pintores estão livres, *liberi poetae et pictores*, e essa liberdade acarreta rigorosos imperativos morais. Primeira regra ética:

Se você testemunhar uma fraude e não denunciá-la, você é uma fraude.

Assim como ser agradável com quem é arrogante não é melhor do que ser arrogante com quem é agradável, ser leniente com qualquer pessoa que comete uma ação nefasta é compactuar com ela.

Além disso, em âmbito privado, digamos, depois de meia garrafa de vinho, muitos escritores e acadêmicos falam de modo diferente do que fazem no texto impresso. Sua escrita é comprovadamente falsa, falsa. E muitos problemas da sociedade resultam do argumento de que "outras pessoas estão fazendo isso".

Assim, se na esfera privada, depois do terceiro copo de vinho (branco) libanês, eu chamo alguém de fragilista perigoso e eticamente questionável, me vejo na obrigação de fazê-lo aqui.

Chamar por escrito pessoas e instituições de fraudulentas quando ninguém mais as chamou disso (ainda) tem um custo, mesmo que seja pequeno demais para ser um entrave. Depois que Benoît Mandelbrot leu as provas tipográficas de *A lógica do Cisne Negro*, um livro dedicado a ele, o cientista matemático me ligou e, sem alarde, perguntou: "Em que idioma devo lhe dizer 'boa sorte'?". No fim ficou claro que eu não precisava de sorte; eu estava antifrágil para todo tipo de ataque: quanto mais ataques a Delegação Central de Fragilistas desferia contra mim, mais minha mensagem se propagava, à medida que levava as pessoas a examinar meus argumentos. Hoje me envergonho de não ter ido ainda mais longe para pôr os pingos nos is.

Aquiescer é compactuar. O único dito moderno que sigo é um de George Santayana: *Um homem é moralmente livre quando* [...] *julga o mundo, e julga outros homens, com sinceridade intransigente.* Isso não é apenas uma meta, mas uma obrigação.

Desfossilizando as coisas

Segunda regra ética.

Sou obrigado a me submeter ao processo científico, simplesmente porque exijo isso dos outros, mas não mais do que isso. Quando leio afirmações empíricas na medicina ou em outras ciências, gosto que essas reivindicações passem pelo mecanismo de revisão por pares, uma espécie de verificação factual, uma avaliação do rigor do enfoque. Declarações lógicas, ou aquelas corroboradas pelo raciocínio matemático, por outro lado, não necessitam desse mecanismo: elas podem e devem sustentar-se sobre suas próprias pernas. Então, publico notas de rodapé técnicas para esses livros em veículos especializados e acadêmicos, e nada mais do que isso (e as limito a declarações que demandem provas ou argumentos técnicos mais elaborados). Porém, em nome da autenticidade, e para evitar o carreirismo (a degradação do conhecimento ao transformá-lo em um esporte), proíbo a mim mesmo de publicar qualquer coisa além dessas notas de rodapé.

Depois de mais de vinte anos trabalhando como *trader* e homem de negócios no que chamei de "profissão estranha", fui atrás da chamada carreira acadêmica. E tenho algo para contar — na verdade, esse foi o catalisador por trás da ideia de antifragilidade na vida e a dicotomia entre o *natural* e a alienação do *antinatural*. O comércio e as transações financeiras são divertidos, empolgantes, animados e naturais; o mundo acadêmico, em sua atual versão profissionalizada, não é nada disso. E, para aqueles que pensam que o ambiente acadêmico é mais "sossegado" e uma transição emocionalmente relaxante após a volátil vida do mundo corporativo e da exposição a riscos, uma surpresa: quando acionados, novos problemas e sustos surgem todo dia para substituir e eliminar as dores de cabeça, ressentimentos e conflitos do dia anterior. Um prego desaloja outro prego, com espantosa variedade. Porém, os acadêmicos (notadamente nas ciências sociais) parecem desconfiar uns dos outros; vivem de obsessões mesquinhas, invejas e ódios ferrenhos, com pequenas desfeitas convertendo-se em rancores, fossilizados ao longo do tempo na solidão do embate com uma tela de computador e a imutabilidade de seu ambiente. Sem mencionar uma dose de inveja que eu quase nunca encontrei no mundo dos negócios... minha experiência é que o dinheiro e as transações purificam as relações; ideias e questões abstratas como "reconhecimento" e "crédito" as deformam, criando uma atmosfera de rivalidade perpétua. Passei a considerar repugnantes, repulsivas e indignas de confiança as pessoas ávidas por qualificações.

O comércio, os negócios, os *souks* levantinos (mas não os mercados e as empresas de larga escala) são atividades e lugares que revelam o melhor das pessoas e fazem com que elas sejam, na maioria, tolerantes, honestas, carinhosas, confiáveis e de mente aberta. Como membro da minoria cristã do Oriente Médio, posso atestar que o comércio, principalmente o pequeno comércio, é a porta para a tolerância — a única porta, em minha opinião, para qualquer forma de tolerância. Ganha de lavada das racionalizações e das palestras. Assim como nas experimentações e nos improvisos antifrágeis, os erros são pequenos e rapidamente esquecidos.

Quero ser feliz por ser humano e estar em um ambiente em que as outras pessoas amam o que fazem — e nunca, até meu encontro com o mundo acadêmico, havia pensado que esse ambiente era certa forma de comércio (combinado com uma solitária erudição). O biólogo-escritor e economista libertário Matt Ridley me fez sentir que, na verdade, o comerciante fenício (ou, mais exatamente, o cananeu) que existe em mim é que era o intelectual.*

V. ORGANIZAÇÃO

Antifrágil é composto de sete livros e uma seção de notas.

Por que "livros"? A reação instintiva da maioria das pessoas ao ler meus capítulos sobre ética e *via negativa*, que apresentei separadamente, foi a de que cada um deveria ser um livro avulso, e publicado como um ensaio curto ou de média extensão. Alguém cujo trabalho é "resumir" livros teria que escrever quatro ou cinco sinopses diferentes. Porém, percebi que eles não eram ensaios autônomos; cada um deles lida com as aplicações de uma ideia central, aprofundando ou investigando diferentes territórios: evolução, política, inovação nos negócios, descobertas científicas, economia, ética, epistemologia e filosofia geral. Por isso eu os chamo de livros, em vez de seções ou partes. Livros, para mim, não são artigos científicos estendidos, mas experiências de leitura; e os acadêmicos, que tendem a ler apenas para citar trechos em seus próprios textos — em vez de ler por prazer, curiosidade ou simplesmente porque gostam de ler —, costumam ficar frustrados quando não conseguem dar uma olhada superficial em um texto e resumi-lo em uma única frase que o conecte a algum discurso existente no qual estiveram envolvidos. Além disso, o ensaio é o extremo oposto do livro-texto — mesclando reflexões autobiográficas e parábolas com investigações mais filosóficas e científicas. Escrevo sobre probabilidade com

* Mais uma vez, por favor, não, *nãoéresiliência*. Estou acostumado a lidar, no fim de uma palestra, com a pergunta "Então qual é a diferença entre robusto e antifrágil?", ou a menos esclarecida e ainda mais irritante "Antifrágil é resiliente, não é?". A reação à minha resposta é geralmente "Ah", com a expressão no rosto de "Por que você não disse isso antes?" (claro que eu já havia dito isso antes). Até mesmo o parecerista inicial do artigo científico que escrevi sobre definir e detectar a antifragilidade não entendeu patavina, fundindo antifragilidade e robustez — e esse foi o cientista que analisou detidamente minhas definições. Vale a pena reexplicar o seguinte: o robusto ou resiliente não é prejudicado nem auxiliado pela volatilidade e pela desordem, enquanto o antifrágil se beneficia com elas. Mas é necessário algum esforço para que o conceito seja assimilado. Muitas coisas que as pessoas chamam de robustas ou resilientes são apenas robustas ou resilientes, a outra metade é antifrágil.

toda a minha alma e toda a minha experiência no ramo da exposição a riscos; escrevo com minhas cicatrizes, por isso meu pensamento é indissociável da autobiografia. O formato do ensaio pessoal é ideal para o tema da incerteza.

A sequência é a seguinte.

O Apêndice deste prólogo apresenta a Tríade na forma de tabela, um abrangente mapa do mundo ao longo do espectro da fragilidade.

O Livro I, *O antifrágil: uma introdução*, apresenta a nova propriedade e discute a evolução e o orgânico como o típico sistema antifrágil. Analisa também os conflitos de escolha entre a antifragilidade do coletivo e a fragilidade do indivíduo.

O Livro II, *Modernidade e a negação da antifragilidade*, descreve o que acontece quando privamos de volatilidade os sistemas — principalmente, os sistemas políticos. Trata da invenção chamada de Estado-nação, bem como da ideia do prejuízo causado por aquele que deveria curar, alguém que tenta ajudar você mas acaba por causar sérios danos.

O Livro III, *Uma visão de mundo não preditiva*, apresenta Tony Gordo e sua detecção intuitiva da fragilidade, e mostra a assimetria fundamental das coisas, ancorada nos escritos de Sêneca, o filósofo e fazedor romano.

O Livro IV, *Opcionalidade, tecnologia e a inteligência da antifragilidade*, apresenta a misteriosa qualidade inerente do mundo, segundo a qual há certa assimetria por trás das coisas, em vez da "inteligência" humana, e como a opcionalidade nos trouxe até aqui. Isso se opõe ao que chamo de método soviético de Harvard. E Tony Gordo debate com Sócrates sobre como fazemos coisas que ninguém consegue explicar direito.

O Livro V, *O não linear e o não linear* [sic], trata da pedra filosofal e seu oposto: como transformar chumbo em ouro e ouro em chumbo. Dois capítulos constituem a seção técnica principal — o encanamento do livro —, mapeando a fragilidade (como não linearidade e, mais especificamente, efeitos de convexidade) e mostrando a margem de superioridade que surge a partir de certo tipo de estratégias convexas.

O Livro VI, *Via negativa*, mostra a sabedoria e a eficácia da subtração sobre a adição (atos de omissão sobre atos de comissão). Essa seção introduz a noção de efeitos de convexidade. Por motivos óbvios, a primeira aplicação é na medicina. Analiso a medicina apenas de um enfoque epistemológico, de gerenciamento de riscos — perspectiva da qual ela parece diferente.

O Livro VII, *A ética da fragilidade e da antifragilidade*, estabelece a ética nas transferências de fragilidade, com uma parte recebendo os benefícios e a outra arcando com os prejuízos, e aponta problemas oriundos da ausência do fator "arriscar a própria pele".

O fim do livro consiste em gráficos, notas e um apêndice técnico.

O livro é escrito em três níveis.

Primeiro, o literário e filosófico, com parábolas e ilustrações, mas uma quantidade mínima, talvez nenhuma, de argumentos técnicos, exceto no Livro V (a pedra filosofal), que apresenta os argumentos da convexidade. (O leitor mais esclarecido é convidado a pular o Livro V, uma vez que as ideias estão refinadas em outras partes.)

Segundo, o apêndice, com gráficos e uma discussão mais técnica, mas sem derivações minuciosas.

Terceiro, o material de apoio, com argumentos mais detalhados, tudo na forma de artigos técnicos e notas (não confunda minhas ilustrações e parábolas com provas; lembre-se: um ensaio pessoal não é um documento científico, mas um documento científico é um documento científico).

APÊNDICE: A TRÍADE, OU UM MAPA DO MUNDO E COISAS AO LONGO DAS TRÊS PROPRIEDADES

Agora, nosso objetivo — depois de algum trabalho — é conectar na mente do leitor, em um único encadeamento, elementos aparentemente distantes, como Catão, o Velho, Nietzsche, Tales de Mileto, a força do sistema de cidades-estados, a sustentabilidade dos artesãos, o processo de criação, a unilateralidade da opacidade, derivativos financeiros, a resistência aos antibióticos, os sistemas de baixo para cima, o convite de Sócrates para a super-racionalização, como ensinar os pássaros, o amor obsessivo, a evolução darwiniana, o conceito matemático da desigualdade de Jensen, a opcionalidade e a teoria das opções, a ideia de heurísticas ancestrais, as obras de Joseph de Maistre e Edmund Burke, o antirracionalismo de Wittgenstein, as fraudulentas teorias do establishment da economia, experimentações e bricolagem, o terrorismo instigado pela morte de seus membros, uma apologia às sociedades artesanais, as falhas éticas da classe média, os treinos físicos (e a nutrição) ao estilo Paleolítico, a ideia de iatrogenia médica, a gloriosa noção do magnífico (*megalopsychon*), minha obsessão pela ideia de convexidade (e minha fobia da concavidade), a crise bancária e econômica do fim dos anos 2000, a incompreensão da redundância, a diferença entre turista e flanador etc. Tudo em um único — e simples — encadeamento.

Como? Podemos começar observando de que modo as coisas — praticamente qualquer coisa que importa — podem ser mapeadas ou classificadas em três categorias, que eu chamo de Tríade.

As coisas vêm em trios

No prólogo, vimos que a ideia é enfocar a fragilidade, em vez de prever e calcular probabilidades futuras, e que fragilidade e antifragilidade aparecem em um espectro de graus variados. A tarefa aqui é construir um mapa de exposições. (Isso é chamado de "solução do mundo real", embora apenas acadêmicos e outros operadores do mundo não real usem a expressão "solução do mundo real", em vez de simplesmente "solução".)

A Tríade classifica os itens em três colunas, sob a designação:

FRÁGIL ROBUSTO ANTIFRÁGIL

Lembre-se de que o frágil busca a tranquilidade, o antifrágil cresce na desordem, e o robusto não se importa muito. O leitor é convidado a percorrer a Tríade para ver como as ideias do livro se aplicam a todos os domínios. Ao se discutir um item ou uma diretriz política de determinado assunto, a tarefa é simplesmente descobrir em que categoria da Tríade o item deveria ser colocado e o que fazer para melhorar sua condição. Por exemplo: o Estado-nação centralizado está na extrema esquerda da Tríade, inequivocamente na categoria frágil, e um sistema descentralizado de cidades-estados na extrema direita, na categoria antifrágil. Entendendo as características desta última, podemos nos afastar da indesejada fragilidade do Estado grande. Ou vejamos o caso dos erros. À esquerda, na categoria frágil, os erros são raros e grandes quando ocorrem, e, portanto, irreversíveis; à direita, os erros são pequenos e benignos, e até mesmo reversíveis e superados com facilidade. Eles também são abundantes em informações. Assim, determinado sistema de experimentações e de tentativa e erro teria as propriedades da antifragilidade. Se você quer se tornar antifrágil, coloque-se na situação de "adora erros" — à direita de "odeia erros" —, tornando os erros numerosos e pequenos em relação ao dano potencial. Vamos chamar esse processo e enfoque de estratégia *barbell*.

Ou analisemos a categoria da saúde. O acréscimo está à esquerda; a eliminação, à direita. *Eliminar* a medicação ou algum outro estressor antinatural — por exemplo, glúten, frutose, tranquilizantes, esmalte de unhas ou alguma substância similar — por tentativa e erro é mais robusto do que *acrescentar* medicamentos, com efeitos colaterais desconhecidos, apesar das afirmações sobre "evidências" e evidências fajutas.

Como o leitor pode perceber, o mapa se alastra sem inibição por todos os domínios e atividades humanos, como cultura, saúde, biologia, sistemas políticos, tecnologia, organização urbana, vida socioeconômica e outras questões que podem afetar diretamente o leitor. Consegui até mesmo achar uma maneira de fundir tomada de decisões com flanador. Assim, um método simples nos levaria tanto à filosofia política baseada no risco quanto à tomada de decisões na medicina.

A Tríade em ação

Note que, aqui, frágil e antifrágil são termos relativos, não exatamente propriedades absolutas: um item à direita da Tríade é mais antifrágil do que outro à esquerda. Por exemplo, artesãos são mais antifrágeis do que pequenas empresas, mas um astro do rock será mais antifrágil do que qualquer artesão. As dívidas sempre colocam a pessoa à esquerda, fragilizam os sistemas econômicos. E as coisas são antifrágeis até certo nível de estresse. O corpo de um indivíduo se beneficia com determinada quantidade de maus-tratos, mas apenas até certo ponto — ser atirado do topo da Torre de Babel não resultaria em algo muito bom.

O robusto de ouro: além disso, o *robusto* na coluna do meio não é equivalente ao "equilíbrio de ouro" de Aristóteles (muitas vezes erroneamente chamado de "meio-termo de ouro"), no sentido de que, por exemplo, a generosidade é o ponto intermediário entre o esbanjamento e a mesquinhez — pode ser, mas não é necessariamente. A antifragilidade é em geral desejável, mas não sempre, pois há casos em que a antifragilidade é dispendiosa, extremamente dispensiosa. Ademais, é difícil considerar a robustez sempre desejável – para citar Nietzsche, pode-se morrer por ser imortal.

Enfim, a essa altura o leitor, engalfinhando-se com uma palavra nova, talvez exija muito dela. Se a designação *antifrágil* é muito vaga e limitada a fontes específicas de danos ou volatilidade, e a certa gama de exposição, com a designação *frágil* acontece exatamente a mesma coisa. A antifragilidade é relativa a determinada situação. Um boxeador pode ser robusto, vigoroso no que diz respeito a sua condição física, e pode se aprimorar de luta em luta, mas pode muito bem ser emotivo e sensível e se desfazer em lágrimas caso leve um fora da namorada. A avó do leitor pode ter qualidades opostas, uma compleição frágil, mas dona de uma forte personalidade. Ainda tenho muito nítida em minha memória a seguinte imagem da guerra civil libanesa: uma velhinha diminuta, viúva (ela vestia roupas pretas), repreendendo os milicianos do lado inimigo por terem quebrado os vidros de sua janela durante uma batalha. Os homens estavam apontando armas para ela; uma única bala a teria exterminado, mas eles estavam, visivelmente, passando por maus bocados, intimidados e com medo dela. Ela era o oposto do boxeador: fisicamente frágil, mas não em caráter.

Agora, a Tríade.

TABELA 1 • A TRÍADE CENTRAL: TRÊS TIPOS DE EXPOSIÇÃO

	FRÁGIL	ROBUSTO	ANTIFRÁGIL
Mitologa — grega	espada de Dâmocles, pedra de Tântalo	Fênix	Hidra
Mitologia — Nova York e Brooklyn	Dr. John	Nero Tulipa	Tony Gordo, Ievguênia Krásnova*
Cisne Negro	exposto a Cisnes Negros negativos		exposto a Cisnes Negros positivos
Empresas	Nova York: sistema bancário		Vale do Silício, "fracasse rápido", "seja tolo"
Sistemas econômicos e biológicos	eficiência, otimizada	redundância	degeneração (redundância funcional)
Erros	odeia erros	erros são apenas informação	adora erros (já que são pequenos)
Erros	irreversíveis, grandes (mas raros), explosões		gera erros pequenos, reversíveis
Ciência / tecnologia	pesquisa dirigida	pesquisa oportunista	experimentações estocásticas (experimentação antifrágil ou bricolagem)
Dicotomia evento-exposição	estuda eventos, mensura seus riscos, propriedades estatísticas dos eventos	estuda a exposição a eventos, propriedades estatísticas das exposições	modifica a exposição a eventos
Ciência	teoria	fenomenologia	heurísticas, artifícios práticos
Corpo humano	amolecimento, atrofia, "envelhecimento", sarcopenia	mitridatização, recuperação	hormese, hipertrofia
Maneiras de pensar	modernidade	Europa medieval	Mediterrâneo antigo
Relações humanas	amizade	parentesco	atração

* Dr. John, Nero Tulipa, Tony Gordo, Ievguênia Krásnova são personagens de *A lógica do Cisne Negro*. Nero Tulipa também é personagem de *Iludidos pelo acaso*.

	FRÁGIL	ROBUSTO	ANTIFRÁGIL
Cultura antiga (Nietzsche)	apolíneo	dionisíaco	mistura equilibrada de apolíneo e dionisíaco
Ética	os fracos	os magníficos	os fortes
Ética	sistema em que não se arrisca a própria pele	sistema em que se arrisca a própria pele	sistema em que se coloca a alma em jogo
Regulamentação	regras	princípios	virtude
Sistemas	fontes concentradas de aleatoriedade		fontes distribuídas de aleatoriedade
Matemática (funcional)	côncavo não linear, ou côncavo-convexo	linear, ou convexo-côncavo	convexo não linear
Matemática (probabilidade)	enviesado à esquerda (ou distorção negativa)	baixa volatilidade	enviesado à direita (ou distorção positiva)
Trading de opções	venda de volatilidade, *gamma*, *vega*	volatilidade uniforme	compra de volatilidade, "*gamma*", "*vega*"
Conhecimento	explícito	tácito	tácito com convexidade
Epistemologia	verdadeiro-falso		otário-não otário
Vida e pensamento	turista, pessoal e intelectual		flanador, com uma imensa biblioteca pessoal
Dependência financeira	funcionário de corporações, classe tantalizada	dentista, dermatologista, trabalhador de nicho, trabalhador que recebe salário mínimo	taxista, artesão, prostituta, f** dinheiro
Aprendizagem	sala de aula	vida real, *pathemata mathemata*	vida real e biblioteca
Sistemas políticos	Estado-nação; centralizado		conjunto de cidades-estados; descentralizado
Sistemas sociais	ideologia		mitologia
	modernos assentamentos pós-agrícolas		tribos caçadoras--coletoras nômades
Conhecimento	mundo acadêmico	expertise	erudição
Ciência	teoria	fenomenologia	fenomenologia baseada em evidências

	FRÁGIL	ROBUSTO	ANTIFRÁGIL
Bem-estar psicológico	estresse pós-traumático		crescimento pós-traumático
Tomada de decisões	tomada de decisões probabilística baseada em modelo	tomada de decisões baseada em heurística	heurística convexa
Pensadores	Platão, Aristóteles, Averróis	primeiros estoicos, Menódoto de Nicomédia, Popper, Burke, Wittgenstein, John Gray	romanos estoicos, Nietzsche, Nietzsche talvez Hegel (contradição), Jaspers
Vida econômica	seitas de econofastros	antropólogos	religião
Vida econômica (efeitos na vida econômica)	burocratas		empreendedores
Reputação (profissão)	acadêmico, executivo corporativo, papa, bispo, político	funcionário dos correios, caminhoneiro, maquinista	artista, escritor
Reputação (classe)	classe média	pessoas que ganham salário mínimo	boêmios, aristocracia, dinheiro antigo
Medicina	*via positiva* tratamento aditivo (dar medicação)		*via negativa* tratamento subtrativo (eliminar itens do consumo — por exemplo, cigarros, carboidratos etc.)
Filosofia / ciência	racionalismo	empirismo	empirismo cético, subtrativo
	separável		holístico
Vida econômica		negócio familiar	
Finanças	vender opção		comprar opção
Conhecimento	ciência positiva	ciência negativa	arte
Estresse	estressores crônicos		estressores agudos, com recuperação
Tomada de decisão	atos comissivos		atos omissivos ("oportunidade perdida")

	FRÁGIL	ROBUSTO	ANTIFRÁGIL
Literatura	*e-reader*	livro impresso	tradição oral
Negócios	indústria	microempresa	artesão
Comida	empresas alimentícias		restaurantes
Finanças	dívida	capital acionário	capital de risco
Finanças	dívida pública	dívida pública sem socorro financeiro	debêntures conversíveis
Geral	grande	pequeno, mas especializado	pequeno, mas não especializado
Geral	monomodal		*barbell*
Exposição a riscos	Markowitz	critério de Kelly	critério de Kelly usando apostas finitas
Sistema legal	*statutory law*, código legal		*common law*, equidade
Regulamentação	código de regulamentação		regulamentação de heurísticas
Finanças	bancos, fundos de *hedge* geridos por econofastros	fundos de *hedge* (alguns)	fundos de *hedge* (alguns)
Negócios	problema de agência		regido pelo principal
Ruído-sinal	apenas sinal		ressonância estocástica, têmpera simulada
Erro do modelo	côncavo a erros		convexo a erros
Educação	mãe-helicóptero	vida nas ruas	*barbell*: biblioteca dos pais, brigas de rua
Treinamento físico	esportes organizados, aparelhos de academias		brigas de rua
Urbanismo	Robert Moses, Le Corbusier		Jane Jacobs

Livro I

O antifrágil: uma introdução

Os dois primeiros capítulos apresentam e ilustram a antifragilidade. O capítulo 3 introduz uma distinção entre o orgânico e o mecânico, por exemplo, entre seu gato e uma máquina de lavar roupa. O capítulo 4 trata de como a antifragilidade de alguns é consequência da fragilidade de outros, de como os erros beneficiam alguns indivíduos, mas não outros — o tipo de coisa que as pessoas tendem a chamar de evolução e sobre o qual escrevem um bocado.

1. Entre Dâmocles e Hidra

Por favor, cortem minha cabeça — Como, por algum tipo de mágica, as cores se tornam cores — Como malhar em Dubai

METADE DA VIDA NÃO TEM NOME

Você está numa agência dos correios para enviar um presente, um pacote repleto de taças de champanhe, a um primo que mora na Sibéria. Como o pacote pode ser danificado durante o transporte, você estampa nele (em tinta vermelha) "frágil", "quebrável" ou "manusear com cuidado". Ora, qual é o oposto exato dessa situação, o oposto exato de "frágil"?

Quase todo mundo responde que o oposto de frágil é "robusto", "resiliente", "sólido" ou algo do tipo. Mas o resiliente, o robusto (e companhia) são itens que não se quebram nem se aprimoram, portanto você não precisaria escrever nada neles — você já viu algum pacote com a palavra "robusto" estampada em letras verdes garrafais? É lógico que o oposto exato de uma embalagem "frágil" seria um pacote no qual estivesse escrito "por favor, manuseie mal" ou "por favor, manuseie sem o menor cuidado". Seu conteúdo não seria apenas inquebrável, mas se beneficiaria dos impactos e de uma ampla gama de golpes. O frágil é o pacote que, *na melhor das hipóteses*, sairia ileso, o robusto sairia, *na melhor* e *na pior das hipóteses*, ileso. E o oposto de frágil é, portanto, o que sai, *na pior das hipóteses*, incólume.

Damos a esse pacote a designação "antifrágil"; foi necessário usar um neologismo porque no *Dicionário Oxford da língua inglesa* não há nenhuma palavra, simples ou composta, que expresse a condição da fragilidade reversa. Pois a ideia de antifragilidade não faz parte da nossa consciência — mas, felizmente, faz parte do nosso comportamento ancestral, do nosso aparato biológico, e é uma característica onipresente de qualquer sistema que tenha sobrevivido.

FIGURA 1. Um pacote implorando por estressores e desordem. Crédito: Giotto Enterprise e George Nasr.

Para perceber o quão estranho é o conceito para nossa mente, repita a experiência e saia perguntando a todo mundo, na próxima reunião, piquenique ou assembleia pré-manifestação, qual é o antônimo de frágil (e deixe bem claro, com insistência, que você está se referindo a *exatamente o contrário*, algo que tem propriedades e compensações opostas). As prováveis respostas serão, além de robusto: inquebrável, sólido, firme, resiliente, forte, à prova de alguma coisa (por exemplo, à prova d'água, à prova de vento, à prova de ferrugem) — a menos que as pessoas tenham ouvido falar deste livro. Errado — e não são apenas os indivíduos que ficam confusos com o conceito, fontes de conhecimento também; trata-se de um erro cometido por todos os dicionários de sinônimos e antônimos que encontrei.

Outra maneira de entender: uma vez que o contrário de *positivo* é *negativo*, e não *neutro*, o oposto da fragilidade positiva deveria ser fragilidade negativa (daí minha denominação "antifragilidade"), e não neutra, que apenas transmitiria a ideia de robustez, força e inquebrantabilidade. De fato, quando se pensa em termos matemáticos, antifragilidade é a fragilidade com um sinal negativo na frente.*

Esse ponto cego parece ser universal. Não existe uma palavra para "antifragilidade" nas principais línguas conhecidas, modernas, antigas, coloquiais ou giriescas. Nem mesmo o russo (a versão soviética) ou o inglês-padrão do Brooklyn têm uma designação para antifragilidade, confundindo-a com robustez.**

Para metade da vida — a metade interessante da vida — não temos um nome.

POR FAVOR, ME DECAPITEM

Se não temos um nome comum para antifragilidade, podemos encontrar uma equivalência mitológica, a expressão de inteligência histórica por meio de metáforas contundentes. Em uma versão do mito grego reciclado pelos romanos, o tirano siciliano Dionísio II faz com que o cortesão bajulador Dâmocles desfrute do luxo de um requintado banquete, mas com uma espada pendurada sobre sua cabeça, amarrada ao teto com um único fio da crina de um cavalo. Um pelo do rabo de um cavalo é o tipo de coisa que mais cedo ou mais tarde se rompe sob pressão, seguindo-se uma cena sangrenta, gritos estridentes e o equivalente ancestral das ambulâncias. Dâmocles é frágil — é só uma questão de tempo até que a espada o atinja.

Em outra lenda antiga — dessa vez, a reciclagem grega de uma remota lenda semita e egípcia —, temos Fênix, o pássaro com cores esplêndidas. Toda vez que é destruída, a ave renasce das próprias cinzas e sempre volta a seu estado inicial. A Fênix vem a ser o antigo símbolo de Beirute, a cidade onde cresci. Segundo a lenda, Berytus (o nome histórico de Beirute) foi destruída sete vezes em seus quase 5 mil anos de história e por sete vezes ressurgiu. A

* Assim como a concavidade é a convexidade com um sinal negativo na frente e é, às vezes, chamada de anticonvexidade.

** Verifiquei, além do inglês do Brooklyn, a maioria das línguas indo-europeias, tanto os ramos antigos (latim, grego) quanto os modernos: românicas ou neolatinas (italiano, francês, espanhol, português), eslavas (russo, polonês, sérvio, croata), germânicas (alemão, holandês, africâner) e indo-iranianas (híndi, urdu, persa). O vocábulo está ausente também das famílias não indo-europeias, a exemplo das semíticas (árabe, hebraico, aramaico) e as turcomanas (turco).

história parece convincente, pois eu mesmo testemunhei o oitavo episódio; o centro de Beirute (a parte antiga da cidade) foi completamente destruído pela oitava vez no fim da minha infância, por causa da brutal guerra civil. Eu presenciei também sua oitava reconstrução.

Mas Beirute foi, em sua versão mais recente, reconstruída de forma ainda melhor do que a encarnação anterior — e com uma interessante ironia: o terremoto de 551 a.C. havia enterrado a escola romana de direito, que foi descoberta, como um bônus histórico, durante a reconstrução (com arqueólogos e construtoras trocando insultos públicos). Isso não é a Fênix, mas algo além do robusto. O que nos leva à terceira metáfora mitológica: a Hidra.

A Hidra, na mitologia grega, é uma criatura similar a uma serpente que habita o lago de Lerna, perto de Argos, e tem inúmeras cabeças. Cada vez que uma delas é cortada, duas crescem no lugar. Dessa forma, é do dano que ela gosta. A Hidra representa a antifragilidade.

A espada de Dâmocles representa o efeito colateral do poder e do sucesso: ninguém pode ascender ao poder e governar sem enfrentar esse perigo contínuo — sempre terá alguém trabalhando com afinco para derrubar a pessoa. E, tal qual a espada, o perigo será silencioso, inexorável e descontínuo. Ele virá abruptamente após longos períodos de calmaria, talvez no exato momento em que a pessoa já esteja acostumada com ele e tenha se esquecido de sua existência. Os Cisnes Negros estarão lá para atingi-la, pois agora ela tem muito mais a perder, um preço a pagar pelo sucesso (e crescimento), talvez uma inevitável penalidade pelo êxito em demasia. No fim, o que importa é a força do fio — não o luxo e a pompa do banquete. Mas, felizmente, essa é uma vulnerabilidade identificável, mensurável e manejável, para aqueles dispostos a prestar atenção. Todo o propósito da Tríade é que, em muitas situações, podemos medir a força do fio.

Além disso, reflitamos sobre o quanto esse crescimento-seguido-por-uma--queda pode ser nocivo para a sociedade, já que a derrocada do convidado do banquete, em resposta à queda da espada de Dâmocles, ensejará o que hoje chamamos de danos colaterais, prejudicando outras pessoas. Por exemplo, o colapso de uma grande instituição terá efeitos sobre a sociedade.

A sofisticação, certa variedade dela, também traz fragilidade para os Cisnes Negros: à medida que as sociedades ganham em complexidade, com uma sofisticação mais abundante e mais "vanguardista" e especialização cada vez maior, elas se tornam mais e mais vulneráveis ao colapso. Essa ideia foi esboçada de maneira brilhante — e convincente — pelo arqueólogo Joseph Tainter. No entanto, não precisa ser assim: é dessa forma apenas para aqueles que não estão dispostos a fazer um esforço adicional para ir além e compreender a matriz da realidade. Para contrabalançar o sucesso, você precisa de uma elevada dose de compensação de robustez e até mesmo de altas doses de antifragilidade. Você quer ser a Fênix ou, talvez, a Hidra. Caso contrário, a espada de Dâmocles cairá sobre a sua cabeça.

Sobre a necessidade de nomear

Sabemos mais do que pensamos saber, muito mais do que somos capazes de articular. Se nossos sistemas formais de pensamento depreciam o natural, e, de fato, não temos um nome para a antifragilidade, e combatemos o conceito sempre que usamos nosso cérebro, isso não significa que nossas ações o negligenciam. Nossas percepções e intuições, conforme expressas em ações, podem ser superiores ao que conhecemos e computamos, discutimos na forma de palavras e ensinamos em uma sala de aula. Discutiremos muito sobre o tema, em particular com a forte noção do apofático (o que não pode ser dito explicitamente, ou descrito de forma direta, em nosso vocabulário atual); então, por enquanto, tenha em mente este curioso fenômeno.

Em *Through the Language Glass* [Através do espelho da linguagem], o linguista Guy Deutscher relata que muitas populações primitivas (sem ser daltônicas) têm designações verbais para apenas duas ou três cores. Mas, quando submetidas a um teste simples, conseguem combinar com êxito sequências de caracteres, símbolos ou palavras com suas cores correspondentes. São capazes de detectar as diferenças entre as diversas nuances do arco-íris, mas não expressam isso em seu vocabulário. Essas populações são culturalmente, embora não biologicamente, daltônicas.

Assim como somos, em termos intelectuais mas não orgânicos, cegos à antifragilidade. Para ver a diferença, basta levar em conta que você precisa do vocábulo "azul" para a construção de uma narrativa, mas não quando toma parte de uma ação.

Não é muito conhecido o fato de que, por um longo tempo, várias cores que conhecemos tão bem não tiveram nome, e não eram nomeadas nos textos fundamentais da cultura ocidental. Textos mediterrâneos antigos, tanto gregos quanto semíticos, também tinham um vocabulário reduzido de cores, polarizadas em torno da escuridão e da luz – Homero e seus contemporâneos estavam limitados a cerca de três ou quatro cores principais: preto, branco e alguma parte indeterminada do arco-íris, muitas vezes classificada como vermelho ou amarelo.

Entrei em contato com Guy Deutscher. Ele foi extremamente generoso em sua ajuda e salientou que os antigos careciam de palavras até mesmo para algo tão elementar quanto o azul. Essa ausência da palavra "azul" no grego antigo explica a recorrente referência de Homero ao "mar de vinho escuro" (*oinopa ponton*), que muito tem intrigado seus leitores (incluindo este que vos fala).

Curiosamente, o primeiro-ministro britânico William Gladstone foi o primeiro a fazer essa descoberta, na década de 1850 (recebendo por isso insultos injustos e levianos dos jornalistas de sempre). Gladstone, um formidável erudito, escreveu, durante seu interregno entre cargos políticos, um impressionante tratado de 1700 páginas sobre Homero. Na última seção, Gladstone comentou sobre essa limitação no vocabulário de cores, atribuindo nossa sensibilidade moderna a muitas mais nuances de cor ao treinamento intergeracional do olho. Contudo, apesar dessas variações de cor na cultura da época, as pessoas demonstravam ser capazes de identificar as nuances – a menos que fossem fisicamente daltônicas.

Gladstone era impressionante em muitos aspectos. Além de sua erudição, força de caráter, respeito pelos humildes e extremo vigor, quatro atributos muito atraentes (respeito pelos humildes sendo, depois da coragem intelectual, a segunda qualidade mais atraente para este autor), ele mostrou notável presciência. Gladstone entendeu o que poucos em sua época ousaram propor: que a *Ilíada* corresponde a uma história verdadeira (a cidade de Troia ainda não havia sido descoberta). Além disso, fato ainda mais presciente e de grande relevância para este livro, ele insistia em um orçamento fiscal equilibrado: os déficits fiscais provaram ser uma das principais fontes de fragilidade nos sistemas sociais e econômicos.

PROTOANTIFRAGILIDADE

Dois conceitos iniciais da antifragilidade já foram denominados de algumas maneiras, com duas aplicações precursoras que abarcam alguns casos especiais dela. Trata-se de aspectos amenos da antifragilidade e limitados ao campo da medicina. Mas são um bom ponto de partida.

Segundo a lenda, Mitrídates IV, rei de Ponto, na Ásia Menor, ao se esconder depois do assassinato de seu pai, conseguiu uma proteção contra envenenamento ao ingerir doses subletais de material tóxico, em quantidades cada vez maiores. Em seguida, incorporou o processo a um complicado ritual religioso. Um pouco mais tarde, porém, essa imunidade o colocou em apuros, já que sua tentativa de suicídio por envenenamento falhou, "tendo se fortificado contra as drogas alheias". Então, ele teve de solicitar os serviços de um comandante militar aliado para que o golpeasse com uma espada.

O método chamado *Antidotum Mithridatium*, celebrado por Celso, o afamado médico da Antiguidade, devia estar muito em voga em Roma, uma vez que, cerca de um século mais tarde, trouxe alguma complicação às tentativas do imperador Nero de cometer matricídio. Nero estava obcecado com a ideia de matar a mãe, Agripina, que, para tornar as coisas mais pitorescas, era irmã de Calígula (e, ainda mais pitoresco, era a suposta amante do filósofo Sêneca, sobre quem falaremos mais adiante). Mas uma mãe tende a conhecer muito bem seu filho e prever suas ações, especialmente quando é filho único – e Agripina sabia uma ou outra coisa sobre venenos, uma vez que supostamente usara o método para matar pelo menos um de seus maridos (eu avisei que as coisas eram bastante pitorescas). Então, suspeitando que Nero havia colocado a cabeça dela a prêmio, Agripina mitridatizou a si mesma contra os venenos que estariam disponíveis para os serviçais do filho. Como Mitrídates, Agripina acabou morrendo por métodos mais mecânicos, já que seu filho (supostamente) ordenou a mercenários que tirassem a vida dela, o que nos fornece, assim, a pequena porém significativa lição de que não se pode ser robusto contra tudo. E, 2 mil anos depois, ainda está para ser descoberto um método que nos "fortifique" contra espadas.

Vamos chamar de mitridatização o resultado de uma exposição a uma pequena dose de uma substância que, ao longo do tempo, torna uma pessoa imune a quantidades adicionais e maiores dessa substância. É o tipo de método usado na vacinação e nos medicamentos antialérgicos. Não é exatamente a antifragilidade, ainda é o nível mais modesto de robustez, mas estamos no caminho. E já temos um indício de que, talvez, sermos privados do veneno nos torna frágeis, e que o caminho para o robustecimento começa com um mínimo de danos.

Agora consideremos um caso em que a substância venenosa, em alguma dose, torna a pessoa melhor de maneira geral, um passo além da robustez. A hormese, palavra cunhada por farmacologistas, descreve o momento em que uma pequena dose de uma substância nociva é na verdade benéfica ao organismo, agindo como remédio. Uma pequena quantidade de uma substância que, de outra forma, seria nociva, não em excesso, age para beneficiar o organismo e torná-lo melhor de maneira geral, pois desencadeia alguma reação exagerada. Na época, isso não foi interpretado no sentido de "ganhos a partir dos danos" tanto quanto "o dano depende da dose" ou o "remédio depende da dose". O interesse dos cientistas tem sido a não linearidade da resposta à dose.

A hormese era bastante conhecida pelos antigos (e, assim como a cor azul, era conhecida, mas não expressa em palavras). Contudo, foi apenas em 1888 que recebeu sua primeira descrição "científica" (embora ainda sem uma denominação), por um toxicologista alemão, Hugo Schulz, que observou que pequenas doses de veneno estimulavam o crescimento do fermento, ao passo que doses maiores o estragavam. Alguns pesquisadores afirmam que os benefícios de legumes e verduras talvez não estejam tanto no que chamamos de "vitaminas" ou em algumas outras teorias de racionalização (isto é, ideias que parecem fazer sentido na forma de narrativa, mas que não foram submetidas a testes empíricos rigorosos), mas no seguinte: as plantas se protegem dos danos e afugentam predadores com substâncias tóxicas que, se ingeridas por nós nas quantidades certas, podem estimular nosso organismo — ou pelo menos é o que dizem. Mais uma vez, o envenenamento limitado, em pequenas doses, desencadeia benefícios saudáveis.

Muitos afirmam que a restrição calórica (permanente ou episódica) ativa reações saudáveis e mudanças que, entre outros benefícios, prolongam a expectativa de vida em animais de laboratório. Nós, humanos, vivemos tempo demais para que os pesquisadores possam testar se essa restrição aumenta nossa expectativa de vida (se a hipótese for verdadeira, então as cobaias viveriam mais tempo que os pesquisadores). Mas parece que essa restrição torna os seres humanos mais saudáveis (e talvez também melhore seu senso de humor). Mas, como a abundância traria o efeito oposto, essa restrição calórica episódica também pode ser interpretada da seguinte forma: ingerir comida em excesso regularmente faz mal para a pessoa, e privar os seres humanos do estressor da fome pode fazê-los viver menos do que seu potencial pleno; por isso, tudo que a hormese parece estar fazendo é restabelecer a dosagem natural de comida e de fome para os seres humanos. Em outras palavras, a hormese é a norma, e sua ausência é o que nos prejudica.

A hormese perdeu parte do respeito, interesse e prática científicos após a década de 1930, porque algumas pessoas a associaram, erroneamente, à homeopatia. Uma associação injusta, visto que os mecanismos são extremamente diferentes. A homeopatia se baseia em outros princípios, como o de que partículas diminutas e altamente diluídas dos agentes de uma doença (tão pequenas que são quase imperceptíveis, portanto incapazes de causar hormese) podem ajudar a nos curar de nossos males. A homeopatia deu mostras de ter pouco respaldo empírico, e, por causa de suas metodologias de teste, enquadra-se, hoje, na medicina alternativa, ao passo que a hormese, como fenômeno, tem amplas evidências científicas que a corroboram.

Mas a questão principal é que agora somos capazes de perceber que privar os sistemas de estressores, estressores vitais, não é necessariamente uma coisa boa, e pode chegar a ser muito prejudicial.

A INDEPENDÊNCIA DO DOMÍNIO É DEPENDENTE DO DOMÍNIO

Essa ideia de que os sistemas podem precisar de alguma dose de estresse e de agitação tem passado despercebida por aqueles que a detectam em uma área, e não em outras. Dessa forma, agora podemos ver também a *dependência do domínio* de nossa mente, um "domínio" sendo uma área ou categoria de atividade. Algumas pessoas podem compreender uma ideia em um domínio, por exemplo a medicina, e não conseguir reconhecê-la em outro, digamos a vida socioeconômica. Ou a apreendem na sala de aula, mas não no contexto mais complicado da vida real. De alguma forma, os seres humanos não são capazes de reconhecer as situações fora dos contextos em que geralmente aprendem sobre elas.

Vi um exemplo claro da dependência do domínio no estacionamento de um hotel na pseudocidade de Dubai. Um sujeito que parecia um banqueiro mandou um funcionário uniformizado carregar sua bagagem (sou capaz de identificar instantaneamente, com um mínimo de pistas, se alguém pertence a determinada classe de banqueiro, já que tenho alergia a esse tipo, chegando a afetar, até mesmo, minha respiração). Cerca de quinze minutos depois, vi o banqueiro levantando pesos na academia, tentando reproduzir exercícios naturais utilizando *kettlebells* russos como se estivesse balançando uma valise. A dependência do domínio é imperativa.

Além disso, o problema não é apenas que a mitridatização e a hormese podem ser conhecidas em (alguns) círculos médicos e tenham sido descartadas em outras aplicações, a exemplo da vida socioeconômica. Mesmo no âmbito da medicina, alguns a levam em conta aqui e a desconsideram acolá. O mesmo médico pode recomendar exercícios para que você "se fortaleça" e, alguns minutos depois, receitar antibióticos em resposta a uma infecção qualquer, para que você "não fique doente".

Outra expressão da dependência do domínio: pergunte a um cidadão norte-americano se alguma agência semigovernamental com uma grande margem de independência (e sem interferência do Congresso) deveria controlar o preço dos carros, dos jornais e do vinho Malbec, como se fossem seu domínio de especialidade. Ele esbravejaria de raiva, pois isso tem cara de violar todos os princípios que o país defende, e a mera sugestão o faria chamar você de espião comunista pós-soviético. Tá legal. Depois, pergunte a ele se essa mesma agência do governo deveria controlar o câmbio, principalmente a cotação do dólar em relação ao euro e ao tugrik mongol. A mesma reação: "Isto aqui não é a França", responderia ele. Em seguida, com muita delicadeza, informe-o que o Federal Reserve (FED), o Banco Central dos EUA, está empenhado em controlar e gerenciar o preço de outro bem, outro preço, chamado de taxa de cedência de liquidez, a taxa de juros da economia (e tem se mostrado eficiente nisso). Ron Paul, o candidato libertário que se candidatou à presidência, foi chamado de ridículo por sugerir a abolição do Federal Reserve ou mesmo a restrição de seu papel. Mas ele também teria sido insultado por sugerir a criação de uma agência para controlar outros preços.

Imagine uma pessoa habilidosa em aprender idiomas, mas incapaz de transferir os conceitos de uma língua para a outra, de maneira que precisasse reaprender as palavras "cadeira" ou "amor" ou "torta de maçã" sempre que adquirisse um novo idioma. Essa pessoa não reconheceria "*house*" (em inglês) ou "*casa*" (em espanhol) ou "*byt*" (semítico). De certa forma, todos temos uma deficiência similar, somos incapazes de reconhecer a mesma ideia quando é apresentada em um contexto diferente. É como se estivéssemos fadados a ser enganados pela parte mais superficial das coisas, a embalagem, o papel de presente. É por isso que não detectamos a antifragilidade em lugares que são óbvios, demasiadamente óbvios. Ela não faz parte da forma convencional de pensar sobre o sucesso, o crescimento econômico ou a inovação, de acordo com a qual só podem resultar de uma sobrecompensação aos estressores. E não vemos essa sobrecompensação em ação em nenhum outro lugar. (A dependência do domínio também explica por que tem sido difícil, para muitos pesquisadores, perceber que a incerteza, a compreensão incompleta, a desordem e a volatilidade são parentes próximos.)

Essa falta de tradução é uma incapacidade mental intrínseca ao ser humano; e só chegaremos perto de alcançar a sabedoria ou a racionalidade quando fizermos um esforço para superá-la e rompê-la.

Vamos investigar mais a fundo a sobrecompensação.

2. Sobrecompensação e reação exagerada por toda parte

É fácil escrever estando em uma pista do aeroporto Heathrow? — Tente fazer com que o papa proíba sua obra — Como espancar um economista (mas sem muita força, apenas o suficiente para acabar na cadeia)

Minha própria dependência do domínio me foi revelada certo dia, quando eu estava sentado no escritório de David Halpern, conselheiro governamental e criador de políticas públicas do Reino Unido. Ele me informou — em resposta à ideia de antifragilidade — sobre um fenômeno chamado crescimento pós-traumático, o oposto da síndrome de estresse pós-traumático, no qual pessoas afetadas por acontecimentos passados se superam. Eu nunca tinha ouvido falar disso, e, para grande constrangimento meu, jamais tinha feito esforço para pensar em sua existência: há algumas obras a respeito disso, mas que não são divulgadas fora de um ramo de conhecimento específico. No vocabulário intelectual, e pretensamente erudito, ouvimos falar sobre o transtorno pós-traumático, mais lúgubre, mas não sobre o crescimento pós-traumático. Porém a cultura popular tem consciência de seu equivalente, revelada na expressão "formação de caráter". Os clássicos do Mediterrâneo antigo também têm ciência disso, assim como nossas avós.

Os intelectuais tendem a se concentrar em respostas negativas da aleatoriedade (fragilidade), e não nas positivas (antifragilidade). Isso não acontece apenas na psicologia: prevalece em todos os domínios.

* * *

Como inovar? Primeiro, tente ficar em apuros. Estou falando de problemas sérios, mas não terminais. Eu acredito – mais que uma especulação, trata-se de uma convicção – que a inovação e a sofisticação surgem de situações iniciais de necessidade, de maneiras que vão muito além da satisfação dessa necessidade (dos efeitos colaterais involuntários de, digamos, um começo de invenção ou de uma tentativa de invenção). É óbvio que existem pensamentos clássicos sobre o tema, a exemplo de um ditado latino segundo o qual a sofisticação nasce da fome (*artificia docuit fames*). A ideia permeia a literatura clássica: em Ovídio, é a dificuldade que desperta o gênio (*ingenium mala saepe movent*), o que no inglês do Brooklyn pode ser traduzido como: "Se a vida te der limões...".

A energia em excesso liberada em uma reação exagerada aos contratempos é o que promove a inovação!

Essa mensagem dos antigos é bem mais profunda do que parece. Ela contradiz métodos modernos e ideias de inovação e progresso em vários níveis, já que temos a tendência de pensar que a inovação vem de financiamento burocrático, por meio de planejamento, ou submetendo pessoas ao suplício de uma aula da Harvard Business School, ministrada por um professor altamente condecorado em inovação e empreendedorismo (e que nunca inovou em nada) ou contratando um consultor (que tampouco inovou em coisa alguma). Isso é uma falácia – note, por ora, a desproporcional contribuição dada por técnicos e empresários *iletrados* a vários saltos tecnológicos, da Revolução Industrial ao surgimento do Vale do Silício, e você vai entender o que eu quero dizer.

No entanto, apesar da visibilidade das contraprovas, e da sabedoria que você pode adquirir gratuitamente dos antigos (ou das avós), os modernos tentam hoje criar invenções a partir de situações de conforto, de segurança e de previsibilidade, em vez de aceitar a noção de que a "a necessidade é realmente a mãe da invenção".

Muitos, como o grande estadista romano Catão, o Censor, viam o conforto, em quase todas as suas formas, como um caminho para o desperdício.* Ele

* Catão foi o estadista que, três livros atrás (*Iludidos pelo acaso*), expulsou todos os filósofos de Roma.

não gostava quando as coisas eram fáceis demais, pois se preocupava com o enfraquecimento da vontade. E o amolecimento que ele temia não era apenas no nível pessoal: uma sociedade inteira pode adoecer. Leve em conta que, enquanto escrevo estas linhas, estamos vivendo uma crise. O mundo como um todo está mais rico do que nunca, e jamais esteve tão endividado, vivendo de dinheiro emprestado. A história mostra que, para a sociedade, quanto mais ricos nos tornamos, mais difícil é viver dentro de nossas próprias posses. Temos mais dificuldade em lidar com a abundância do que com a escassez.

Catão teria ficado feliz se soubesse do efeito recentemente observado na aeronáutica de que a automação dos aviões está causando nos pilotos a sensação de que conduzir aeronaves é um desafio aquém de suas habilidades, o que faz com que voar seja confortável demais para eles — perigosamente confortável. O embotamento da atenção e das habilidades dos pilotos em decorrência do nível de desafio *baixo demais* está, de fato, causando mortes por acidentes aéreos. Parte do problema é uma regulação da Administração Federal de Aviação (FAA, na sigla em inglês) que obrigou a indústria a aumentar sua dependência da aviação automatizada. Mas, felizmente, a mesma FAA descobriu o problema: faz pouco tempo, constatou que os pilotos muitas vezes "abdicam demais da responsabilidade para os sistemas automatizados".

COMO GANHAR UMA CORRIDA DE CAVALOS

Dizem que os melhores cavalos perdem quando competem com os mais lentos e vencem contra rivais melhores. A subcompensação pela ausência de um estressor, a hormese reversa, a ausência de desafios, degrada os melhores dos melhores. No poema de Baudelaire, "as asas gigantes do albatroz impedem-no de andar" — muitas pessoas se saem melhor em cálculo 3 do que em cálculo 1.

Esse mecanismo de sobrecompensação surge nos lugares mais improváveis. Se você estiver cansado após um voo intercontinental, vá à academia para se exaustar em vez de descansar. Também é um artifício bem conhecido que, se você precisar que algo seja feito com urgência, atribua a tarefa para a pessoa mais ocupada (ou a segunda mais ocupada) do escritório. A maioria dos seres humanos consegue desperdiçar seu tempo livre, pois o tempo livre os torna disfuncionais, preguiçosos e desmotivados — quanto mais ocupados ficam, mais ativos são em outras tarefas. Sobrecompensação, mais uma vez.

Descobri um artifício dando palestras. Os organizadores de conferências me disseram que o palestrante precisa ser claro, falar com o jeito fingido de apresentadores de televisão, talvez até mesmo dançar no palco para prender a atenção da plateia. Alguns tentam enviar os autores a uma "escola de oratória" — a primeira vez que me sugeriram isso, virei as costas e fui embora decidido a mudar imediatamente de editores. Acredito que é melhor sussurrar, em vez de gritar. É melhor ser ligeiramente inaudível, menos claro. Quando eu era *pit trader* (um daqueles malucos que ficam de pé numa arena lotada, gritando e berrando em um leilão eterno), aprendi que o ruído produzido pela pessoa é inverso à ordem hierárquica: assim como ocorre com os chefões da máfia, a maioria dos *traders* mais poderosos era formada pelos menos audíveis. A pessoa precisa ter autocontrole suficiente para fazer com que o público se esforce verdadeiramente para ouvi-la, o que leva os espectadores a entrar em acelerada atividade intelectual. Esse paradoxo da atenção tem sido bem pouco investigado: há evidências empíricas do efeito de "disfluência". O esforço mental nos faz funcionar em uma frequência mais alta, acionando engrenagens cerebrais mais vigorosas e mais analíticas.* O guru da administração Peter Drucker e o psicanalista Jacques Lacan, duas pessoas que hipnotizaram multidões em suas áreas de conhecimento, eram a antítese do orador polido requintado ou do apresentador de TV treinado em consoantes.

O mesmo mecanismo de sobrecompensação, ou um similar, faz com que nos concentremos melhor na presença de uma módica quantidade de ruído aleatório ao fundo, como se o ato de resistir a esse ruído nos ajudasse a aprimorar nosso foco mental. Pense na extraordinária habilidade que os seres humanos têm de filtrar o ruído durante o happy hour e distinguir os sinais em meio a tantas outras conversas barulhentas. Portanto, nós não apenas somos feitos para sobrecompensar, mas, às vezes, também *precisamos* do barulho. Como muitos escritores, gosto de me sentar em cafés, trabalhando, por assim dizer, contra a resistência. Pense em nossa preferência, na hora de dormir, pelo farfalhar das folhas das árvores ou o som do oceano: existem, até mesmo,

* Esse pequeno esforço parece ativar o interruptor entre dois sistemas mentais distintos, um intuitivo e o outro analítico, que os psicólogos chamam de "sistema 1" e "sistema 2".

aparelhos que produzem "ruídos brancos"* que ajudam as pessoas a ter um sono melhor. Ora, essas pequenas distrações, como as respostas horméticas, agem até certo ponto. Ainda não tentei, mas tenho certeza de que não seria fácil escrever um ensaio na pista do aeroporto de Heathrow.

Respostas antifrágeis como redundância

Um lampejo de inspiração me atingiu em cheio quando ouvi a expressão "pós-traumático" durante aquela visita a Londres. Naquele exato momento, ocorreu-me que as respostas horméticas antifrágeis eram apenas uma forma de redundância, e todas as ideias da Mãe Natureza convergiram em minha mente. É tudo uma questão de redundância. A Natureza gosta de se reafirmar.

Camadas de redundância são a característica central do gerenciamento de riscos nos sistemas naturais. Nós, seres humanos (isso pode até incluir os contadores), temos dois rins, partes extras em separado e capacidade extra em muitas, muitas coisas (por exemplo, pulmões, sistema neural, aparato arterial), ao passo que o desígnio humano tende a ser econômico e inversamente redundante, por assim dizer — temos um histórico de contrair dívidas, o que é o oposto da redundância (50 mil de dinheiro extra no banco, ou melhor, debaixo do colchão, é uma redundância; dever ao banco um montante equivalente, ou seja, a dívida, é o oposto da redundância). A redundância é ambígua porque parece um desperdício se nada anormal acontecer. Só que coisas anormais acontecem — geralmente.

Ademais, a redundância não é necessariamente frouxa; ela pode ser bastante agressiva. Por exemplo, se você tiver um estoque extra de, digamos, fertilizantes no galpão, apenas por precaução, e acontecer uma escassez do produto no mercado por causa de problemas na China, é possível vender seu excesso de estoque com um imenso ágio. Ou, se você tiver reservas extras de petróleo, poderá vendê-las com um enorme lucro durante uma situação de aperto financeiro.

E por fim se torna claro que a mesmíssima lógica se aplica à sobrecompensação: é apenas uma forma de redundância. Uma cabeça adicional para a

* Não há nada exatamente "branco" no ruído branco; é simplesmente ruído aleatório que segue uma Distribuição Normal.

Hidra em nada difere de um rim extra — ou seja, aparentemente redundante — para os humanos, e não é nem um pouco diferente da capacidade adicional de resistir a um estressor extra. Se você ingerir, digamos, quinze miligramas de uma substância venenosa, seu corpo pode preparar-se para vinte mil gramas ou mais, e, como efeito colateral, no fim das contas você ficará mais forte. Esses cinco miligramas a mais de veneno que você é capaz de suportar não são diferentes dos estoques adicionais de bens vitais ou necessários, como dinheiro extra no banco ou mais comida na despensa. E, para voltar aos motores que impulsionam a inovação: as *quantidades* adicionais de motivação e de força de vontade, por assim dizer, decorrentes de contratempos, também podem ser vistos como capacidade extra, o que não é muito diferente de caixas extras de mantimentos.

Um sistema que sobrecompensa está, necessariamente, no modo de ultrapassagem* das expectativas, criando capacidade e força extras em antecipação a um resultado pior e em resposta a informações sobre a possibilidade de um perigo. E é claro que essa capacidade ou força adicional pode revelar-se útil por si só, de maneira oportunista. Vimos que a redundância é oportunista, de modo que essa força adicional pode ser usada para algum benefício, mesmo na ausência de perigo. Diga ao próximo analista com MBA ou professor de faculdade de economia e administração de empresas que você encontrar pela frente que essa redundância não é defensiva; é mais parecida com um investimento do que com um seguro. E diga-lhes que o que eles chamam de "ineficiente" é, muitas vezes, bastante eficiente.

Com efeito, nosso corpo descobre probabilidades de uma maneira bastante sofisticada e avalia os riscos com muito mais exatidão do que nosso intelecto. Para dar um exemplo, os profissionais de gerenciamento de riscos procuram no passado informações sobre o chamado *pior cenário possível* e as utilizam para calcular os riscos futuros — esse método é chamado de "teste de estresse". Eles levam em conta a pior recessão histórica, a pior guerra, a pior alteração das taxas de juros ou o ponto mais baixo dos índices de desemprego como

* No original, *oveshooting mode*; o autor faz referência ao termo do vocabulário financeiro que designa um movimento agudo, exagerado e descoordenado do mercado que ultrapassa pontos de equilíbrio esperados, em função da escassez prolongada e/ou artificial de determinado recurso, bem, título ou moeda. Está relacionado a ataques especulativos. (N. T.)

estimativa exata para o pior resultado futuro. Porém, nunca percebem uma inconsistência: o acontecimento da assim chamada pior das hipóteses, quando ocorreu, excedeu o que era até então o pior cenário existente.

Chamei essa deficiência mental de *o problema de Lucrécio*, em homenagem ao filósofo e poeta romano que escreveu que o tolo acredita que a montanha mais alta do mundo será igual à mais alta já observada por ele. Consideramos o maior objeto de qualquer tipo que vimos em nossa vida ou sobre o qual já ouvimos falar como o maior item que pode existir. E temos feito isso há milênios. No Egito faraônico, que por acaso foi o primeiro Estado-nação completo estruturado de cima para baixo e gerido por burocratas, escribas registravam a marca do nível mais alto das águas do Nilo e a utilizavam como estimativa para um pior cenário possível no futuro.

O mesmo pode ser observado no caso do reator nuclear de Fukushima, que sofreu uma falha catastrófica em 2011, quando ocorreu um tsunami. O reator havia sido projetado para suportar o pior terremoto histórico já registrado, e os construtores não imaginavam algo muito pior do que isso — sem levar em conta que o pior acontecimento do passado havia sido, na ocasião, uma surpresa, pois não tinha precedentes. Da mesma forma, o ex-presidente do Federal Reserve, o dr. fragilista Alan Greenspan, no pedido de desculpas que apresentou ao Congresso estadunidense, saiu-se com a clássica "Isso nunca aconteceu antes". Bem, a natureza, ao contrário do fragilista Greenspan, se prepara para o que ainda não aconteceu, *supondo que o pior do males é possível.**

Se os seres humanos travarem a última guerra, a natureza lutará a próxima. Seu corpo é mais imaginativo do que você com relação ao futuro. Pense em como as pessoas treinam no levantamento de pesos: o corpo se supera em resposta a exposições e se prepara em excesso (até o ponto do limite biológico, é claro). É assim que os corpos se fortalecem.

Na ressaca da crise bancária, recebi todo tipo de ameaça, e o *Wall Street Journal* sugeriu que eu "contratasse um estoque de guarda-costas". Tentei não me preocupar, manter a calma, convencer a mim mesmo de que aquelas

* O óbvio não foi testado empiricamente: a ocorrência de eventos extremos pode ser prevista a partir da história passada? Infelizmente, de acordo com um teste simples: não pode, desculpem.

ameaças vinham de banqueiros descontentes; de qualquer forma, primeiro as pessoas são assassinadas, depois é que se lê a respeito disso nos jornais, e não a sequência inversa. Mas a minha mente não conseguiu assimilar esse argumento, e, quando eu estava em Nova York ou em Londres, não conseguia relaxar, nem mesmo depois de tomar chá de camomila. Comecei a ficar paranoico em locais públicos, observando atentamente as pessoas para me certificar de que não estava sendo seguido. Comecei a levar a sério a sugestão dos guarda-costas e achei mais empolgante (e consideravelmente mais econômico) tornar-me um, ou melhor, me parecer com um. Conheci Lenny "Bolo", um treinador que pesava cerca de 130 quilos e fazia bicos eventuais como segurança. Seu apelido e seu peso vinham de sua predileção por bolos. Lenny era a pessoa mais fisicamente intimidadora em um raio de cinco códigos postais e tinha sessenta anos. Então, em vez de ter aulas com ele, observei seu treinamento. Lenny era adepto do tipo de treinamento de "levantamentos ao extremo", no qual confiava por considerá-lo o mais efetivo e o que menos consumia tempo. Esse método consistia em uma pessoa passar breves períodos malhando, tendo como foco melhorar sua marca máxima anterior em um único levantamento do peso mais pesado que ela é capaz de erguer em um único arranque, uma altura máxima do nível da água. O treino limitava-se a tentar superar aquela marca uma ou duas vezes, em vez de desperdiçar tempo em repetições demoradas e nem um pouco divertidas. O exercício me levou a uma forma naturalista de levantamento de pesos, e que está de acordo com a literatura baseada em evidências: trabalhe no nível máximo, passe o resto do tempo descansando e esbanjando dinheiro em bifes de tamanho descomunal do tipo apreciado por chefões da máfia. Agora faz quatro anos que estou tentando ultrapassar meu limite; é incrível perceber como alguma coisa na minha biologia antecipa um nível mais elevado do que o máximo anterior — até atingir seu próprio limite. Quando executo um exercício de levantamento terra (i.e., imito o ato de levantar uma pedra até a altura da cintura) usando uma barra de 150 quilos, e, em seguida, descanso, posso ter a certeza de que construirei certa quantidade de força adicional, pois meu corpo *prevê* que, da próxima vez, pode ser que eu precise erguer 152 quilos. Os benefícios, além do desaparecimento da minha paranoia e de uma calma recém-descoberta em lugares públicos, incluem pequenas conveniências inesperadas. Quando, no saguão de desembarque do aeroporto Kennedy, sou assediado por motoristas de limusine que oferecem com insistência uma corrida, e calmamente digo a cada um deles, "vai se f**", os sujeitos somem imediatamente. Mas há graves inconvenientes: alguns leitores que encontro em palestras têm dificuldade de lidar com um intelectual com a aparência de um guarda-costas — intelectuais podem ser esbeltos ou flácidos e fora de forma (quando usam um paletó de tweed), mas não se espera que tenham a aparência de açougueiros.

Algo que dará algum trabalho aos darwinistas, uma observação que me foi feita por Aaron Brown, analista de riscos, meu adversário intelectual favorito (e amigo pessoal): o termo "aptidão" em si pode ser bastante impreciso e até mesmo ambíguo, razão pela qual a noção de antifragilidade como algo que excede a mera aptidão pode ajudar com a confusão. O que significa "aptidão"? Estar em exata sintonia com determinada história de um ambiente específico ou extrapolar para um ambiente com estressores de mais alta intensidade? Muitos parecem apontar para o primeiro tipo de adaptação, deixando passar despercebida a noção de antifragilidade. Porém, se alguém fosse escrever matematicamente um modelo padrão de seleção, obteria uma sobrecompensação, em vez de mera "aptidão".*

Até mesmo os psicólogos que estudaram a resposta antifrágil de crescimento pós-traumático, e mostraram os seus dados, não conseguem compreender plenamente o conceito, uma vez que descambam, quando usam palavras, para o conceito de "resiliência".

SOBRE A ANTIFRAGILIDADE DOS MOTINS E DO AMOR, E OUTROS INESPERADOS BENEFICIÁRIOS DO ESTRESSE

Tão logo alguém faz um esforço para superar a dependência do domínio, o fenômeno da sobrecompensação parece onipresente.

Aqueles que entendem a resistência bacteriana no domínio biológico falham completamente em compreender o provérbio de Sêneca no *Tratado*

* Definindo uma regra de filtragem simples: todos os membros de uma espécie precisam ter um pescoço de quarenta centímetros de comprimento, a fim de sobreviver. Depois de algumas gerações, a população sobrevivente teria, em média, um pescoço *mais longo* do que quarenta centímetros (em termos mais técnicos, um processo estocástico submetido a uma barreira absorvente terá uma média observada superior à barreira.)

sobre a clemência a respeito do efeito reverso das punições. Ele escreveu: "O castigo repetido, enquanto esmaga o ódio de alguns, incita o ódio de todos [...] assim como as árvores que foram podadas fazem brotar novamente incontáveis galhos". Pois as revoluções alimentam-se da repressão, fazendo surgir cabeças cada vez mais rápido enquanto alguém, *literalmente*, corta algumas delas matando manifestantes. Há uma canção revolucionária irlandesa que resume bem esse efeito:

Quanto mais alto você constrói suas barricadas,
mais fortes nos tornamos.

As multidões, em algum momento, sofrem uma mutação, cegadas pela raiva e por um sentimento de indignação, alimentadas pelo heroísmo de alguns poucos dispostos a sacrificar a própria vida em nome da causa (embora não vejam isso exatamente como sacrifício) e sedentos pelo privilégio de se tornarem mártires. É que os movimentos políticos e as rebeliões podem ser extremamente antifrágeis, e a estratégia do otário é tentar reprimi-los usando a força bruta em vez de manipulá-los, ceder ou encontrar artifícios mais astutos, como Héracles fez com a Hidra.

Se a antifragilidade é o que desperta e reage com exagero e sobrecompensa diante de estressores e de danos, então uma das coisas mais antifrágeis que encontraremos fora da vida econômica é certo tipo de amor refratário (ou ódio), que parece reagir de forma desmedida e sobrecompensar diante de impedimentos como a distância, incompatibilidades familiares e todas as tentativas conscientes de matá-lo. A literatura é abundante de personagens aprisionados em uma forma de paixão antifrágil, aparentemente a contragosto. No extenso romance de Proust, *Em busca do tempo perdido*, Swann, um marchand judeu elitista, apaixona-se por Odette, uma mulher de reputação questionável, uma espécie de "manteúda" de quinta categoria, uma semiprostituta, ou, talvez, apenas a quarta parte de uma prostituta; e ela o trata mal. O comportamento arisco da mulher potencializa a obsessão de Swann, levando-o a se rebaixar pela recompensa de um pouco mais de tempo com ela. Ele exibe evidente dependência emocional, seguindo Odette em seus encontros amorosos com outros homens, escondendo-se vergonhosamente nas escadarias, o que, é claro, faz com que ela o trate de modo ainda mais ardiloso. Supostamente, a história era uma ficcionalização do envolvimento do próprio Proust com seu motorista (um homem). Ou pensemos no romance semiautobiográfico *Um amor*, de Dino Buzzati, a história de um milanês de meia-idade que cai de amores — acidentalmente, claro — por uma dançarina do Scala que faz bico como prostituta. Ela, é óbvio, o maltrata, o explora, aproveita-se dele — e, quanto mais ela o faz sofrer, mais ele se expõe à humilhação, a fim de satisfazer a sede antifrágil de alguns momentos com ela. Mas aqui há uma espécie de final feliz: de acordo com sua biografia, o próprio Buzzati acabou se casando, aos sessenta anos, com Almerina, uma ex-dançarina de 25 anos, aparentemente a musa da história; pouco depois, quando Buzzatti morreu, ela se tornou uma boa administradora de seu legado literário.

Mesmo quando autores como Lucrécio (aquele das altas montanhas, no início deste capítulo) vociferam contra a dependência, o aprisionamento e a alienação do amor, tratando-o como uma doença (evitável), acabam mentindo para nós ou para si mesmos. Talvez seja uma lenda: pode ser que o próprio Lucrécio, o sacerdote do antirromance, tenha se envolvido em uma paixão incontrolável — e antifrágil.

Assim como o amor atormentado, alguns pensamentos são tão antifrágeis que você os alimenta ao tentar livrar-se deles, transformando-os em obsessões. Os psicólogos demonstraram a ironia do processo de controle do pensamento: quanto mais energia você dedica à tentativa de controlar suas ideias e o que você pensa, mais suas ideias acabam controlando você.

Por favor, proíbam meu livro: a antifragilidade da informação

A informação é antifrágil; ela se alimenta mais das tentativas de prejudicá-la do que dos esforços para estimulá-la. Por exemplo, muitos destroem a própria reputação apenas ao tentar defendê-la.

Os espertos venezianos sabiam como disseminar informações, disfarçando-as de segredos. Tente fazer a seguinte experiência para espalhar uma fofoca: conte um segredo a alguém e reforce que se trata de um segredo, pedindo a seu interlocutor para "não contar a ninguém"; quanto mais você insistir no sigilo, mais a fofoca se espalhará.

Aprendemos desde cedo que os livros e as ideias são antifrágeis e se nutrem de ataques. Recorrendo a uma expressão do imperador romano Marco

Aurélio (um dos autores-fazedores estoicos), "o fogo se alimenta de obstáculos". Existe a atração que os livros proibidos exercem, sua antifragilidade, aos interditos. O primeiro livro de Graham Greene que li na infância foi *O poder e a glória*, selecionado por uma única razão, ter sido incluído no *Index* (isto é, ter sido proibido) pelo Vaticano. Da mesma forma, quando adolescente, eu me joguei nas obras do expatriado norte-americano Henry Miller — sua obra mais importante vendeu 1 milhão de exemplares em um ano, graças ao fato de ter sido banida em 23 estados do país. O mesmo aconteceu com *Madame Bovary* e *O amante de lady Chatterley*.

As críticas, para um livro, são um verdadeiro e indisfarçável atestado de atenção, sinalizando que ele não é enfadonho; e enfadonho é a única coisa terrível que um livro pode ser. Considere o fenômeno Ayn Rand: por mais de meio século, seus livros *A revolta de Atlas* e *A nascente* foram lidos por milhões de pessoas, apesar das (ou mais provavelmente graças às) resenhas brutais e tentativas de difamar a autora. A informação de primeira ordem é a intensidade: o que importa é o esforço que o crítico emprega ao tentar impedir os outros de lerem o livro, ou, de forma mais genérica na vida, o que importa é o esforço de falar mal de alguém, não tanto o que é dito. Então, se você realmente quiser que as pessoas leiam um livro, diga-lhes, cheio de indignação, que a obra é "superestimada" (e use o atributo "subestimada" para obter o efeito contrário).

Balzac conta como atrizes pagavam a jornalistas (muitas vezes com o próprio corpo) para que escrevessem relatos favoráveis sobre elas — porém, as mais espertas os faziam escrever comentários desfavoráveis, sabendo que isso as tornaria mais interessantes.

Acabei de comprar o livro de Tom Holland sobre a ascensão do islã unicamente porque a obra foi atacada por Glen Bowersock, tido como o mais destacado estudioso vivo do Levante romano. Até então, a meu ver Tom Holland era apenas um popularizador, e de outra forma eu não o teria levado a sério. E eu nem sequer tentei ler a resenha de Bowersock. Dessa forma, aqui vai uma simples regra geral (uma heurística): para avaliar a qualidade da pesquisa, leve em conta o calibre do maior dos detratores ou o calibre do mais insignificante dos detratores a quem o autor responder por escrito — qual dos dois é menor.

As críticas em si podem ser antifrágeis à repressão, quando a pessoa que encontra defeitos quer ser atacada em troca, a fim de obter alguma validação.

Jean Fréron, que, segundo se dizia, era um pensador bastante invejoso, com a mediocridade dos pensadores invejosos, conseguiu desempenhar um papel significativo na história intelectual apenas por irritar o — ao contrário — brilhante Voltaire, a ponto de levá-lo a escrever poemas satíricos contra ele. Voltaire, ele próprio um chato de galochas especialista em irritar as pessoas para se beneficiar com as reações delas, esquecia-se de como as coisas funcionavam quando se tratava de si mesmo. Talvez o charme de Voltaire estivesse no fato de que não fazia ideia de como poupar a própria sagacidade. Assim, as mesmas antifragilidades ocultas aplicam-se aos ataques às nossas ideias e pessoas: tememos e detestamos a publicidade negativa, mas campanhas de difamação, caso você consiga sobreviver a elas, ajudam muito, contanto que a pessoa pareça estar extremamente motivada e adequadamente furiosa — como quando se ouve uma mulher falando mal de outra na frente de um homem (ou vice-versa). Há um evidente viés de seleção: por que alguém atacou *você*, em vez de outra pessoa, uma das milhões que merecem ser atacadas mas que não vale a pena atacar? É a vontade da pessoa para atacar ou falar mal que, no estilo antifrágil, colocará você no holofote.

Meu bisavô Nicolas Ghosn era um político astuto que conseguiu se manter permanentemente no poder e ocupar cargos no governo, apesar de seus numerosos detratores (principalmente seu arqui-inimigo, meu tataravô do lado Taleb da família). Quando meu avô, o filho mais velho de Ghosn, estava dando os primeiros passos em sua carreira administrativa, e com boas perspectivas de ingressar na política, seu pai o chamou em seu leito de morte. "Meu filho, estou muito decepcionado com você", disse ele. "Eu nunca ouço nada errado a seu respeito. Você se mostrou incapaz de gerar inveja."

Arranje outro emprego

Como vimos na história de Voltaire, não é possível aniquilar a crítica; se ela o prejudica, fuja. É mais fácil mudar de emprego do que controlar sua reputação ou a percepção da opinião pública.

Alguns empregos e profissões são frágeis aos danos à reputação, algo que, na era da internet, não pode ser controlado — não são empregos que valem a pena. Você não quer "controlar" sua reputação; você não vai conseguir fazer isso controlando o fluxo de informações. Em vez disso, concentre-se em alterar sua exposição, por exemplo, colocando-se em uma posição impermeável aos danos à reputação. Ou, até mesmo, coloque-se em situação de modo a se beneficiar com a antifragilidade das informações. Nesse sentido, um escritor é antifrágil, mas veremos mais tarde que a maior parte das profissões modernas geralmente não é.

Eu estava em Milão tentando explicar a antifragilidade a Luca Formenton, meu editor italiano (com uma boa dose de linguagem corporal e de gesticulação). Eu estava lá em parte por causa dos vinhos de sobremesa Moscato, em parte para participar de uma convenção na qual o outro palestrante principal era um famoso economista fragilista. Então, lembrando-me de repente de que eu era um escritor, apresentei a Luca o seguinte experimento mental: se eu espancasse publicamente o economista, o que aconteceria comigo (além de um julgamento público que despertaria grande interesse pelas novas noções de *fragilità* e *antifragilità*)? Bem, esse economista tinha o que se chamava de uma *tête à baffe*, um rosto que convida o interlocutor a estapeá-lo, assim como um *cannoli* nos convida a dar uma mordida. Luca pensou por um segundo... bem, não é que ele diria para eu fazer isso, mas, você sabe, não faria mal para as vendas de livros. Nada que eu possa fazer como escritor e que me ajude a chegar à primeira página do *Corriere della Sera* seria prejudicial a meu livro. Praticamente escândalo nenhum seria capaz de prejudicar um artista ou um escritor.*

Agora, digamos que eu fosse um executivo de nível médio de alguma corporação registrada na Bolsa de Valores de Londres, o tipo de sujeito que nunca se arrisca a vestir-se de maneira informal, sempre de terno e gravata (inclusive na praia). O que aconteceria comigo se eu atacasse o fragilista? Minha demissão, prisão e registro de antecedente criminal me atormentariam para sempre. Eu seria a vítima cabal da antifragilidade informacional. Mas alguém que ganha algo próximo a um salário mínimo, como um trabalhador da construção civil ou um taxista, não é totalmente dependente de sua reputação e é livre para ter as próprias opiniões. Ele seria apenas robusto em comparação ao artista, que é antifrágil. Um bancário de nível médio com uma hipoteca seria frágil ao extremo. Na verdade, ele seria um eterno prisioneiro do sistema de valores que o convida a ser corrupto até a alma — por causa de sua dependência das

* Os franceses têm uma longa lista de autores que devem parte de seu status a sua ficha criminal — isso inclui o poeta Ronsard, o poeta e dramaturgo Jean Genet e muitos outros.

férias anuais em Barbados. O mesmo vale para um funcionário público em Washington. Considere essa heurística fácil-de-usar (que é, para repetir a definição, uma simples regra geral condensada) para detectar a independência e a robustez da reputação de uma pessoa. Com poucas exceções, aqueles que se vestem de maneira espalhafatosa são robustos ou, até mesmo, antifrágeis quanto à sua reputação; os sujeitos de rosto de barba feita que vestem terno e gravata são frágeis quanto às informações a seu respeito.

As grandes corporações e os governos parecem não entender esse poder de repercussão das informações e sua capacidade de controlar os que tentam controlá-la. Quando se ouve uma empresa ou um governo endividado tentando "restabelecer a confiança", sabemos que eles são frágeis e, portanto, condenados. A informação é impiedosa: apenas uma coletiva de imprensa "para tranquilizar" e os investidores vão fugir em debandada, provocando um fim inevitável ou uma corrida aos bancos. Isso explica por que tenho uma postura obsessiva contra o endividamento do governo, como ferrenho defensor do que se chama de conservadorismo fiscal. Quando você não tem dívidas, não precisa preocupar-se com a reputação nos círculos econômicos — e, de alguma forma, é apenas quando você não se preocupa com sua reputação que tende a ter uma boa reputação. Assim como em matéria de sedução, as pessoas emprestam mais àquelas que menos precisam.

E estamos cegos diante dessa antifragilidade de informações em muitos outros domínios. Se eu espancar fisicamente um rival em um ambiente ancestral, eu o machucarei, o enfraquecerei, e talvez o elimine para sempre — e também aproveitarei para exercitar os músculos no processo. Se eu recorrer à máfia para mandar matá-lo, ele já era. Porém, se eu encenar uma enxurrada de ataques de informação em sites, jornais e revistas, posso estar apenas ajudando-o e me prejudicando.

Então, termino esta seção com uma ideia. É absolutamente desconcertante que as pessoas que mais nos propiciaram benefícios não sejam as que tentaram nos ajudar (por exemplo, com "conselhos"), mas sim aquelas que ativamente tentaram nos prejudicar — embora no fim das contas tenham fracassado.

A seguir, voltaremos as atenções para uma distinção fundamental entre coisas que gostam do estresse e coisas que não gostam.

3. O gato e a máquina de lavar roupa

Estresse é conhecimento (e conhecimento é estresse) — O orgânico e o mecânico — Sem necessidade de tradução, por enquanto — Despertando o animal em nós, depois de duzentos anos de modernidade

A ousada conjectura feita aqui é que tudo que contém vida é, até certo ponto, antifrágil (mas não o inverso). Parece que o segredo da vida é a antifragilidade.

Geralmente, o natural — o biológico — costuma ser antifrágil e frágil, dependendo da fonte (e da gama) de variação. Um corpo humano pode beneficiar-se com os estressores (para ficar mais forte), mas só até certo ponto. Por exemplo, os ossos ficarão mais densos quando for aplicado a eles o estresse episódico, um mecanismo formalizado com o nome de Lei de Wolff, a partir do artigo de um cirurgião alemão publicado em 1892. Mas o mesmo não pode ser dito de uma iguaria, um carro, um objeto inanimado — esses podem ser robustos, mas não podem ser intrinsecamente antifrágeis.

A matéria inanimada — isto é, não viva —, quando submetida a estresse, costuma sofrer fadiga do material ou quebrar-se. Uma das raras exceções que vi foi no relatório de um experimento de 2011, realizado por Brent Carey, um estudante de pós-graduação, que mostra que um material composto de nanotubos de carbono dispostos de determinada maneira produz uma resposta que se fortalece sozinha inédita em materiais sintéticos, "similar ao autofortalecimento localizado que ocorre em estruturas biológicas". Isso cruza a fronteira entre a vida e o inanimado, pois pode levar ao desenvolvimento de materiais de suporte de carga adaptáveis.

Podemos usar a distinção como um marcador entre vivos e não vivos. O fato de o artificial precisar ser antifrágil para que sejamos capazes de usá-lo à guisa de tecido é uma diferença bastante interessante entre o biológico e o sintético. Mais cedo ou mais tarde, sua casa, seu processador de alimentos e sua escrivaninha se desgastam e não têm propriedades de autorreparação. Eles podem parecer melhores com o tempo (quando artesanais), assim como sua calça jeans parecerá mais descolada com o uso, mas no fim das contas o tempo cobrará seu preço, e até o mais sólido dos materiais acabará tendo o mesmo aspecto das ruínas romanas. Sua calça jeans pode parecer melhor e mais descolada quando desgastada, mas o material não ficará mais forte, tampouco se autorreparará. Pense porém em um material que tornasse sua calça jeans mais forte, que a fizesse autorregenerar-se e melhorar com o tempo.*

É verdade que, embora se autorreparem, no fim das contas os humanos se desgastam (com sorte, deixando para trás seus genes, livros ou qualquer outra informação — mas essa é outra discussão). Porém o fenômeno do envelhecimento é incompreendido e muitas vezes carregado de predisposições mentais e falhas lógicas. Observamos as pessoas idosas e as vemos envelhecer, então associamos envelhecimento a perda de massa muscular, fraqueza óssea, perda da função mental, apreço por músicas de Frank Sinatra e efeitos degenerativos semelhantes. Mas essas deficiências de autorreparação resultam, em larga medida, de desajustes — ou estressores de menos ou muito pouco tempo de recuperação entre eles —, e desajuste, para este autor, é o descompasso entre o desígnio de um indivíduo e a estrutura da aleatoriedade do ambiente (o que chamo, em termos mais técnicos, de suas "propriedades distributivas ou estatísticas"). O que observamos no "envelhecimento" é uma combinação de desajuste e senescência, e parece que é possível separar os dois — a senescência pode não ser evitável, e não deve ser evitada (isso seria contradizer a lógica da vida, como veremos no próximo capítulo); o desajuste é evitável.

* Outra maneira de entender: máquinas são prejudicadas por estressores de baixo impacto (fadiga do material), organismos são prejudicados pela *ausência* de estressores de baixo impacto (hormese).

Grande parte do envelhecimento resulta de um equívoco com relação ao efeito de conforto — uma doença da civilização: tornar a vida cada vez mais longa, enquanto as pessoas ficam cada vez mais doentes. Em um ambiente natural, as pessoas morrem sem envelhecer — ou depois de um período muito curto de envelhecimento. Por exemplo, alguns marcadores, como a pressão arterial, que tendem a piorar com o tempo no ser humano moderno, não mudam no decorrer da vida de caçadores e coletores, até o derradeiro fim.

E esse envelhecimento artificial é consequência do interior sufocante da antifragilidade.

O complexo

Essa dicotomia orgânico-mecânico é uma boa distinção inicial para a construção de intuições sobre a diferença entre dois tipos de fenômeno, mas podemos fazer melhor. Muitas coisas, tais como a sociedade, as atividades econômicas, os mercados e o comportamento cultural, são, aparentemente, criadas pelo homem, mas crescem por si próprias para chegar a algum tipo de auto-organização. Elas podem não ser estritamente biológicas, mas lembram o biológico, no sentido de que, de certa forma, multiplicam-se e se reproduzem — pense em boatos, ideias, tecnologias e empresas. Eles estão mais próximos do gato do que da máquina de lavar roupa, mas tendem a ser confundidos com máquinas de lavar roupa. Dessa maneira, podemos generalizar nossa distinção para além do biológico/não biológico. Mais eficaz é a distinção entre sistemas complexos e não complexos.

Engenhocas mecânicas artificiais e de engenharia criadas pelo homem, com respostas simples, são complicadas mas não "complexas", já que não apresentam interdependências. Você aperta um botão, um interruptor de luz por exemplo, e obtém uma resposta exata, sem ambiguidade possível nas consequências, até mesmo na Rússia. Mas, em sistemas complexos, as interdependências são rigorosas. É preciso pensar em ecologia; se eliminarmos um animal específico, desarranjaremos a cadeia alimentar: seus predadores morrerão de fome e suas presas se multiplicarão sem controle, o que levará a complicações e a uma série de efeitos colaterais em cascata. Os leões eram exterminados por cananeus, fenícios, romanos e, mais tarde, pelos habitantes do monte Líbano, o que levou à proliferação de cabras ávidas por raízes de árvores, contribuindo para o desmatamento de áreas de montanha, consequências difíceis de serem previstas. Da mesma forma, se um banco for fechado em Nova York, isso causará efeitos em cascata da Islândia à Mongólia.

No mundo complexo, a noção de "causa" em si é suspeita; é quase impossível detectar ou não se é de fato definida — outra razão para deixar de lado os jornais, com seu constante fornecimento de causas para as coisas.

ESTRESSORES SÃO INFORMAÇÃO

Ora, o xis da questão dos sistemas complexos, aqueles com partes interativas, é que eles transmitem informações para esses componentes por meio de estressores, ou graças a esses estressores: nosso corpo obtém informações sobre o meio ambiente não através de nosso aparato lógico, inteligência e capacidade de raciocinar, computar e calcular, mas por meio do estresse, via hormônios ou outros mensageiros que ainda não descobrimos. Como vimos, seus ossos ficarão mais fortes quando submetidos à gravidade, digamos, após seu (breve) período como funcionário de uma empresa de transporte de pianos. Eles se enfraquecerão depois que você passar as próximas férias de fim de ano em uma estação espacial com gravidade zero ou (e poucas pessoas se dão conta disto) se você passar muito tempo andando de bicicleta. A pele nas palmas de suas mãos ficará calejada se você passar o verão em uma fazenda cooperativa de estilo soviético. Sua pele clareia no inverno e fica bronzeada no verão (especialmente se você tiver origens mediterrâneas, menos se você tem ascendência irlandesa ou africana ou de outros lugares com clima mais uniforme ao longo do ano).

Além disso, os erros e suas consequências são informação; para crianças pequenas, a dor é a única informação de gerenciamento de risco, uma vez que suas faculdades lógicas não estão muito desenvolvidas. Pois os sistemas complexos são, afinal de contas, compostos de informação. E ao nosso redor há muito mais transmissores de informação do que enxergamos à primeira vista. É o que chamaremos de *opacidade causal*: é difícil ver a conexão direta entre causa e consequência, o que faz com que muitos métodos convencionais de análise, além da lógica-padrão, se tornem inaplicáveis. Como eu disse, a previsibilidade de eventos específicos é baixa, e é essa opacidade que a torna baixa. Não só isso, mas, por causa das não linearidades, é preciso ter uma visibilidade maior do que com os sistemas regulares — em vez disso, o que temos é a opacidade.

FIGURA 2. Essa imagem ilustra o motivo do meu interesse por ossos. Você encontra situações idênticas de carregamento de água ou de grãos na cabeça em sociedades tradicionais na Índia, na África e nas Américas. Existe até mesmo uma canção de amor levantina sobre uma bela mulher com uma ânfora na cabeça. Os benefícios para a saúde poderiam superar a medicação para densidade óssea — mas essas formas de terapia não beneficiariam os lucros da indústria farmacêutica. Crédito: Creative Commons.

Pensemos novamente nos ossos. Tenho uma queda por ossos, e a ideia que discutirei a seguir fez com que eu me concentrasse em levantar objetos pesados, em vez de usar aparelhos das academias. Essa obsessão pelo esqueleto começou quando me deparei com um artigo de autoria de Gerard Karsenty e colegas publicado na revista *Nature* em 2003. Costuma se pensar que o envelhecimento é que *causa* fraqueza óssea (os ossos perdem densidade, tornam-se mais frágeis), como se houvesse uma relação de mão única, possivelmente ocasionada por hormônios (as mulheres começam a ter sintomas de osteoporose após a menopausa). Acontece que, conforme demonstraram Karsenty e outros que desde então se aventuraram nessa linha de pesquisa, o inverso também é, em grande medida, verdadeiro: a perda de densidade óssea e a degradação da saúde dos ossos também *causam* envelhecimento, diabetes e, no caso dos homens, perda de fertilidade e da função sexual. Nós simplesmente não podemos, em um sistema complexo, isolar nenhuma relação causal. Ademais, a história dos ossos e o concomitante equívoco de interconexão ilustram como a falta de estresse (aqui, ossos sob uma carga de levantamento de peso) pode causar o envelhecimento, e que privar de estressores os sistemas antifrágeis famintos por estresse produz uma grande quantidade de fragilidade, que transportaremos para os sistemas políticos no Livro II. O método de exercícios de Lenny, aquele que eu observava e tentava imitar no capítulo anterior, parecia girar em torno tanto de estressar e fortalecer os ossos quanto de fortalecer os músculos — ele não sabia muito a respeito do mecanismo, mas havia descoberto, heuristicamente, que o levantamento de pesos beneficiava seu sistema de alguma forma. A senhora na figura 2, graças a uma vida inteira carregando jarros de água na cabeça, tem uma saúde extraordinária e excelente postura.

Nossas antifragilidades têm condições. A frequência dos estressores tem alguma importância. Os seres humanos tendem a se sair melhor com os estressores agudos do que com os crônicos, em especial quando os primeiros são seguidos de um amplo tempo para a recuperação, o que possibilita aos estressores fazerem seu trabalho como mensageiros. Por exemplo, sofrer um terrível choque ao ver uma cobra saindo do teclado do meu computador ou um vampiro entrando no meu quarto, seguido de um período de reconfortante segurança (com chá de camomila e música barroca) longo o suficiente para que eu consiga recuperar o controle de minhas emoções, seria benéfico para minha saúde, contanto que, é claro, eu seja capaz de derrotar a cobra ou o vampiro após uma luta intensa e, espera-se, heroica, e tirar uma foto ao lado do predador morto. Esse tipo de estressor seria, certamente, melhor do que o estresse moderado mas contínuo de um chefe, de uma hipoteca, de problemas fiscais, da culpa por adiar a entrega da declaração de imposto de renda, da pressão das provas, dos afazeres domésticos, dos e-mails a responder, dos formulários a preencher, dos deslocamentos diários de casa para o trabalho — coisas que fazem a pessoa se sentir presa na própria vida. Em outras palavras, as pressões criadas pela civilização. Na verdade, os neurobiólogos mostram que o primeiro tipo de estressor é necessário e o segundo é prejudicial à saúde da pessoa. Para se ter uma ideia do quanto pode ser danoso um estressor de baixo impacto, sem tempo de recuperação, pense no que é conhecido como a tortura da gota chinesa: uma gota de água batendo ininterruptamente no mesmo ponto da cabeça, sem nunca permitir que a pessoa se recupere.

De fato, Héracles conseguiu controlar a Hidra cauterizando as feridas nos cotos das cabeças que ele tinha acabado de decepar. Dessa maneira, ele impediu o recrescimento das cabeças e o exercício da antifragilidade. Em outras palavras, ele desarticulou a recuperação.

A tabela 2 mostra a diferença entre os dois tipos. Observe que pode haver etapas intermediárias entre o engendrado e o orgânico, embora as coisas tendam a se agrupar em um bloco ou no outro.

O leitor pode obter uma noção do principal problema que enfrentamos com as adulterações e as intervenções de cima para baixo de sistemas políticos (ou sistemas complexos similares), tema do Livro II. O fragilista confunde a economia com a máquina de lavar roupa, que precisa de manutenção mensal, ou interpreta incorretamente as propriedades de seu corpo tomando-as por aquelas de um tocador de CDs. O próprio Adam Smith fez analogia entre a economia e um relógio de pulso ou de parede que, uma vez acionado, continua trabalhando por conta própria. Mas tenho certeza de que ele não pensava exatamente dessa forma, que ele via a economia como organismos, mas carecia de uma estrutura para expressar esse enfoque. Smith compreendia a opacidade dos sistemas complexos, bem como as interdependências, já que desenvolveu o conceito da "mão invisível".

TABELA 2 • O MECÂNICO E O ORGÂNICO (BIOLÓGICO OU NÃO BIOLÓGICO)

O MECÂNICO, NÃO COMPLEXO	O ORGÂNICO, COMPLEXO
Precisa de reparos e manutenção contínuos	Autorreparação
Odeia a aleatoriedade	Adora a aleatoriedade (pequenas variações)
Não há necessidade de recuperação	Necessita de recuperação entre os estressores
Pouca ou nenhuma interdependência	Alto grau de interdependência
Estressores causam fadiga do material	Ausência de estressores causam atrofia
Envelhece com o uso (desgaste natural)	Envelhece com a falta de uso*
Subcompensa com impactos	Sobrecompensa com impactos
O tempo traz somente senescência	O tempo traz envelhecimento e senescência

* Depois de ler este capítulo, Frano Barović me escreveu: "Máquinas: use-as e perca-as; organismos: use-os ou perca-os". Observe, também, que tudo que é vivo precisa de estressores, mas nem todas as máquinas precisam ser deixadas em paz — um aspecto do qual trataremos em nossa discussão sobre a têmpera.

Mas, infelizmente, ao contrário de Adam Smith, Platão não compreendeu a opacidade. Promovendo a famosa alegoria do *navio do Estado*, ele comparou um Estado a uma embarcação, que, é claro, requer o monitoramento de um capitão. Ele argumenta, em última análise, que os únicos homens aptos a se tornar pilotos desse navio são os reis filósofos, homens benevolentes com poder absoluto, que têm acesso à Forma do Bem. E, vez por outra, ouvem-se clamores de "quem está nos guiando?", como se o mundo precisasse de alguém para guiá-lo.

Equilíbrio, de novo não

Os cientistas sociais usam o termo "equilíbrio" para descrever a igualdade entre forças opostas – a oferta e a demanda, por exemplo –, de modo que pequenas perturbações ou desvios em uma direção, como os de um pêndulo, seriam contrabalançados com um ajuste na direção contrária, o que recolocaria as coisas em um estado de estabilidade. Em suma, acredita-se que este seja o objetivo de uma economia.

Examinando mais a fundo aquilo com que, segundo o desejo desses cientistas sociais, deveríamos nos envolver, tal meta poderia ser a morte. Pois o teórico da complexidade Stuart Kaufman usa a ideia de equilíbrio para separar os dois mundos diferentes da tabela 2. *Para o não orgânico, o não complexo, por exemplo, um objeto sobre a mesa, o equilíbrio* (conforme é tradicionalmente definido) *acontece em um estado de inércia. Assim, para algo orgânico, o equilíbrio* (nesse sentido) *só acontece com a morte*. Vejamos um exemplo dado por Kaufman: na banheira da sua casa, um redemoinho começa a se formar e vai continuar. Esse tipo de situação está permanentemente "longe do equilíbrio" – e parece que os organismos e os sistemas dinâmicos existem nesse estado.* Para eles, um estado de normalidade requer certo grau de volatilidade, de aleatoriedade, de contínua troca de informações e de estresse, o que explica os danos a que podem estar sujeitos quando privados de volatilidade.

* Essas são as chamadas estruturas dissipativas, baseadas nas obras do físico Ilya Prigogine, que têm um status bastante diferente das estruturas de equilíbrio simples: são formadas e mantidas por meio do efeito de troca de energia e de matéria em permanentes condições de desequilíbrio.

Não apenas somos avessos a estressores e não os compreendemos, como também estamos cometendo crimes contra a vida, os seres vivos, a ciência e a sabedoria, em nome da eliminação da volatilidade e da variação.

Sinto raiva e frustração quando penso que um em cada dez norte-americanos acima da idade do ensino médio faz uso de algum tipo de antidepressivo — por exemplo, Prozac. De fato, hoje em dia, quando a pessoa passa por alterações de humor, tem de justificar por que *não está* usando alguma medicação. Pode haver bons motivos para uma pessoa se medicar, em casos patológicos graves, mas meu humor, minha tristeza, meus ataques de ansiedade são uma segunda fonte de inteligência — talvez até mesmo a primeira. Fico sossegado e perco energia física quando chove, torno-me mais meditativo e tendo a escrever mais e mais lentamente, com os pingos de chuva tamborilando a janela, o que Verlaine chamou de "soluços" (*sanglots*) outonais. Em certos dias, entro em estados melancólicos poéticos, o que os lusófonos chamam de *saudade*, ou os turcos, de *hüzün* (da palavra árabe para tristeza). Em outros, sou mais agressivo, tenho mais energia — e escrevo menos, ando mais, faço outras coisas, discuto com pesquisadores, respondo a e-mails, desenho gráficos em quadros-negros. Deveria eu ser transformado em um vegetal ou em um imbecil feliz?

Se o Prozac estivesse disponível no século XIX, o "*spleen*" de Baudelaire, os estados de ânimo de Edgar Allan Poe, a poesia de Sylvia Plath (esta já no século XX), os lamentos de tantos outros poetas, tudo que tivesse alma teria sido silenciado...*

Se as grandes empresas farmacêuticas tivessem a capacidade de eliminar as estações do ano, provavelmente fariam isso — tudo em nome do lucro, é claro.

Há outro perigo: além de prejudicar as crianças, estamos prejudicando a sociedade e o nosso futuro. As medidas que visam reduzir a variabilidade e as oscilações na vida das crianças também estão reduzindo a variabilidade e as diferenças no âmbito da nossa dita Grande Sociedade Culturalmente Globalizada.

* Isso não significa que Sylvia Plath não deveria ter sido medicada. A questão é que as patologias devem ser tratadas com medicação quando há risco de suicídio, não de mudanças de humor.

Outra característica esquecida dos estressores está na aquisição da linguagem — não conheço ninguém que tenha aprendido sua língua materna em um livro didático, começando com a gramática e, avaliado por provas bi/trimestrais, tenha ajustado sistematicamente as palavras às regras adquiridas. Você aprende melhor um idioma graças à dificuldade da situação, de erro em erro, quando precisa se comunicar em circunstâncias mais ou menos tensas ou exaustivas, particularmente para expressar necessidades urgentes (como as necessidades físicas, aquelas que surgem depois de um jantar em um país de clima tropical).

As pessoas aprendem novas palavras sem fazer um grande esforço cerebral, mas sim com outro tipo de esforço: comunicar-se, principalmente sendo forçadas a adivinhar o que se passa na mente da outra pessoa — acabando com o medo de cometer erros. Sucesso, riqueza e tecnologia, infelizmente, tornaram muito mais difícil esse modo de aquisição. Há alguns anos, quando eu não despertava o interesse de ninguém, organizadores de conferência estrangeiros não me ofereciam o "assistente de viagem" bajulador, fluente no inglês do Facebook, então eu era forçado a me virar sozinho e, portanto, a aprender o vocabulário apontando o dedo e recorrendo ao método de tentativa e erro (exatamente como fazem as crianças) — nenhum dispositivo portátil, nenhum dicionário, nada. Agora sou punido com o privilégio e o conforto — e não consigo resistir ao conforto. A punição vem na forma de uma pessoa, fluente em inglês, que me recebe no aeroporto mostrando um cartaz com meu nome escrito incorretamente, sem estresse, sem ambiguidade e nenhuma exposição ao russo, ao turco, ao croata ou ao polonês fora dos feios (e organizados) manuais escolares. O que é pior, a pessoa é bajuladora; a prolixidade cordial é algo bastante doloroso na condição de jet lag.

Contudo, a melhor maneira de aprender um idioma talvez seja passar por um episódio de encarceramento em um país estrangeiro. Meu amigo Chad Garcia melhorou seu russo graças a uma estadia involuntária na ala de quarentena de um hospital em Moscou por causa de uma doença imaginária. Foi uma espécie sagaz de sequestro médico, já que, durante a confusão após o fim do regime soviético, os hospitais extorquiam os viajantes com internações forçadas, a menos que eles pagassem vultosas somas em dinheiro para ter seus documentos liberados. Chad, então muito pouco fluente no idioma, foi forçado a ler Tolstói no original e adquiriu um vocabulário e tanto.

Turistificação

Meu amigo Chad se beneficiou com o tipo de transtorno que é cada vez menos vigente graças à doença moderna da turistificação. Esse é meu termo para um aspecto da vida moderna que trata os seres humanos como máquinas de lavar roupa, com respostas mecânicas simplificadas — e um detalhado manual do usuário. É a sistemática eliminação da incerteza e da aleatoriedade das coisas, tentando tornar os assuntos extremamente previsíveis em seus mais ínfimos detalhes. Tudo isso em nome do conforto, conveniência e eficiência.

O que um turista é em relação a um aventureiro ou a um flanador, a turistificação é em relação à vida; consiste em transformar as atividades, e não apenas o ato de viajar, no equivalente a um roteiro feito para atores e atrizes. Veremos de que modo a turistificação castra os sistemas e os organismos que gostam da incerteza sugando a sua aleatoriedade até a última gota — ao mesmo tempo que lhes propicia a ilusão de benefícios. Os culpados são o sistema educacional, o planejamento do financiamento de pesquisas científicas teleológicas, o bacharelado francês, os aparelhos das academias etc.

E a agenda eletrônica.

Mas a pior turistificação é a vida que nós, modernos, temos de levar em cativeiro, durante nossas horas de lazer: a ópera nas noites de sexta-feira, festas planejadas, risadas programadas. Mais uma vez, a cadeia de ouro.

Essa atitude "focada nos objetivos" dói profundamente dentro do meu eu existencial.

A ânsia secreta pelo acaso

O que nos leva ao aspecto existencial da aleatoriedade. Se você não for uma máquina de lavar roupa ou um relógio cuco — em outras palavras, se você estiver vivo —, algo dentro de você gosta de um pouco de aleatoriedade e desordem.

Há uma sensação de empolgação associada à aleatoriedade. Gostamos do mundo moderado (e bastante domesticado) dos jogos, seja assistindo a competições esportivas, seja com a tensão em meio aos lances de dados em uma visita a Las Vegas. Eu mesmo, enquanto escrevo estas linhas, tento evitar a tirania de um planejamento preciso e explícito extraindo ideias de uma fonte opaca dentro de mim que me traz surpresas. A escrita só vale a pena quando nos proporciona o frêmito do efeito de aventura, e é essa a razão pela qual aprecio a elaboração de livros e tenho aversão à camisa de força das 750 palavras dos artigos de opinião, que, mesmo sem o filistinismo do editor, me faz verter lágrimas de tédio. E, por incível que pareça, aquilo que entedia o autor quando escreve entediará também o leitor.

Se eu pudesse prever exatamente como seria meu dia, eu me sentiria menos vivo.

Ademais, essa aleatoriedade é necessária para a vida verdadeira. Considere que toda a riqueza do mundo não é capaz de comprar um líquido mais prazeroso do que a água depois de uma sede intensa. Poucos objetos trazem mais emoção do que uma carteira (ou um laptop) recuperada, que havia sido perdida no trem ou no táxi. Acresce que, em um hábitat ancestral, nós, humanos, fomos instigados por estímulos naturais — medo, fome, desejo — que nos levaram a praticar exercícios físicos e a nos tornar aptos e adaptados ao nosso ambiente. Pense em como é fácil encontrar a força para levantar um carro se debaixo dele houver uma criança chorando, ou correr para salvar sua própria vida se você se deparar com um animal selvagem atravessando a rua. Compare isso com o peso da obrigação de frequentar uma academia às seis da tarde e, lá, sofrer bullying de um personal trainer — a menos, é claro, que você esteja sob o imperativo de ficar com a aparência de um guarda-costas. Pense, também, em como é fácil pular uma refeição quando a aleatoriedade do ambiente nos leva a fazê-lo por causa da falta de comida — em comparação à "disciplina" de seguir à risca um plano de dieta de dezoito dias.

Existe um tipo de pessoa para quem a vida é um projeto. Depois de conversar com gente assim, você passa algumas horas sentindo-se mal; a vida começa a ter gosto de comida insossa. Eu, um ser humano amante de adrenalina, tenho um detector de bobagens que parece combinar com meu detector de tédio, como se estivéssemos equipados com um filtro naturalístico antimonotonia. A vida ancestral não tinha dever de casa, não tinha chefe, não tinha funcionários públicos, não tinha títulos acadêmicos, não tinha conversas com o reitor, não tinha nenhum consultor com MBA, não tinha listas de procedimentos, não tinha formulário de inscrição, não tinha viagens para Nova Jersey, nenhum purista da correção gramatical, nenhuma conversa com alguém que entediasse você: toda a vida eram estímulos aleatórios, e nada, bom ou ruim, jamais se parecia com trabalho.* Perigoso, sim, mas chato, nunca.

Por fim, um ambiente com variabilidade (portanto, aleatoriedade) não nos expõe a lesões por estresse crônico, ao contrário dos sistemas concebidos pelo homem. Se você caminhar sobre um terreno irregular, que não tenha sido construído pelo homem, jamais dará dois passos idênticos — compare isso com a esteira da academia desprovida de aleatoriedade, que oferece exatamente o oposto: forçando você a fazer repetições infinitas do mesmo movimento.

Grande parte da vida moderna é uma série de lesões por estresse crônico evitáveis.

A seguir, vamos examinar um artifício da evolução, essa grande especialista em antifragilidade.

* Nem Rousseau nem Hobbes. É verdade que a vida, à época, talvez fosse "brutal e breve", mas é um grave erro lógico apresentar uma compensação, usar os aspectos desagradáveis da humanidade primitiva como um custo necessário para evitar torturas modernas. Não existe razão para não desejar as vantagens de ambas as eras.

4. O que me mata deixa os outros mais fortes

A antifragilidade para um é a fragilidade para outro — Onde apresentamos a ideia de que pensamos demais, fazemos muito pouco — Fracassar para que outros possam ter sucesso — Um dia talvez você receba um obrigado

ANTIFRAGILIDADE EM CAMADAS

Este capítulo é sobre erro, evolução e antifragilidade, com um senão: em larga medida, trata dos erros alheios — a antifragilidade de alguns surge, necessariamente, à custa da fragilidade de outros. Em um sistema, os sacrifícios de algumas unidades — unidades frágeis, ou seja, pessoas — são muitas vezes necessários para o bem-estar de outras unidades ou do todo. A fragilidade de toda startup é necessária para que a economia seja antifrágil, e isso, entre outras coisas, é o que faz o empreendedorismo funcionar: a fragilidade dos empreendedores individuais e sua taxa necessariamente elevada de fracasso.

Assim, a antifragilidade torna-se um pouco mais complicada — e mais interessante — na presença de camadas e hierarquias. Um organismo natural não é uma unidade definitiva e única; compõe-se de subunidades, e ele próprio pode ser a subunidade de algum coletivo mais amplo. Essas subunidades podem disputar entre si. Vejamos outro exemplo de negócios. Restaurantes são frágeis; eles competem uns com os outros, mas por essa mesma razão o coletivo de restaurantes locais é antifrágil. Se os restaurantes fossem individualmente robustos, portanto, imortais, o negócio como um todo ou ficaria estagnado ou enfraqueceria, e não ofereceria nada além de comida de refeitório — e eu me refiro à comida de refeitório ao estilo soviético. Além disso, ele sofreria os estragos da escassez sistêmica, com crises ocasionais e o socorro financeiro do governo. Esses fatores — qualidade, estabilidade e confiabilidade — devem-se, todos, à fragilidade do próprio restaurante.

Assim, pode ser que algumas partes *do lado interno* de um sistema tenham de ser frágeis para que o sistema se torne antifrágil. Ou o próprio organismo pode ser frágil, mas a informação codificada nos genes que o reproduzem será antifrágil. A questão não é trivial, uma vez que está baseada na lógica da evolução. Isso se aplica igualmente a empreendedores e pesquisadores científicos individuais.

Além disso, alguns parágrafos atrás mencionamos o "sacrifício". Infelizmente, os benefícios dos erros, muitas vezes, são concedidos aos outros, ao coletivo — como se os indivíduos fossem concebidos para cometer erros em nome do bem maior, e não para o seu próprio bem. É uma pena, mas temos a tendência de discutir os erros sem levar em conta essa disposição em camadas e a transferência de fragilidade.

Evolução e imprevisibilidade

Eu disse que as noções de mitridatização e hormese eram uma "proto"-antifragilidade, conceitos introdutórios: são até um pouco ingênuos, e precisaremos refiná-los, até mesmo transcendê-los, a fim de analisar um sistema complexo como um todo. A hormese é uma metáfora; a antifragilidade é um fenômeno.

Primo, a mitridatização e a hormese são apenas formas muito fracas de antifragilidade, que obtêm ganhos limitados com a volatilidade, a casualidade ou o dano, e que, se ultrapassam determinada dose, apresentam certa reversão do efeito protetor ou benéfico. A hormese gosta só um pouco de desordem, ou melhor, *precisa* de um pouco dela. A desordem é mais interessante na medida em que sua privação é prejudicial, algo que não compreendemos intuitivamente — nossa mente não é capaz de entender com facilidade as respostas complicadas (pensamos de forma linear, e essas respostas dependentes da dose são não lineares). Nossa mente linear não gosta de nuances e reduz a informação ao binário "prejudicial" ou "útil".

Secundo, e esta é a fraqueza fundamental, nossa mente enxerga o organismo a partir do lado de fora, e o considera como um todo, uma única unidade, quando tudo pode ser um pouco mais sutil.

Existe uma variedade diferente e mais forte de antifragilidade, vinculada à evolução, e que vai além da hormese — na verdade, é muito diferente da hormese; chega a ser até mesmo seu oposto. Ela pode ser descrita como hormese — torna-se mais forte sob os efeitos do dano — se observarmos de fora, e não de dentro. Essa outra variedade de antifragilidade é evolutiva e opera no nível informacional — genes são informações. Ao contrário da hormese, a unidade não se fortalece em resposta ao estresse; ela morre. Mas realiza uma transferência de benefícios; outras unidades sobrevivem — e aquelas que sobrevivem têm atributos que melhoram o coletivo de unidades, levando a modificações usualmente atribuídas ao vago termo "evolução" em livros didáticos e na seção de ciência da edição de terça-feira do *New York Times*. Assim, a antifragilidade que interessa aqui não é tanto aquela dos organismos, inerentemente fraca, mas sim a de seu código genético, que pode sobreviver a eles. Na verdade, o código não se preocupa com o bem-estar da unidade em si — muito pelo contrário, uma vez que destrói muitas coisas em torno dela. Com seu conceito do "gene egoísta", Robert Trivers descobriu a presença de competição entre o gene e o organismo.

Com efeito, o aspecto mais interessante da evolução é que ela só funciona por causa de sua *antifragilidade*; ela é apaixonada por estressores, pela aleatoriedade, pela incerteza e pela desordem — ao passo que os organismos individuais são relativamente frágeis, o fundo genético tira proveito dos impactos para aprimorar sua aptidão.

Então, a partir disso, podemos constatar que há uma tensão entre a natureza e os organismos individuais.

Tudo que é vivo ou orgânico na natureza tem uma vida finita e mais cedo ou mais tarde acaba morrendo — até mesmo Matusalém viveu menos de mil anos. Mas, geralmente, o organismo morre após produzir uma prole com um código genético de uma forma ou de outra diferente daquele dos progenitores, com suas informações modificadas. A informação genética de Matusalém ainda está presente em Damasco, em Jerusalém e, é claro, no Brooklyn, Nova York. A natureza não considera seus participantes muito úteis depois que as capacidades reprodutivas deles se esgotam (exceto, talvez, em situações particulares em que os animais vivem em grupos, por exemplo a necessidade, nos domínios humano e dos elefantes, de que as avós ajudem os outros a preparar seus descendentes para assumir as rédeas). A natureza prefere deixar o jogo seguir no nível informacional, o código genético. Assim, os organismos precisam morrer para que a natureza seja antifrágil — a natureza é oportunista, implacável e egoísta.

À guisa de experimento mental, pense na situação de um organismo imortal, construído sem data de validade. Para sobreviver, ele precisaria estar completamente apto a todos os possíveis acontecimentos aleatórios que viessem a ocorrer no ambiente, todos os *futuros* acontecimentos aleatórios. Por alguma terrível característica, um acontecimento aleatório é, afinal, aleatório. Ele não anuncia antecipadamente sua chegada, a fim de que o organismo possa se preparar e fazer ajustes para suportar os impactos. Para um organismo imortal, a pré-adaptação a todos esses acontecimentos seria uma necessidade. Quando um evento aleatório acontece, já é tarde demais para reagir, então o organismo deve estar preparado para suportar o impacto ou para dizer adeus. Vimos que nossos corpos sobrecompensam um pouco em resposta aos estressores, mas isso continua a ser em larga medida insuficiente; eles ainda não são capazes de prever o futuro. Eles podem se preparar para a próxima guerra, mas não estão aptos a vencê-la. A adaptação pós-acontecimento, por mais rápida que seja, estará sempre um pouco atrasada.*

Para satisfazer às condições dessa imortalidade, os organismos precisam prever à perfeição o futuro — a quase perfeição não é suficiente. Porém, deixando os organismos viverem um ciclo de vida de cada vez, com modificações

* Um comentário técnico sobre por que o critério de adaptabilidade é inocente de probabilidade (o leitor leigo pode pular o restante desta nota). A propriedade, em um processo estocástico, de não enxergar, em determinado período de tempo *t*, o que aconteceria no tempo após *t*, ou seja, qualquer período maior do que *t*, portanto reagindo com uma defasagem, uma defasagem incompreensível, é chamada de *estratégia não antecipatória*, uma exigência da integração estocástica. A incompressibilidade da defasagem é decisiva e inevitável. Organismos só podem ter estratégias não antecipatórias — por essa razão, a natureza só consegue ser não preditiva. A questão não é nem um pouco trivial e confundiu até mesmo os probabilistas, como os da Escola Russa, representados por Stratonovich e os usuários de seu método de integração, que descambaram para a distorção mental comum de pensar que o futuro envia alguns sinais detectáveis por nós. Quem nos dera.

entre as sucessivas gerações, a natureza não precisa prever as condições futuras para além da ideia, extremamente vaga, de qual é a direção para onde as coisas deverão caminhar. Na verdade, nem mesmo uma direção incerta é necessária. Todo evento aleatório trará seu próprio antídoto, na forma de variação ecológica. É como se a natureza se modificasse a cada passo e alterasse sua estratégia a cada instante.

Pense nisso em relação à vida econômica e institucional. Se regesse a economia, a natureza não faria com que os seres vivos vivessem para sempre. Tampouco administraria e geraria departamentos de previsão permanentes que tentariam passar a perna no futuro — a natureza não deixaria trapaceiros e golpistas do Gabinete de Gestão e Orçamento dos Estados Unidos cometer tais erros de arrogância epistêmica.

Se olharmos para a história como um sistema complexo semelhante à natureza, então, tal qual a natureza, ela não deixará que um único império domine para sempre o planeta — mesmo que cada superpotência, dos babilônios aos egípcios, dos persas aos romanos até a América moderna, tenha confiado na permanência da sua dominação e tenha produzido historiadores que contribuíram teoricamente nesse sentido. Sistemas sujeitos à aleatoriedade — e à imprevisibilidade — constroem um mecanismo que vai além do robusto para, de forma oportunista, se reinventarem a cada geração, com uma mudança contínua da população e da espécie.

Curso básico de gestão do Cisne Negro: a natureza (e os sistemas similares à natureza) gostam da diversidade *entre* os organismos, em vez da diversidade *dentro* de um organismo imortal, a menos que você considere que a natureza em si é um organismo imortal, como no panteísmo de Espinosa ou nas atuais religiões asiáticas, ou no estoicismo de Crisipo ou Epicteto. Se você topar com um historiador das civilizações, tente explicar isso a ele.

Vamos analisar como a evolução se beneficia com a aleatoriedade e a volatilidade (em certa dose, é claro). Quanto mais ruídos e distúrbios houver no sistema, até determinado ponto, excetuando-se os impactos extremos que levam à extinção de uma espécie, maior o papel que o efeito da reprodução dos mais aptos e o efeito das mutações aleatórias desempenhará na definição das características da geração seguinte. Digamos que um organismo produz dez descendentes. Se o ambiente for perfeitamente estável, todos os dez serão capazes de se reproduzir. Porém, se houver instabilidade, empurrando para o lado cinco filhos dessa prole (que provavelmente serão, em média, mais fracos do que seus irmãos sobreviventes), então aqueles a quem a evolução considerar mais aptos (considerando todos os fatos) se reproduzirão, fazendo com que o gene sofra alguma adaptação. Da mesma forma, se houver variabilidade entre os descendentes, graças à ocasional mutação espontânea aleatória (um erro de cópia no código genético), então os melhores se reproduzirão, aprimorando a aptidão da espécie. Assim, a evolução se beneficia com a aleatoriedade por duas vias diferentes: aleatoriedade nas mutações e aleatoriedade no ambiente — ambas agem de forma semelhante para provocar mudanças nos traços característicos das gerações sobreviventes vindouras.

Mesmo quando há a extinção de uma espécie inteira após algum evento extremo, isso não é grande coisa, faz parte do jogo. Ainda é a evolução em ação, já que as espécies que sobrevivem são as mais aptas e assumem o lugar dos dinossauros — a evolução não diz respeito a uma espécie, mas trabalha a favor de toda a natureza.

Porém vale apontar que a evolução gosta da aleatoriedade apenas até certo limite.* Se uma calamidade erradicar completamente a vida no planeta, os mais aptos não sobreviverão. Da mesma forma, se mutações aleatórias ocorrerem a uma taxa elevada demais, pode ser que o ganho de adaptação não se mantenha; talvez ele até mesmo se reverta, graças a uma nova mutação: conforme continuarei repetindo, a natureza é antifrágil *até certo ponto*, mas tal ponto é bastante alto — aguenta receber uma grande quantidade de impactos. Se um evento nuclear aniquilar a maior parte da vida na Terra, mas não toda a vida, algum rato ou um tipo de bactéria surgirá do nada, talvez do fundo dos oceanos, e a história vai recomeçar, sem nós e obviamente sem os membros do Gabinete de Gestão e Orçamento.

Então, de certo modo, enquanto a hormese corresponde a situações em que o organismo individual se beneficia com os danos diretos a si próprio, a evolução ocorre quando o dano faz o organismo individual perecer e quando os benefícios são transferidos para outros, os sobreviventes, e as gerações futuras.

* A antifragilidade forte é quando o amor pela volatilidade não conhece limites — os ganhos têm um limite remoto ou são verdadeiramente ilimitados: o céu é o limite. Eles só podem existir na vida artificial, criada pelo homem, como os contratos econômicos e os produtos culturais, não de fato em processos naturais. Mais sobre isso no Apêndice.

Para uma ilustração de como as famílias de organismos gostam do *dano* a fim de evoluir (novamente, até certo ponto), e não os próprios organismos, pense no fenômeno de resistência aos antibióticos. Quanto mais você tenta danificar as bactérias, mais fortes serão as células sobreviventes — a menos que se consiga erradicá-las por completo. O mesmo acontece com a terapia do câncer: com bastante frequência, as células cancerígenas que conseguem sobreviver à toxicidade da quimioterapia e da radiação se reproduzem mais rapidamente e assumem o vazio deixado pelas células mais fracas.

Organismos são populações e populações são organismos

A ideia de ver as coisas em relação a populações, e não a indivíduos, com benefícios para estes decorrentes de danos àquelas, ocorreu-me ao ler as obras sobre antifragilidade de autoria de Antoine Danchin, um físico que se tornou geneticista.* Para ele, a análise deve levar em conta o fato de que um organismo não é algo isolado e autônomo: existem camadas e hierarquias. Quem vê as coisas em relação às populações deve transcender os termos "hormese" e "mitridatização" como caracterização da antifragilidade. Por quê? Reformulando o argumento anterior, a hormese é uma metáfora para a antifragilidade direta, quando um organismo se beneficia diretamente com o dano; com a evolução, algo hierarquicamente superior àquele organismo se beneficia com o dano. Visto superficialmente, parece que há hormese, mas, de dentro, há vencedores e perdedores.

Como funciona essa disposição em camadas? Uma árvore tem muitos galhos, que se parecem com pequenas árvores; além disso, esses galhos grandes têm muitos outros galhos menores, que se parecem mais ou menos com árvores ainda menores. Trata-se de uma manifestação do que é chamado de *autossimilaridade fractal*, uma proposta do matemático Benoît Mandelbrot. Há uma hierarquia similar nas coisas e, do lado de fora, vemos apenas a camada superior e superficial. A célula tem uma população de moléculas intercelulares; por sua vez, o organismo tem uma população de células, e a espécie tem uma população de

* Ele e seus coautores publicaram no periódico *Genes* um artigo sobre a ideia de antifragilidade em sistemas biológicos. Curiosamente, o artigo foi em resposta a um esboço deste livro; por sua vez, este livro foi modificado em resposta ao artigo de Danchin.

organismos. Um mecanismo de fortalecimento para a espécie se dá à custa de alguns organismos, ao passo que o organismo se fortalece à custa de algumas células, em toda a extensão, de cima para baixo e também de baixo para cima.

Por exemplo, se você beber uma substância venenosa em pequenas quantidades, o mecanismo pelo qual seu organismo vai se curar é, de acordo com Danchin, evolutivo *dentro* de seu sistema, de maneira que as proteínas ruins (e fracas) nas células serão substituídas por proteínas mais fortes — e mais jovens —, as mais fortes sendo poupadas (ou alguma operação semelhante). Quando a pessoa se priva de comida, as proteínas ruins são as primeiras que o seu próprio corpo quebra e recicla — um processo chamado de *autofagia*. Trata-se de um processo puramente evolutivo, que seleciona e *mata* os mais fracos para a adaptação. Mas não é preciso aceitar a teoria biológica específica (como as proteínas que envelhecem e a autofagia) para aceitar a ideia geral de que as pressões por sobrevivência dentro do organismo desempenham papel significativo em seu aprimoramento sob a influência de estresse externo.

OBRIGADO, ERROS

Agora, entramos na seara dos erros e como os erros de algumas pessoas acarretam benefícios para outras.

Podemos simplificar as relações entre fragilidade, erros e antifragilidade da seguinte forma. Quando você está frágil, depende de que as coisas sigam com exatidão o curso planejado, com um mínimo de desvio possível — pois os desvios são mais prejudiciais do que úteis. É por isso que o frágil *precisa* ser muito preditivo em seu enfoque, e, inversamente, os sistemas preditivos causam fragilidade. Quando você almeja desvios, e não se preocupa com a possível dispersão de resultados que o futuro pode trazer, já que a maioria deles será útil, você é antifrágil.

Ademais, o elemento aleatório de tentativa e erro não é de todo aleatório se for realizado de forma racional, utilizando o erro como fonte de informação. Se cada tentativa fornecer a você informações sobre o que *não* funciona, você começa a pôr em foco uma solução — assim, cada tentativa torna-se mais valiosa, mais como uma despesa do que como um erro. E, é claro, você fará descobertas ao longo do caminho.

Mas lembre-se de que este capítulo gira em torno de camadas, unidades, hierarquias, estrutura fractal e a diferença entre os interesses de uma unidade e os de suas subunidades. Por isso, muitas vezes são os erros dos outros que beneficiam o restante de nós — e, infelizmente, não a eles. Vimos que os estressores são informação, no contexto correto. Para o antifrágil, o dano provocado pelos erros deveria ser menor do que os benefícios. Claro que estamos falando de apenas alguns erros; aqueles que não destroem um sistema ajudam a prevenir calamidades maiores. O engenheiro e historiador de engenharia Henry Petroski apresenta um ponto de vista muito elegante. Se o famoso e fatal acidente com o *Titanic* não tivesse ocorrido, teríamos continuado a construir transatlânticos cada vez maiores, e o desastre seguinte teria sido ainda mais trágico. Desse modo, as pessoas que morreram foram sacrificadas em nome do bem maior; sem dúvida, salvaram mais vidas do que as que foram perdidas. A história do *Titanic* ilustra a diferença entre os ganhos para o sistema e os danos para algumas de suas partes individuais.

O mesmo pode ser dito sobre o desastre de Fukushima: é possível afirmar, com segurança, que o episódio nos alertou para o problema dos reatores nucleares (e das pequenas probabilidades) e impediu catástrofes maiores (note que os erros dos ingênuos testes de estresse e a dependência de modelos de risco eram bastante óbvios à época; assim como com a crise econômica, ninguém quis dar ouvidos).

Cada acidente aéreo nos aproxima mais da segurança, melhora o sistema e faz com que o voo seguinte seja mais seguro — as pessoas que morrem contribuem para a segurança global das outras. O voo 111 da Swissair, o voo 800 da TWA e o voo 447 da Air France possibilitaram o aperfeiçoamento do sistema. Mas esses sistemas aprendem porque são antifrágeis e configurados para tirar proveito de pequenos erros; o mesmo, porém, não pode ser dito dos colapsos econômicos, uma vez que o sistema econômico, em sua configuração atual, não é antifrágil. Por quê? Há centenas de milhares de voos todos os anos, e um acidente com um avião não envolve outras aeronaves, por isso os erros permanecem isolados e são altamente epistêmicos — ao passo que os sistemas econômicos globalizados operam como um só: os erros se propagam e se mesclam.

Mais uma vez, estamos falando de erros parciais, pequenos, não gerais, graves e terminais. Isso cria uma separação entre os sistemas bons e ruins.

Sistemas bons, a exemplo das companhias aéreas, são configurados para ter pequenos erros, independentes uns dos outros — ou, na verdade, negativamente correlacionados entre si, uma vez que os erros reduzem as chances de erros futuros. Essa é uma maneira de ver como um ambiente pode ser antifrágil (aviação) e outro, frágil (a vida econômica moderna, com uma interconectividade ao estilo "a Terra é plana").

Se cada acidente aéreo reduz a probabilidade de que ocorra outra queda de avião, cada colapso bancário aumenta a probabilidade de uma nova crise financeira. Precisamos eliminar o segundo tipo de erro — o que produz contágio — em nossa construção de um sistema socioeconômico ideal. Examinemos mais uma vez a Mãe Natureza.

O natural foi construído de erro não sistêmico em erro não sistêmico: meus erros no desafio de levantar pedras, quando estou bem preparado, se traduzem em pequenas lesões que me nortearão na próxima vez, enquanto tento evitar a dor — afinal, esse é o propósito da dor. Os leopardos, que se movem como uma verdadeira sinfonia da natureza, não recebem instruções de personal trainers sobre a "forma adequada" de subir até o topo de uma árvore carregando um cervo na boca. Os conselhos humanos podem funcionar com os esportes artificiais — tênis, boliche ou tiro esportivo, por exemplo —, mas não com os movimentos naturais.

Algumas empresas adoram *seus próprios* erros. As companhias de resseguro, cujo foco é garantir riscos catastróficos (e que são usadas por seguradoras para "reassegurar" esses riscos não diversificáveis), conseguem se sair bem *depois* de uma calamidade ou de um evento de cauda que faz com que sofram prejuízos. Se ainda estiverem em atividade e conseguirem manter a calma e uma reserva de liquidez (poucas conseguem se planejar para tal contingência), elas compensam aumentando de forma desproporcional os prêmios — os clientes reagem com exagero e pagam pelo seguro. Elas alegam não ter ideia do valor justo, ou seja, dos preços adequados, para o resseguro, mas certamente sabem que ele se torna superfaturado em momentos de estresse, o que é suficiente para que acumulem uma boa soma em shekels* a longo prazo. Tudo que

* No original, o autor usa de forma recorrente shekel, antiga moeda hebraica de prata e também uma unidade mesopotâmica de peso, ainda hoje usada como nome da moeda corrente de Israel (o novo shekel); no inglês moderno, em especial em sua forma plural, shekels, é uma gíria para dinheiro, equivalendo a "grana" ou "bolada". (N. T.)

precisam fazer é manter seus erros na menor escala possível, de modo que consigam sobreviver a eles.

Como se tornar a Madre Teresa

A variabilidade causa erros e adaptações; também permite que você saiba quem são seus amigos. Seus fracassos e sucessos lhe darão informações. Entretanto, e esta é uma das coisas boas da vida, às vezes você só descobre o caráter de uma pessoa depois de prejudicá-la com um erro pelo qual o único responsável é você — fico espantado com a generosidade de algumas pessoas ao me perdoarem pelos erros que cometo.

E, é claro, você aprende com os erros dos outros. Talvez você nunca venha a saber que tipo de pessoa está ao seu lado, a menos que sejam dadas a ela oportunidades de violar códigos morais ou éticos. Lembro-me de uma colega de classe, uma menina do ensino médio que parecia legal e honesta, e fazia parte do meu grupo de amigos de infância, utopistas antimaterialistas. Fiquei sabendo que, contrariando minhas expectativas (e sua aparência inocente), ela terminou não se tornando nem Madre Teresa nem Rosa Luxemburgo, já que abandonou seu primeiro (e rico) marido para ficar com outro homem, mais rico, e que ela descartou ao primeiro sinal de dificuldades financeiras em troca de outro amante ainda mais rico e poderoso (e generoso). Em um ambiente não volátil, eu (e muito provavelmente ela também) a teria confundido com uma utopista e uma santa. Alguns membros da sociedade — aqueles que não se casaram com ela — obtiveram informações valiosas, enquanto outros, as suas vítimas, pagaram o preço.

Além disso, um perdedor para mim é alguém que, depois de cometer um erro, não faz uma reflexão introspectiva, não tira proveito do que aconteceu, sente-se constrangido e na defensiva, e não aperfeiçoado depois de obter a nova informação, e tenta encontrar motivos para o erro cometido, em vez de seguir em frente. Pessoas desse tipo invariavelmente consideram-se "vítimas" de algum grande complô, de um chefe malvado ou do mau tempo.

Por fim, um pensamento. Aquele que nunca pecou é menos confiável do que aquele que só pecou uma vez. E alguém que tenha cometido diversos erros — mas nunca o mesmo erro mais de uma vez — é mais confiável do que alguém que nunca cometeu erro algum.

POR QUE O CONJUNTO ODEIA O INDIVIDUAL

Vimos que, na biologia, a antifragilidade funciona graças às camadas. Essa rivalidade entre suborganismos contribui para a evolução: as células dentro de nosso corpo competem entre si; dentro das células, as proteínas competem de cabo a rabo. Vamos aplicar essa questão nos empreendimentos humanos. A economia tem uma estratificação equivalente: indivíduos, artesãos, microempresas, departamentos dentro de corporações, corporações, indústrias, economia regional e, por fim, no topo, a economia em geral — é possível até mesmo fazer cortes mais finos, com um número maior de camadas.

Para que a economia seja antifrágil e sofra o que se chama de evolução, cada negócio individual deve *necessariamente* ser frágil, exposto à ruptura — a evolução precisa que os organismos (ou seus genes) morram quando suplantados por outros, a fim de alcançar a melhoria, ou de modo a evitar a reprodução quando não estiverem tão aptos quanto algum outro indivíduo. Dessa maneira, a antifragilidade de nível superior pode requerer a fragilidade — e sacrifícios — de nível inferior. Toda vez que você usa uma cafeteira para fazer seu cappuccino matinal, está se beneficiando com a fragilidade do fabricante da máquina de café que faliu. Ele faliu para ajudar a colocar um produto superior sobre o balcão de sua cozinha.

Leve em conta também as sociedades tradicionais. Nelas, da mesma forma, temos uma disposição semelhante em camadas: indivíduos, famílias imediatas, famílias estendidas, tribos, pessoas usando os mesmos dialetos, etnias, grupos.

Embora o sacrifício como modus operandi seja mais óbvio no caso das colônias de formigas, por exemplo, tenho certeza de que os empreendedores individuais não estão particularmente interessados em praticar haraquiri em prol do bem maior econômico, eles estão, portanto, necessariamente preocupados em buscar a antifragilidade ou, pelo menos, algum nível de robustez para si mesmos. Isso pode não ser compatível com o interesse do coletivo — isto é, da economia. Então, há um problema em que a propriedade da soma (o conjunto, o agregado) diverge da propriedade das partes individuais — na verdade, ela quer danificar as partes.

É doloroso pensar na crueldade como um motor que aciona a melhoria.

Ora, mas qual seria a solução? Não há nenhuma, infelizmente, que seja capaz de agradar a todos — mas existem maneiras de mitigar o dano infligido aos muito fracos.

O problema é mais grave do que se imagina. As pessoas vão para as faculdades de economia e administração de empresas para aprender a ser bem-sucedidas, ao mesmo tempo que asseguram sua sobrevivência — no entanto, o que a economia, enquanto coletividade, quer que elas façam *não é* sobreviver, mas, ao contrário, que assumam riscos, muitos riscos imprudentes, e sejam cegadas pelas probabilidades. Suas respectivas áreas de atividade melhoram de fracasso em fracasso. Os sistemas naturais e similares à natureza querem dos agentes econômicos individuais algum excesso de confiança, ou seja, a superestimação de suas chances de sucesso e a subestimação dos riscos de fracasso em seus negócios, contanto que seu fracasso não tenha impacto sobre os outros. Em outras palavras, querem a confiança em excesso em âmbito local, mas não global.

Vimos que o ramo de restaurantes é de uma eficiência maravilhosa precisamente porque restaurantes, sendo vulneráveis, estão indo à falência a cada minuto, e os empresários ignoram esse fato, pois acreditam que terão êxito contrariando todas as probabilidades. Em outras palavras, algum tipo de exposição temerária a riscos, até mesmo suicida, é saudável para a economia — sob a condição de que nem todas as pessoas se exponham aos mesmos riscos e que esses riscos permaneçam pequenos e localizados.

Ora, ao romper o modelo, como veremos, com socorros financeiros, os governos em geral favorecem certa classe de empresas que são suficientemente grandes para exigir serem salvas, a fim de evitar que contagiem outros negócios. Isso é o oposto da exposição a riscos saudável; é a *transferência de fragilidade do coletivo para o inapto*. As pessoas têm dificuldade para perceber que a solução é construir um sistema no qual a queda de alguém não seja capaz de debilitar e arrastar outros para o buraco — pois falhas contínuas trabalham para preservar o sistema. Paradoxalmente, muitas intervenções governamentais e muitas políticas sociais acabam prejudicando os fracos e consolidando os já estabelecidos.

O QUE NÃO ME MATA, MATA OS OUTROS

Hora de desmascararmos um mito.

Como defensor da antifragilidade, preciso fazer um alerta sobre a ilusão de vê-la onde na verdade ela não está presente. Podemos confundir a antifragilidade do sistema com aquela do indivíduo, quando, na realidade, ela ocorre *à custa* do indivíduo (a diferença entre hormese e seleção).

É fácil interpretar erroneamente a famosa expressão de Nietzsche, "Aquilo que não me destrói, me fortalece", desvirtuando-a como mitridatização ou hormese. Talvez seja um desses dois fenômenos, muito possivelmente, mas poderia muito bem significar "aquilo que não me matou *não* me fortaleceu, mas me poupou *porque* sou mais forte do que os demais; porém matou os outros, e agora a média da população está mais forte, pois os fracos foram eliminados". Em outras palavras, fui aprovado em um exame final. Em textos anteriores, discuti o problema da falsa ilusão de causalidade, com um artigo de jornal noticiando que os novos membros da máfia, ex-exilados soviéticos, tinham ficado "empedernidos por uma visita ao gulag" (um campo de concentração soviético). Uma vez que uma temporada no gulag matava os mais fracos, havia a ilusão de fortalecimento. Às vezes, vemos pessoas que sobreviveram a infortúnios e imaginamos, dado que a população sobrevivente é mais resistente que a original, que essas provações são boas para elas. Em outras palavras, a situação aflitiva pode ser apenas um teste implacável que mata os indivíduos que falham. Pode ser que tudo que estamos testemunhando seja a transferência de fragilidade (ou melhor, a antifragilidade) do indivíduo para o sistema, que discuti antes. Deixe-me explicar de maneira diferente. É evidente que o grupo sobrevivente é mais forte do que o inicial — mas não exatamente os indivíduos, uma vez que os mais fracos morreram.

Alguém pagou um preço para que o sistema se aprimorasse.

Eu e nós

Essa visível tensão entre os interesses individuais e os coletivos é recente na história: no passado, lidava-se com ela por meio da quase irrelevância dos indivíduos. O sacrifício em prol do bem do grupo está por tras da noção de heroísmo: é bom para a tribo, ruim para os que perecem sob as adversidades da guerra. Esse instinto de heroísmo e o apagamento dos interesses individuais em favor do coletivo tornaram-se anômalos com os homens-bomba suicidas. Esses terroristas pré-morte entram em um estado de ânimo semelhante a um transe extático, em que suas emoções os levam a tornar-se indiferentes à sua própria mortalidade. É uma falácia que os homens-bomba suicidas sejam movidos pela promessa de recompensa de algum paraíso islâmico, repleto de virgens e outras modalidades de entretenimento, pois, como salientou o antropólogo Scott Atran, os primeiros homens-bomba suicidas no Levante eram revolucionários de origem ortodoxa grega — a minha tribo —, e não islâmicos.

Existe dentro de nós algo parecido com um interruptor, que mata o indivíduo em favor do coletivo, quando as pessoas se envolvem em danças comunais, motins em massa ou guerras. O seu estado de ânimo individual passa a ser o do rebanho. Você é parte do que Elias Canetti chama de *massa palpitante e rítmica*. Você também poderá sentir na pele uma variedade diferente da experiência de multidão na próxima vez que se deparar com um tumulto na rua, quando o temor das autoridades desaparecer completamente sob a febril agitação da turba.

Agora, vamos generalizar a questão. Observando o mundo de certa distância, vejo uma completa tensão entre homem e natureza — a tensão na troca compensatória de fragilidades. Vimos como a natureza deseja que ela própria, o coletivo, sobreviva — não todas as espécies —, assim como, por sua vez, cada espécie quer que seus indivíduos sejam frágeis (em especial após a reprodução), de modo que a seleção evolutiva ocorra. Vimos como essa transferência de fragilidade dos indivíduos para as espécies é necessária para a sobrevivência geral dela: as espécies são potencialmente antifrágeis, dado que o DNA é informação, mas os membros da espécie são perecíveis, portanto prontos para se sacrificar e, na realidade, projetados para fazer isso em benefício do coletivo.

Antifragilidade, antifragilidade fajuta. Algumas ideias sobre adaptação e seleção aqui apresentadas não são muito confortáveis para este autor, o que torna bastante dolorosa a escrita de alguns trechos — detesto a crueldade da seleção, a inexorável deslealdade da Mãe Natureza. Detesto a ideia de aprimoramento com base no prejuízo dos outros. Como humanista, oponho-me à antifragilidade de sistemas à custa dos indivíduos, pois, se seguirmos tal raciocínio, isso nos torna a nós, seres humanos, individualmente irrelevantes.

O grande benefício do Iluminismo foi trazer para o primeiro plano o indivíduo, com seus direitos, sua liberdade, sua independência, sua "busca pela felicidade" (seja lá o que signifique "felicidade") e, acima de tudo, sua privacidade. Apesar de sua negação da antifragilidade, o Iluminismo e os sistemas políticos que surgiram a partir dele nos libertaram (de alguma forma) da dominação — da sociedade, da tribo e da família — que havia prevalecido ao longo da história.

A unidade em culturas tradicionais é o coletivo, que poderia ser compreendido como algo que é prejudicado pelo comportamento de um indivíduo — a honra da família é maculada quando, por exemplo, a filha engravida ou algum parente se envolve em fraudes e pirâmides financeiras de grande escala, ou, pior ainda, quando alguém ministra, em um curso universitário, aulas da charlatã disciplina de economia financeira. E esses costumes tradicionais persistem. Recentemente, ainda em fins do século XIX ou início do XX, era comum, digamos, nas áreas rurais da França, que alguém despendesse todas as suas economias para resolver as dívidas de um primo remoto (uma prática chamada *passer l'éponge*, literalmente, usar uma esponja para apagar do quadro-negro a responsabilidade), e fazia isso para preservar a dignidade e o bom nome da família. A prática era tida como um dever (confesso que eu mesmo tomei atitudes parecidas no século XXI!).

É absolutamente cristalino que o sistema precisa existir para que o indivíduo sobreviva. Então, é preciso tomar cuidado quanto à glorificação de um interesse em detrimento de outros na presença de interdependência e complexidade.*

Na Cosa Nostra, a máfia siciliana, a designação "homem de honra" (*uomo d'onore*) implica que a pessoa capturada pela polícia permanecerá em silêncio e não delatará seus amigos, independentemente do que lhe seja oferecido, e que é preferível a vida na prisão a um acordo atenuante que acarrete prejuízos a outros membros. A tribo (Cosa Nostra) vem antes do indivíduo. E o que acabou com a máfia foi a recente geração de membros adeptos da delação premiada (note que, na máfia, "honra" limita-se a essa solidariedade intragrupo — de resto, e em outros domínios, mafiosos mentem e não fazem nada honroso. E matam pessoas pelas costas, algo que, no lado leste do Mediterrâneo, é considerado a mais pura forma de covardia).

* Muitas pessoas pensam a princípio que a própria morte é o pior cenário Cisne Negro. Não é. A menos que tenham estudado demais a economia moderna, elas concordariam explicitamente que sua morte, *mais* a morte de seus entes queridos, *mais* o extermínio da humanidade, seria um resultado tremendamente pior do que seu próprio falecimento. Lembre-se do meu comentário sobre os sistemas complexos. Somos uma mera parte de uma grande cadeia, e estamos preocupados com nossos próprios problemas e com o sistema, bem como com a preservação de partes dessa grande cadeia.

Da mesma forma, nós, humanos, talvez tenhamos de ser egocêntricos em prejuízo de outras espécies, sob o risco da fragilidade ecológica, se isso garantir nossa sobrevivência. Nossos interesses – como raça humana – prevalecem sobre os da natureza; e podemos tolerar algum grau de ineficiência, alguma fragilidade, a fim de proteger os indivíduos, embora sacrificar demais a natureza possa, mais cedo ou mais tarde, nos prejudicar.

Vimos a troca compensatória entre os interesses do coletivo e os do indivíduo. Uma economia não consegue sobreviver sem quebrar ovos individuais; a proteção é danosa, e restringir as forças da evolução para beneficiar os indivíduos não parece necessário. Mas podemos proteger os indivíduos da morte por fome, proporcionar alguma proteção social. E dar-lhes respeito. Ou mais, como veremos a seguir.

Dia Nacional do Empreendedor

Ao mesmo tempo, se, na condição de utopista (de fato), odeio o que estou descobrindo, acho que há esperança.

O heroísmo e o respeito que ele impõe são uma forma de compensação por parte da sociedade para aqueles que correm riscos pelos outros. E o empreendedorismo é uma atividade arriscada e heroica, necessária para o crescimento ou até mesmo para a mera sobrevivência da economia.

O empreendedorismo também é necessariamente coletivo, por razões epistemológicas – para facilitar o desenvolvimento da competência especializada. Alguém que *não* encontrou algo está fornecendo conhecimento aos outros, o melhor conhecimento, aquele da *ausência* (o que não funciona) – ainda que receba pouco ou nenhum crédito por isso. Ele é uma parte essencial do processo; os incentivos vão para os outros e, o que é pior, ele não recebe respeito algum.*

Sou ingrato com relação à importância do homem cujo excesso de confiança o levou a abrir um restaurante e falir, saboreando minha agradável refeição enquanto ele, provavelmente, está comendo atum em lata.

* Jean-Louis Rheault, com quem me correspondo, escreveu-me: "Tenho notado que quanto mais as pessoas glorificam o empreendedor como uma abstração, mais desprezam um empreendedor de verdade quando conhecem um".

Para progredir, a sociedade moderna deveria tratar os empreendedores falidos do mesmo modo que honramos os soldados mortos, talvez não com tanta honraria, mas usando exatamente a mesma lógica (o empreendedor ainda está vivo, embora talvez moralmente debilitado e socialmente estigmatizado, em especial se morar no Japão). Pois não existe soldado fracassado, nem vivo nem morto (a menos que tenha agido de forma covarde) – da mesma forma, não existe empresário fracassado ou pesquisador científico fracassado, bem como é impossível que um tagarela, um filosofastro, um comentarista, um consultor, um lobista ou um professor de faculdade de economia e administração de empresas seja bem-sucedido sem que assuma riscos pessoais (desculpe-me).

Os psicólogos rotulam como doença o "excesso de confiança", cegando as pessoas para suas chances de sucesso quando se envolvem em empreendimentos. Mas há uma diferença entre a exposição a riscos benigna, do tipo heroico, que é benéfica para os outros, no caso antifrágil, e a versão moderna mais asquerosa, relacionada com Cisnes Negros negativos, como o excesso de confiança de "cientistas" que computam os riscos de danos causados pelo reator de Fukushima. No primeiro caso, o que eles chamam de excesso de confiança é algo bom, não algo a tratar com medicação.

E compare os empreendedores aos burocráticos e gerentes mesquinhos de empresas que vão galgando a escada da hierarquia quase sem ter de enfrentar qualquer desvantagem concreta. O grupo deles raramente está em risco.

O que Erasmo chamou de *ingratitudo vulgi*, a ingratidão das massas, está aumentando na era da globalização e da internet.

Meu sonho – a solução – é que tivéssemos um Dia Nacional do Empreendedor, com a seguinte mensagem:

> A maioria de vocês fracassará, será desrespeitada, empobrecerá, mas somos gratos pelos riscos a que vocês estão se expondo e os sacrifícios que estão fazendo em prol do crescimento econômico do planeta e para tirar outras pessoas da pobreza. *Vocês estão na origem de nossa antifragilidade.* Nossa nação agradece.

Livro II

Modernidade e a negação da antifragilidade

Como no triste poema de Baudelaire sobre o albatroz, aquilo que é feito para voar não se dá muito bem preso ao chão, onde é forçado a vagar a esmo. E é bastante apropriado que "volatilidade" venha de *volare*, "voar" em latim. Privar de volatilidade os sistemas políticos (e outros sistemas) os prejudica, causando, no fim das contas, maior volatilidade do tipo em cascata.

Esta seção, o Livro II, trata da fragilidade que surge da negação da hormese, uma antifragilidade natural dos organismos, e de como prejudicamos os sistemas com a melhor das intenções, desempenhando o papel de regentes. Estamos fragilizando sistemas sociais e econômicos ao negar-lhes estressores e aleatoriedade, colocando-os em uma moderna cama de Procusto agradável e confortável — mas, em última análise, prejudicial.

Procusto, na mitologia grega, era um estalajadeiro que, para fazer com que os viajantes se encaixassem em sua cama, cortava os braços e as pernas dos hóspedes altos demais e esticava os membros dos muito baixos. Mas ele fazia com que a cama se encaixasse ao visitante com perfeição total.

Como vimos no capítulo 3, tratar um organismo como uma máquina básica é uma espécie de simplificação, de aproximação ou de redução que é exatamente idêntica a uma cama de Procusto. Muitas vezes é com a mais nobre das intenções que fazemos isso, porque somos pressionados a "consertar" as coisas, e assim acabamos por estragá-las de vez, por causa do nosso medo da aleatoriedade e do amor por tudo que é fácil.*

O Livro II discutirá também a competição entre o homem e as forças da natureza, o anseio por volatilidade por parte de alguns sistemas antifrágeis e o modo como, ao estabilizarmos em excesso os sistemas sociais, políticos (e outros), nós os tornamos vulneráveis aos Cisnes Negros.

* As simplificações falham, causando os maiores estragos, quando algo não linear é simplificado e substituído pelo linear. Essa é a cama de Procusto mais comum.

5. O *souk* e o prédio de escritórios

Os Vermelhos e os Brancos vão todos para Zurique — A guerra não é uma prisão — Os projetos frustrados do peru — Lembre-se de que estamos no Extremistão

DOIS TIPOS DE PROFISSÃO

Pense no destino de Ioannis (João) e Georgios (Jorge), irmãos gêmeos idênticos, ambos nascidos no Chipre, atualmente residentes na área da Grande Londres. João trabalha há 25 anos como funcionário do RH de um grande banco, lidando com a realocação de funcionários em todo o mundo. Jorge é taxista.

João tem uma renda perfeitamente previsível (pelo menos é o que ele pensa), com benefícios, férias de quatro semanas por ano e um relógio de ouro a cada 25 anos de empresa. Todo mês, 3082 libras esterlinas são depositadas em sua conta bancária na agência local do Nat West. Ele gasta uma parte na hipoteca de sua casa na região oeste de Londres, nas contas de casa e em queijo feta, e guarda o resto na poupança. João costumava acordar nas manhãs de sábado, dia em que as pessoas demoram para sair da cama, livres de qualquer ansiedade, e dizia a si mesmo: "A vida é boa" — até que veio a crise bancária, quando ele percebeu que corria o risco de ser demitido, já que seu cargo poderia ser considerado "redundante". O desemprego seria um golpe brutal. Como especialista em recursos humanos, ele havia visto a implosão de longas carreiras, de pessoas que, demitidas aos cinquenta anos, nunca mais se recuperaram.

Jorge, que mora na mesma rua de seu irmão, dirige um táxi preto — o que significa que ele obteve uma licença pela qual passou três anos expandindo seus lobos frontais ao memorizar ruas e itinerários da Grande Londres, e que lhe dá o direito de pegar passageiros nas ruas. Sua renda é extremamente variável. Alguns dias são "bons", e ele ganha várias centenas de libras; nos piores dias, Jorge não consegue nem sequer cobrir seus custos; mas, ano após ano, ele ganha, em média, mais ou menos o mesmo que o irmão. Até o momento, em seus 25 anos de carreira, Jorge só passou um único dia sem fazer nenhuma corrida. Por causa da inconstância de sua renda, ele lamenta não ter a segurança profissional do irmão — mas, na verdade, isso é uma ilusão, pois a segurança dele chega a ser um pouco maior.

Esta é a ilusão fundamental da vida: a de que a aleatoriedade é arriscada, algo ruim — e que se elimina a aleatoriedade eliminando-se a aleatoriedade.

Artesãos — digamos, taxistas, prostitutas (uma profissão muito, muito antiga), carpinteiros, encanadores, alfaiates e dentistas — têm alguma volatilidade em sua renda, mas são bastante robustos para um pequeno Cisne Negro profissional, que faria sua renda estagnar-se por completo. Os riscos que eles correm são visíveis. Isso não acontece com os funcionários assalariados, que não têm volatilidade alguma, mas podem se surpreender ao ver sua renda reduzida a zero depois de um telefonema do RH. Os riscos desses empregados estão ocultos.

Graças à variabilidade, essas carreiras artesanais encerram um pouco de antifragilidade: pequenas variações fazem com que elas se adaptem e mudem continuamente, aprendendo com o ambiente e existindo, de certa forma, sob a contínua pressão para mostrar aptidão. Lembre-se de que os estressores são informação; essas carreiras enfrentam um estoque ininterrupto de tais estressores, que as fazem ajustar-se de forma oportuna. Além disso, elas estão abertas a recompensas e a surpresas positivas, a livres opções — a característica marcante da antifragilidade, como veremos no Livro IV. Jorge estava acostumado a receber, de tempos em tempos, algum pedido maluco, que ele se sentia livre para recusar: durante o susto do vulcão islandês, quando o tráfego aéreo do Reino Unido foi interrompido, uma rica senhora idosa pediu que ele a levasse a uma cerimônia de casamento no sul da França — uma viagem de ida e volta de 3200 quilômetros. Da mesma forma, uma prostituta vislumbra a pequena probabilidade de um cliente podre de rico e profundamente apaixonado lhe oferecer um diamante caríssimo ou, até mesmo, um pedido de casamento, no que, se imagina, seja um breve período de transição antes de ficar viúva.

E Jorge tem a liberdade de continuar trabalhando até bater as botas (muitas pessoas continuam dirigindo táxi após os oitenta anos, principalmente para matar o tempo), já que é patrão de si mesmo, ao contrário de seu irmão, que, na faixa dos cinquenta, não tem mais a menor chance de voltar a ser contratado.

A diferença entre as duas volatilidades de renda aplica-se aos sistemas políticos — e, como veremos nos dois próximos capítulos, a praticamente tudo na vida. A suavização de aleatoriedade, concebida pelo homem, produz o equivalente à renda de João: tranquila, firme, mas frágil. Essa renda é mais vulnerável a grandes impactos que podem reduzi-la a zero (além de alguns benefícios de auxílio-desemprego, caso ele resida em um dos poucos Estados de bem-estar social). A aleatoriedade natural apresenta-se mais como a renda de Jorge: um papel menor para os impactos muito grandes, mas variabilidade diária. Ademais, essa variabilidade ajuda a melhorar o sistema (daí a antifragilidade). Uma semana em que um taxista ou uma prostituta ganha menos que o normal fornece informações relativas ao ambiente e traz à tona a necessidade de ir para outra parte da cidade onde possa haver clientes à espera; mais ou menos um mês sem rendimentos os leva a rever suas habilidades.

Além disso, para um trabalhador autônomo, um pequeno erro (não terminal) é informação, informação valiosa, que o orienta em sua postura adaptativa; para um funcionário assalariado como João, um erro é algo que entra em seu registro permanente, arquivado no RH. Certa vez, Yogi Berra disse: "Cometemos o erro errado" — e, para João, todos os erros são erros errados. A natureza ama os pequenos erros (sem os quais as variações genéticas são impossíveis), os seres humanos não — portanto, quando você confia no julgamento humano, está à mercê de um viés mental que desfavorece a antifragilidade.

Então, infelizmente, nós, humanos, temos medo do segundo tipo de variabilidade e, de forma ingênua, ao proteger os sistemas, nós os fragilizamos — ou impedimos sua antifragilidade. Em outras palavras, um aspecto que vale a pena repetir sempre que for aplicável: evitar os pequenos erros torna mais graves os grandes erros.

O Estado centralizado assemelha-se à renda de João; o da cidade-Estado modela a renda de Jorge. João tem um único grande empregador, Jorge tem vários empregadores pequenos — assim, pode selecionar os que se ajustam melhor a ele e, portanto, tem a sua disposição, a qualquer momento, "mais opções". Um tem a ilusão de estabilidade, mas é frágil; o outro tem a ilusão de variabilidade, mas é robusto e até mesmo antifrágil.

Quanto maior a variabilidade observável em um sistema, menos propenso ele está a ser um Cisne Negro. Vejamos agora como isso se aplica a sistemas políticos, usando o exemplo da Suíça.

Lênin em Zurique

Estive recentemente em um café-transformado-em-restaurante-chique em Zurique, e me debrucei sobre o cardápio superfaturado, com preços que eram pelo menos três vezes mais caros do que se cobra em um lugar de qualidade equivalente nos Estados Unidos. A recente crise mundial fez da Suíça um refúgio ainda maior do que já era, levando sua moeda a uma drástica alta — a Suíça é o lugar mais antifrágil no planeta; o país se beneficia com os impactos que ocorrem no resto do mundo. Meu amigo, um escritor, comentou que Lênin, que morou na cidade, costumava jogar xadrez naquele café com o poeta dadaísta Tristan Tzara. Sim, o revolucionário russo Vladímir Ilitch Uliánov, mais tarde conhecido como Lênin, passou algum tempo na Suíça engendrando seu projeto de grande Estado modernista comandado de cima para baixo e a maior experiência humana em controle estatal centralizado. Ocorreu-me que havia algo estranho na presença de Lênin naquele lugar, pois, poucos dias antes, eu havia participado de uma conferência em Montreux, no lago Genebra, realizada no mesmo hotel à beira do lago onde Vladímir Nabokov, o aristocrata russo emigrado, e vítima de Lênin, passou as últimas décadas de vida.

Pareceu-me interessante que abrigar os vermelhos e os brancos, tanto os bolcheviques quanto os aristocráticos russos brancos que eles mais tarde alijaram do poder, aparentemente faz parte do principal negócio da Confederação Helvética. As cidades mais importantes, como Zurique, Genebra ou Lausanne, guardam vestígios dos refugiados políticos que para lá rumaram em busca de abrigo: emigrantes, desde a realeza iraniana expulsa pelos islâmicos até o mais recente potentado africano instaurando o "plano B". Até Voltaire passou algum tempo escondido na região, em Ferney, um subúrbio de Genebra nos arredores da fronteira com a França (antes mesmo de a comuna juntar-se à confederação).

Voltaire, o irritante crítico totalmente protegido, fugia às pressas para Ferney depois de insultar o rei da França, a Igreja católica ou alguma outra autoridade — o que as pessoas muitas vezes não sabem sobre Voltaire é que ele tinha um incentivo financeiro adicional para buscar amparo em Ferney. Voltaire fez fama e riqueza por seus próprios méritos, era um abastado comerciante, investidor e especulador. Boa parte de sua riqueza devia-se à antifragilidade de estressores, uma vez que ele começou a amealhar sua fortuna durante seus primeiros anos de exílio.

Assim como Voltaire, há refugiados de outros tipos: refugiados financeiros provenientes de locais conturbados, reconhecíveis por suas enfadonhas roupas de grife, seu vocabulário insípido, seu decoro fingido e seus caríssimos (e reluzentes) relógios de pulso — em outras palavras, não Voltaires. Como muitas pessoas endinheiradas, elas se sentem no direito de rir das próprias piadas. Essas pessoas (entediantes) não estão à procura de abrigo pessoal: são os bens delas que estão em busca de refúgio. Enquanto alguns políticos talvez prefiram esconder-se dos riscos de seu regime nacional na França ou na Inglaterra, lugares mais interessantes nas noites de sábado, não resta dúvida de que é na Suíça que a conta-corrente deles quer estar. Economicamente falando, é o lugar mais robusto do planeta — e tem sido assim faz alguns séculos.

Essa imensa variedade de pessoas e carteiras está lá, na Suíça, por causa de abrigo, segurança e estabilidade. Mas nenhum desses refugiados percebe o óbvio: o país mais estável do mundo *não tem* um governo. E a Suíça não é estável apesar de não ter um governo; é estável *porque* não tem nenhum. Pergunte aleatoriamente a cidadãos suíços qual é o nome do presidente, e conte quantas pessoas serão capazes de responder — em geral, os suíços sabem o nome dos presidentes da França ou dos Estados Unidos, mas não o do governante de seu próprio país. A moeda suíça é a que melhor funciona (no momento em que escrevo este livro, ela provou ser a mais segura), mas seu Banco Central é pequeno, mesmo levando em conta o tamanho do país.

Os políticos que estão ganhando tempo na Suíça antes de voltar ao poder (como assim esperam) percebem tal ausência de governo, aceitam que estão na Suíça por causa dessa ausência de governo e adaptam suas ideias sobre os Estados-nações e sistemas políticos em conformidade com isso? De modo algum.

Não é exatamente verdade que os suíços não têm governo. O que eles não têm é um grande governo *central*, ou o que o discurso comum descreve como "o" governo — o que os governa é inteiramente de baixo para cima, entidades mais ou menos municipais e regionais chamadas de cantões, miniestados semissoberanos, unidos em uma confederação. Há muita volatilidade, com inimizades entre os moradores que permanecem no nível de brigas por fontes de água ou outros debates igualmente pouco inspirados. Isso não é necessariamente agradável, uma vez que vizinhos são transformados em bisbilhoteiros — é uma ditadura na base, e não no topo, mas ainda assim uma ditadura. Contudo, essa forma de ditadura de baixo para cima propicia proteção contra o romantismo das utopias, já que nenhuma grande ideia pode ser gerada em uma atmosfera tão pouco intelectual — basta passar algum tempo em cafés na parte antiga de Genebra, em especial numa tarde de domingo, para entender que o processo é tremendamente desintelectualizado, desprovido de qualquer sentido do grandioso, até mesmo francamente insignificante (há uma famosa piada sobre como a maior conquista dos suíços foi inventar o relógio cuco, enquanto outras nações produziram obras formidáveis — ótima história, exceto pelo fato de que os suíços não inventaram o relógio cuco). Mas o sistema produz estabilidade — uma estabilidade entediante — em todos os níveis possíveis.

Note também que as paisagens terrivelmente magníficas encontradas na Suíça, em toda a cidade de Genebra, em algumas partes de Zurique (no centro) e, em particular, nas estações de esqui como Gstaad e Saint Moritz, não são o produto direto do país, nem parte de sua missão, mas o resultado de seu sucesso, uma vez que a Suíça age como um ímã para os asquerosos ricaços e refugiados fiscais.

Por ora, tenha em mente que a Suíça é o último país relevante que não é um Estado-nação, mas, sim, uma coleção de pequenos municípios deixados à própria sorte.

VARIAÇÕES DE BAIXO PARA CIMA

O que chamo de variações de baixo para cima — ou ruído — é o tipo de volatilidade política que ocorre dentro de um município, lutas e atritos triviais na condução dos negócios regulares. Não é escalável (ou o que é chamado de *invariante* nas transformações em escala): em outras palavras, se aumentarmos o tamanho, digamos, multiplicando por cem o número de pessoas em uma comunidade, teremos dinâmicas acentuadamente diferentes. Um Estado grande não se comporta, de forma alguma, como um município gigantesco, assim como um bebê humano não se assemelha a um adulto pequeno. A diferença é qualitativa: o aumento do número de pessoas em determinada comunidade altera a qualidade do relacionamento entre as partes. Lembre-se da descrição de não linearidade do prólogo. Se multiplicarmos por dez o número de pessoas em dada entidade, não preservamos as propriedades; há uma transformação. Aqui as conversas se alteram do mundano — mas eficaz — para números abstratos, mais interessantes, mais acadêmicos talvez, porém, infelizmente, menos eficazes.

Um aglomerado de municípios com charmosas inimizades provinciais, seus próprios conflitos internos e pessoas dispostas a brigar agrega-se para formar um Estado bastante inofensivo e estável. A Suíça é semelhante à renda do segundo irmão, estável por causa das variações e do ruído no nível local. Assim como a renda do taxista mostra uma instabilidade diária, mas uma estabilidade anual, a Suíça evidencia estabilidade no nível agregado, já que o conjunto de cantões produz um sistema sólido.

A maneira como as pessoas lidam com questões locais é muito diferente de como elas lidam com grandes e abstratos gastos públicos: tradicionalmente temos vivido em pequenas unidades e tribos, e nos damos muito bem em pequenas unidades.*

Além disso, a biologia desempenha um papel fundamental em um ambiente municipal, mas não em um sistema maior. Uma administração está protegida de ter de sentir o peso da vergonha (com rubor no rosto), uma reação biológica ao excesso de gastos e outros fiascos — matar pessoas no Vietnã, por exemplo. O contato visual de uma pessoa com seus pares muda o comportamento dela. Mas, para um parasita de escritório preso a uma mesa de trabalho, um número é apenas um número. Aquela pessoa que você encontra na igreja no domingo de manhã se sentiria incomodada com os erros que cometeu — e mais responsável por eles. Na escala pequena e local, o corpo e a resposta biológica dessa pessoa

* Ignoro aqui o argumento econômico segundo o qual as cidades-estados autônomas foram revigoradas com energia econômica (como Henri Pirenne ou Max Weber defenderam, de forma um tanto romântica); meu ponto (matemático) é que um conjunto de pequenas unidades com variações semi-independentes produz características de risco enormemente diferentes em comparação com uma única unidade de grande porte.

a orientariam a evitar causar danos aos outros. Em grande escala, os outros são itens abstratos; dada a falta de contato social com as pessoas envolvidas, quem comanda é o cérebro do funcionário público e não as emoções dele — com números, planilhas, estatísticas, mais planilhas, e teorias.

Quando expressei essa ideia ao meu coautor Mark Blyth, ele falou o óbvio: "Stálin não poderia ter existido em um município".

A beleza está nas pequenas coisas de muitas outras maneiras. Aceitemos, por ora, que o pequeno (no conjunto, ou seja, um coletivo de pequenas unidades) é mais antifrágil que o grande — na verdade, o grande está fadado a se quebrar, uma propriedade matemática que explicaremos mais adiante —, que, infelizmente, parece ser universal, uma vez que se aplica a grandes corporações, grandes mamíferos e grandes administrações.*

Há outra questão concernente ao Estado abstrato, de caráter psicológico. Nós, humanos, desprezamos o que não é concreto. Somos mais facilmente influenciados por um bebê chorando do que por milhares de pessoas que morrem em outros lugares e que não chegam à nossa sala de estar pela TV. O primeiro caso é uma tragédia; o outro, uma estatística. Nossa energia emocional é cega às probabilidades. Os meios de comunicação pioram as coisas, pois manipulam nossa paixão por narrativas, nosso desejo pelo espetáculo e, dessa forma, causam uma grande dose de injustiça. Na atualidade, uma pessoa morre de diabetes a cada sete segundos, mas os noticiários só falam sobre as vítimas de furacões, com casas voando pelos ares.

O problema é que, ao criar burocracias, colocamos funcionários públicos na posição de tomar decisões baseadas em questões abstratas e teóricas, com a ilusão de que essas decisões serão tomadas de maneira racional e responsável.

Leve em conta também que os lobistas — essa irritante raça de indivíduos — não podem existir em um município ou em uma região pequena. Os europeus, graças à centralização de (algum) poder na Comissão Europeia, em Bruxelas, estão rapidamente descobrindo a existência desses mutantes que chegam para manipular a democracia em benefício de alguma grande corporação. Influenciando uma única decisão ou regulamentação definida em Bruxelas,

* É bastante aflitivo ouvir debates sobre os sistemas políticos que fazem comparações entre países, quando o tamanho das organizações não é o mesmo — por exemplo, a comparação entre Cingapura e Malásia. O tamanho da unidade pode fazer mais diferença do que o sistema.

um único lobista provoca um grande impacto. É um retorno muito maior (a baixo custo) do que ele obteria nos municípios, o que exigiria exércitos de lobistas infiltrando-se nas comunidades e tentando convencer as pessoas.*

Considere também outro efeito da escala: pequenas corporações estão menos propensas a ter lobistas.

O mesmo efeito de baixo para cima aplica-se ao direito. O filósofo político e jurídico italiano Bruno Leoni defendeu a robustez da lei baseada no juiz (devido a sua diversidade), em comparação com codificações explícitas e rígidas. A bem da verdade, a escolha de um tribunal pode ser uma loteria — mas ajuda a evitar os erros de grande escala.

Uso o exemplo da Suíça para mostrar a antifragilidade natural dos sistemas políticos e como a estabilidade é alcançada por meio do gerenciamento do ruído, dispondo-se de um mecanismo para deixá-lo seguir seu curso natural, não para minimizá-lo.

Observe outro elemento da Suíça: talvez seja o país mais bem-sucedido da história, embora tradicionalmente tenha tido um nível muito baixo de educação universitária em comparação com o restante das nações ricas. Na minha época, seu sistema, até mesmo no setor bancário, baseava-se em modelos de mestre-aprendiz, quase vocacionais, e não nos teóricos. Em outras palavras, na *tekhné* (ofícios e a habilidade especializada de *saber como* fazer algo), não na *episteme* (conhecimento livresco, *saber o que* são as coisas).

LONGE DO EXTREMISTÃO

Examinemos agora os aspectos técnicos do processo, uma visão mais estatística do efeito da intervenção humana sobre a volatilidade dos assuntos. Existe certa propriedade matemática para essa volatilidade de baixo para cima,

* Felizmente, a União Europeia está legalmente protegida contra a supercentralização graças ao princípio da subsidiariedade: deve-se lidar com as coisas pela menor unidade possível que seja capaz de gerenciá-las com eficácia. A ideia foi herdada da Igreja católica: em termos filosóficos, uma unidade não precisa ser muito grande (o Estado), nem muito pequena (o indivíduo), mas deve ocupar algum lugar intermediário. Trata-se de uma poderosa afirmação filosófica, particularmente à luz tanto das transferências de fragilidade que vimos no capítulo 4, como da noção de que o tamanho fragiliza — falaremos mais sobre isso adiante.

e para a volatilidade dos sistemas naturais. Ela gera o tipo de aleatoriedade que chamo de Mediocristão — variações que podem ser assustadoras, mas tendem a anular-se mutuamente no agregado (ao longo do tempo ou ao longo do coletivo de municípios que constituem a confederação ou a entidade maior) —, ao contrário do tipo incontrolável, chamado de Extremistão, em que há, na maior parte do tempo, estabilidade e, vez por outra, um enorme caos — aí os erros têm consequências consideráveis. Um flutua, o outro dá saltos. Um apresenta uma porção de pequenas variações; o outro varia em blocos irregulares. Exatamente como a renda do taxista comparada à do bancário. Os dois tipos de aleatoriedade são qualitativamente distintos.

O Mediocristão tem uma série de variações, nenhuma delas extrema; o Extremistão apresenta poucas variações, mas as que ocorrem são extremas.

Outra maneira de entender a diferença: sua ingestão calórica é do Mediocristão. Se você somar as calorias que consome ao longo de um ano, mesmo sem fazer os ajustes para descontar o que está escondendo, não haverá um único dia, isoladamente, que represente muito do total (digamos, mais de 0,5% do total, 5 mil calorias, quando você talvez tenha consumido 800 mil em um ano). Assim, a exceção, o evento raro, desempenha um papel insignificante no agregado e a longo prazo. Você não consegue duplicar o próprio peso em um único dia, tampouco em um mês, quiçá nem mesmo em um ano — mas é possível dobrar seu patrimônio líquido ou perder metade dos seus bens em um instante.

Em comparação, se levarmos em conta a venda de romances, mais da metade das vendas (e, talvez, 90% dos lucros) tende a vir dos 0,1% que estão no topo, portanto a exceção, o evento um-em-cada-mil, é predominante aqui. Assim, as questões financeiras — e outras questões econômicas — tendem a ser do Extremistão, exatamente como a história, que se move por descontinuidades e salta de um estado para outro.*

* Quando a aleatoriedade é distribuída ao longo de um grande número de pequenas unidades, junto com uma pequena e recorrente desordem política, temos o primeiro tipo, o benevolente Mediocristão. Quando a aleatoriedade se concentra, temos o segundo tipo, o ardiloso Extremistão.

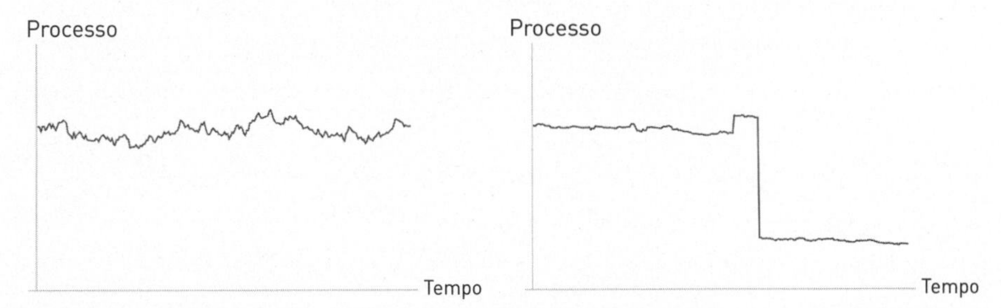

FIGURA 3. O ruído dos municípios, variações distribuídas nos *souks* (primeiro), em comparação com o de sistemas centralizados ou gerenciados por seres humanos (segundo) — ou, de modo equivalente, a renda de um taxista (primeiro) e a de um funcionário assalariado (segundo). O segundo gráfico mostra movimentos que acontecem de cascata em cascata, ou de Cisne Negro em Cisne Negro. O excesso de intervenção humana para suavizar ou controlar os processos ocasiona a mudança de um tipo de sistema, o Mediocristão, para outro, o Extremistão. Esse efeito aplica-se a todos os tipos de sistema com volatilidade limitada — saúde, política, economia, até mesmo o estado de ânimo de uma pessoa com e sem Prozac. Ou a diferença entre o vale do Silício, comandado por empreendedores (primeiro), e o sistema bancário (segundo).

A figura 3 ilustra como os sistemas antifrágeis são prejudicados quando privados de suas variações naturais (principalmente devido à intervenção ingênua). Indo além do ruído municipal, a mesma lógica pode ser aplicada: à criança que, após passar algum tempo em um ambiente esterilizado, é deixada a céu aberto; a um sistema com estabilidade política ditada de cima para baixo; aos efeitos do controle de preços; às vantagens que o tamanho representa para uma corporação etc. Passamos de um sistema que produz volatilidade constante, mas controlável (Mediocristão), mais próximo da "curva em forma de sino" estatística (da benigna família da distribuição normal ou gaussiana), para um que é bastante imprevisível e se movimenta na maioria das vezes por saltos, chamados de "caudas grossas". Caudas grossas — um sinônimo de Extremistão — significam que eventos remotos, aqueles em que o que se chama de "caudas" desempenha um papel desproporcional. Um (o primeiro gráfico) é volátil, flutua mas não afunda. O outro (o segundo gráfico) afunda sem flutuações significativas à exceção dos episódios de turbulência. No longo prazo, o segundo sistema será muito mais volátil — mas a volatilidade vem em blocos irregulares. Quando restringimos o primeiro sistema, tendemos a obter o segundo resultado.

Perceba também que a previsibilidade no Extremistão é muito baixa. No segundo tipo de aleatoriedade, que aparenta ser suave, os erros parecem ser raros, mas eles serão grandes, não raro devastadores, quando ocorrerem. Na verdade, um argumento que desenvolvemos no Livro IV é que qualquer coisa que estiver presa ao planejamento tende a fracassar justamente por causa desses atributos — é uma grande lenda acreditar que o planejamento ajuda as corporações: com efeito, vimos que o mundo é aleatório e imprevisível demais para que uma política seja baseada na visibilidade do futuro. O que sobrevive vem da interação entre alguma aptidão e as condições ambientais.

O grande problema do peru

Permita-me, agora, sair do jargão técnico e dos gráficos de caudas grossas e do Extremistão e voltar para o libanês coloquial. No Extremistão, uma pessoa está propensa a ser ludibriada pelas propriedades do passado e entender tudo ao contrário. É fácil, quando se olha para o que está acontecendo no segundo gráfico da figura 3, antes do grande salto para baixo, acreditar que o sistema agora está seguro, em especial depois de uma progressiva mudança da aleatoriedade do tipo "assustador" e visivelmente volátil à esquerda para o lado direito, aparentemente seguro. Parece ser uma queda na volatilidade — mas não é.

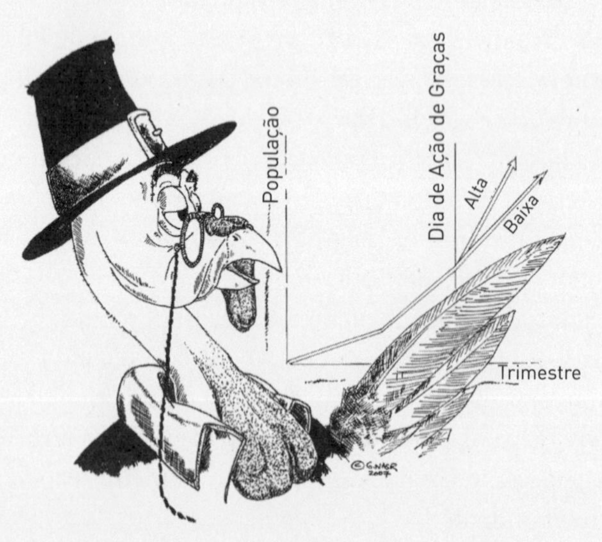

FIGURA 4. Um peru usando "evidências"; por ignorar o Dia de Ação de Graças, ele faz "rigorosas" projeções futuras, com base no passado. Crédito: George Nasr.

Um peru é alimentado durante mil dias por um açougueiro; cada dia confirma, para sua equipe de analistas, que os açougueiros amam os perus "com uma confiança estatística cada vez maior". O açougueiro continuará alimentando o peru até pouco antes do Dia de Ação de Graças. E então chega o dia em que não é realmente uma boa ideia ser um peru. Aí, surpreendido pelo açougueiro, terá que rever suas crenças — no exato momento em que sua confiança na afirmação de que *o açougueiro ama perus* está no ponto máximo e "é muito tranquila" e reconfortantemente previsível na vida do peru. Esse exemplo é baseado na adaptação de uma metáfora criada por Bertrand Russell. O essencial aqui é que a surpresa será um evento Cisne Negro; mas apenas para o peru, e não para o açougueiro.

Também podemos, a partir do exemplo do peru, localizar a matriz de todos os erros prejudiciais: confundir a ausência de evidências (de danos) com a evidência de ausência, um erro que, como veremos, tende a predominar nos círculos intelectuais e que está alicerçado nas ciências sociais.

Portanto, nossa missão na vida torna-se, simplesmente, "como não ser um peru", ou, se possível, como ser um peru às avessas — isto é, antifrágil. "Não ser um peru" começa quando descobrimos a diferença entre estabilidade verdadeira e fabricada.

O leitor pode facilmente imaginar o que acontece quando sistemas, sufocados pela volatilidade, explodem. Temos um bom exemplo: a remoção do Partido Baath em 2003, com a abrupta derrubada de Saddam Hussein e seu regime por obra dos Estados Unidos. Mais de 100 mil pessoas morreram e, dez anos mais tarde, o lugar ainda é um caos.

DOZE MIL ANOS

Iniciamos a discussão sobre o Estado com o exemplo da Suíça. Agora, vamos um pouco mais para o leste.

O norte do Levante, o que hoje equivale aproximadamente à parte norte da Síria e do Líbano, manteve-se talvez como a mais próspera província da história da humanidade, por um longuíssimo intervalo de tempo que vai desde o período Neolítico pré-cerâmica até a história bastante moderna, em meados do século XX. São 12 mil anos — em comparação com, digamos, a

Inglaterra, que vem sendo próspera há cerca de quinhentos anos, ou a Escandinávia, próspera há menos de trezentos anos. Poucas regiões do planeta conseguiram vicejar com tanta continuidade por um período tão prolongado, o que os historiadores chamam de *longue durée*. Outras cidades surgiram e desapareceram; Alepo, Emesa (atual Homs) e Laodiceia (Lataquia) continuaram relativamente abastadas.

O norte do Levante foi, desde a Antiguidade, dominado por comerciantes (em grande medida devido à posição da região como ponto central na Rota da Seda) e por senhores agrícolas, já que a província fornecia trigo para grande parte do Mediterrâneo, particularmente Roma. A área abasteceu alguns imperadores romanos, alguns papas católicos antes dos cismas e mais de trinta escritores e filósofos da língua grega (incluindo muitos pensadores de destaque da Academia de Platão), além dos ancestrais do visionário norte-americano e empresário da computação Steve Jobs, que trouxe ao mundo os computadores Apple, em um dos quais estou passando a limpo estas linhas (e o iPad, no qual você talvez as esteja lendo). Conhecemos a autonomia da província a partir dos registros feitos durante a época romana, já que ela era administrada pelas elites locais, um método de governo descentralizado a cargo dos habitantes da própria região e que os otomanos mantiveram. As cidades cunhavam as próprias moedas.

E, então, dois eventos ocorreram. Primeiro, após a Grande Guerra, uma região do norte do Levante foi integrada à recém-criada nação da Síria, separada de sua outra seção, agora parte do Líbano. Até então, toda a área tinha sido parte do Império Otomano, mas funcionava como regiões em certo nível autônomas — os otomanos, assim como os romanos haviam feito antes deles, deixavam as elites locais se incumbirem da administração do lugar, contanto que fossem pagos impostos considerados dignos, enquanto eles se concentravam em suas guerras. O tipo otomano de paz imperial, a *pax Ottomana*, assim como sua predecessora, a *pax Romana*, foi bom para o comércio. Contratos fizeram-se cumprir, e é basicamente para isso que os governos são necessários. No nostálgico livro *Levant* [Levante], Philip Mansel documenta de que modo as cidades do Mediterrâneo Oriental operavam como cidades-estados separadas do interior.

Em seguida, depois de algumas décadas de vida da Síria, o modernista Partido Baath chegou para impingir ainda mais utopias. Assim que os baathistas centralizaram o local e impuseram suas leis estatizantes, Alepo e Emesa entraram em declínio instantâneo.

O que o Partido Baath fez, em seu programa de "modernização", foi eliminar a bagunça arcaica dos *souks* e substituí-la pelo vibrante modernismo do prédio de escritórios.

O efeito logo foi sentido: da noite para o dia, as famílias de comerciantes mudaram-se para lugares como Nova York e Nova Jersey (caso dos judeus), Califórnia (os armênios) e Beirute (os cristãos). Beirute oferecia uma atmosfera favorável ao comércio, e o Líbano era um Estado inofensivo, menor, desorganizado, sem nenhum governo central de verdade. O Líbano era suficientemente pequeno para ser um município: era menor do que uma área metropolitana de médio porte.

Guerra, prisão ou ambas

Embora o Líbano tivesse todas as qualidades desejadas, o Estado era fragmentado *demais*, e, ao permitir que as várias facções palestinas e as milícias cristãs tivessem suas próprias armas, causou uma corrida armamentista entre as comunidades, enquanto o governo observava placidamente todo esse desdobramento. Houve, também, um desequilíbrio entre as comunidades, com a tentativa dos cristãos de incutir sua identidade ao local. A desorganização é revigorante; contudo, o Estado libanês estava desorganizado além da conta. Seria como permitir a cada um dos chefões da máfia nova-iorquina arregimentar um exército maior do que o da Junta de Chefes do Estado-Maior (imagine John Gotti com mísseis). Então, em 1975, foi deflagrada uma violenta guerra civil no Líbano.

Uma frase que ainda me deixa perplexo quando penso nisso foi proferida por um dos amigos de meu avô, um rico comerciante de Alepo que fugiu do regime baathista. Quando, durante a Guerra do Líbano, meu avô perguntou a seu amigo por que razão ele não voltava para Alepo, a resposta foi categórica: "Nós, o povo de Alepo, preferimos a guerra à prisão". Eu pensava que ele queria dizer que o colocariam na cadeia, mas depois percebi que ao usar a palavra "prisão" ele se referia à perda de liberdades políticas e econômicas.

A vida econômica também parece preferir a guerra à prisão. Cerca de um século atrás, o Líbano e o norte da Síria tinham um índice de riqueza per capita muito semelhante (o que os economistas chamam de Produto Interno Bruto) – e tinham culturas, idiomas, etnias, comida e até mesmo piadas idênticos. Tudo era igual, exceto pelo governo "modernista" do Partido Baath na Síria, em comparação com o Estado totalmente inofensivo libanês. Apesar de passar por uma guerra civil que dizimou a população, provocando uma grande evasão de cérebros e talentos e afugentando por várias décadas a geração de riquezas, além de todas as formas possíveis de caos que sacudiram a região, hoje o Líbano tem um padrão de vida consideravelmente mais elevado – entre três e seis vezes maior que a riqueza da Síria.

A questão tampouco passou despercebida por Maquiavel. Citando-o, Jean-Jacques Rousseau escreveu: "Parecia, escreveu Maquiavel, que, em meio a assassinatos e guerras civis, nossa república tornou-se mais forte [e] seus cidadãos imbuídos de virtudes [...]. Uma pequena dose de agitação propicia recursos às almas, e o que faz com que a espécie prospere não é a paz, mas a liberdade".

Pax Romana

O Estado-nação centralizado não é exatamente novo na história. Na verdade, existiu, de forma quase idêntica, no Egito antigo. Mas isso foi um acontecimento isolado, e não sobreviveu por muito tempo: o alto Estado egípcio começou a entrar em colapso quando travou contato com os loucos e turbulentos invasores bárbaros, hordas desorganizadas que vinham da Ásia Menor com suas bigas de assalto, literalmente um aplicativo matador.

As dinastias do Egito antigo não administravam o território como um império, mas como um Estado integrado, o que é nitidamente diferente – como vimos, isso produz diversos tipos de variação. Os Estados-nações fiam-se na burocracia centralizada, ao passo que os impérios, a exemplo do Império Romano e as dinastias otomanas, sempre contaram com as elites locais, permitindo, na verdade, que as cidades-estados prosperassem e conservassem alguma autonomia efetiva – e, o que era ótimo para a paz, essa autonomia era comercial, não militar. Na realidade, os otomanos fizeram a esses vassalos e suseranos um favor impedindo que se envolvessem em conflitos armados – isso eliminou as tentações militaristas e os ajudou a prosperar; apesar de parecer iníquo na superfície, esse sistema permitiu que os habitantes locais se concentrassem no comércio, e não na guerra. Ele os protegeu de si mesmos. Esse é o argumento que David Hume, em sua *História da Inglaterra*,* apresenta em favor dos pequenos Estados, já que os grandes cedem à sedução da guerra.

Claro que nem os romanos nem os otomanos permitiam a autonomia local por amor à liberdade alheia; faziam isso apenas por conveniência. Uma combinação entre império (para alguns assuntos) e regiões semi-independentes (com soberania para gerir seus próprios negócios) proporciona mais estabilidade do que a condição intermediária: o Estado-nação centralizado com bandeiras e fronteiras discretas.

Mas os Estados, mesmo quando centralizados, caso do Egito ou da China, não eram, na prática, muito diferentes dos Estados romano e otomano — exceto no que diz respeito à centralização do intelecto, com os escribas e o sistema de mandarinato estabelecendo um monopólio do conhecimento. Alguns de nós ainda conseguem se lembrar de que já houve uma época sem internet, sem monitoramento eletrônico de transferências eletrônicas de dinheiro para supervisionar receitas fiscais. E, antes das modernas redes de comunicação, com o telégrafo, o trem e, mais tarde, o telefone, os Estados tinham que contar com serviços de mensageiro. Então, um governante provincial local era o rei em um grande número de assuntos, mesmo que não o fosse de fato. Até a história recente, o Estado central representava cerca de 5% da economia — em comparação com uma participação cerca de dez vezes maior na Europa moderna. E, além disso, os governos ficavam suficientemente absortos na guerra e deixavam as questões econômicas para os homens de negócios.**

Guerra ou não guerra

Vamos dar uma olhada na Europa antes da criação dos Estados-nações da Alemanha e da Itália (propagandeada como "reunificação", como se essas nações tivessem sido unidades nítidas em algum passado romântico). Havia,

* *History of England*, originalmente publicado entre 1754 e 1762. Edição brasileira: *História da Inglaterra: Da invasão de Júlio César à revolução de 1688*. Trad. de Pedro Paulo Pimenta. São Paulo: Editora da Unesp, 2016. (N. T.)

** Note que as pessoas utilizam a expressão "balcanização" para se referir à confusão criada por Estados fragmentados, como se a fragmentação fosse ruim e como se houvesse alguma alternativa nos Bálcãs — mas ninguém usa "helvetização" para descrever seu êxito.

até a criação dessas entidades românticas, uma massa amorfa e fragmentada de miniestados e de cidades-estados em constante tensão — mas alianças instáveis. Na maior parte de sua história, Gênova e Veneza competiram pelo sul do Mediterrâneo e pelo Mediterrâneo oriental como duas prostitutas travando uma batalha pelo melhor lugar. E eis aqui algo reconfortante com relação a miniestados em guerra: a mediocridade não consegue lidar com mais de um inimigo, por isso a guerra em um lugar se transforma em aliança em outro. A tensão sempre esteve presente aqui ou ali, mas sem consequências significativas, como a precipitação pluviométrica nas Ilhas Britânicas; a garoa e a ausência de inundações são muito mais administráveis do que o contrário: longas estiagens seguidas por chuvas intensas. Em outras palavras, Mediocristão.

Depois, é claro, a contagiosa criação dos Estados-nações, no fim do século XIX, levou ao que vimos com as duas guerras mundiais e suas sequelas: mais de 60 milhões (possivelmente, 80 milhões) de vítimas. A diferença entre a guerra e a *não guerra* tornou-se imensa, com uma acentuada descontinuidade. Isso em nada difere de uma mudança para o efeito "o vencedor-leva-tudo" na indústria, a dominação dos eventos raros. Um conjunto de miniestados é semelhante ao ramo de restaurantes que discutimos anteriormente: volátil, mas nunca há uma crise generalizada de restaurantes — ao contrário, por exemplo, do setor bancário. Por quê? Porque ele é composto de uma série de pequenas unidades independentes e concorrentes, que não ameaçam individualmente o sistema e o fazem pular de um estado para outro. A aleatoriedade é distribuída, em vez de ser concentrada.

Algumas pessoas se deixaram levar pela ingênua crença, ao estilo do peru, de que o mundo está ficando cada vez mais seguro, e, é claro, ingenuamente atribuem esse fenômeno ao "Estado" sagrado (embora a Suíça, governada de baixo para cima, tenha quase o menor índice de violência de qualquer lugar do planeta). É exatamente a mesma coisa que dizer que as bombas nucleares são mais seguras porque explodem com menos frequência. O mundo está sujeito a números cada vez menores de atos de violência, ao passo que as guerras têm o potencial de ser mais criminosas. Chegamos muito perto da mãe de todas as catástrofes na década de 1960, quando os Estados Unidos estiveram prestes a puxar o gatilho nuclear contra a União Soviética. Muito perto. Quando observamos os riscos no Extremistão, não olhamos para as evidências (que chegam tarde demais); olhamos para potenciais danos: nunca antes o mundo esteve tão propenso a mais danos; nunca.* É difícil explicar para pessoas ingênuas, norteadas por dados, que o risco está no futuro, não no passado.

O bagunçado império multiétnico, o chamado Império Austro-Húngaro, desapareceu após a Primeira Guerra Mundial, junto com seu vizinho e rival (e, em larga medida, seu irmão — não conte isso a eles) otomano, para ser substituído por bem delineados e organizados Estados-nações. Com suas confusas nacionalidades, o Império Otomano — ou melhor, o que restou dele — tornou-se o Estado da Turquia, nos moldes da Suíça, sem que ninguém percebesse a inconsistência. Viena ficou presa na arapuca da Áustria, com quem compartilhava muito pouco, a não ser a linguagem formal. Imagine deslocar a cidade de Nova York para o centro do Texas e continuar chamando-a de Nova York. Stefan Zweig, o romancista judeu vienense, então considerado o escritor mais influente do mundo, expressou sua dor no comovente livro *O mundo de ontem*.** Viena juntou-se ao rol de cidades multiculturais como Alexandria, Esmirna, Alepo, Praga, Tessalônica, Constantinopla (hoje Istambul) e Trieste, agora espremida na cama de Procusto do Estado-nação, com seus cidadãos nas garras da nostalgia intergeracional. Incapaz de lidar com a perda e de se integrar em outros lugares, mais tarde Zweig cometeu suicídio no Brasil. Li pela primeira vez seu relato quando fui submetido a uma situação semelhante de exílio físico e cultural, ocasião em que meu mundo cristão levantino foi despedaçado pela guerra do Líbano, e me perguntei se ele teria conseguido sobreviver caso tivesse ido para Nova York.

* Uma leitura mais rigorosa dos dados — com os devidos ajustes para o que é invisível — mostra que uma guerra que dizimasse o planeta seria completamente coerente com a estatística, e nem sequer seria considerada algo "singular". Como veremos, Ben Bernanke também estava enganado com sua noção de *grande moderação*, um problema de peru; é possível confundir-se com as propriedades de qualquer processo com volatilidade comprimida no topo. Algumas pessoas, caso de Steven Pinker, interpretaram erroneamente a natureza do processo estatístico e defenderam essa tese, similar à "grande moderação" nas finanças.

** Edição brasileira: *Autobiografia: O mundo de ontem: Memórias de um europeu*. Trad. de Kristina Michahelles. Rio de Janeiro: Zahar, 2014. (N. T.)

6. Diga a eles que eu adoro (um pouco de) aleatoriedade

Maxwell no Extremistão — Mecanismos complicados para alimentar um burro — Virgílio pediu para fazer, e fazer agora

O tema do capítulo anterior era o fato de as propriedades de risco do primeiro irmão (o frágil bancário) serem muito diferentes das do segundo (o comparativamente antifrágil taxista artesão). Da mesma forma, o risco característico de um sistema centralizado é diferente daquele de uma confusa confederação encabeçada por municípios. O segundo tipo é estável a longo prazo, *por causa* de *alguma* dose de volatilidade.

Um argumento científico mostrando como os controles rígidos podem sair pela culatra e causar explosões foi apresentado por James Clerk Maxwell, famoso pela teoria eletromagnética. "Governadores centrífugos" são aparelhos projetados para controlar a velocidade de motores a vapor por meio da compensação de variações abruptas. O objetivo desses reguladores é estabilizar os motores, e, ao que tudo indica, eles fazem isso, mas, paradoxalmente, vez por outra ocasionam falhas e um comportamento imprevisível. O controle da luz funciona; o controle rigoroso leva a uma reação exagerada, o que às vezes faz com que o maquinário se quebre em pedaços. No célebre artigo "On Governors" [Sobre governadores centrífugos], publicado em 1867, Maxwell simulou o comportamento e mostrou matematicamente que o controle rígido da velocidade dos motores resulta em instabilidade.

É incrível o modo como as precisas derivações matemáticas e os perigos de um controle rigoroso preconizados por Maxwell podem ser estendidos a todos os domínios e ajudar a desmistificar a pseudoestabilização e a fragilidade de longo prazo oculta.* Nos mercados, a fixação de preços, ou, de forma equivalente, a eliminação dos especuladores, os chamados "investidores irracionais" –** e a volatilidade moderada que eles ensejam –, propiciam uma ilusão de estabilidade, com períodos de calmaria entremeados de grandes saltos. Uma vez que as empresas e os agentes influentes no mercado não estão acostumados com a volatilidade, a mais ligeira variação de preços pode ser atribuída a informações privilegiadas ou a alterações no estado do sistema, levando ao pânico. Quando uma moeda nunca varia, um ínfimo movimento faz com que as pessoas acreditem que o mundo está acabando. Injetar uma dose de confusão estabiliza o sistema.

De fato, confundir um pouco as pessoas é benéfico – é bom para você e bom para elas. Como exemplo da aplicação desse argumento no cotidiano, imagine alguém extremamente pontual e previsível, que chega em casa exatamente às seis da tarde todos os dias ao longo de quinze anos. Seria possível até acertar o relógio de acordo com a hora de chegada desse sujeito. Sua família ficará ansiosa caso ele um dia se atrase alguns poucos minutos. Alguém com uma programação ligeiramente mais volátil – portanto, imprevisível –, com, digamos, uma variação de meia hora, não causará esse sentimento.

Variações também atuam como expurgos. Pequenos incêndios florestais periódicos limpam o sistema dos materiais mais inflamáveis, de modo que estes não têm a oportunidade de acumular. Evitar sistematicamente "por precaução" que pequenos incêndios ocorram torna os grandes incêndios ainda piores. Por razões semelhantes, a estabilidade não é algo bom para a economia: as

* O financista George Cooper desenterrou o argumento em *The Origin of Financial Crises* [A origem das crises financeiras] – o raciocínio é tão cristalino que um velho amigo do mercado financeiro, o *trader* Peter Nielsen, distribuiu o livro para todas as pessoas que ele conhece.

** No original, "*noise trader*", termo usado para descrever investidores que tomam decisões de compra e venda sem aconselhamento profissional e sem análise avançada; as negociações feitas pelos "operadores de ruído" tendem a ser impulsivas e geralmente seguem as tendências e as reações a boas e más notícias. (N. T.)

empresas tornam-se muito fracas por longos períodos de prosperidade estável e desprovidos de reveses, e vulnerabilidades ocultas acumulam-se em silêncio sob a superfície — por isso, postergar crises não é um bom plano. Da mesma forma, a ausência de flutuações no mercado leva ao impune acúmulo de riscos ocultos. Quanto mais tempo sem um trauma de mercado, pior será o dano quando ocorrer a perturbação.

É fácil criar um modelo científico desse efeito adverso da estabilidade, mas, quando me tornei *trader*, descobri uma heurística usada pelos veteranos, e apenas por veteranos mais experientes: quando o mercado atinge uma "nova baixa histórica", ou seja, atinge um nível de queda não observado por muito tempo, há uma "sangria" por vir, as pessoas lançando-se em precipitada fuga. Alguns indivíduos desacostumados a perder shekels sentirão na pele um enorme prejuízo e ficarão angustiados. Se essa baixa do mercado não tiver sido observada há muito tempo, dois anos, por exemplo, será chamada de "uma baixa de dois anos" e causará mais estragos do que uma baixa de um ano. Eles chamam isso de "limpeza geral", de tirar do caminho as "mãos fracas". Uma "mão fraca" é, claramente, um indivíduo que é frágil, mas não tem consciência disso e está se deixando acalentar por uma falsa sensação de segurança. Quando muitas mãos fracas correm desembestadas para a porta de saída, elas causam, coletivamente, desastres. Um mercado volátil não deixa que as pessoas fiquem tanto tempo sem uma "limpeza geral" de riscos, evitando assim colapsos do mercado.

Fluctuat nec mergitur (flutua ou boia, mas não afunda), diz o ditado latino.

BURROS FAMINTOS

Até aqui, argumentamos que evitar a aleatoriedade em um sistema antifrágil nem sempre é uma boa ideia. Vejamos agora a situação em que *adicionar* aleatoriedade tem sido um método operacional padrão, como o combustível necessário para um sistema antifrágil permanentemente precisando disso.

Um burro em igual medida faminto e sedento, empacado diante de porções equidistantes de alimento e de água, morreria, inevitavelmente, de fome ou sede. Mas ele pode ser salvo por um empurrão aleatório para um lado ou para o outro. Essa metáfora é chamada de Paradoxo do Burro de Buridan, em homenagem ao filósofo medieval Jean de Buridan, que concebeu — entre outras coisas muito complexas — o experimento mental. Quando alguns sistemas ficam emperrados por causa de um grande impasse, a aleatoriedade, e somente a aleatoriedade, é capaz de desbloqueá-los e libertá-los da enrascada. Aqui você pode ver que a ausência de aleatoriedade equivale à morte certa.

A ideia de injetar ruído aleatório em um sistema para melhorar seu funcionamento tem sido aplicada em diferentes campos. Por meio de um mecanismo chamado de *ressonância estocástica*, o acréscimo de ruído aleatório como pano de fundo faz com que você ouça os sons (a música, por exemplo) com mais precisão. Vimos anteriormente que o efeito psicológico da sobrecompensação nos ajuda a obter sinais em meio ao barulho; aqui, não é uma propriedade psicológica, mas física do sistema. Pedidos débeis de socorro, sinais de SOS fracos demais para serem captados por receptores remotos, podem tornar-se audíveis na presença de um ruído de fundo e de interferência aleatória. Acrescentado ao sinal, o sibilo aleatório permite que ele suba suficientemente acima do limiar de detecção até tornar-se audível — nada nessa situação funciona melhor do que a aleatoriedade, que vem de graça.

Pense no método de têmpera na metalurgia, técnica usada para tornar o metal mais forte e mais homogêneo. É um processo de aquecimento e resfriamento controlados de um material a fim de aumentar o tamanho dos cristais e reduzir seus defeitos. Como no caso do burro de Buridan, o calor faz com que os átomos se descolem de suas posições iniciais e perambulem aleatoriamente através dos estados de maior energia; o resfriamento lhes dá mais oportunidades de encontrar novas e melhores configurações.

Quando criança, fui exposto a uma versão desse efeito de têmpera observando meu pai, que era um homem de hábitos, verificar um barômetro de madeira todos os dias ao chegar em casa. Ele dava delicados tapinhas no vidro do barômetro de modo a obter uma leitura para sua previsão do tempo caseira. A pressão aplicada sobre o barômetro fazia a agulha se soltar e encontrar sua verdadeira posição de equilíbrio. Essa é uma qualidade local de antifragilidade. Inspirados pela técnica metalúrgica, os matemáticos usam um método de simulação computacional chamado de *têmpera simulada* com o intuito de propiciar soluções melhores e mais favoráveis para alguns problemas e situações, soluções que somente a aleatoriedade pode proporcionar.

A aleatoriedade funciona bem em pesquisas — às vezes, melhor do que os humanos. Nathan Myhrvold me chamou a atenção para um controverso artigo publicado em 1975 na revista *Science*, declarando que a perfuração aleatória era superior a qualquer outro método de pesquisa científica empregado na época.

E, ironicamente, os assim chamados sistemas caóticos, aqueles que passam por um tipo de variação chamado *caos*, podem ser estabilizados por meio do acréscimo de aleatoriedade. Assisti a uma espantosa demonstração dos efeitos, apresentada por um estudante de doutorado que, primeiro, fez com que bolas quicassem caoticamente sobre uma mesa em resposta a vibrações constantes na superfície. Esses choques constantes faziam as bolas saltar de maneira desordenada e deselegante. Depois, como que num passe de mágica, ele apertou um interruptor e os saltos tornaram-se ordenados e suaves. A magia é que essa mudança de regime, do caos à ordem, não se deu em decorrência da eliminação do caos, mas por meio da adição de choques aleatórios, impactos completamente aleatórios, mas de baixa intensidade. Saí tão entusiasmado desse belo experimento que tive vontade de abordar desconhecidos na rua e dizer: "Eu amo a aleatoriedade!".

Têmpera política

Tem sido difícil explicar para as pessoas reais que os estressores e a incerteza têm um papel importante na vida — imagine então como seria explicar isso aos políticos. No entanto, é aí que certa dose de aleatoriedade se faz mais necessária.

Certa vez, me mostraram o roteiro de um filme inspirado em uma parábola de uma cidade governada totalmente pela aleatoriedade — muito borgiana. A intervalos preestabelecidos, o governante atribui aleatoriamente aos habitantes um novo papel na cidade. Digamos que o açougueiro, por exemplo, faria as vezes de padeiro, e o padeiro assumiria o lugar de prisioneiro, e assim por diante. No fim, as pessoas acabam se rebelando contra o governante, exigindo a estabilidade como seu direito inalienável.

Logo pensei que talvez devesse ser escrita a parábola oposta: em vez de governantes que alteram aleatoriamente a tarefa dos cidadãos, os cidadãos é que deveriam mudar aleatoriamente o trabalho dos governantes, nomeando-os por sorteio e destituindo-os do poder de forma igualmente aleatória. Isso é semelhante à têmpera simulada — e, por acaso, não menos eficaz. No fim ficou claro que os antigos — de novo os antigos! — sabiam disso: os membros das assembleias atenienses eram escolhidos por sorteio, método que visava proteger o sistema da degeneração. Felizmente, esse efeito tem sido investigado nos sistemas políticos modernos. Em uma simulação de computador, Alessandro Pluchino e seus colegas demonstraram como o acréscimo de alguns políticos ao processo, selecionados de forma randômica, pode melhorar o funcionamento do sistema parlamentar.

Ou, algumas vezes, o sistema se beneficia com um tipo diferente de estressor. Para Voltaire, a melhor forma de governo era aquela vivida à base de assassinatos políticos. O regicídio é meio que o equivalente a dar batidinhas no vidro do barômetro para fazê-lo funcionar melhor. Isso cria, também, certa reorganização, invariavelmente necessária, e que de outra forma talvez jamais fosse feita. O vazio criado no topo permite o efeito de têmpera, o que leva ao surgimento de um novo líder. A diminuição secular de mortes prematuras na sociedade privou-nos de uma rotatividade de gestão naturalista. O assassinato é o procedimento-padrão para a sucessão na máfia (a última têmpera divulgada foi quando John Gotti assassinou seu predecessor em frente a uma churrascaria de Nova York para tornar-se o *capo* da família). Fora da máfia, chefes e membros de conselhos administrativos agora permanecem mais tempo em suas posições, um fato que trava muitos domínios: diretores executivos, professores universitários com estabilidade no emprego, políticos, jornalistas — e precisamos contrabalançar essa condição com loterias aleatórias.

Infelizmente, não é possível aniquilar um partido político via randomização. O que está assolando os Estados Unidos não é o sistema bipartidário, mas estar preso aos *mesmos* dois partidos. Partidos não nascem com datas de validade inerentes.

Por fim, os antigos aperfeiçoaram o método de sorteio aleatório em situações mais ou menos difíceis — e o integraram aos presságios. Os sorteios na verdade tencionavam encontrar uma saída aleatória, sem ter que tomar uma decisão, de modo que mais tarde o indivíduo não tivesse de viver com o peso das consequências. A pessoa fazia o que os deuses lhe diziam para fazer, de forma que depois não tivesse que questionar a si mesma. Um dos métodos, chamado de *sortes virgilianae* (o destino conforme decidido pelo poeta épico Virgílio), envolvia abrir a esmo a *Eneida*, de Virgílio, e interpretar o primeiro verso que surgisse como a direção a ser tomada. Você deve usar esse método toda vez que tiver que decidir alguma coisa complicada relativa aos seus negócios. Vou repetir à exaustão: os antigos desenvolveram maneiras e artifícios sofisticados e secretos para tirar proveito da aleatoriedade. Verdade seja dita: eu, por exemplo, coloco efetivamente em prática essa heurística aleatorizante em restaurantes. Diante da extensão e da complicação dos cardápios, sujeitando-me ao que os psicólogos chamam de *tirania da escolha*, com a dolorosa sensação, subsequente à minha decisão, de que eu deveria ter pedido outra coisa, eu, às cegas e de maneira sistemática, copio a escolha do comensal do sexo masculino mais gordo à mesa; e, quando essa pessoa não está presente, peço algo do menu sem sequer ler o nome do prato, com a paz de espírito de saber que Baal fez a escolha por mim.

ESTA BOMBA-RELÓGIO CHAMADA ESTABILIDADE

Vimos que a ausência de fogo permite o acúmulo de material altamente inflamável. As pessoas ficam chocadas e indignadas quando lhes digo que a ausência de instabilidade política, até mesmo da guerra, possibilita que sob a superfície se acumulem materiais e tendências explosivos.

A segunda etapa: as (pequenas) guerras salvam vidas?

O filósofo político anti-iluminista Joseph de Maistre comentou que conflitos fortalecem países. Isso é extremamente discutível — a guerra não é uma coisa boa, e, tendo sido vítima de uma guerra civil brutal, posso atestar seus horrores. Mas o que acho interessante — e sofisticado — no raciocínio de Maistre é apontar o erro de analisar as perdas de determinado evento e ignorar o restante da história. Também é interessante que as pessoas tendem a compreender com mais facilidade o oposto, isto é, percebem o erro de analisar os ganhos imediatos sem levar em conta os efeitos colaterais de longo prazo. Pois vemos as baixas de uma guerra como perdas, sem considerar a segunda etapa, o que acontece depois — não como os jardineiros, que entendem muito bem que podar as árvores as fortalece.

Do mesmo modo, a paz — algum tipo de paz forçada, constrangida, artificial — pode ser custosa em relação às vidas: basta ponderar sobre a tremenda complacência que levou à Primeira Guerra Mundial, depois de quase um século de relativa paz na Europa, vinculada à ascensão do Estado-nação fortemente armado.

Novamente, todos nós amamos a paz e todos nós amamos a estabilidade econômica e emocional — mas não queremos ser otários a longo prazo. Recorremos à vacinação todo ano (inoculando em nós um pouco do dano de modo a construir imunidade), mas deixamos de transferir esse mecanismo para os domínios político e econômico.

O que dizer aos formuladores de políticas externas

Resumindo, o problema com a volatilidade suprimida de forma artificial não é apenas que o sistema tende a se tornar extremamente frágil; é que, ao mesmo tempo, ele não exibe nenhum risco *visível*. Lembre-se também de que volatilidade é informação. Na verdade, esses sistemas tendem a ser calmos demais e a exibir variabilidade mínima à medida que riscos silenciosos se acumulam sob a superfície. Embora a intenção declarada de líderes políticos e formuladores de políticas econômicas seja estabilizar o sistema por meio da inibição das flutuações, o resultado tende a ser o oposto. Esses sistemas artificialmente sufocados tornam-se propensos a Cisnes Negros. Mais cedo ou mais tarde, ambientes desse tipo sofrem explosões colossais, do mesmo tipo que vimos na figura 3, pegando todos desprevenidos e destruindo anos de estabilidade, ou, na maioria dos casos, terminando em situação muito pior do que estavam em seu volátil estado inicial. De fato, quanto mais tempo demora para a explosão ocorrer, piores serão os danos resultantes para os sistemas econômico e político.

Buscar estabilidade alcançando a estabilidade (e deixando de lado a segunda etapa) tem sido um grande jogo do otário nas políticas econômicas e externas. A lista chega a ser deprimente de tão longa. Pense em governos podres como o do Egito antes dos distúrbios de 2011, apoiado pelos Estados Unidos por quatro décadas a fim de "evitar o caos", com o efeito colateral de uma panelinha de saqueadores privilegiados, usando seus superpoderes como amparo — idênticos aos banqueiros, que lançam mão de seu status de "grandes demais para quebrar" para fraudar os contribuintes e pagar a si mesmos gordas bonificações.

A Arábia Saudita é o país que mais me preocupa e me ofende atualmente; é um caso típico de estabilidade imposta de cima para baixo por uma superpotência em detrimento de todos os possíveis padrões morais e éticos — e, é claro, à custa da estabilidade propriamente dita.

Assim, um lugar "aliado" dos Estados Unidos é uma monarquia completa, desprovida de uma Constituição. Mas o moralmente chocante não é isso. Um grupo de 7 mil a 15 mil membros da família real governa o lugar, levando um estilo de vida luxuoso e hedonista, em franca discrepância com as ideias puristas que os colocaram no poder. Repare na contradição: as severas tribos do deserto, cuja legitimidade deriva de uma austeridade quase de feitio amish, podem, graças a uma superpotência, devotar-se ao mais desenfreado hedonismo — o rei viaja, por puro prazer, com uma comitiva que preenche quatro aviões a jato de grande porte. Uma diferença e tanto em relação a seus antepassados. Os membros da família real amealharam uma fortuna cuja maior parte agora está guardada em cofres do Ocidente. Sem os Estados Unidos, o país teria tido sua revolução, uma ruptura regional, algum tumulto e, em seguida, talvez — a esta altura — alguma estabilidade. Mas evitar o ruído piora o problema a longo prazo.

É claro que a "aliança" entre a família real saudita e os Estados Unidos tinha o intuito de proporcionar estabilidade. Que estabilidade? Por quanto tempo é possível enganar o sistema? Na verdade, "quanto tempo" é irrelevante: essa estabilidade é semelhante a um empréstimo, que, mais dia, menos dia, precisa ser pago. E há questões éticas, que deixo para o capítulo 24, principalmente o casuísmo, quando alguém usa a justificativa "para o bem de" com a finalidade de violar uma regra moral de outro modo inflexível.* Poucas pessoas estão cientes do fato de que o rancor dos iranianos em relação aos Estados Unidos vem do fato de que o governo norte-americano — uma democracia — instalou um monarca, o repressor xá do Irã, que saqueou o lugar mas deu aos estadunidenses a "estabilidade" de acesso ao golfo Pérsico. O regime teocrático do Irã de hoje é, em larga medida, o resultado dessa repressão. Precisamos aprender a pensar em segundas etapas, nas cadeias de consequências e nos efeitos colaterais.

* Note o padrão de conduta de dois pesos e duas medidas por parte dos governos ocidentais. Como cristão, estou proibido de ir a certas partes da Arábia Saudita, pois eu estaria violando a pureza do local. Mas nenhum lugar público dos Estados Unidos ou da Europa ocidental é proibido aos cidadãos sauditas.

Ainda mais preocupante é que historicamente a política norte-americana em relação ao Oriente Médio, em especial após o Onze de Setembro, tem indevidamente girado em torno da repressão a toda e qualquer flutuação política, em nome do combate preventivo ao "fundamentalismo islâmico" — uma figura de linguagem usada por quase todos os regimes. Além da questão de que matar islâmicos ajuda a engrossar seus números, o Ocidente e seus autocráticos aliados árabes fortaleceram os fundamentalistas islâmicos, ao forçá-los à clandestinidade.

Hora de os formuladores de políticas públicas norte-americanos entenderem que, quanto mais intervierem em outros países em nome da estabilidade, mais trarão instabilidade (exceto nos casos ao estilo sala de emergência). Ou talvez seja hora de reduzir o papel dos formuladores de políticas públicas nos assuntos de diretrizes políticas.

Uma das contingências da vida: não existe estabilidade sem volatilidade.

O QUE CHAMAMOS DE MODERNIDADE AQUI?

Minha definição de modernidade é a dominação em larga escala do ambiente por parte dos seres humanos, a suavização sistemática das irregularidades do mundo e o sufocamento da volatilidade e dos estressores.

A modernidade corresponde à sistemática extração dos seres humanos de sua ecologia carregada de aleatoriedade — física e social, até mesmo epistemológica. A modernidade não é apenas o período histórico pós-medieval, pós-agrário e pós-feudal conforme definido nos livros didáticos de sociologia. É, antes, o espírito de uma época marcada pela racionalização (o racionalismo ingênuo), a ideia de que a sociedade é compreensível, portanto deve ser concebida, por seres humanos. Com ela nasceu a teoria estatística, e a partir daí a abominável curva em forma de sino. Assim se deu também com a ciência linear. E com a noção de "eficiência" — ou otimização.

A modernidade é uma cama de Procusto, para o bem ou para o mal — uma redução de seres humanos ao que parece ser eficiente e útil. Alguns aspectos disso funcionam: nem todas as camas de Procusto são reduções negativas. Algumas podem ser benéficas, embora sejam raras.

Pense no leão que vive no conforto e na previsibilidade do zoológico do Bronx (os visitantes aglomeram-se nas tardes de domingo para vê-lo, em uma mistura de curiosidade, medo e piedade), em comparação com seus primos que transitam em liberdade. Nós, em algum momento, tivemos adultos e crianças criados soltos em espaço aberto, antes do advento da era de ouro da mãe-helicóptero.

Estamos caminhando para uma fase da modernidade marcada pelos lobistas, pelas sociedades anônimas de responsabilidade muito, muito limitada, pelo MBA, pelos problemas de otários, pela secularização (ou, melhor, a reinvenção de novos valores sagrados, como bandeiras para substituir altares), pelo fisco, pelo medo do chefe, por passar os fins de semana em lugares interessantes e os dias úteis em um lugar supostamente menos interessante, pela separação entre "trabalho" e "lazer" (embora em épocas mais sábias os dois pudessem ser sinônimos), pelo plano de aposentadoria, pelos intelectuais afeitos a debates e que discordariam desta definição de modernidade, pelo pensamento literal, pela inferência indutiva, pela filosofia da ciência, pela invenção da ciência social, por superfícies suaves e pelos arquitetos egocêntricos. A violência é transferida dos indivíduos para os Estados. O mesmo vale para a indisciplina financeira. No centro de tudo isso está a negação da antifragilidade.

Há uma dependência das narrativas, uma intelectualização das ações e dos empreendimentos. As empresas e os funcionários públicos — até mesmo os funcionários das grandes corporações — só podem fazer coisas que parecem ajustar-se a alguma narrativa, ao contrário das empresas, que podem apenas perseguir lucros, com ou sem uma boa história para contar. Lembre-se de que você precisa de um nome para a cor azul quando constrói uma narrativa, mas não para a ação — o pensador que carece de uma palavra para "azul" está em desvantagem; o fazedor, não (tive muita dificuldade para transmitir aos intelectuais a superioridade *intelectual* da prática).

A modernidade ampliou a diferença entre o sensacional e o relevante — em um ambiente natural o sensacional é, bem, sensacional por uma razão; hoje, dependemos da imprensa para coisas tão essencialmente humanas quanto fofocas e relatos, e nos preocupamos com a vida privada de pessoas em lugares muito remotos.

De fato, no passado, quando não tínhamos plena consciência da antifragilidade, da auto-organização e da cura espontânea, conseguíamos respeitar essas propriedades construindo crenças que serviam ao propósito de administrar e sobreviver à incerteza. Fornecemos melhorias para a capacidade de agir de deus(es). Talvez tenhamos negado que as coisas podem cuidar de si mesmas, sem nenhuma agência. Mas os agentes eram os deuses, não os capitães do navio formados em Harvard.

Assim, o surgimento do Estado-nação ajusta-se perfeitamente a essa progressão — a transferência da agência para meros humanos. A história do Estado-nação é a da concentração e da ampliação de erros humanos. A modernidade começa com o monopólio estatal sobre a violência e termina com o monopólio estatal sobre a irresponsabilidade fiscal.

Discutiremos a seguir os dois elementos principais no cerne da modernidade. *Primo*, no capítulo 7, o intervencionismo ingênuo, com os custos associados a consertar coisas que seria melhor deixar quietas. *Secundo*, no capítulo 8, e como uma transição para o Livro III, essa ideia de substituir Deus e os deuses no comando dos acontecimentos futuros por algo ainda mais religiosamente fundamentalista: a crença incondicional na ideia de previsão científica, independentemente do domínio, cujo objetivo é abreviar o futuro a reduções numéricas, confiáveis ou não. Pois conseguimos converter a crença religiosa em credulidade por qualquer coisa capaz de se mascarar de ciência.

7. Intervenção ingênua

Uma tonsilectomia para passar o tempo — Nunca faça hoje o que se pode deixar para amanhã — Vamos prever revoluções depois que elas acontecerem — Lições do blackjack

Pense na necessidade de "fazer algo" por meio de um exemplo ilustrativo. Na década de 1930, 389 crianças foram examinadas por médicos de Nova York; recomendou-se que 174 delas fossem submetidas a uma tonsilectomia ou amidgalectomia, a cirurgia para remoção das amígdalas. As 215 restantes passaram por nova avaliação médica, e agora o diagnóstico foi que 99 precisavam da operação. As 116 crianças restantes foram reavaliadas por um terceiro grupo de médicos, que recomendaram a cirurgia a 52 delas. Tenha em mente que as tonsilectomias registram um índice de morbidade de 2% a 4% dos casos (hoje, não naquela época, quando os riscos da cirurgia eram muito graves) e que nesse tipo de operação ocorre uma morte a cada 15 mil pacientes, e você terá uma ideia sobre o ponto de equilíbrio entre ganhos e prejuízos médicos.

Essa história nos permite testemunhar o homicídio probabilístico em ação. Toda criança submetida a uma operação desnecessária tem sua expectativa de vida encurtada. Esse exemplo não só nos dá uma ideia do dano causado por aqueles que intervêm, como também, o que é pior, ilustra a falta de consciência da necessidade de procurar um ponto de equilíbrio entre benefícios e danos.

Chamaremos essa ânsia de ajudar de "intervencionismo ingênuo". Em seguida, analisaremos seus custos.

INTERVENÇÃO E IATROGENIA

No caso das tonsilectomias, o dano às crianças submetidas ao tratamento desnecessário está vinculado ao alardeado ganho obtido por *algumas* outras crianças. O nome para esse prejuízo líquido, os danos (geralmente ocultos ou demorados) decorrentes de um tratamento que sobrepujam os benefícios, é iatrogenia, literalmente "causado por atos do curador" — *iatrós* sendo "médico" ou "curador" em grego. Postularemos, no capítulo 21, que toda vez que você visita um médico e inicia um tratamento, incorre no risco de sofrer prejuízos médicos desse tipo, que devem ser analisados da maneira como analisamos outras trocas compensatórias: os benefícios probabilísticos menos os custos probabilísticos.

Para um exemplo clássico de iatrogenia, lembre-se da morte de George Washington, em dezembro de 1799: temos provas suficientes de que os médicos contribuíram enormemente para o seu falecimento, ou pelo menos o apressaram, por causa do tratamento-padrão da época, que incluía a sangria (a extravasão de uma quantidade de sangue que variava de 2,1 a 3,8 litros).

Ora, esses riscos causados pelo curador podem ser tão negligenciados que, dependendo de como se contabiliza a coisa, até o advento da penicilina, a medicina tinha um saldo bastante negativo — ir ao médico aumentava as chances de a pessoa morrer. Mas é bastante revelador que a iatrogenia médica parece ter aumentado ao longo do tempo, pari passu com o conhecimento, até atingir seu auge em algum momento no fim do século XIX. Obrigado, modernidade: foi o "progresso científico", o nascimento da clínica e sua substituição por remédios caseiros, que empurrou as taxas de mortalidade para um aumento considerável, principalmente em decorrência do que, então, recebeu o nome de "infecção hospitalar" — Leibniz havia chamado esses hospitais de *seminaria mortis*, canteiros da morte. As evidências do aumento nas taxas de mortalidade tornaram-se mais fortes que nunca, uma vez que todas as vítimas estavam, agora, reunidas em um mesmo lugar: nessas instituições estavam morrendo pessoas que fora delas teriam sobrevivido. O médico austro-húngaro Ignaz Semmelweis, conhecido alvo de maus-tratos, observou que mais mulheres morriam ao dar à luz em hospitais do que parindo na rua. Ele classificou o establishment médico como um bando de criminosos — o que de fato eram: os praticantes da medicina que continuavam matando pacientes se recusavam a aceitar os fatos apresentados por Semmelweis, e não faziam nada a respeito, porque ele "não tinha teoria alguma" que corroborasse suas observações. Semmelweis entrou em estado de depressão, incapaz de impedir o que a seu ver eram assassinatos, enojado com a postura da elite médica dominante. Ele acabou internado em um hospital psiquiátrico, onde morreu, ironicamente, vitimado pela mesma infecção hospitalar sobre a qual vinha alertando.

A história de Semmelweis é triste: um homem que foi punido, humilhado e inclusive morreu por vociferar a verdade a fim de salvar os outros. O pior castigo foi seu estado de impotência diante dos riscos e das injustiças. Mas a história também tem um lado feliz — a verdade terminou por vir à tona, e a missão de Semmelweis acabou valendo a pena, com algum atraso. E a derradeira lição é que ninguém deve esperar honrarias por revelar a verdade.

A medicina é, comparativamente, a boa notícia, talvez a única boa notícia, no campo da iatrogenia. Vemos o problema que há na medicina porque hoje as coisas estão começando a ser controladas; é apenas o que agora chamamos de custo de fazer negócios, embora os erros médicos ainda matem, atualmente, entre três (número aceito pelos médicos) e dez vezes mais pessoas do que os acidentes de carro nos Estados Unidos. De modo geral, admite-se que os danos causados por médicos — não incluídos os riscos dos germes hospitalares — respondem por mais mortes do que qualquer tipo de câncer. A metodologia utilizada pelo establishment médico para a tomada de decisões ainda é ingênua quanto aos princípios adequados de gerenciamento de riscos, mas a medicina está melhorando. Temos que nos preocupar com a incitação ao excesso de tratamento por parte das empresas farmacêuticas, dos lobistas e de grupos de interesses especiais, e com os danos não imediatamente evidentes e que não são contabilizados como "erros". As grandes corporações farmacêuticas fazem o jogo da iatrogenia oculta e amplamente distribuída, e isso vem aumentando. É fácil avaliar a iatrogenia quando o cirurgião amputa a perna boa ou opera o rim errado, ou quando o doente morre em decorrência de uma reação a um medicamento. Mas, quando o pai ou a mãe medica uma criança para tratar uma doença psiquiátrica imaginária ou inventada — transtorno do déficit de atenção com hiperatividade (TDAH) ou depressão, digamos —, em vez de permitir que a criança seja livre, o dano no longo prazo quase sempre passa incólume. A iatrogenia é intensificada pelo "problema da agência" ou "problema do principal agente", que aparece quando uma das partes (o agente) tem interesses pessoais dissociados dos interesses daqueles que estão usando seus serviços (o principal). Um problema de agência ocorre, por exemplo, com o corretor da Bolsa de Valores e o médico, cujo interesse essencial é sua própria conta-corrente, e não a saúde financeira e médica, respectivamente, do cliente e do paciente para quem fornecem serviços, e que oferecem conselhos para beneficiar a eles próprios. O mesmo acontece com os políticos que trabalham em prol da própria carreira.

Em primeiro lugar, não cause dano

A medicina já conhece a iatrogenia desde pelo menos o século IV antes de nossa era — *primum non nocere* ("primeiro, não faça mal") é um princípio inicial atribuído a Hipócrates e integrado ao chamado Juramento Hipocrático, proferido por todo médico em sua cerimônia de formatura. A medicina só precisou de cerca de 24 séculos para levar a efeito corretamente essa brilhante ideia. Apesar das recitações do princípio da não maleficência ao longo dos séculos, o termo "iatrogenia" só apareceu com uso frequente muito, muito tarde, algumas décadas atrás — depois que muitos estragos já haviam sido feitos. Eu mesmo não conhecia essa palavra até que o escritor Bryan Appleyard me apresentou ao conceito (eu tinha usado "danosos efeitos colaterais contingentes"). Então, deixemos a medicina de lado (para voltar a ela daqui a mais ou menos uma dúzia de capítulos) e vamos aplicar essa ideia, nascida na medicina, a outros domínios da vida. Uma vez que a ausência de intervenção implica a ausência de iatrogenia, a fonte de dano está na negação da antifragilidade e na impressão de que nós, seres humanos, somos necessários para fazer as coisas funcionarem.

Inculcar a consciência da iatrogenia generalizada é uma tarefa hercúlea. A própria noção de iatrogenia está completamente ausente do discurso fora do escopo da medicina (que, repito, tem sido uma aluna bastante morosa para aprender). Porém, assim como no caso da cor azul, ter uma palavra para nomear algo ajuda a disseminar a consciência acerca da coisa. Vamos estender a ideia de iatrogenia para a ciência política, a economia, o planejamento urbano, a educação e outros domínios. Nenhum dos consultores e acadêmicos desses campos com quem tentei discutir a questão fazia ideia do que eu estava falando — nenhum achava que poderia ser a fonte de qualquer dano. Na verdade, quando você tenta argumentar com tamanho grau de ceticismo com agentes e elementos importantes, eles tendem a dizer que você é "contra o progresso científico".

Mas o conceito pode ser encontrado em alguns textos religiosos. O Alcorão menciona "aqueles que são injustos enquanto pensam em si mesmos como íntegros".

Em síntese, qualquer coisa em que haja intervencionismo ingênuo, mais ainda, até mesmo intervenção pura e simples, terá iatrogenia.

O oposto da iatrogenia

Embora agora tenhamos uma palavra para o ato de causar danos ao tentar ajudar, não temos uma designação para a situação oposta, a de alguém que acaba ajudando enquanto tenta prejudicar. Apenas lembre-se de que atacar o antifrágil terá o mesmo efeito contrário do tiro que sai pela culatra. Por exemplo, os hackers tornam mais fortes os sistemas. Ou, como no caso de Ayn Rand, os críticos obsessivos e severos ajudam a divulgar o livro.

A incompetência tem dois gumes. No filme *Primavera para Hitler*, de Mel Brooks, dois produtores teatrais de Nova York ficam em apuros ao se verem bem-sucedidos em vez do fracasso desejado. Eles haviam vendido a múltiplos investidores os mesmos direitos de cotas de participação nos lucros de uma peça da Broadway, sob o raciocínio de que, se a peça fosse um retumbante fracasso, embolsariam os fundos excedentes — o embuste não seria descoberto caso os investidores não obtivessem retorno sobre seu investimento. O problema é que os produtores se empenharam tanto para fazer uma peça ruim — chamada *Primavera para Hitler* — e eram incompetentes em níveis tão elevados que a peça acabou sendo um tremendo sucesso. Desprovidos de seus habituais preconceitos, eles conseguiram produzir um trabalho interessante. Já vi ironia semelhante no mercado de ações: um sujeito ficou tão chateado com sua bonificação anual que começou a fazer gigantescas apostas com o portfólio de investimentos do patrão — o que acabou lhe rendendo somas consideráveis de dinheiro, mais do que se tivesse tentado fazer isso de propósito.

Talvez a ideia por trás do capitalismo seja um efeito iatrogênico inverso, as consequências involuntárias-mas-não-tão-involuntárias: o sistema facilita a conversão de objetivos egoístas (ou, para ser correto, não necessariamente benevolentes) no nível individual para resultados benéficos ao coletivo.

Iatrogenia em lugares sagrados

Duas áreas foram notadamente infectadas pela ausência de consciência da iatrogenia: a vida socioeconômica e (como acabamos de ver na história de Semmelweis) o corpo humano, temas em relação aos quais a nossa história mostra uma combinação de baixo grau de competência com uma alta taxa de intervenção e um desrespeito pela operação e pela cura espontâneas — sem falar no crescimento e no aperfeiçoamento.

Como vimos no capítulo 3, há uma distinção entre organismos (biológicos ou não biológicos) e máquinas. Pessoas com a mente norteada pela engenharia tenderão a olhar tudo ao seu redor como um problema de engenharia. Isso é uma coisa muito boa para a engenharia, mas, quando se lida com gatos, é muito mais interessante contratar veterinários, e não engenheiros de circuitos — ou, melhor ainda, deixar seu animal curar-se por si só.

A tabela 3 propicia um vislumbre dessas tentativas de "melhorar as coisas" em todos os domínios e seus efeitos. Note o óbvio: em todos os casos, elas correspondem à negação da antifragilidade.

TABELA 3 • FRAGILIZANDO O INTERVENCIONISMO E SEUS EFEITOS EM TODOS OS RAMOS DO CONHECIMENTO

ÁREA DE CONHECIMENTO	EXEMPLO DE INTERVENCIONISMO	IATROGENIA/CUSTOS
Medicina, Saúde	excesso de tratamento alimentação constante, estabilidade térmica etc. — negar a aleatoriedade do corpo humano adição, não a subtração, da dependência de remédios	fragilidade erro médico pessoas mais doentes (porém mais longevas), empresas farmacêuticas mais ricas, bactérias resistentes a antibióticos
Ecologia	microgerenciamento de incêndios florestais	agravamento dos riscos totais — "grandes incêndios" mais destrutivos
Política	planejamento central apoio dos Estados Unidos a regimes desgastados "em nome da estabilidade"	opacidade informacional caos após a revolução
Economia	"Nunca mais ciclos de expansão-contração" (Greenspan, EUA), Trabalho (Reino Unido), Grande Moderação (Bernanke) intervencionismo estatal otimização ilusão da precificação de eventos raros, metodologias de Value at Risk, ilusão das economias de escala, ignorância de efeitos de segunda ordem	fragilidade crises mais profundas quando acontecem apoio a corporações sólidas e aliadas dos governos, sufocamento dos empreendedores vulnerabilidade, pseudoeficiência explosões em grande escala
Negócios	conselhos positivos (charlatães), foco no retorno e não no risco (o que evitar)	charlatães mais ricos, falência das empresas
Urbanismo	planejamento de cidades	decadência urbana, áreas residenciais no centro da cidade, depressões, criminalidade

ÁREA DE CONHECIMENTO	EXEMPLO DE INTERVENCIONISMO	IATROGENIA/CUSTOS
Previsão	previsão no Domínio do Cisne Negro (Quarto Quadrante) apesar do terrível histórico de desempenho	riscos ocultos (as pessoas correm mais riscos quando dispõem de uma previsão)
Literatura	preparadores tentando modificar o texto do autor	escrita mais insossa, no estilo da mercadoria comoditizada do *New York Times*
Criação dos filhos	mãe-helicóptero (ou pai), eliminando todos os níveis de aleatoriedade da vida dos filhos	turistificação da mente dos filhos
Educação	o conceito está inteiramente alicerçado em intervencionismo	ludificação — transformação do cérebro das crianças
Tecnologia	neomania	fragilidade, alienação, nerdificação
Meios de comunicação	informação estéril de alta frequência	ruptura do mecanismo de filtragem ruído/sinal intervencionismo

Uma baleia é capaz de voar como uma águia?

Cientistas sociais e economistas não têm uma consciência inata da iatrogenia e, é claro, não têm nome para ela — quando decidi dar uma aula sobre erro do modelo em economia e finanças, ninguém deu crédito à minha ideia nem me levou a sério, e os poucos que me levaram a sério tentaram me podar, pedindo "uma teoria" (como na história de Semmelweis), sem perceber que eu estava descrevendo e catalogando precisamente os erros da teoria, bem como a própria ideia de usar uma teoria sem levar em conta o impacto dos possíveis erros da teoria.

Porque ter uma teoria é algo muito perigoso.

E claro que é possível fazer ciência rigorosa sem teoria. O que os cientistas chamam de fenomenologia é a observação de uma regularidade empírica, sem nenhuma teoria visível para ela. Na Tríade, coloquei as teorias na categoria frágil, e a fenomenologia na categoria robusta. Teorias são superfrágeis; elas vêm e vão, depois vêm e vão, e, em seguida, vêm e vão de novo; fenomenologias permanecem, e não posso acreditar que as pessoas não percebam que a fenomenologia é "robusta" e utilizável, e as teorias, embora badaladas com o maior espalhafato, não são confiáveis para a tomada de decisões — a não ser na física.

A física é privilegiada; é a exceção, o que faz com que sua imitação por outras disciplinas seja semelhante às tentativas de fazer uma baleia voar como uma águia. Na física os erros ficam menores de teoria em teoria — portanto, dizer "Newton estava errado" serve para chamar a atenção, é bom para o jornalismo científico sensacionalista, mas, em última análise, é uma mentira; muito mais honesto seria dizer que "a teoria de Newton é imprecisa em alguns casos específicos". As previsões feitas pela mecânica newtoniana são de uma precisão espantosa, exceto para os objetos que viajam perto da velocidade da luz, algo que você provavelmente não fará nas suas próximas férias. Também lemos bobagens-em-manchetes dizendo que Einstein estava "errado" com relação à velocidade da luz — e as ferramentas usadas para provar seu suposto erro são de uma complexidade e uma precisão tão gritantes que demonstram o quanto esse argumento será ilógico e irrelevante para você e para mim no futuro, o próximo e o distante.

Em contrapartida, as ciências sociais parecem divergir de teoria em teoria. Durante a Guerra Fria, a Universidade de Chicago estava promovendo teorias de laissez-faire, enquanto a Universidade de Moscou ensinava exatamente o contrário — mas seus respectivos departamentos de física estavam em convergência, se não em concordância total. Essa é a razão pela qual coloco as teorias das ciências sociais na coluna da esquerda da Tríade, como algo superfrágil para as decisões do mundo real e inutilizável para análises de risco. A própria designação "teoria" chega a ser desconcertante. Nas ciências sociais, deveríamos chamar esses construtos de "quimeras" em vez de teorias.

Teremos que estruturar uma metodologia para lidar com esses defeitos. Não podemos nos dar ao luxo de esperar mais 24 séculos. Ao contrário da medicina, em que a iatrogenia é distribuída por toda a população (portanto, com efeitos de Mediocristão), por causa da concentração de poder, as ciências sociais e a iatrogenia das linhas de ação políticas podem nos explodir (portanto, Extremistão).

Não fazer nada

Uma das principais fontes da crise econômica deflagrada em 2007 está na iatrogenia da tentativa, por parte do überfragilista Alan Greenspan – sem dúvida o maior iatrogenista econômico de todos os tempos –, de solucionar o "ciclo de expansão e contração", que causava riscos de se esconder debaixo do tapete e lá se acumular até mandar a economia pelos ares. A parte mais deprimente da história de Greenspan é que o sujeito era um libertário e aparentemente estava convencido da ideia de deixar os sistemas se virarem por conta própria; as pessoas podem enganar-se eternamente. O mesmo intervencionismo ingênuo foi aplicado no Reino Unido pelo governo do fragilista Gordon Brown, um estudante do Iluminismo cuja grandiosa e declarada missão era "eliminar" o ciclo de negócios. O fragilista primeiro-ministro Brown, um mestre iatrogenista, mas que não chega nem sequer aos pés de Greenspan, está atualmente tentando ensinar ao mundo "ética" e finanças "sustentáveis" – mas sua diretriz política de centralizar a tecnologia da informação (levando a gigantescos excessos de custos e atrasos de implementação), em vez de ter pequenas unidades descentralizadas, mostrou-se difícil de reverter. De fato, o sistema de saúde do Reino Unido estava operando com base no princípio de que um alfinete caindo em algum lugar num hospital remoto deveria ser ouvido em Whitehall (a rua em Londres onde os prédios públicos estão centralizados). Apresentamos o argumento técnico sobre os perigos da concentração no capítulo 18.

Essas tentativas de eliminar o ciclo de negócios levam à mãe de todas as fragilidades. Assim como um pouco de fogo aqui e ali livra uma floresta do material inflamável capaz de causar incêndios de grandes proporções, em uma economia alguns danos aqui e acolá extirpam de forma bastante precoce as empresas vulneráveis, permitindo que elas "fracassem logo" (com tempo suficiente para que possam recomeçar) e minimizando os danos de longo prazo ao sistema.

Um problema ético vem à tona quando alguém é colocado no comando. As ações de Greenspan foram danosas, mas, mesmo que ele tivesse ciência disso, teria sido necessário uma coragem heroica para justificar a inação em uma democracia na qual o incentivo é sempre prometer um resultado melhor do que a outra pessoa, independentemente dos custos efetivos e protelados.

O intervencionismo ingênuo é bastante difundido entre as profissões. Assim como ocorre com a tonsilectomia, se colocarmos um texto nas mãos de um editor típico, ele proporá algumas alterações, digamos, cerca de cinco mudanças por página. Ora, aceitemos as "correções" e apresentemos o texto a outro editor, que tende a ter a mesma taxa média de intervenção (os editores variam em grau de intervencionismo), e você verá que ele vai sugerir um número equivalente de modificações, por vezes invertendo correções propostas pelo editor anterior. Escolha um terceiro editor, e vai acontecer a mesma coisa.

A propósito, as pessoas que costumam fazer muita coisa em determinada área produzem muito pouco em outros setores — e o trabalho de edição de textos fornece um exemplo bastante apropriado. Ao longo de minha carreira de escritor, tenho notado que os editores que fazem alterações em excesso tendem a deixar passar despercebidos os verdadeiros erros de digitação (e vice-versa). Certa vez, desisti de publicar um artigo de opinião no jornal *The Washington Post* devido à abundância de alterações completamente desnecessárias, pois me pareceu que todas as palavras haviam sido substituídas por equivalentes retirados do dicionário de sinônimos. Em vez disso, cedi o artigo ao *Financial Times*, cujo editor fez uma única correção: 1989 passou a ser 1990. O *Washington Post* mexeu tanto que deixou escapar o único erro relevante. Como veremos, o intervencionismo exaure os recursos mentais e econômicos; raramente está disponível quando é mais necessário (tome cuidado com o que você deseja: no fim das contas, um governo pequeno pode ser mais eficiente em tudo que ele precisa fazer. A redução no tamanho e no escopo pode torná-lo ainda mais invasivo do que o governo grande).

Intervencionismo não ingênuo

Permita-me fazer um alerta contra o risco de interpretação errônea da mensagem. Meu argumento não é contrário à noção de intervenção; na verdade, acabei de mostrar que fico igualmente preocupado com relação à subintervenção quando ela é verdadeiramente necessária. Estou apenas alertando contra a intervenção *ingênua* e a falta de consciência e de aceitação dos danos causados por ela.

É certo que a mensagem será mal interpretada por algum tempo. Quando escrevi *Iludidos pelo acaso*, que defende o argumento — afim a esta mensagem

— de que temos uma tendência a subestimar o papel da aleatoriedade nos assuntos humanos, sintetizado como "é mais aleatório do que você pensa", nos meios de comunicação a mensagem transformou-se em "tudo é aleatório" ou "tudo é uma questão de pura sorte", um exemplo da cama de Procusto que muda as coisas reduzindo-as. Durante uma entrevista a uma rádio, quando tentei explicar ao jornalista a nuance e a diferença entre as duas afirmações, disseram-me que eu era "complicado demais"; então, eu simplesmente dei as costas e fui embora do estúdio, deixando-os em uma situação constrangedora. A parte deprimente é que as pessoas que estavam cometendo esse tipo de erro eram jornalistas instruídos, incumbidos de descrever o mundo para nós, leigos. Aqui, tudo que estou dizendo é que precisamos evitar ficar cegos à antifragilidade natural dos sistemas, à capacidade dos sistemas de cuidarem de si mesmos, e lutar contra nossa tendência de prejudicá-los e fragilizá-los por não lhes dar a chance de fazer isso.

Como vimos no caso do editor excessivamente zeloso, a superintervenção vem com subintervenção. De fato, como acontece na medicina, tendemos a intervir demais em áreas com benefícios mínimos (e amplos riscos), ao mesmo tempo que intervimos de menos em áreas nas quais a intervenção é necessária — como em emergências. Portanto, a mensagem aqui é a favor de uma intervenção firme em algumas áreas, por exemplo a ecologia, ou da limitação das distorções econômicas e dos riscos morais causados pelas grandes corporações.

O que deveríamos controlar? Como regra básica, a intervenção para limitar o tamanho (de empresas, aeroportos ou fontes de poluição), a concentração e a velocidade são benéficos para a redução dos riscos Cisne Negro. Essas ações podem estar desprovidas de iatrogenia — mas é difícil fazer com que os governos limitem o tamanho do próprio governo. Desde a década de 1970, por exemplo, defende-se que limitar a velocidade nas rodovias (e fazer com que essa lei seja cumprida) é extremamente eficaz e resulta em um considerável aumento na segurança. Isso pode ser plausível, pois os riscos de acidentes crescem de modo desproporcional (isto é, *de modo não linear*) com a velocidade, e os seres humanos não estão equipados com essa intuição, algo que vem desde sua ancestralidade. Um indivíduo que dirige um veículo imenso de forma imprudente em uma rodovia está colocando em perigo a segurança dos outros motoristas e precisa ser interrompido antes que atinja o Mini Cooper conversível de alguém — ou antes que seja colocado em uma situação em que ele, e não você, é quem esteja saindo de cena. A velocidade é fruto da modernidade, e sempre desconfio de fragilidades ocultas que surgem do pós-natural — mais adiante, nos capítulos 18 e 19, mostraremos uma prova técnica disso.

Mas também aceito o argumento oposto, o de que regulamentar a sinalização de ruas e estradas aparentemente não reduz os riscos; os motoristas ficam mais complacentes. Experimentos demonstram que o nível de atenção é enfraquecido quando o controle é concedido ao sistema (mais uma vez, a falta de sobrecompensação). Os motoristas precisam de estressores e da tensão ocasionados pela sensação de perigo para alimentar seus controles de cautela e de risco, em vez do estímulo de algum regulador externo — menos pedestres morrem atravessando as ruas fora da faixa de segurança do que as usando. Alguns libertários usam o exemplo de Drachten, cidade dos Países Baixos onde se realizou um experimento onírico. Todos os semáforos e placas de trânsito foram removidos. A desregulamentação levou a um aumento da segurança, confirmando na prática a antifragilidade da atenção, o quanto ela é estimulada por uma sensação de perigo e de responsabilidade. Como resultado, muitas cidades alemãs e holandesas reduziram a quantidade de sinais de trânsito. Vimos uma versão do efeito Drachten no capítulo 2, na discussão da automação das aeronaves, que produz exatamente o efeito oposto do pretendido, fazendo com que os pilotos percam o aguçado nível de vigilância. Mas é preciso ter cuidado para não generalizar em demasia o efeito Drachten, uma vez que ele não sugere a eficácia da remoção de todas as regras da sociedade. Como afirmei, a velocidade nas rodovias responde a uma dinâmica diferente, e seus riscos são diferentes.

Infelizmente, para mim tem sido difícil ajustar essas ideias sobre fragilidade e antifragilidade no âmbito do atual discurso político dos Estados Unidos — aquele abominável sistema de dois fósseis. Na maior parte do tempo, o lado democrata do espectro norte-americano favorece a hiperintervenção, a regulamentação incondicional e o governo grande, ao passo que o lado republicano adora as grandes corporações, a desregulamentação incondicional e o militarismo — aqui ambos são a mesma coisa para mim. E os dois lados são ainda mais parecidos no que diz respeito a dívidas, uma vez que tenderam a incentivar o endividamento dos cidadãos, das empresas e do governo (o que resulta em fragilidade e elimina a antifragilidade). Acredito que tanto os mercados quanto os governos são ininteligentes quando se trata de eventos Cisne

Negro — contudo, mais uma vez, não a Mãe Natureza, graças a sua construção, ou os tipos de mercado mais antigos (a exemplo dos *souks*), ao contrário dos que temos hoje em dia.

Deixe-me simplificar a minha opinião sobre intervenção. A meu ver, trata-se sobretudo de ter um protocolo sistemático para determinar quando intervir e quando deixar os sistemas agir por conta própria. E talvez precisemos intervir para controlar a iatrogenia da modernidade — em especial os danos em larga escala ao meio ambiente e a concentração de danos potenciais (embora ainda não manifestos), o tipo de coisa que só percebemos quando já é tarde demais. As ideias aqui propostas não são políticas, mas baseadas no gerenciamento de riscos. Não tenho filiação política tampouco juro lealdade a nenhum partido específico; pelo contrário, estou introduzindo no vocabulário a ideia de dano e de fragilidade para que possamos formular diretrizes adequadas que assegurem que não acabemos por destruir o planeta e a nós mesmos.

ELOGIO À PROCRASTINAÇÃO — O TIPO FABIANO

Há um elemento de fraude associado ao intervencionismo, cada vez mais acelerado em uma sociedade profissionalizada. É muito mais fácil dizer "Olha só o que fiz por você" do que "Olha só o que evitei por você". É claro que um sistema de bonificações baseadas no "desempenho" exacerba o problema. Eu me debrucei sobre a história em busca de heróis que tivessem se tornado heróis por causa do que *não* fizeram, mas é difícil perceber a *não ação*; não foi fácil encontrar algum. O médico que se recusa a realizar uma cirurgia de coluna (uma operação caríssima) — dando ao paciente a chance de se curar sozinho — não será recompensado e julgado de forma tão favorável quanto o que faz com que a cirurgia pareça indispensável, e depois oferece alívio ao paciente enquanto o expõe aos riscos da operação, ao mesmo tempo que está garantindo para si mesmo um lucro considerável. É este último quem vai dirigir um Rolls-Royce cor-de-rosa. Muitas vezes o gerente que evita o prejuízo da empresa não será recompensado. O verdadeiro herói no mundo do Cisne Negro é alguém que impede uma calamidade e, naturalmente, uma vez que a calamidade não ocorreu, não obterá reconhecimento — nem sequer uma bonificação — por isso. Aprofundarei o conceito no Livro VII, sobre ética, tratando da injustiça do sistema de bônus e de que modo essa injustiça é intensificada pela complexidade.

Todavia, como sempre, os antigos pareciam ter muito mais sabedoria do que nós, modernos — e uma sabedoria muitíssimo mais simples; os romanos reverenciavam a pessoa que, no mínimo, resistia à intervenção e a adiava. Um general, Fabius Maximus, foi apelidado de Cunctator, "o Procrastinador". Ele levou à loucura o rival Aníbal, que tinha uma óbvia superioridade militar, ao evitar o conflito bélico direto e adiar o início das batalhas. E é bastante apropriado considerar o militarismo de Aníbal como uma forma de intervencionismo (à la George W. Bush, com a diferença de que Aníbal se envolvia efetivamente nas batalhas, em vez de ficar no conforto de um escritório) e compará-lo à sabedoria do Cunctator.

Um grupo muito inteligente de colegas revolucionários do Reino Unido criou um movimento político chamado de Sociedade Fabiana, em homenagem ao Cunctator, baseado em procrastinar, de modo oportunista, a revolução. A sociedade incluiu entre seus membros George Bernard Shaw, H. G. Wells, Leonard e Virginia Woolf, Ramsay MacDonald e, até mesmo, por um breve período, Bertrand Russell. Em retrospecto, ficou claro que era uma estratégia muito eficaz, não tanto para atingir os objetivos dos fabianos, mas sim para ajustar-se ao fato de que tais objetivos eram alvos móveis. No fim a procrastinação revelou-se uma maneira de deixar os acontecimentos seguirem seu curso e de dar aos ativistas a chance de mudarem de ideia antes de se comprometerem com atitudes irreversíveis. E, logicamente, os membros da Sociedade *mudaram* de percepção depois que viram as falhas e os horrores do stalinismo e de regimes semelhantes.

Em latim existe a expressão *festina lente*, "apressa-te devagar". Os romanos não foram os únicos antigos a respeitar o ato da omissão voluntária. O pensador chinês Lao-tsé cunhou a doutrina do *wu-wei*, a "realização passiva".

Poucos compreendem que a procrastinação é nossa defesa natural, deixando que as coisas se arranjem sozinhas e coloquem em prática sua antifragilidade; ela resulta de algum nível de sabedoria ecológica ou naturalista, e nem sempre é ruim — em um nível existencial, é meu corpo rebelando-se contra o seu aprisionamento. É minha alma lutando contra a cama de Procusto da modernidade. É bem verdade que, no mundo moderno, minha declaração de imposto de renda não cuidará de si mesma — mas, ao adiar uma visita não imprescindível ao médico ou ao postergar a escrita de um trecho, até que meu corpo me diga que estou pronto para isso, posso estar utilizando um filtro naturalista muito potente. Só escrevo quando tenho vontade, e apenas sobre um assunto sobre o qual tenho vontade de escrever — e o leitor não é bobo. Assim, uso a procrastinação como uma mensagem do meu "eu" interior e do meu profundo passado evolutivo para resistir ao intervencionismo na minha escrita. Porém, alguns psicólogos e economistas comportamentais parecem pensar que a procrastinação é uma *doença* a ser tratada à base de remédios e que precisa ser curada.*

Dado que a procrastinação ainda não foi suficientemente patologizada, alguns a associam à condição de *akrasia* (acrasia) discutida em Platão, uma espécie de falta de autocontrole ou de fraqueza da vontade; outros, à *aboulia* (abulia), a ausência de vontade. E pode ser que as empresas farmacêuticas, um dia, inventem um comprimido para isso.

Os benefícios da procrastinação aplicam-se de forma semelhante aos procedimentos médicos: vimos que a procrastinação nos protege do erro na medida em que dá à natureza a chance de fazer seu trabalho, tendo em mente o inconveniente fato de que a natureza é menos propensa a erros do que os cientistas. Os psicólogos e os economistas que estudam a "irracionalidade" não se dão conta de que os seres humanos podem ter um instinto de procrastinação somente quando não há nenhuma vida em perigo. Eu não procrastino quando vejo um leão entrar no meu quarto ou quando há um incêndio na biblioteca do meu vizinho. Eu não procrastino após sofrer uma lesão grave. Só deixo para depois os deveres e os procedimentos antinaturais. Certa vez, posterguei e continuei adiando uma operação na medula espinal em decorrência de uma lesão nas costas — e fiquei completamente curado do problema depois de férias praticando caminhada nos Alpes, seguidas de sessões de levantamento de pesos. Esses psicólogos e economistas querem que eu mate meu instinto naturalista (o detector interno de m**) que me permitiu protelar a operação

* Os psicólogos documentam o oposto do intervencionismo, chamando-o de *viés de status quo*. Mas parece que ambos, intervencionismo e procrastinação, podem coexistir na vida profissional de um indivíduo (na qual, teoricamente, ele deve fazer alguma coisa) e na vida pessoal (o oposto). Depende do domínio. Assim, é um problema sociológico e econômico, que está vinculado a normas e incentivos (embora os médicos no estudo da tonsilectomia não tenham recebido incentivos diretos), em vez de uma propriedade mental.

opcional e minimizar os riscos — um insulto à antifragilidade do nosso corpo. Como a procrastinação é uma mensagem da nossa força de vontade natural por meio da baixa motivação, a cura está modificando o ambiente, ou a profissão, ao selecionar uma em que a pessoa não é obrigada a lutar contra os próprios impulsos. Poucos são capazes de compreender a conclusão lógica de que se deve levar um tipo de vida em que a procrastinação é uma coisa boa, uma forma de tomar decisões que tem por base o risco naturalista.

Na verdade, seleciono a escrita das passagens deste livro por meio da procrastinação. Se postergo a escrita de um trecho, ele deve ser eliminado. Isto é ética pura: por que eu deveria tentar iludir as pessoas escrevendo sobre um assunto pelo qual não tenho o menor interesse?*

Usando meu raciocínio ecológico, alguém que posterga não é irracional; o ambiente dele é que é irracional. E o psicólogo ou o economista que o chama de irracional é que está além da irracionalidade.

Verdade seja dita: nós, seres humanos, somos muito ruins para filtrar informações, principalmente as de curto prazo, e a procrastinação pode ser uma maneira de filtrarmos melhor, de resistir às consequências de se precipitar com informações, como discutiremos a seguir.

Essa ideia de "naturalista" gerou confusão. Os filósofos referem-se a um erro chamado de *falácia naturalista*, sugerindo que o que é natural não é, necessariamente, o correto do ponto de vista moral — algo que ratifico, como vimos no capítulo 4, na discussão sobre o problema de aplicar a seleção darwiniana à sociedade moderna e a necessidade de proteger aqueles que fracassam, algo que vai em trajetória de colisão com a natureza (o problema é que algumas pessoas fazem mau uso da falácia naturalista fora do campo moral e a aplicam equivocadamente a essa ideia de dependência do instinto naturalista quando um indivíduo está em dúvida). Qualquer que seja o seu ponto de vista, não há falácia quando se trata de levar em conta os riscos. O tempo é o melhor teste de fragilidade — abrange volumosas doses de desordem —, e a natureza é o único sistema que recebe o carimbo de "robusto" conferido pelo tempo. Mas

* Um amigo que escreve livros comentou que pintores gostam de pintar, mas escritores gostam de "ter escrito". Sugeri que ele deixasse de escrever, para seu bem e o bem de seus leitores.

alguns filosofastros não são capazes de compreender a primazia do risco e da sobrevivência sobre o ato de filosofar, e estes são os que, no fim das contas, deveriam sair de cena — filósofos genuínos concordariam com minha afirmação. Há uma falácia pior: pessoas que cometem o erro oposto e consideram que *tudo que é naturalista é uma falácia*.

NEUROTICISMO EM PROPORÇÕES INDUSTRIAIS

Imagine uma pessoa a quem chamaríamos de neurótica. É tensa, tem uma postura contorcida, fala com alterações na voz. Mexe o pescoço sem parar quando tenta se expressar. Quando surge uma pequena espinha em seu rosto, sua primeira reação é deduzir que é cancerosa, que o câncer é do tipo letal e já se espalhou para os gânglios linfáticos. A hipocondria dessa pessoa não se limita ao departamento médico: diante de um pequeno contratempo profissional, ela reage como se a falência iminente fosse um fato irrevogável. No escritório, está sintonizada com todos os ínfimos detalhes possíveis, e sistematicamente transforma cada montículo em uma montanha. A última coisa que você quer na vida é ficar empacado no engarrafamento com essa pessoa a caminho de um compromisso importante. A expressão "reagir exageradamente" foi inventada tendo essa pessoa em mente: ela não tem reações; apenas reações descomedidas e extremas.

Compare essa pessoa a alguém imperturbável, cuja habilidade de manter a calma sob fogo cerrado é considerada necessária para se tornar um líder, um comandante militar ou um chefão da máfia. Geralmente sereno e imune a informações insignificantes, deixa o interlocutor impressionado com seu autocontrole em circunstâncias difíceis. Para ter um exemplo de uma voz controlada, calma e ponderada, ouça as entrevistas de Salvatore Gravano, "Sammy, o Touro", envolvido no assassinato de dezenove pessoas (todas de grupos rivais de mafiosos). Ele fala com o mínimo de esforço, como se o que estivesse discutindo não fosse "grande coisa". Esse segundo tipo de pessoa reage algumas vezes, quando necessário; nas raras situações em que fica irritado, ao contrário do que acontece com o sujeito neurótico, todos ficam sabendo e é levado a sério.

A quantidade de informações a que somos expostos na modernidade está transformando os seres humanos, que deixam de ser o segundo tipo de indivíduo, estável e sereno, e passam a ser o primeiro, o neurótico. Para o propósito do nosso debate, o segundo sujeito reage apenas a informações reais; o primeiro, principalmente ao ruído. A diferença entre os dois sujeitos nos mostrará a diferença entre *ruído* e *sinal*. O ruído é o que você deve ignorar; o sinal é aquilo em que você precisa prestar atenção.

Na verdade, mencionamos vagamente o "ruído" no início do livro; é hora de sermos mais precisos a respeito disso. Na ciência, ruído é uma generalização que vai além do som efetivo para descrever informações aleatórias totalmente inúteis a qualquer objetivo, e que você precisa descartar a fim de atribuir sentido ao que está ouvindo. Pense, por exemplo, nos elementos de uma mensagem criptografada que não têm absolutamente significado nenhum, apenas letras aleatórias para confundir os espiões, ou o chiado que você escuta em uma linha telefônica e tenta ignorar a fim de se concentrar na voz do seu interlocutor.

E essa incapacidade pessoal ou intelectual de perceber a diferença entre ruído e sinal está por trás da superintervenção.

Uma maneira legalmente aceita de matar pessoas

Se você deseja acelerar a morte de uma pessoa, ofereça a ela um médico pessoal. Não estou sugerindo que você lhe arranje um médico ruim: basta dar à pessoa o dinheiro para que ela escolha o próprio médico. Qualquer médico serve.

Essa talvez seja a única maneira de matar alguém e, ao mesmo tempo, se manter direta e honestamente dentro da lei. Podemos ver, a partir da história da tonsilectomia, que o acesso a dados aumenta a intervenção, fazendo com que nos comportemos como o sujeito neurótico. Rory Sutherland comunicou-me que alguém que tenha em sua equipe um médico pessoal estará particularmente vulnerável ao intervencionismo ingênuo, portanto à iatrogenia; médicos precisam justificar seus salários e provar a si mesmos que têm um mínimo de ética profissional, algo em que "não fazer nada" não basta. De fato, o médico pessoal de Michael Jackson foi processado por algo equivalente à superintervenção-para-sufocar-a-antifragilidade (mas vai levar algum tempo até que os tribunais se familiarizem com o conceito). Você já parou para pensar por que chefes de Estado e pessoas muito ricas, com acesso a todos os cuidados médicos imagináveis, morrem com a mesma facilidade que as pessoas comuns? Bem, parece que isso acontece *por causa* da supermedicação e de cuidados médicos excessivos.

Da mesma maneira, as pessoas que trabalham em corporações ou atuam como formuladores de políticas públicas (a exemplo do fragilista Greenspan), dotadas de um sofisticado departamento de coleta de informações e que, portanto, recebem uma considerável quantidade de estatísticas "oportunas", são capazes de reagir de maneira extremada e de confundir ruídos com informações — Greenspan ficava de olho em flutuações, como as vendas de aspiradores de pó em Cleveland, para, como se diz, "ter uma ideia exata do rumo que a economia está tomando", e é claro que ele nos microgerenciou caos adentro.

Nos negócios e na tomada de decisões econômicas, a dependência de dados provoca graves efeitos colaterais — temos hoje uma abundância de dados graças à conectividade, e quanto mais mergulhamos nessa gama de informações, mais aumenta a proporção de informações espúrias. Uma propriedade muito raramente discutida dos dados: eles são tóxicos quando aparecem em grande quantidade — e até mesmo em quantidades moderadas.

Os dois capítulos anteriores mostraram de que modo podemos usar o ruído e a aleatoriedade e deles tirar proveito; mas o ruído e a aleatoriedade também podem nos usar e tirar proveito de nós, em particular quando são totalmente artificiais, como ocorre com as informações que obtemos na internet ou que chegam até nós pelos meios de comunicação.

Quanto mais recorremos aos dados, mais desproporcional é a nossa propensão a captar ruídos (em vez da parte valiosa, chamada de sinal); portanto, mais alta será a relação ruído-sinal. E há uma confusão que não tem nada de psicológica, mas é inerente às informações em si. Digamos que você consulte anualmente informações sobre os preços de ações, as vendas de fertilizantes da fábrica de seu sogro ou os números de inflação em Vladivostok. Além disso, suponha que a proporção sinal-ruído do que você está observando, com frequência anual, é de cerca de um para um (metade ruído, metade sinal) — isso significa que quase metade das mudanças é melhoria ou degradação real, e a outra metade vem da aleatoriedade. Essa relação é a que você obtém de observações anuais. Mas, se você examinasse os mesmíssimos dados diariamente, a composição mudaria para 95% de ruído e 5% de sinal. E, se você observar as informações de hora em hora, como fazem as pessoas imersas no noticiário e nas variações de preço do mercado, a relação das partes passa a ser de 99,5%

de ruído e 0,5% de sinal. Ou seja, duzentas vezes mais ruído do que sinal — essa é a razão pela qual qualquer pessoa que dá ouvidos ao noticiário (exceto quando acontecimentos muito, muito significativos ocorrem) está a apenas um passo de ser um otário.

Considere a iatrogenia dos jornais. Eles precisam preencher todos os dias suas páginas com uma série de notícias — em particular, notícias que também serão informadas por outros jornais. Mas, se fossem fazer o correto, eles deveriam aprender a não falar nada na ausência de notícias significativas. Em certos dias, os jornais deveriam ter apenas duas linhas de comprimento; em outros, duzentas páginas — em proporção à intensidade do sinal. Mas, é claro, eles querem ganhar dinheiro e precisam nos vender porcarias. E as porcarias são a iatrogenia.

Há nessa história uma dimensão biológica. Venho repetindo que, em um ambiente natural, um estressor é informação. Informação em excesso seria, portanto, estresse em excesso, ultrapassando o limiar da antifragilidade. Na medicina, estamos descobrindo os poderes de cura do jejum — por exemplo, evitar os picos hormonais que acompanham a ingestão de alimentos. Os hormônios transmitem informações para as diferentes partes de nosso sistema, e, em excesso, eles confundem nossa biologia. Aqui, mais uma vez, como é o caso das notícias recebidas com frequência muito elevada, informações em excesso tornam-se prejudiciais — o noticiário e o açúcar confundem nosso sistema da mesma maneira. E, no capítulo 24 (sobre ética), mostrarei como a quantidade exagerada de dados (em especial, quando são estéreis) faz com que as estatísticas sejam completamente desprovidas de sentido.

Agora, adicionemos a isso o aspecto psicológico: não fomos feitos para entender, por isso reagimos de maneira exagerada e emocional ao ruído. A melhor solução é observar *apenas* mudanças muito grandes nas informações ou nas condições, nunca nas pequenas alterações.

Assim como provavelmente não estamos propensos a confundir um urso com uma pedra (mas propensos a confundir uma pedra com um urso), é quase impossível que uma pessoa racional, com uma mente lúcida e saudável, que não esteja afogada em dados, confunda um sinal vital, importante para sua sobrevivência, com um ruído — a menos que seja excessivamente ansiosa, hipersensível e neurótica, portanto distraída e perturbada por outras mensagens. Os sinais significativos sabem como chegar até nós. Na história das tonsilectomias, o melhor filtro teria sido levar em conta apenas as crianças muito doentes, as que sofriam com inflamações de garganta recorrentes.

Neuroticismo movido a mídia

As histórias pitorescas glorificadas pela mídia geram muito ruído. Por causa disso, progressivamente estamos vivendo em uma realidade virtual, apartada do mundo real, um pouco mais a cada dia, ao mesmo tempo que atinamos cada vez menos para isso. Leve em conta que, todos os dias, 6200 pessoas morrem nos Estados Unidos, muitas delas de causas evitáveis. Mas os meios de comunicação noticiam apenas os casos mais curiosos e sensacionalistas (furacões, acidentes bizarros, desastres com aviões de pequeno porte), fornecendo-nos um mapa cada vez mais distorcido dos riscos reais. Em um ambiente ancestral, o pitoresco, o "interessante", era informação; hoje, não mais. Da mesma forma, ao nos apresentar explicações e teorias, a mídia nos induz à ilusão de que compreendemos o mundo.

E a compreensão dos eventos (e dos riscos) por parte dos membros da imprensa é tão retrospectiva que eles colocariam as verificações de segurança depois da viagem de avião, ou o que os antigos chamavam de *post bellum auxilium*, enviar as tropas após a batalha. Devido à função da dependência do domínio, esquecemos a necessidade de analisar nosso mapa do mundo em contraste com a realidade. Assim, estamos vivendo em um mundo cada vez mais frágil, ao mesmo tempo que pensamos que ele é cada vez mais compreensível.

Para concluir, a melhor maneira de mitigar o intervencionismo é racionar a oferta de informações, da forma mais naturalística possível. Não é algo fácil de aceitar na era da internet. Para mim, tem sido dificílimo explicar que, quanto mais dados obtemos, menos sabemos o que está acontecendo e mais iatrogenia causaremos. As pessoas ainda estão sob a ilusão de que "ciência" significa mais dados.

O ESTADO PODE AJUDAR – QUANDO É INCOMPETENTE

A fome generalizada na China, que matou 30 milhões de pessoas entre 1959 e 1961, pode ser muito instrutiva sobre o efeito do Estado que "tenta demais". Xin Meng, Nancy Qian e Pierre Yared examinaram as variações da fome *entre* áreas, investigando sua distribuição. Eles descobriram que a fome foi mais severa em áreas com maior produção de alimentos no período anterior ao início da penúria, o que quer dizer que por trás de grande parte do problema estava a política governamental de distribuição de alimentos, devido à falta de inflexibilidade no sistema de abastecimento. E, de fato, níveis de fome maiores do que os esperados, ao longo do século passado, ocorreram em economias com planejamento central.

Contudo, muitas vezes é a incompetência do Estado que pode ajudar a nos salvar das garras do estatismo e da modernidade — a iatrogenia inversa. O perspicaz escritor Dmitry Orlov mostrou como calamidades foram evitadas após o colapso do Estado soviético porque a produção de alimentos era ineficiente e repleta de redundâncias involuntárias, o que acabou trabalhando a favor da estabilidade. Stálin brincou com a agricultura, causando sua cota de fome generalizada. Mas ele e seus sucessores jamais conseguiram fazer com que a agricultura se tornasse "eficiente", ou seja, centralizada e otimizada como é hoje nos Estados Unidos, de modo que cada cidade contasse com cultivo de seus artigos de primeira necessidade nos arredores. Isso era mais caro, uma vez que as cidades não dispunham dos benefícios da especialização, mas essa falta de especialização local permitia que as pessoas tivessem acesso a todas as variedades de alimentos, apesar do severo desmoronamento das instituições. Nos Estados Unidos, queimamos, no transporte, doze calorias para cada caloria de nutrição; na Rússia soviética, a proporção era de uma para uma. Pode-se imaginar o que aconteceria nos Estados Unidos (ou na Europa) na hipótese de panes na distribuição de alimentos. Além disso, por causa da ineficiência do sistema habitacional do Estado soviético, as pessoas conviviam em espaços apertados havia três gerações, e a proximidade de contato fazia com que estabelecessem vínculos estreitos que asseguravam — como na guerra do Líbano — que se mantivessem unidas e emprestassem comida umas para as outras. As pessoas tinham vínculos genuínos, ao contrário das redes sociais, e alimentavam seus amigos famintos, na expectativa de que algum amigo (muito provavelmente, outro) pudesse ajudá-las caso elas se vissem em circunstâncias calamitosas.

E o Estado governado de cima para baixo não é, exatamente, aquele que tem a reputação de ser assim.

A seguir, vamos desmistificar a lenda de que a França funciona bem por ser um Estado cartesiano racionalista-racionalizante, governado de cima para baixo. Assim como os russos, os franceses tiveram sorte de que esse tenha sido, durante muito tempo, um objetivo fracassado.

Passei as duas últimas décadas me perguntando por que a França, um país administrado de cima para baixo por um Estado imenso, conseguiu ser tão bem-sucedida em tantas áreas. É, afinal, o país de Jean-Baptiste Colbert, o grande utopista cujo ideal era o de um Estado que se infiltra em tudo. Na verdade, a cultura atual é ultraintervencionista, meio que "se não está quebrado, conserte". Pois as coisas funcionam na França — de alguma maneira — muitas vezes melhor do que em outros lugares; então a França pode ser usada como evidência de que as burocracias centrais que reprimem a desorganização municipal são favoráveis ao crescimento, à felicidade, à ciência e à literatura de boa qualidade, ao clima excelente, à flora diversificada com variedades mediterrâneas, às altas montanhas, ao excelente sistema de transporte, às belas mulheres e à boa culinária? Foi aí que, lendo *A descoberta da França*, de Graham Robb, tomei conhecimento de um fato de grande importância, que me levou a ver a região com outros olhos e a vasculhar a literatura para uma revisão da história do país.

Na verdade, a história estava bem na nossa cara: na França o Estado-nação era em larga medida uma formalidade simbólica, apesar das tentativas empreendidas por Luís XIV, por Napoleão e pelo programa nacional de educação de Jules Ferry no sentido de tomar posse do lugar. Em 1863, a França não falava francês (apenas uma em cada cinco pessoas era francófona), mas, sim, uma gama de línguas e dialetos (um fato surpreendente: em 1904, o prêmio Nobel de Literatura foi concedido ao francês Frédéric Mistral, que escrevia em provençal, uma língua do sul da França que não é mais falada). A falta de integração linguística — assim como a variedade de queijos (dos quais existem cerca de quatrocentos tipos diferentes) — expressa as dificuldades de centralizar o país. Não havia nada étnico ou linguístico para unir a região — que era somente a propriedade de um rei e de uma aristocracia sem viço. As estradas eram horríveis, e a maior parte do país era inacessível aos viajantes. Coletar impostos era uma ocupação perigosa, exigindo força de vontade e sagacidade.

Com efeito, o país foi sendo progressivamente "descoberto" por Paris, em muitos casos depois das colônias no Norte da África e outras plagas. Em um livro volumoso e fascinante, *La rébellion française* [A rebelião francesa], o historiador Jean Nicolas* mostra como a cultura das rebeliões era extremamente sofisticada – em termos históricos, o motim poderia ser considerado o verdadeiro esporte nacional francês.

A própria Paris mal era controlada pela França – não mais do que as chamadas favelas do Rio de Janeiro de hoje são administradas pelo Estado brasileiro. Luís XIV, o Rei Sol, havia transferido o governo para Versalhes a fim de escapar da turba parisiense. A cidade só se tornou controlável depois que Haussmann, na década de 1860, pôs abaixo cortiços e vielas para abrir espaçosas avenidas que permitiram que a polícia contivesse as multidões. Efetivamente, a França ainda era Paris e "o deserto", já que Paris não ligava muito para o restante da França. O país só foi centralizado após longos projetos e os "Planos Quinquenais" de construção de estradas, sistemas ferroviários e escolas públicas, além da difusão da televisão – um sonho napoleônico de integração que, iniciado por De Gaulle após a Segunda Guerra, só foi concluído durante o reinado de Valéry Giscard d'Estaing, no fim da década de 1970, momento em que a descentralização começou a acontecer.** Talvez a França tenha se beneficiado das suas quase duas décadas sob um regime de Estado grande centralizado – mas é possível, igualmente, argumentar que o país se beneficiou com a ditosa condição de que o Estado grande estimulou o crescimento, sem permanecer além do tempo conveniente.

* Jean Nicolas, *La rébellion française: Mouvements populaires et conscience sociale* (1661-1789) [A rebelião francesa: movimentos populares e consciência social (1661-1789)]. Paris: Seuil, 2002. (N. T.)

** Outra descoberta – o controle daquela que é a mais orgânica, a mais desordenada das coisas, a língua. A França, por meio da instituição da Academia Francesa, passou a ter o selo de aprovação oficial do que pode ou não ser considerado o idioma francês adequado, e do que pode ser escrito por um aluno em um documento ou em uma carta endereçada ao prefeito local reclamando dos barulhentos horários da coleta de lixo. O resultado é óbvio: um vocabulário formal intrincado, difícil e escasso em comparação com o inglês – mas um francês falado ampliado equivocadamente definido como "gíria", e que é tão opulento quanto o inglês. Há inclusive autores, como Céline ou Dard, que escrevem em um vocabulário literário paralelo mesclado com gírias primorosamente precisas e ricas, uma singular variedade de estilo literário-coloquial.

A Suécia e o Estado grande

Além da França, me deixava perplexo o enigma da Suécia e outros países nórdicos, geralmente considerados paradigmas do Estado grande "que funciona" — o governo representa uma larga porção da economia total. Como era possível que tivéssemos a nação mais feliz do mundo, a Dinamarca (presumindo que "felicidade" é uma noção tanto mensurável quanto desejável), e um Estado monstruosamente grande? É porque esses países são todos menores do que a área metropolitana de Nova York? Até que meu coautor, o cientista político Mark Blyth, me mostrou que lá, também, existia uma narrativa falsa: acontecia quase a mesma coisa que na Suíça (mas com um clima pior, e sem nenhuma boa estação de esqui). O Estado existe como um arrecadador de impostos, mas o dinheiro é gasto nos próprios municípios e administrado pelos municípios — verbas destinadas, por exemplo, ao treinamento de habilidades definidas em âmbito local e que a própria comunidade considera necessárias, com o intuito de atender a demandas específicas dos trabalhadores. As elites econômicas têm mais liberdade do que na maioria das outras democracias — isso está muito distante do que poderíamos supor ser natural no estatismo. E, sobretudo, essas nações são do tamanho de cidades-estados.

Além disso, ilustrando um caso de benefício a partir da desordem, a Suécia e outros países nórdicos sentiram na pele uma grave recessão no fim da Guerra Fria, por volta de 1990, à qual responderam de forma admirável, com uma política de austeridade fiscal que os protegeu efetivamente da severa crise financeira que ocorreu cerca de duas décadas depois.

A CONFUSÃO DO CATALISADOR-COMO-CAUSA

Quando sistemas restritos, aqueles que são famintos pela desordem natural, entram em colapso, o que está fadado a acontecer com eles mais cedo ou mais tarde, uma vez que são frágeis, o fracasso nunca é visto como o resultado da fragilidade. Pelo contrário, esse desmoronamento é interpretado como o produto de uma previsão malfeita. Como acontece com uma pilha de areia que vem abaixo, não seria justo atribuir o desabamento de uma ponte frágil ao último caminhão que a atravessou, e ainda mais tolo tentar prever com antecedência qual caminhão seria capaz de derrubá-la. Entretanto, é isso que se faz repetidamente, com demasiada frequência.

Em 2011, o então presidente dos Estados Unidos, Barack Obama, apontou uma falha dos serviços de inteligência como a responsável pelo fato de seu governo não ter previsto a revolução no Egito que ocorreu naquela primavera (exatamente como o ex-presidente Jimmy Carter culpou uma falha da inteligência pela incapacidade de sua administração de prever a Revolução Islâmica no Irã em 1979), ignorando o ponto principal: o que importa é o risco suprimido nas "caudas" estatísticas — e não a falha de não ver o último grão de areia. Uma analogia com a economia: depois do início da crise financeira em 2007-8, muitas pessoas pensaram que, se tivessem previsto o esfacelamento dos créditos hipotecários *subprime* (que, na cabeça delas, parecia ter desencadeado a crise), isso as teria ajudado de algum modo. Não teria, em nome de Baal, porque isso foi um sintoma da crise, e não sua causa subjacente. Da mesma maneira, o fato de Obama responsabilizar "uma falha dos serviços de inteligência" pelo fracasso de seu governo em prever a insurreição no Egito é sintomática da compreensão equivocada dos sistemas complexos e das péssimas políticas públicas envolvidas. E as superpotências são claramente os perus nessa história.

O erro de Obama ilustra a ilusão das relações causais locais — isto é, confundir os catalisadores com as causas e supor que é possível saber qual catalisador produzirá qual efeito. O episódio final da revolta no Egito era imprevisível para todos os observadores, especialmente aqueles que estavam envolvidos. Assim, culpar a CIA ou qualquer outra agência de inteligência é tão insensato quanto financiá-las para que prevejam esses eventos. Os governos gastam bilhões de dólares na tentativa de prever eventos que são produzidos por sistemas interdependentes e que, portanto, não são estatisticamente compreensíveis no nível individual.

A maior parte das explicações oferecidas para episódios de turbulência segue a mesma toada da confusão dos catalisadores-como-causas. Vejamos o exemplo da "Primavera Árabe" de 2011. Os protestos na Tunísia e no Egito foram, de início, atribuídos ao aumento dos preços das commodities, e não às ditaduras repressivas e impopulares. Mas o Bahrein e a Líbia eram países ricos, com condições financeiras de importar grãos e outras commodities. Além disso, alguns anos antes as commodities tinham alcançado preços consideravelmente mais elevados, sem nenhuma insurreição. Mais uma vez, o foco está errado mesmo que a lógica seja reconfortante. É o sistema e sua fragilidade, e não os eventos, que devem ser estudados — o que os físicos chamam de "teoria da percolação", em que são estudadas as propriedades da aleatoriedade do terreno, e não as propriedades de um único elemento do terreno.

Mark Abdollahian, do Sentia Group, uma das empresas que vendem análise preditiva para o governo dos Estados Unidos (as mesmas empresas que se mostraram incapazes de alertar para a crise), comentou sobre o Egito que os formuladores de políticas públicas deveriam "pensar nisso como se estivessem em Las Vegas. No blackjack, se alguém conseguir se sair 4% melhor do que a média, ganhará muito dinheiro". Mas a analogia é fajuta — é basicamente tudo a que me oponho. Não existe "4% melhor" no Egito. Não era apenas dinheiro desperdiçado, mas a construção de uma falsa confiança, baseada em um foco errado. É revelador que os analistas de inteligência tenham cometido o mesmo erro dos sistemas de gerenciamento de riscos, que se mostraram incapazes de prever a crise econômica — e deram exatamente as mesmas desculpas quando fracassaram. Os "eventos de cauda" políticos e econômicos são imprevisíveis, e suas probabilidades não são cientificamente mensuráveis. Não importa quantos dólares sejam gastos em pesquisas, prever revoluções não é o mesmo que contar cartas; os seres humanos nunca serão capazes de transformar a política e a economia na manejável aleatoriedade do blackjack.

8. A previsão como um fruto da modernidade

Nunca grite em francês — Em matéria de respeito, a srta. Bré ganha — Território do Cisne Negro

No outono de 2009, eu me vi na Coreia, com uma porção de figurões. Um dos conferencistas era um certo Takatoshi Kato, então diretor-gerente-adjunto de uma poderosa instituição internacional. Diante da mesa-redonda, ele exibiu uma rápida apresentação em PowerPoint, mostrando-nos suas projeções econômicas, e as de seu departamento, para 2010, 2011, 2012, 2013 e 2014.

Isso foi dias antes de eu decidir subir a montanha, falar devagar e em tom sacerdotal, tentando deixar as pessoas envergonhadas em vez de insultá-las. Ouvindo a apresentação de Kato, não fui capaz de me controlar e tive um ataque de fúria na frente de 2 mil coreanos — de tão irritado, quase comecei a berrar em francês, esquecendo-me de que estava na Coreia. Corri para o meio do palco e, ao microfone, disse para a plateia que, da próxima vez que um sujeito de terno e gravata alardeasse projeções para datas futuras, as pessoas deveriam pedir a ele que mostrasse suas projeções feitas no passado — neste caso, o que ele havia previsto para 2008 e 2009 (os anos de crise) entre dois a cinco anos antes, isto é, em 2004, 2005, 2006 e 2007. O público então ficaria ciente de que o venerabilíssimo Kato-san e seus colegas não eram, para usar uma expressão gentil, muito bons no negócio da prognosticação. E não é apenas o sr. Kato: no que tange a calcular eventos raros e significativos na política e na economia, nosso histórico de desempenho não é próximo de zero; é *zero*. Improvisei, ali na mesma hora, minha solução. Não é possível colocar atrás das grades todos os falsos previsores; não podemos impedir as pessoas de pedirem previsões; não podemos dizer a elas que não devem contratar o próximo sujeito que fizer promessas acerca do futuro. "Tudo que eu quero é viver em um mundo em que previsões como estas feitas pelo sr. Kato não nos prejudiquem. E este mundo tem atributos singulares: a robustez."

A ideia de criar a Tríade nasceu naquele instante, como resposta à minha frustração: Fragilidade-Robustez-Antifragilidade, como um substituto para os métodos preditivos.

A srta. Bré tem concorrentes

O que estava me deixando irritado era perceber que o ato de fazer previsões não é neutro. Está tudo na iatrogenia. Os prognósticos podem ser francamente prejudiciais para os que se expõem a riscos — não é muito diferente de dar às pessoas placebos e remédios inócuos como raspas de barbatana de tubarão em vez de tratamento do câncer, ou sangria, como na história de George Washington. E havia evidências. Danny Kahneman — com razão — continuava me repreendendo sobre meus ataques de raiva e minhas explosões diante dos respeitáveis representantes do establishment (respeitáveis por enquanto), considerando que meu comportamento era incompatível com o sábio membro da intelligentsia que se esperava que eu fosse. No entanto, ele incitou ao máximo minha frustração e meu sentimento de indignação ao me mostrar as evidências da iatrogenia. Há um vasto número de descobertas empíricas no sentido de que munir alguém de uma previsão numérica aleatória aumenta sua exposição a riscos, mesmo que a pessoa *saiba* que as projeções são aleatórias.

Tudo que ouço são queixas sobre os prognosticadores; o passo seguinte é óbvio, embora raramente seja dado: evitar a iatrogenia que é causada pela previsão. Podemos entender os dispositivos de segurança do tipo à prova de crianças, mas não aquilo que é à prova da arrogância dos previsores.

O preditivo

O que torna a vida simples é que o robusto e o antifrágil não precisam ter uma compreensão tão exata do mundo quanto o que é frágil — e não precisam de previsão. Para ver como a redundância é um modo de ação não preditivo, ou melhor, menos preditivo, vamos usar o argumento do capítulo 2: se você tem dinheiro extra no banco (além de estoques de bens comercializáveis, como carne de porco e pasta de grão-de-bico enlatadas, e barras de ouro no porão), precisa saber com exatidão qual evento causará dificuldades potenciais.* Pode ser uma guerra, uma revolução, um terremoto, uma recessão, uma epidemia, um ataque terrorista, a secessão do estado de Nova Jersey, qualquer coisa — você não precisa fazer muitas previsões, ao contrário das pessoas que estão em situação oposta, isto é, endividadas. Os endividados, por causa de sua fragilidade, precisam prever com uma exatidão muito, muito maior.

Mais ou menos dentes podres

Você pode controlar a fragilidade muito mais do que imagina. Assim, vamos refinar três pontos:

(i) Uma vez que detectar a (anti)fragilidade — ou, na verdade, sentir o cheiro dela, como Tony Gordo nos mostrará nos próximos capítulos — é mais fácil, muito mais fácil do que fazer previsões e compreender a dinâmica dos eventos, a missão toda resume-se ao princípio central do que fazer para minimizar os danos (e maximizar os ganhos) decorrentes de erros de previsão, isto é, ter coisas que não desmoronem, ou até mesmo se beneficiem, quando cometermos um erro.

(ii) Por ora, não queremos mudar o mundo (deixemos isso para os utopistas soviéticos de Harvard e outros fragilistas); primeiro, devemos tornar as coisas mais robustas a falhas e erros de previsão, ou, até mesmo, tirar proveito desses erros, usando os limões para fazer uma limonada.

* A partir de minhas experiências na Guerra do Líbano e com algumas tempestades com queda de energia no Condado de Westchester, Nova York, sugiro estocar romances, já que tendemos a subestimar o tédio dessas longas horas esperando que o problema seja dissipado. E livros, sendo robustos, são imunes a blecautes.

(iii) Quanto à limonada, parece que a história tem como objetivo nos dizer que ela obterá êxito em qualquer circunstância; a antifragilidade é, necessariamente, o modo como as coisas seguem adiante em relação à fonte de todos os estressores, chamado tempo.

Além do mais, após a ocorrência de um evento, precisamos transferir a culpa da incapacidade de perceber a aproximação de um acontecimento (por exemplo, um tsunami, uma primavera árabe-semita ou protestos semelhantes, um terremoto, uma guerra ou uma crise financeira) para a incapacidade de compreender a (anti)fragilidade, ou seja, "por que construímos algo tão frágil a esses tipos de eventos?". Não perceber a ocorrência de um tsunami ou não antever um evento econômico é desculpável; construir algo frágil diante deles não é.

Ademais, quanto ao tipo de utopismo ingênuo, ou seja, a cegueira à história, não podemos nos dar ao luxo de depender da eliminação racionalista da ganância e de outros defeitos humanos que fragilizam a sociedade. A humanidade vem tentando fazer isso há milhares de anos, e os seres humanos continuam os mesmos, com mais ou menos dentes podres; então, a última coisa de que precisamos é de moralistas ainda mais perigosos (aqueles parecem estar em permanente estado de constipação). Ao contrário, a ação mais inteligente (e prática) é tornar o mundo à prova de ganância, ou, até mesmo, com sorte, fazer com que a sociedade se beneficie com a ganância e outros defeitos observados na raça humana.

Apesar da má fama, algumas pessoas da indústria nuclear parecem estar entre as poucas que entenderam a questão e a levaram à sua consequência lógica. Na esteira do desastre de Fukushima, em vez de prever a falha e as probabilidades de desastre, essas espertas empresas nucleares agora tomaram consciência de que deveriam concentrar-se, em vez disso, na *exposição à falha* — tornando totalmente irrelevante a previsão ou a não previsão da falha. Esse enfoque leva à construção de reatores razoavelmente pequenos, encravados a uma profundidade suficiente com camadas suficientes de proteção ao redor, de modo que a falha não nos afete muito caso venha a ocorrer — o custo é elevado, mas, ainda assim, é melhor do que nada.

Outro exemplo, dessa vez na economia, é o foco do governo sueco na responsabilidade fiscal total como rescaldo dos problemas orçamentários enfrentados em 1991 – isso torna a Suécia muito menos dependente de previsões econômicas. E foi isso que fez com que o país se livrasse de crises posteriores.*

A ideia de se tornar um não peru

É óbvio, para qualquer pessoa minimamente sóbria, que podemos mandar para a Lua um homem, uma família, um vilarejo com uma minicâmara municipal, e prever a trajetória dos planetas ou o mais ínfimo efeito na física quântica, mas os governos com modelos igualmente sofisticados não são capazes de antever revoluções, crises, déficits orçamentários ou mudanças climáticas. Nem mesmo os preços de fechamento do mercado de ações daqui a apenas algumas horas.

Existem dois domínios, um em que podemos prever (até certo ponto) e o outro – o domínio do Cisne Negro – em que devemos deixar que apenas os perus e as pessoas peruficadas operem. E a demarcação de fronteira é tão visível (para os não perus) quanto a existente entre o gato e a máquina de lavar roupa.

A vida social, econômica e cultural está no domínio do Cisne Negro; a vida física, não tanto. Além disso, a ideia é separar os domínios entre aqueles nos quais esses Cisnes Negros são imprevisíveis e importantes, e aqueles em que os eventos raros não suscitem preocupação alguma, ou porque são previsíveis ou porque são insignificantes.

Mencionei, no prólogo, que a aleatoriedade no domínio do Cisne Negro não é manejável. Repetirei até perder a voz. O limite é matemático, ponto-final, e não há maneira de evitar isso no planeta em que vivemos. O que é imensurável e imprevisível continuará sendo imensurável e imprevisível, pouco importando quantos doutores com nomes russos e indianos sejam incumbidos da tarefa – independentemente de quantas cartas e e-mails com xingamentos eu receber. Há, na zona do Cisne Negro, um limite para o conhecimento que nunca poderá ser alcançado, por mais alto o nível de sofisticação a que a ciência estatística e de gerenciamento de riscos possa chegar.

* Uma ideia parecida está expressa em uma declaração (talvez apócrifa) do financista Warren Buffett, de que ele tenta investir em empresas "tão maravilhosas que até mesmo um idiota é capaz de administrá-las; porque, mais cedo ou mais tarde, isso vai terminar acontecendo".

O envolvimento deste autor que vos fala não foi tão intenso para postular a impossibilidade de saber alguma coisa acerca desses assuntos — o problema geral do ceticismo tem sido apontado ao longo da história por uma longa tradição de filósofos, incluindo Sexto Empírico, Algazel, Hume e muitos outros céticos e empiristas céticos —, mas sim para formalizar e modernizar, como um pano de fundo e uma nota de rodapé ao meu argumento antiperu. Assim, a minha obra é sobre *onde* a pessoa deve ser cética e onde ela não deve ser. Em outras palavras, concentrar-se em sair da p** do Quarto Quadrante — o Quarto Quadrante é o nome científico que dei ao domínio do Cisne Negro, aquele no qual temos uma alta exposição a raros eventos "de cauda", *e* esses eventos são incalculáveis.*

Agora, o que é pior, por causa da modernidade, a fatia do Extremistão tem aumentado. Os efeitos do sistema o-vencedor-leva-tudo estão se agravando: o sucesso de um escritor, uma empresa, uma ideia, um músico, um atleta, tem de ser planetário, ou equivale a nada. Esses efeitos pioram a previsibilidade, já que hoje quase tudo na vida socioeconômica é dominado por Cisnes Negros. Nossa sofisticação faz com que continuamente coloquemos os carros na frente dos bois, criando coisas que somos cada vez menos capazes de compreender.

Chega de Cisnes Negros

Enquanto isso, ao longo dos últimos anos o mundo também deu uma guinada para o sentido oposto, após a descoberta do conceito de Cisne Negro. Oportunistas estão, agora, prevendo, predizendo e prognosticando Cisnes Negros com modelos ainda mais complicados derivados das teorias do caos-complexidade-catástrofe-fractal. Mais uma vez, entretanto, a resposta é simples: *menos é mais*, desloquemos o discurso para a (anti)fragilidade.

* Uma nota técnica (a ser pulada): o que são os Quadrantes? Associando as exposições e os tipos de aleatoriedade, teremos quatro combinações: aleatoriedade do Mediocristão, baixa exposição a eventos extremos (Primeiro Quadrante); aleatoriedade do Mediocristão, alta exposição a eventos extremos (Segundo Quadrante); aleatoriedade do Extremistão, baixa exposição a eventos extremos (Terceiro Quadrante); aleatoriedade do Extremistão, alta exposição a eventos extremos (Quarto Quadrante). Os três primeiros quadrantes são aqueles em que o conhecimento, ou a falta dele, resulta em erros irrelevantes. O "robustecimento" é a modificação de exposições para passar do Quarto para o Terceiro Quadrante.

Livro III

Uma visão de mundo não preditiva

Bem-vindo, leitor, à visão de mundo não preditiva.

O capítulo 10 apresenta o estoicismo de Sêneca como um ponto de partida para a compreensão da antifragilidade, com aplicações que vão da filosofia e da religião à engenharia. O capítulo 11 introduz a estratégia *barbell* e explica por que a estratégia dupla de misturar ações de alto risco e ações altamente conservadoras é preferível a lidar com as coisas recorrendo a uma simples linha de ação de risco médio.

Mas, primeiro, vamos começar o Livro III com a história de nossos dois amigos que ganham a vida detectando a fragilidade e brincando com os males dos fragilistas, e se divertem à beça fazendo isso.

9. Tony Gordo e os fragilistas

Métodos olfativos para a percepção da fragilidade — As dificuldades do almoço — Abra rapidamente o envelope — Uma certa redivisão do mundo, vista de Nova Jersey — O mar se aprofunda cada vez mais

COMPANHEIROS DE VIAGEM PREGUIÇOSOS

Antes da crise econômica de 2008, teria sido difícil explicar a um forasteiro a amizade entre Nero Tulipa e Tony DiBenedetto, também conhecido como "Tony Gordo", ou o mais politicamente correto "Tony Horizontal".

O que Nero mais faz na vida é ler livros, embora ele também tenha algumas atividades paralelas entre uma leitura e outra. Já Tony Gordo lê tão pouco que, um dia, quando mencionou o desejo de escrever suas memórias, Nero brincou dizendo que "Tony Gordo escreveria exatamente um livro a mais que a quantidade de livros que ele já havia lido" — pilhéria que Tony Gordo, sempre alguns passos à frente dele, rebateu citando o próprio Nero: "Um dia você disse que, se sentisse vontade de ler um romance, escreveria um" (Nero certa vez havia citado o primeiro-ministro britânico e romancista Benjamin Disraeli, que escrevia romances mas não gostava de lê-los).

Tony cresceu no Brooklyn e se mudou para Nova Jersey, e fala exatamente da maneira que se poderia esperar. Assim, livre do fardo das demoradas (e, para ele, "inúteis") atividades de leitura, e extremamente alérgico ao estruturado trabalho dos escritórios, Tony Gordo passava boa parte de seu tempo sem fazer nada, a não ser algumas transações comerciais ocasionais. E, é claro, comendo bastante.

A importância do almoço

Enquanto a maioria das pessoas ao seu redor continuava ocupadíssima lutando contra os diferentes tipos de fracasso, Nero e Tony Gordo tinham algo em comum: ambos morriam de medo do tédio, em especial da perspectiva de acordar cedo e ter pela frente um dia totalmente vazio. Assim, a razão imediata para que se encontrassem antes daquela crise econômica era, como diria Tony Gordo, "cuidar do almoço". Se você mora em uma cidade agitada, digamos, Nova York, e tem uma personalidade amigável, não terá problemas para encontrar boas companhias para o jantar, pessoas que conseguem manter uma conversa com o mínimo grau de interesse e de forma quase descontraída. Mas o almoço apresenta uma tremenda dificuldade, em especial durante fases com altas taxas de emprego. É fácil encontrar companhia para o almoço entre os detentos dos escritórios, mas, confie em mim, você não vai querer nem chegar perto dessa gente. São indivíduos de cujos poros respingam hormônios de estresse liquefeitos e que ficam ansiosos quando têm que conversar sobre qualquer assunto que possa desviá-los para o que, na opinião deles, atrapalha seu "trabalho"; quando você, no processo de escavar o cérebro deles, conseguir encontrar uma pepita menos entediante, eles o interromperão com um abrupto "Preciso ir" ou "Tenho reunião às 14h15".

Além disso, Tony Gordo era respeitado onde importava. Ao contrário de Nero, cujos meditativos episódios filosóficos apagavam sua presença social, tornando-o invisível aos garçons, Tony despertava reações calorosas e entusiásticas quando ia comer em algum restaurante italiano. Sua chegada desencadeava um pequeno desfile de garçons e funcionários; ele recebia um abraço apertado do dono do restaurante, e, após a refeição, sua saída transformava-se em um demorado procedimento com o proprietário; algumas vezes, a mãe do dono o esperava do lado de fora, segurando algum presente, como grapa caseira (ou algum líquido estranho, em uma garrafa sem rótulo), mais abraços e a promessa de voltar para o prato especial de quarta-feira.

Consequentemente, quando estava na área de Nova York, Nero conseguia diminuir sua ansiedade com relação à hora do almoço, já que sempre podia contar com Tony. Eles se encontravam na academia; lá, nosso herói horizontal fazia seu triatlo (sauna, banheira de hidromassagem e banho a vapor), e dali os dois partiam para ser reverenciados por donos de restaurantes. Até que um dia Tony explicou ao amigo que Nero não tinha serventia alguma para ele à noite — ele poderia arranjar amigos melhores, mais bem-humorados, mais italianos de Nova Jersey, que, ao contrário de Nero, eram capazes de lhe fornecer ideias para "algo útil".

A antifragilidade das bibliotecas

Nero levava uma vida de ascetismo heterogêneo (e transitório), indo deitar-se o mais perto possível das nove horas da noite, às vezes mais cedo ainda no inverno. Ele tentava ir embora das festas quando o efeito do álcool fazia com que as pessoas começassem a falar sobre a vida pessoal com desconhecidos ou, pior, quando se tornavam metafísicas. Nero preferia fazer suas atividades à luz do dia, tentava acordar bem cedo, com os raios do sol penetrando suavemente seu quarto, desenhando listras nas paredes.

Ele passava o tempo encomendando livros em livrarias on-line, e em geral os lia. Depois de encerradas suas aventuras agitadas, extremamente agitadas, como Simbá, o marujo, e Marco Polo, o viajante veneziano, ele passava o resto do dia em uma tranquila e pacata vida pós-aventureira.

Nero era vítima de uma moléstia estética que lhe causava repulsa e até mesmo fobia diante de: pessoas que usavam chinelos, televisores, banqueiros, políticos (de direita, de esquerda, de centro), Nova Jersey, pessoas ricas de Nova Jersey (como Tony Gordo), pessoas ricas que fazem cruzeiros (e desembarcam em Veneza usando chinelos), administradores de universidades, puristas gramaticais, indivíduos que gostam de citar nomes de pessoas importantes para impressionar os outros, música de elevador e vendedores e empresários bem-vestidos. Tony Gordo, por sua vez, tinha alergias diferentes: *o zero à esquerda metido a besta*, que, especulamos, é alguém que detém o comando de todos os detalhes supérfluos e burocráticos das coisas, mas deixa escapar o essencial (e nem sequer percebe isso), de modo que sua conversa se torna mera tagarelice em torno da questão, sem nunca chegar à ideia central.

E Tony Gordo era um farejador de fragilidade. Literalmente. Ele alegava ser capaz de saber tudo sobre alguém simplesmente ao vê-lo entrar em um restaurante, o que era quase verdade. Mas Nero tinha notado que Tony Gordo, quando conversava com uma pessoa pela primeira vez, ficava muito perto dela e a cheirava, feito um cachorro, hábito do qual Tony nem sequer estava ciente.

Nero era membro de uma sociedade de sessenta tradutores que colaboravam voluntariamente com a editora francesa Les Belles Lettres, traduzindo textos antigos inéditos do grego, do latim ou do aramaico (sírio). O grupo organiza-se em conformidade com normas libertárias, e uma de suas regras era que títulos e prestígio acadêmicos não asseguram prioridade nos debates. Outra regra é a presença obrigatória em duas "nobilíssimas" celebrações em Paris, todo 7 de novembro, data da morte de Platão, e a cada 7 de abril, dia do nascimento de Apolo. Outra associação de que ele faz parte é um clube local de levantadores de peso, que se reúne aos sábados, em uma garagem convertida em academia. O clube é composto, principalmente, de porteiros, faxineiros e sujeitos com cara de mafiosos nova-iorquinos, que andam por aí no verão vestindo camiseta regata do tipo "mamãe-sou-forte".

Infelizmente, homens desocupados tornam-se escravos de sentimentos íntimos de insatisfação e de interesses sobre os quais têm pouco controle. Quanto mais tempo livre Nero tinha nas mãos, mais ele se sentia compelido a compensar o tempo perdido preenchendo as lacunas em seus interesses naturais, coisas que ele tinha desejo de conhecer um pouco mais a fundo. E, como ele descobriu, a pior coisa que uma pessoa pode fazer para sentir que conhece as coisas um pouco mais profundamente é tentar aprofundar-se um pouco mais nelas. *O mar se aprofunda quanto mais você afunda*, diz um provérbio veneziano.

A curiosidade é antifrágil, como um vício, e é amplificada pelas tentativas de satisfazê-la — livros têm a missão secreta e a capacidade de se multiplicar, como sabem muito bem todos aqueles que têm estantes forrando de fora a fora as paredes da casa. Nero vivia, enquanto este livro era escrito, em meio a 15 mil volumes, com o estresse de ter que descartar as caixas vazias e o material de embalagem depois que sua remessa diária chegava da livraria. Um dos assuntos que ele lia por prazer, e não pela estranha obrigação-de-ler-para-se-tornar-mais-culto, era medicina, tendo uma curiosidade natural por textos médicos. A curiosidade surgiu depois que ele sobreviveu a dois encontros com a morte, o primeiro decorrente de um câncer, e o segundo em uma queda de helicóptero que o alertou tanto para a fragilidade da tecnologia quanto para os poderes de autocura do corpo humano. Assim, ele dedicava parte de seu tempo lendo livros didáticos (não artigos — livros didáticos) de medicina ou textos médicos especializados.

Nero era formado em estatística e probabilidade, que ele tratava como um ramo especial da filosofia. Tinha passado toda a vida adulta escrevendo um livro técnico-filosófico intitulado *Probabilidade e metaprobabilidade*. Sua tendência era abandonar o projeto a cada par de anos e retomá-lo novamente dois anos depois. Ele julgava que o conceito de probabilidade era usado de maneira muito estreita e incompleta para expressar a verdadeira natureza das decisões na ecologia do mundo real.

Nero gostava de fazer longas caminhadas em cidades antigas, sem consultar mapas. Ele lançava mão do seguinte método para desturistificar a viagem: tentava introduzir um pouco de aleatoriedade em sua programação, sem nunca decidir sobre o destino seguinte até ter passado algum tempo no primeiro, o que levava o seu agente de viagens à loucura — quando estava em Zagreb, seu destino seguinte era determinado por seu estado de espírito enquanto estava em Zagreb. O mais das vezes, era o cheiro dos lugares que o atraía; cheiros não podem ser descritos por um catálogo.

Quando estava em Nova York, Nero passava a maior parte do tempo em seu estúdio, sentado a sua escrivaninha encostada à janela, de quando em quando observando, com ar sonhador, a costa de Nova Jersey para além do rio Hudson, lembrando a si mesmo o quanto era feliz por não morar lá. Então ele comunicou a Tony Gordo que a frase "você não tem nenhuma serventia para mim" era recíproca (em termos igualmente não diplomáticos), o que, como veremos, não era verdade.

SOBRE OTÁRIOS E NÃO OTÁRIOS

Depois da crise de 2008, ficou claro o que os dois companheiros tinham em comum: eles estavam prevendo uma crise de fragilidade dos otários. O que havia selado a amizade dos dois era o fato de que ambos estavam convencidos de que uma crise de imensa magnitude, com uma avalanche de destruição do sistema econômico moderno, de uma forma e em uma escala jamais vistas, estava fadada a acontecer, simplesmente porque existiam otários. Mas nossos dois personagens vinham de duas escolas de pensamento totalmente diferentes.

Tony Gordo acreditava que os nerds, os administradores e, principalmente, os banqueiros eram os otários por excelência (isso foi quando todos ainda os consideravam gênios). Além do mais, Tony achava que, em conjunto, esses indivíduos eram ainda mais otários do que individualmente. E ele tinha uma habilidade natural para detectar esses otários antes de sua derrocada. Tony Gordo obtinha sua renda dessa atividade, ao mesmo tempo que levava, como vimos, uma vida de lazer.

Os interesses de Nero eram semelhantes aos de Tony, só que dissimulados na forma de tradições intelectuais. Para Nero, um sistema construído sobre a ilusão de compreensão das probabilidades estava fadado ao colapso.

Ao apostar contra a fragilidade, eles eram antifrágeis.

Assim, Tony ganhou uma bolada com a crise, algo entre oito e nove dígitos — para ele, qualquer outra coisa que não fosse uma bolada era "papo-furado". Nero também ganhou algum dinheiro, muito menos do que Tony, e ficou satisfeito por ter lucrado — como dissemos, ele já havia conquistado a independência financeira e via o dinheiro como um desperdício de tempo. Para dizer sem rodeios, a riqueza da família de Nero atingira o auge em 1804, portanto ele não tinha a insegurança social de outros aventureiros, e para ele, o dinheiro estava longe de ser um meio de afirmação social — no momento apenas a erudição e, talvez, a sabedoria na velhice. O excesso de riqueza, para quem não precisa dela, é um fardo pesado. Aos olhos de Nero, nada era mais abominável do que o excesso de requinte — em roupas, alimentos, estilo de vida, hábitos —, e a riqueza era não linear. Para além de certo nível, a riqueza sujeita as pessoas a intermináveis complicações na vida, criando preocupações sobre se a governanta de uma das casas de campo está aplicando algum golpe enquanto realiza pessimamente suas obrigações profissionais, e dores de cabeça semelhantes, que se multiplicam com o dinheiro.

A ética de apostar contra os otários será discutida no Livro VII, mas há duas escolas de pensamento. Para Nero, primeiro é preciso alertar as pessoas de que são otárias, ao passo que Tony era contra a própria noção de alerta. "Vão rir de você", dizia ele. "Palavras são para frouxos." Um sistema baseado em advertências verbais será dominado por tagarelas que não se expõem a riscos. Essas pessoas não respeitarão você nem suas ideias, a menos que tome o dinheiro delas.

Além disso, Tony Gordo insistia para que Nero analisasse com um olhar ritualístico as encarnações físicas do espólio, por exemplo, um extrato de conta bancária — como dissemos, isso não tinha nada a ver com o valor financeiro, nem mesmo com o poder de compra dos itens, apenas com seu valor simbólico. Ele conseguia entender por que Júlio César precisara arcar com os custos de mandar levar Vercingetórix, o líder da rebelião gaulesa, para Roma e fazê-lo desfilar acorrentado, apenas para que pudesse exibir em carne e osso sua vitória.

Há outra dimensão para a necessidade de pôr em foco as ações e evitar as palavras: a dependência do reconhecimento externo, que corrói a saúde. As pessoas são cruéis e injustas na forma como concedem reconhecimento, então é melhor ficar de fora desse jogo. Permaneça robusto ao modo como os outros tratam você. Nero, a certa altura, fez amizade com um cientista de reputação lendária, um colosso por quem ele nutria imenso respeito. Embora fosse o mais célebre de sua área (aos olhos dos outros), o sujeito passava seu tempo concentrado no status de que desfrutava naquela semana junto à comunidade científica. Ficava furioso com autores que não o citavam ou com algum comitê que outorgasse uma medalha que ele nunca tinha recebido a alguém que ele considerasse inferior, aquele impostor!

Nero aprendeu que, por mais satisfeitos que pudessem estar com suas próprias obras, esses figurões-que-dependiam-de-palavras estavam privados da serenidade de Tony; continuavam frágeis ao preço emocional dos elogios que eles *não* recebiam, dos louvores que os outros recebiam e daquilo que alguém de capacidade intelectual inferior roubava deles. Assim, Nero prometeu a si mesmo que escaparia de tudo isso com seu pequeno ritual — para o caso de ficar propenso a se deixar levar pela tentação do figurão. O patrimônio de Nero, amealhado com o que ele chamava de "a aposta de Tony Gordo", deduzidos os custos de um carro novo (um Mini Cooper) e de um novo relógio Swatch de sessenta dólares novinho em folha, chegava a uma cifra vertiginosamente alta em um portfólio de investimentos cujo extrato lhe era enviado pelo correio todo mês, de um endereço de Nova Jersey (vejam só de onde), com três outros demonstrativos de países estrangeiros. Mais uma vez, o que contava não era a quantidade, mas a tangibilidade de sua ação — as quantidades poderiam ter sido um décimo, até mesmo um centésimo do montante, e o efeito permaneceria o mesmo. Então, ele curaria a si mesmo do jogo de reconhecimento abrindo o envelope que continha o extrato e depois prosseguiria com os afazeres de seu dia, alheio à presença daqueles cruéis e injustos usuários de palavras.

Mas, para seguir a ética até sua conclusão natural, Nero provavelmente teria se sentido igualmente orgulhoso — e satisfeito — caso o envelope contivesse extratos demonstrando prejuízos. Um homem é honrado na proporção dos riscos pessoais a que ele se expõe por suas opiniões — em outras palavras, a quantidade de desvantagem a que está exposto. Em suma, Nero acreditava na erudição, na estética e na exposição a riscos — nada mais.

Quanto ao patrimônio financeiro, para evitar a armadilha da caridade, Nero seguia a regra de Tony Gordo de fazer doações metódicas, mas não para quem as pedia. E ele nunca, nunca ofereceu nem sequer um centavo que fosse a nenhuma instituição filantrópica, com a possível exceção das organizações beneficentes em que nenhum dos membros recebia salário.

Solidão

Uma pausa para falar sobre a solidão de Nero. Pois ele, nos dias sombrios antes da crise econômica de 2008, de vez em quando sofria por se ver sozinho com suas ideias — em alguns momentos, em especial nas noites de domingo, Nero se punha a imaginar se havia algo particularmente errado com ele ou se havia algo errado com o mundo. O almoço com Tony Gordo era como um gole de água depois de um período de sede; propiciava alívio imediato, fazendo-o perceber que ou ele não era louco, ou, pelo menos, não estava *sozinho* em sua loucura. As coisas no mundo *não faziam sentido*, e era impossível comunicar isso aos outros, especialmente às pessoas consideradas inteligentes.

É preciso levar em conta que, dos cerca de 1 milhão de profissionais atuando em atividades econômicas, seja no governo (de Camarões a Washington), no mundo acadêmico, nos meios de comunicação, no sistema bancário, nas corporações ou trabalhando de forma autônoma para a tomada de decisões econômicas e de investimentos, pouquíssimos conseguiram antever a chegada da crise — e menos ainda conseguiram prever a extensão total de seus danos.

E, dentre aqueles que perceberam essa probabilidade, nenhum se deu conta de que a crise era um produto da modernidade.

Nero era capaz de ficar nas imediações do antigo World Trade Center, no centro de Nova York, diante dos colossais edifícios que abrigavam principalmente bancos e corretoras, com centenas de pessoas correndo de um lado para o outro dentro deles, consumindo gigawatts de energia apenas no trajeto de ida e volta de Nova Jersey, ingerindo milhões de *bagels* com *cream cheese*, com a insulina subindo por suas artérias, produzindo gigabytes de informação apenas por falar, trocar e-mails e mensagens de texto e escrever artigos.

Mas isso era ruído: esforço desperdiçado, cacofonia, comportamento inestético, entropia aumentada, produção de energia que causa o aquecimento local da ecozona da área de Nova York e um delírio em larga escala dessa coisa chamada de "riqueza", que de alguma forma estava fadada a evaporar.

Você poderia empilhar os livros, e eles formariam uma considerável montanha. Para Nero, infelizmente, tudo que está dentro deles e que trata de probabilidades, estatísticas ou modelos matemáticos é apenas *ar*, apesar das evidências disso ou daquilo. E você aprende mais em alguns almoços com Tony Gordo do que nas seções de ciências sociais das bibliotecas de Harvard,* com cerca de 2 milhões de livros e artigos de pesquisa, que, somados, chegam a 33 milhões de horas de leitura, o equivalente a uma atividade de leitura em tempo integral de quase 9 mil anos.

Isso, sim, é um baita problema de otários.

O que o não previsor consegue prever

Tony Gordo não acredita em previsões. Mas ganhou uma grana pesada prevendo que algumas pessoas — os previsores — iriam à falência.

Isso não é paradoxal? Nas conferências, Nero costumava encontrar físicos do Santa Fe Institute que acreditavam em previsões e utilizavam mirabolantes modelos preditivos, enquanto seus empreendimentos e negócios, baseados em previsões, não se davam tão bem assim — ao passo que Tony Gordo, que não acreditava em previsões, enriquecia graças a elas.

Não é possível fazer prognósticos genéricos, mas é possível prever que as pessoas que dependem de prognósticos estão correndo mais riscos, enfrentarão

* A única exceção nessa biblioteca de ciências sociais são algumas pequenas seções na literatura sobre as ciências cognitivas — uma parte delas funciona.

alguns problemas e talvez acabem indo à falência. Por quê? O indivíduo que faz previsões será frágil aos erros de prognóstico. Um piloto excessivamente confiante mais cedo ou mais tarde derrubará o avião. E as previsões numéricas levam as pessoas a se expor a mais riscos.

Tony Gordo é antifrágil porque cria uma imagem espelhada de sua frágil presa.

O modelo de Tony Gordo é extremamente simples. Ele identifica fragilidades, faz uma aposta no colapso da unidade frágil, instrui Nero e troca insultos com ele sobre temas socioculturais, reage às alfinetadas de Nero sobre o estilo de vida de Nova Jersey e fatura uma bolada após o colapso. Depois ele almoça.

10. As vantagens e as desvantagens de Sêneca

Como sobreviver a conselhos — Não perder nada ou não ganhar nada — O que fazer em seu próximo naufrágio

Um par de milênios antes de Tony Gordo, outro filho da península italiana solucionou o problema da antifragilidade. A diferença é que ele falava com um vocabulário mais requintado, mais erudito do que nosso amigo horizontal. E era igualmente muito bem-sucedido no mundo real — na verdade, era muito mais próspero nos negócios do que Tony Gordo, e não menos inteligente do que Nero. O sujeito era o filósofo estoico Sêneca, que, como mencionamos anteriormente, era o suposto amante da mãe de Nero (não era).

E ele resolveu o problema da antifragilidade — que conecta os elementos da Tríade — usando a filosofia estoica.

Isso é sério mesmo?

Lúcio Aneu Sêneca foi um filósofo que por acaso era a pessoa mais abastada do Império Romano, em parte graças a sua esperteza comercial, em parte por ter atuado como conselheiro do extravagante imperador Nero, aquele que tentou matar a própria mãe alguns capítulos atrás. Sêneca era adepto do estoicismo — doutrina da qual foi um destacado expoente —, que preconizava certa indiferença ao destino. A obra de Sêneca seduz pessoas como eu e a maioria dos amigos a quem apresentei seus livros porque ele fala conosco; Sêneca agia conforme seu próprio discurso e se concentrava no aspecto prático do estoicismo, incluindo detalhes sobre como fazer uma viagem, como agir ao cometer suicídio (o que ele recebeu a ordem de fazer), ou, principalmente, como lidar com a adversidade e a pobreza e, de forma ainda mais decisiva, a riqueza.

Como Sêneca gostava da tomada de decisões práticas, ele é descrito — pelos acadêmicos — como um pensador não suficientemente teórico ou filosófico. Contudo, nenhum dos comentaristas de Sêneca detectou suas ideias sobre assimetria, que são essenciais para este livro, e para a vida, a chave para a robustez e a antifragilidade. Nenhum. Meu argumento é que, na tomada de decisões, a sabedoria é tremendamente mais importante — não apenas em termos práticos, mas filosóficos — do que o conhecimento.

Outros filósofos, quando faziam coisas, chegavam à prática por meio da teoria. Aristóteles, quando tentava dar conselhos práticos, e algumas décadas antes, Platão, com suas ideias sobre o Estado e seus conselhos aos governantes — em particular, o soberano de Siracusa —, ou foram ineficazes ou causaram catástrofes. Para tornar-se um bem-sucedido rei filósofo, é muito melhor começar como rei do que como filósofo, conforme ilustra a história contemporânea a seguir.

Infelizmente, os membros modernos da disciplina da teoria da decisão percorrem uma estrada de mão única da teoria à prática. De modo característico, gravitam em direção aos problemas mais complexos, porém mais irrelevantes, chamando esse processo de "fazer ciência". Há um episódio curioso envolvendo um certo professor Triffat (estou mudando o nome, pois talvez a história seja apócrifa, ainda que, com base no que testemunhei, muito representativa). Ele é um daqueles acadêmicos bastante citados no campo da teoria da decisão, que escreveu o principal livro didático e ajudou a desenvolver algo grandioso e inútil chamado "modelo racional de tomada de decisões", abarrotado de pomposos e inúteis axiomas e axiomas de araque, magníficas e ainda mais inúteis probabilidades e probabilidades fajutas. Triffat, que na época trabalhava na Columbia University, estava aflito diante da decisão de aceitar a nomeação para um cargo em Harvard — muitas pessoas que discursam sobre riscos podem passar a vida inteira sem enfrentar uma exposição a riscos mais difícil do que ter que tomar esse tipo de decisão. Um colega sugeriu que ele usasse alguma de suas técnicas acadêmicas Respeitadíssimas e Esplendidamente Reverenciadas e Condecoradas, algo como "princípio da utilidade máxima esperada", já que, disse ele, "você sempre escreve sobre isso". Triffat respondeu, furioso: "Me poupe, isso é sério!".

Para Sêneca, em contraste, só existe "isso é sério". Certa vez, ele sobreviveu a um naufrágio em que morreram alguns de seus familiares, e escreveu cartas com conselhos mais e menos práticos para os amigos. No fim, quando tirou a própria vida, Sêneca seguiu, de maneira admirável e digna, os princípios apregoados por ele em seus escritos. Assim, enquanto o economista de Harvard é lido apenas por pessoas que tentam escrever artigos, que, por sua vez, são lidos por pessoas que tentam escrever artigos, e que serão (tomara) engolidos pelo inexorável detector de bobagem que é a história, Lúcio Aneu, conhecido como Sêneca, o Jovem, ainda é lido por pessoas de verdade, dois milênios após sua morte.

Vamos conhecer mais a fundo o que ele tem a dizer.

Menos desvantagens na vida

Vamos começar com o seguinte conflito. Apresentamos Sêneca como a pessoa mais rica do Império Romano. Sua fortuna era de 300 milhões de denários (para ter uma noção do montante dessa fortuna, mais ou menos no mesmo período histórico, Judas recebeu trinta denários, o equivalente a um mês de salário, para trair Jesus). Para ser justo, é claro que não é muito convincente ler discursos difamatórios contra a riqueza material feitos por um sujeito que escrevia seus textos em uma de suas várias centenas de mesas (com pernas de marfim).

O entendimento tradicional do estoicismo na literatura é o de certa *indiferença ao destino* — entre outras ideias de harmonia com o cosmos que omitirei aqui. O estoicismo gira em torno de um contínuo menosprezo pelo valor dos bens terrenos. Quando Zenão de Cítio, o fundador da escola do estoicismo, sofreu um naufrágio (há uma porção de naufrágios nos textos antigos), declarou ser sortudo por ter tirado o peso dos ombros, de modo que a partir dali poderia dedicar-se à filosofia. E a expressão-chave que reverbera na obra de Sêneca é *nihil perditi*, "não perdi nada", após um evento adverso. O estoicismo faz com que desejemos o desafio de uma calamidade. E os estoicos desprezam o luxo: sobre um sujeito que levava uma vida de opulência, Sêneca escreveu: "Ele está em dívida, seja com outra pessoa, seja com o destino".*

O estoicismo, visto sob essa ótica, torna-se pura robustez — pois chegar a um estado de imunidade diante das circunstâncias externas, boas ou ruins, e a uma ausência de fragilidade a decisões tomadas pelo destino, é robustez. Eventos aleatórios não nos afetarão de forma alguma (somos fortes demais para ser derrotados e não somos gananciosos para desfrutar das vantagens), então permanecemos na coluna do meio da Tríade.

O que aprendemos lendo Sêneca, diretamente e não por intermédio de seus comentadores, é uma história diferente. A versão de Sêneca desse estoicismo é a antifragilidade com relação ao destino. Nenhuma desvantagem ocasionada pela sra. Fortuna, apenas uma profusão de vantagens.

Na verdade, em teoria o objetivo dos textos de Sêneca era filosófico, tentando manter-se fiel à tradição estoica conforme descrita anteriormente: não se supunha que o estoicismo tratasse de ganhos e benefícios, e, por isso, no papel e em tese não estava no nível da antifragilidade, restringia-se ao senso de controle do indivíduo sobre o próprio destino e à redução da fragilidade psicológica. Mas há algo que os estudiosos de Sêneca deixaram passar completamente despercebido. Se a riqueza é um fardo tão pesado e, ao mesmo tempo, desnecessário, que sentido faz ter riqueza? Por que Sêneca a mantinha?

Como eu disse no capítulo 2 a respeito dos psicólogos, que ignoram o crescimento pós-traumático, mas põem em foco o dano pós-traumático, os intelectuais sofrem de má vontade com a antifragilidade — para eles, o mundo tende a parar na robustez. Não sei o motivo, mas eles não gostam dela. Isso fez com que evitassem levar em conta que Sêneca queria as vantagens do destino, e não há nada errado nisso.

Primeiro, vamos aprender com o grande mestre o modo como ele defendia a mitigação das desvantagens, a mensagem-padrão dos estoicos — robustez, proteção contra danos causados pelas emoções, como afastar-se da primeira coluna da Tríade, esse tipo de coisa. Na segunda etapa, mostraremos como

* Para os leitores que querem saber a diferença entre budismo e estoicismo, tenho uma resposta simples. Um estoico é um budista com atitude, que diz ao destino: "Vai se f**".

Sêneca propôs verdadeiramente a antifragilidade. E, na terceira e última etapa, ampliaremos esse artifício para formular um método geral de detecção da antifragilidade, nos capítulos 18 e 19.

O robustecimento emocional do estoicismo

O sucesso traz a reboque uma assimetria: agora você tem muito mais a perder do que a ganhar. Você está, portanto, frágil. Voltemos à história de espada de Dâmocles. Não há mais boas notícias, apenas um bocado de notícias ruins. Quando a pessoa enriquece, a angústia de perder a fortuna excede o ganho emocional proporcionado pela obtenção da riqueza, de modo que ela passa a viver sob contínua ameaça emocional. Uma pessoa rica fica presa na armadilha de seus bens materiais, que assumem o controle sobre ela, estragando seu sono à noite, aumentando a concentração sérica de seus hormônios de estresse, diminuindo seu senso de humor, talvez até mesmo provocando o crescimento de pelos na ponta do nariz e moléstias similares. Sêneca compreendeu que a posse de bens materiais acarreta preocupações com a perda, funcionando, assim, como um castigo, à medida que dependemos desses bens. Tudo é desvantagem, não há vantagem nenhuma. E ainda mais: a dependência das circunstâncias — ou melhor, das emoções que surgem com as circunstâncias — leva a uma forma de escravidão.

Essa assimetria entre os efeitos do bom e do ruim, vantagem e desvantagem, benefício e prejuízo, devia ser bem conhecida pelos antigos — encontrei uma amostra inicial em Tito Lívio: "Os homens sentem prazer com menos intensidade do que dor" (*segnius homines bona quam mala sentiunt*), escreveu ele, meia geração antes de Sêneca. Os antigos — principalmente graças a Sêneca — permanecem muito à frente dos psicólogos modernos e dos teóricos da decisão ao estilo de Triffat, que desenvolveram teorias sobre a noção de "aversão ao risco (ou à perda)"; os antigos continuam sendo mais profundos, mais práticos, ao mesmo tempo que transcendem a terapia vulgar.

Deixe-me reformular em termos modernos. Imagine uma situação em que você tem muito a perder e pouco a ganhar. Se obter uma quantidade extra de riqueza, digamos, mil minas (moedas de prata fenícias), não seria um benefício, mas perder um montante equivalente acarretaria um grande prejuízo, você tem uma assimetria. E não é uma assimetria boa: você está frágil.

O método prático de Sêneca para resistir a essa fragilidade era realizar exercícios mentais a fim de descartar os bens materiais, de modo que, quando perdas ocorressem, a dor não seria sentida — uma maneira de o indivíduo arrancar à força sua liberdade das garras das circunstâncias. É semelhante a contratar um seguro contra perdas e danos. Por exemplo, Sêneca invariavelmente saía em viagem levando quase os mesmos pertences que teria se sofresse um naufrágio, o que incluía um cobertor para dormir no chão, pois as estalagens eram escassas na época (devo fazer uma ressalva aqui, para colocar as coisas no contexto daquele tempo: Sêneca partia acompanhado de "apenas um ou dois escravos").

Para mostrar o quanto isso é bem moderno, demonstrarei a seguir como apliquei esse traço característico do estoicismo para reaver na marra o controle psicológico sobre a aleatoriedade da vida. Sempre detestei os empregos formais e a dependência da opinião arbitrária de outra pessoa vinculada a isso, em particular quando boa parte do que é feito dentro das grandes corporações viola meu senso de ética. Assim, exceto por um período de oito anos, venho trabalhando como autônomo. Mas, antes disso, no meu último emprego, escrevi a minha carta de demissão antes mesmo de assumir o cargo, tranquei-a em uma gaveta e tive uma sensação de liberdade no tempo que passei lá. Da mesma forma, quando trabalhava como *trader*, uma profissão repleta de altas doses de aleatoriedade, com contínuos danos psicológicos que perfuram até as profundezas da alma do indivíduo, eu punha em prática o exercício mental de aceitar, todas as manhãs, que a pior coisa possível já havia acontecido — o resto do dia seria uma bonificação. Na verdade, o método de me ajustar mentalmente "para o pior" tinha vantagens que iam muito além do terapêutico, à medida que me faziam correr certos tipos de risco para os quais o pior cenário possível é claro e inequívoco, com desvantagens limitadas e conhecidas. É difícil continuar apegado a uma boa disciplina de apagamento mental quando as coisas estão indo bem, embora sejam os momentos em que a disciplina é ainda mais necessária. Ademais, vez por outra viajo ao estilo de Sêneca, em circunstâncias desconfortáveis (embora, ao contrário dele, eu não vá acompanhado por "um ou dois" escravos).

Uma vida inteligente se resume a essa atitude emocional que visa eliminar a ferroada dos danos, o que, como vimos, se faz por meio da rejeição mental dos bens materiais, de modo que a pessoa não sofra nem sinta dor alguma com as perdas. A volatilidade do mundo já não a afeta negativamente.

A domesticação das emoções

Visto dessa maneira, o estoicismo gira em torno da domesticação de emoções, mas não necessariamente tem a ver com a eliminação delas. Não se trata de transformar os seres humanos em vegetais. A minha ideia do sábio estoico moderno é alguém que *transforma medo em prudência, dor em informação, erros em iniciação e desejo em realização.*

Sêneca propõe um programa completo de treinamento para lidar com a vida e usar de maneira adequada as emoções — graças a artifícios pequenos mas eficazes. Um exemplo de artifício que poderia ser usado por um estoico romano para separar a raiva da ação adequada e evitar cometer um dano do qual depois poderia vir a se arrepender seria esperar pelo menos um dia antes de açoitar um servo que tivesse cometido alguma violação das regras. Nós, modernos, talvez não entendamos isso como algo particularmente justo, mas basta comparar com o gesto do imperador Adriano, em geral um soberano ponderado, ao esfaquear um escravo no olho durante um episódio de fúria descontrolada. Quando a raiva de Adriano passou e ele sentiu a aguilhoada do remorso, o estrago já havia sido feito.

Sêneca também nos oferece um catálogo de práticas sociais: investir em boas ações. Podem tirar de nós as coisas boas — mas não as boas ações nem os atos de virtude.

Como tornar-se um mestre

Até aqui a história é bem conhecida, e aprendemos a nos mover da esquerda da Tríade (frágil) para o centro (robusto). Mas Sêneca foi além.

Ele asseverou que a riqueza é escrava dos homens sábios e mestre dos tolos. Com isso, rompeu um pouco com o suposto hábito estoico: *ele preservava as vantagens*. Na minha opinião, se os estoicos antigos alegaram preferir a pobreza à riqueza, precisamos desconfiar de sua atitude, pois talvez tenha sido apenas conversa fiada. Uma vez que quase todos eram pobres, pode ser que tenham feito com que sua narrativa se adaptasse às circunstâncias (veremos, com a história de Tales de Mileto, a noção das uvas verdes — jogos cognitivos para fazer a pessoa se convencer de que as uvas que ela não consegue alcançar têm gosto amargo). Sêneca era um homem de ação, e não podemos ignorar o fato de que manteve sua riqueza. É fundamental que ele tenha demonstrado sua preferência pela riqueza *sem dano na transição da riqueza* para a pobreza.

Sêneca chegou até mesmo a delinear sua estratégia em *De beneficiis* [Sobre os benefícios] explicitamente chamando-a de uma análise de custo-benefício ao usar a palavra "contabilidade": "A contabilidade dos benefícios é simples: tudo é despesa; se alguém devolver, é um claro *ganho* [grifo meu]; se ninguém devolver, nada perdi, pois dei pelo simples ato de dar". Contabilidade moral, mas ainda assim contabilidade.

Então ele pregou uma peça no destino: preservou o bom e se livrou do ruim; cortou as desvantagens e preservou as vantagens. Agiu de forma interesseira, isto é, eliminando os danos causados pelo destino e, em termos nada filosóficos, mantendo as vantagens. Essa análise de custo-benefício não é exatamente estoica na maneira como as pessoas entendem o significado de estoicismo (as pessoas que estudam o estoicismo parecem querer que Sêneca e outros estoicos pensem como aqueles que estudam o estoicismo). Há uma assimetria na relação vantagens-desvantagens.

Isso é antifragilidade em sua forma mais pura.*

A assimetria fundamental

Vamos sintetizar a assimetria de Sêneca em uma única regra.

O conceito que usei anteriormente é *ter mais a perder* diante da adversidade. Se você tem mais a perder do que a se beneficiar com eventos do destino, há uma assimetria, e ela não é boa. E essa assimetria é universal. Vejamos como isso nos leva à fragilidade.

Pense no pacote do capítulo 1: ele não gosta de ser sacudido e odeia os membros da família da desordem — portanto, é frágil (muito frágil, porque não tem absolutamente nada a ganhar, consequentemente é muito assimétrico). Ao ser sacudido, o pacote antifrágil tem mais a ganhar do que a perder. Teste simples: se não tenho "nada a perder", então tudo é ganho e sou antifrágil.

* E, para aqueles que acreditam que Zenão, o fundador do estoicismo, era completamente avesso à riqueza material, tenho algo a dizer: encontrei, por acidente, uma menção às atividades dele no ramo do financiamento de navegações, no qual era um engajado investidor, uma atividade não exatamente condizente com um utopista antirriqueza.

A tabela 1, com suas tríades em vários campos e domínios, pode ser explicada nesses termos. Integralmente.

Para entender por que compensações assimétricas gostam da volatilidade, apenas considere que, se você tiver menos a perder do que a ganhar, mais vantagens do que desvantagens, então você gosta da volatilidade (no balanço geral, ela trará benefícios), e é antifrágil também.

Dessa forma, o trabalho que cabe a este autor é fazer a ligação entre os quatro elementos e a assimetria fundamental.

A fragilidade implica ter mais a perder do que a ganhar, o que é igual a mais desvantagens do que vantagens, o que é igual à assimetria (desfavorável)

e

A antifragilidade implica ter mais a ganhar do que a perder, o que é igual a mais vantagens do que desvantagens, o que é igual à assimetria (favorável)

Você é antifrágil a uma fonte de volatilidade se os ganhos potenciais excederem as perdas potenciais (e vice-versa).

Além disso, se você tiver mais vantagens do que desvantagens, então pode ser prejudicado pela falta de volatilidade e de estressores.

Ora, como colocamos em prática esta ideia — reduzindo as desvantagens, aumentando as vantagens? Pelo método *barbell*, como veremos no capítulo a seguir.

11. Nunca se case com um astro do rock

Um protocolo preciso sobre como e com quem trair o marido — Introdução às estratégias barbell *— Transformando diplomatas em escritores e vice-versa*

A estratégia *barbell* (ou bimodal) é uma maneira de alcançar a antifragilidade e se deslocar para o lado direito da Tríade. Aves monogâmicas colocam essa estratégia em prática traindo seus parceiros com o astro do rock local, e escritores fazem ainda melhor, assegurando um emprego rentável que lhes garante a subsistência sem exigir que realmente precisem escrever.

SOBRE A IRREVERSIBILIDADE DE PACOTES DANIFICADOS

O primeiro passo em direção à antifragilidade consiste em, de início, diminuir as desvantagens, em vez de aumentar as vantagens; isto é, em reduzir a exposição aos Cisnes Negros negativos e deixar que a antifragilidade natural trabalhe por si mesma.

Atenuar a fragilidade não é uma opção, mas uma exigência. Pode parecer óbvio, porém a impressão é a de que a questão passa despercebida. Pois a fragilidade é muito punitiva, como uma doença terminal. Um pacote não se quebra sob condições adversas para depois consertar-se sozinho quando as condições apropriadas são restauradas. A fragilidade tem uma propriedade semelhante ao dente de engrenagem que aciona o movimento de um mecanismo, que é a irreversibilidade do dano. O que importa é a rota percorrida, a ordem dos eventos, e não apenas a direção para onde se vai — o que os cientistas chamam de propriedade *dependente do trajeto*. A dependência do trajeto pode ser ilustrada da seguinte maneira: a experiência de um indivíduo ao ser submetido primeiro a uma operação de pedra nos rins e, depois, à anestesia é diferente de quando esses procedimentos são executados na sequência inversa. Ou o prazer que uma pessoa sente com uma refeição em que o café e a sobremesa são servidos primeiro e a sopa de tomate, por último, não seria o mesmo se essa ordem fosse invertida. Levar em conta a dependência do trajeto torna simples o nosso enfoque: é fácil identificar o frágil e colocá-lo na coluna da esquerda da Tríade, qualquer que seja o potencial de vantagens — já que o que se quebrou tende a continuar permanentemente quebrado.

Essa fragilidade que vem com a dependência do trajeto é, quase sempre, ignorada pelos empresários, que, treinados no pensamento estático, tendem a acreditar que sua principal missão é gerar lucros, a sobrevivência e o controle de riscos sendo relegados para o plano secundário — eles não compreendem a forte precedência lógica da sobrevivência sobre o sucesso. Para quem deseja alcançar o lucro e comprar um BMW, seria bom começar pensando em como sobreviver.

Noções como velocidade e crescimento — qualquer coisa relativa a movimento — são vazias e não fazem sentido quando apresentadas sem atentar para a fragilidade. Tenha em mente que, com toda a certeza, uma pessoa dirigindo a quatrocentos quilômetros por hora em Nova York jamais chegará a lugar algum — a velocidade efetiva será exatamente de zero quilômetro por hora. Embora seja clara a necessidade de se concentrar na velocidade efetiva, e não na nominal, alguma coisa no discurso sociopolítico mascara esse ponto tão elementar.

Na dependência do trajeto, não é mais possível separar o crescimento econômico dos riscos de recessão, os retornos financeiros dos riscos dos prejuízos fatais, e a "eficiência" do perigo de acidentes. A noção de eficiência torna-se completamente insignificante em si mesma. Se um apostador corre o risco de quebra total (perdendo tudo), os "retornos potenciais" de sua estratégia serão totalmente irrelevantes. Alguns anos atrás, um colega da universidade gabou-se para mim de que os fundos patrimoniais da instituição estavam rendendo cerca de 20%, sem perceber que tais rendimentos estavam associados a fragilidades que seriam facilmente transformadas em prejuízos catastróficos — como era de esperar, bastou um ano ruim para aniquilar todos esses retornos e causar complicações para a universidade.

Em outras palavras, se algo é frágil, o risco de que ele se quebre torna irrelevante qualquer coisa que você possa fazer para melhorá-lo ou torná-lo "eficiente", a menos que você, primeiro, reduza esse risco de quebra. Como escreveu Públio Siro, não há nada que se possa fazer com pressa e prudência ao mesmo tempo — quase nada.

Com relação ao crescimento do Produto Interno Bruto (PIB), pode-se obtê-lo muito facilmente, sobrecarregando de dívidas as gerações futuras — e a economia no futuro pode entrar em colapso diante da necessidade de pagar essa soma de dívidas. O crescimento do PIB, assim como o colesterol, parece ser uma redução da cama de Procusto que vem sendo usada para manipular os sistemas. Assim, exatamente da mesma forma que para um avião com alto risco de sofrer uma queda a noção de "velocidade" é irrelevante, uma vez que sabemos que ele talvez não chegue a seu destino, o crescimento econômico que possui fragilidades não deve ser chamado de crescimento (algo que ainda não foi compreendido pelos governos). Com efeito, o crescimento foi bastante modesto, menos de 1% per capita, ao longo dos anos dourados da Revolução Industrial, o período que impulsionou a Europa à dominação mundial. Entretanto, por mais baixo que tenha sido, foi um crescimento robusto — ao contrário da atual e tola corrida dos Estados, que se empenham com afinco na meta de alcançar o crescimento feito motoristas jovens que gostam de correr.

A ESTRATÉGIA *BARBELL* DE SÊNECA

Isso nos leva à solução na forma de uma barra de haltere [*barbell*] — quase todas as soluções para a incerteza surgem assim.

O que queremos dizer com *barbell*? O haltere (uma haste de metal com duas esferas ou discos de metal nas pontas, utilizada por levantadores de peso) pode ilustrar a ideia de uma combinação de forças extremas mantidas em separado, evitando a parte do meio. Em nosso contexto, o haltere não é necessariamente simétrico: compõe-se apenas de dois extremos, sem nada no centro. Pode-se também chamar essa ideia, em termos mais técnicos, de estratégia bimodal, já que apresenta dois modos distintos, em vez de um único e central.

Inicialmente usei a imagem de um *barbell* para descrever uma dupla atitude de agir com cautela em algumas áreas (ser robusto diante de Cisnes Negros negativos) e correr uma série de pequenos riscos em outras (com abertura para Cisnes Negros positivos), alcançando assim a antifragilidade. Isto é, de um lado, a extrema aversão ao risco, e, do outro, o extremo amor pelo risco, no lugar da atitude "mediana" ou "moderada" diante do risco, o que é, na verdade, o jogo do otário (porque riscos médios podem estar sujeitos a enormes erros de medição). Mas o *barbell* resulta também, por causa de sua construção, na redução do risco de desvantagens — a eliminação do risco da ruína.

Usemos um exemplo das finanças corriqueiras, que são muito fáceis de explicar, embora extremamente incompreendidas. Se você aplicar 90% de seus recursos em liquidez banal (supondo que está protegido contra a inflação) ou algo chamado de "depósito de valores numerários", e 10% em títulos muito arriscados (de risco máximo), é impossível que perca mais do que 10%, ao mesmo tempo que está exposto a enormes vantagens. Alguém com 100% de recursos investidos em assim chamados títulos de risco "médio" corre o risco de prejuízo total por causa do cálculo equivocado dos riscos. Essa estratégia *barbell* corrige o problema de os riscos de eventos raros serem incalculáveis e frágeis aos erros de cômputo; aqui o *barbell* financeiro tem uma perda máxima conhecida.

Pois a antifragilidade é a combinação de *agressividade* e *paranoia* — acabe com suas desvantagens, proteja-se contra os danos extremos e deixe que as vantagens, os Cisnes Negros positivos, se arranjem sozinhas. Vimos a assimetria de Sêneca: mais vantagens do que desvantagens podem resultar da simples redução das desvantagens extremas (danos emocionais), e não da melhoria das coisas intermediárias.

Um *barbell* pode ser qualquer estratégia dupla composta de extremos, sem a deturpação do meio-termo — de alguma forma, todas elas resultam em assimetrias favoráveis.

Mais uma vez, para ver a diferença entre *barbell* e o que não é *barbell*, tenha em mente que os restaurantes apresentam o prato principal, digamos, cubinhos de filé malpassado – carne bovina de animais criados à base de grãos e pasto – e salada (com vinho Malbec), e, em seguida, separadamente, depois que você saboreou o bife, trazem o *cheesecake* de queijo de cabra (com vinho moscatel). Os restaurantes não anotam os pedidos dos clientes para depois cortar o bolo e o filé em pedacinhos e misturar a coisa toda naquelas máquinas que fazem uma barulheira. As atividades "intermediárias" são iguais a esse tipo de mistura. Lembre-se de Nero, no capítulo 9, que passava tempo com faxineiros e eruditos, raramente com pseudointelectuais.

Em matéria de risco, em vez de toda a tripulação de um avião ser "cautelosamente otimista", ou algo intermediário, prefiro que os comissários de bordo sejam otimistas ao máximo e o piloto, pessimista ao máximo, ou melhor ainda, paranoico.

O contador e o astro do rock

Os sistemas biológicos estão repletos de estratégias *barbell*. Considere a seguinte tática de acasalamento, que chamamos de 90% contador, 10% astro do rock (estou apenas relatando, não compactuando com isso). As fêmeas do reino animal, em algumas espécies monogâmicas (incluindo os seres humanos), tendem a se casar com o equivalente do contador, ou (o ainda mais insosso) economista, alguém estável que possa ser o provedor, e de vez em quando elas os traem com o agressivo macho alfa, o astro do rock, como parte de uma estratégia dupla. Elas limitam suas desvantagens ao mesmo tempo que usam a cópula extrapar a fim de obter a vantagem genética, ou se divertir à beça, ou ambas as coisas. Até o momento escolhido para a traição parece não aleatório, uma vez que corresponde a períodos com alta probabilidade de gravidez. Vemos evidências desse tipo de estratégia com as chamadas aves monogâmicas: elas gostam de trair, e mais de um décimo de sua prole descende de outros machos que não os supostos progenitores. O fenômeno é real, mas as teorias sobre ele divergem. As teorias evolucionistas afirmam que as fêmeas querem tanto a estabilidade econômico-social quanto bons genes para sua progênie. Nem sempre é possível obter de alguém mediano todas essas virtudes (embora os machos alfa sejam fornecedores de bons genes, eles não têm propensão para a estabilidade e vice-versa). Por que não almejar ter a faca e também o queijo na mão? Vida estável e bons genes. Mas uma teoria alternativa pode ser a de que as fêmeas querem apenas ter prazer — ou uma vida estável e um pouco de diversão.*

Lembre-se também do que vimos no capítulo 2: a sobrecompensação, para funcionar, exige algum nível de dano e estressores como ferramentas de descoberta. Isso significa deixar as crianças brincarem um pouco, mas só um pouco, com fogo, aprendendo com as queimaduras, para o bem de sua própria segurança no futuro.

Isso também significa deixar que as pessoas sintam na pele algum grau de estresse, não em excesso, para que acordem um pouco. Mas, ao mesmo tempo, elas precisam ser protegidas de grandes perigos — ignore os pequenos perigos, invista sua energia em proteger as pessoas dos danos significativos. E *somente* dos danos importantes. Isso pode ser evidentemente traduzido em políticas sociais, serviços de saúde e muitos outros domínios.

Ideias semelhantes são encontradas no saber popular ancestral: a explicação está em um provérbio iídiche que diz: "Prepare-se para o pior; o melhor pode cuidar de si mesmo". Isso pode parecer uma banalidade, mas não é: basta observar como as pessoas tendem a se precaver para o melhor e esperar que o pior se resolva sozinho. Temos amplas evidências de que as pessoas são avessas a pequenas perdas, mas não tanto com relação aos grandes riscos Cisne Negro (que elas subestimam), uma vez que tendem a se prevenir contra as perdas pequenas e prováveis, mas não contra as grandes e infrequentes. Exatamente o inverso.

Longe do meio-termo de ouro

Vamos continuar nossa investigação da estratégia *barbell*. Há muitos campos em que o mediano não é nenhum "meio-termo de ouro" e nos quais se aplica a estratégia bimodal (segurança ao máximo somada ao máximo de especulação).

Vejamos a literatura — a mais intransigente, mais especulativa, mais exigente e mais arriscada de todas as carreiras. Entre os autores literários franceses e

* Há evidências desse tipo de estratégia *barbell*, mas nenhuma clareza sobre a teoria por trás dela — os teóricos evolucionistas apreciam narrativas, porém eu prefiro as provas. Não temos certeza se a estratégia da cópula extrapar no reino animal realmente aprimora a aptidão. Assim, *barbell* — contador mais traição —, embora exista, pode não ter como objetivo a melhoria da espécie; talvez sirva apenas para "divertimento" com baixo risco.

outros europeus, há uma tradição de procurar uma sinecura, digamos, uma ocupação que propicie renda e que exija pouco trabalho, em uma carreira livre de ansiedades no funcionalismo público, com poucas exigências intelectuais e alta estabilidade no emprego, o tipo de ocupação de baixo risco, que deixa de existir tão logo a pessoa vai embora do escritório no fim do expediente, para, então, gastar seu tempo livre escrevendo, com liberdade para redigir o que bem quiser, sob seus próprios padrões. Entre os autores franceses há um número impressionantemente pequeno de acadêmicos. Os escritores norte-americanos, por outro lado, tendem a atuar nos meios de comunicação ou no mundo universitário, o que os torna prisioneiros de um sistema e corrompe sua produção escrita, e, no caso de acadêmicos pesquisadores, forçam-nos a viver sob contínua ansiedade, pressões e, na verdade, um severo aviltamento da alma. Cada linha que o indivíduo escreve sob os padrões de alguém, tal como a prostituição, mata dentro de si um segmento correspondente. Em contrapartida, a sinecura-mais-escrita é um modelo bastante acalentador, a segunda melhor coisa que existe depois da independência financeira, ou, talvez, até melhor do que a independência financeira. Por exemplo, os formidáveis poetas franceses Paul Claudel e Saint-John Perse e o romancista Stendhal eram diplomatas; um número considerável de escritores ingleses atuava como funcionários públicos (Trollope era servidor dos correios); Kafka ocupava um cargo em uma companhia de seguros. Espinosa, o caso mais emblemático de todos, trabalhou como fabricante de lentes, o que deixou sua filosofia em um patamar completamente imune a qualquer forma de corrupção acadêmica. Na adolescência, eu acreditava que o caminho natural para ter uma verdadeira carreira literária ou filosófica era entrar na preguiçosa, agradável e pouco exigente profissão de diplomata, como vários membros da minha família. Havia uma tradição otomana de usar os cristãos ortodoxos como emissários e embaixadores, até mesmo como ministros de Relações Exteriores, costume que foi mantido pelos Estados do Levante (meu avô e meu bisavô foram ministros de Relações Exteriores). Exceto pelo fato de que eu me preocupava com a possibilidade de as circunstâncias se voltarem contra a minoria cristã, e o tempo provou que eu estava certo. Mas me tornei *trader*, passei a escrever nas horas vagas, e, como o leitor pode perceber, em meus próprios termos. A condição *barbell* de homem de negócios erudito era ideal; depois das três ou quatro da tarde, quando saía do escritório, meu ganha-pão deixava de existir até o dia seguinte, e eu me via completamente livre para ir ao encalço do que julgava ser mais valioso e interessante. Quando tentei me tornar acadêmico, senti-me como um prisioneiro, forçado a seguir planos e projetos, menos rigorosos e com fins de autopromoção, de outras pessoas.

E as profissões podem ser seriais: algo muito seguro e também algo especulativo. Um amigo meu construiu para si uma carreira profissional muito sólida como editor de livros, e era considerado muito bom no que fazia. Mais ou menos uma década depois, ele saiu completamente desse campo de atuação para fazer algo especulativo e altamente arriscado. Este é um *verdadeiro barbell*, em todos os sentidos da palavra: ele pode regressar à profissão anterior caso a especulação fracasse ou não consiga propiciar a satisfação esperada. Foi isso que Sêneca escolheu fazer: de início, ele levava uma vida bastante aventureira e ativa, seguida por um retiro filosófico para escrever e meditar, em vez de uma combinação "intermediária" de ambos. Muitos "fazedores" convertidos em "pensadores", como Montaigne, praticaram uma estratégia *barbell* em série: ação pura e, depois, pura reflexão.

Ou, se eu tenho que trabalhar, acredito que é preferível (e menos penoso) labutar intensamente durante um reduzidíssimo número de horas e, depois, não fazer nada o resto do tempo (partindo da premissa de que não fazer nada é de fato não fazer nada) até me recuperar completamente e ficar na expectativa de uma repetição, em vez de ser submetido ao tédio das intermináveis e desinteressantes horas de expediente com privação de sono, ao estilo japonês. Prato principal e sobremesa são coisas separadas.

De fato, Georges Simenon, um dos escritores mais prolíficos do século XX, só escrevia durante sessenta dias por ano, e passava trezentos dias "sem fazer nada". Ele publicou mais de duzentos romances.

A domesticação da incerteza

Veremos no restante deste livro diversos *barbells* que compartilham exatamente a mesma assimetria e, de alguma forma, quando se trata de riscos, produzem o mesmo tipo de proteção e ajuda para tirar proveito da antifragilidade. Todos eles são extraordinariamente semelhantes.

Vamos analisar alguns domínios. Exposto a riscos pessoais, o indivíduo pode, facilmente, recorrer à estratégia *barbell* eliminando as chances de fracasso em qualquer área. Pessoalmente, tenho bastante paranoia em relação a certos riscos e sou muito agressivo com outros. Minhas regras são: não fumar, não consumir açúcar (principalmente frutose), não andar de motocicleta, não usar bicicleta na cidade ou, de modo mais genérico, nas adjacências de uma área sem trânsito algum, a exemplo do deserto do Saara, não me envolver com as máfias do Leste Europeu e não embarcar em um avião que não seja pilotado por um piloto profissional (a menos que haja um copiloto). Fora isso, posso correr todas as formas de riscos pessoais e profissionais, especialmente aqueles em que não há risco de prejuízo fatal.

Na política social, isso consiste em proteger os muito fracos e deixar que os fortes realizem seu trabalho, em vez de ajudar a classe média a consolidar seus privilégios, bloqueando assim a evolução e suscitando todos os tipos de problema econômico que tendem a prejudicar principalmente os pobres.

Antes de se tornar um Estado burocrático, o Reino Unido estava dividido, nos moldes de *barbell*, entre aventureiros (tanto no sentido econômico quanto físico) e a aristocracia. A verdade é que a aristocracia não desempenhava um papel expressivo, fora ajudar a manter algum tipo de senso de precaução, enquanto os aventureiros perambulavam pelo planeta em busca de oportunidades de negócios, ou ficavam em casa fazendo ajustes e consertos em suas máquinas. Hoje em dia, a área conhecida como City of London é composta de boêmios burgueses que recebem bônus.

Encaro a escrita da seguinte maneira: de um lado, um ensaio literário que possa ser compreendido por qualquer pessoa; de outro, artigos técnicos, nada no meio — como entrevistas para jornalistas, artigos de opinião ou editoriais para jornais, à exceção das exigências dos editores.

Talvez o leitor se lembre do regime de exercícios do capítulo 2, que consiste em erguer o peso máximo que o indivíduo é capaz de levantar, e, depois, peso nenhum, em comparação com alternativas que implicam a permanência na academia durante um número muito maior de horas menos intensas. Isso, aliado a longas caminhadas sem esforço, constitui um exercício estilo *barbell*.

Mais *barbell*. Faça coisas malucas (quebre os móveis de vez em quando), como os gregos nos estágios finais de um banquete etílico, e se mantenha "racional" nas decisões mais importantes. Leia revistas de fofocas e obras clássicas ou sofisticadas; coisas de nível intelectual mediano, nunca. Converse ou com estudantes de graduação, taxistas e jardineiros, ou com acadêmicos do mais alto calibre; nunca com os acadêmicos medianos-mas-preocupados-com-a--carreira. Se você não gostar de uma pessoa, deixe-a em paz ou a exclua da sua vida; não a ataque verbalmente.*

Então, considere, por ora, que uma estratégia *barbell*, no que diz respeito à aleatoriedade, resulta na obtenção da antifragilidade graças à atenuação da fragilidade, à eliminação dos riscos de danos causadores de desvantagens — a redução do sofrimento ocasionado por eventos adversos, ao mesmo tempo que são mantidos os benefícios dos ganhos potenciais.

Para voltar às finanças, a estratégia *barbell* não precisa vir na forma de investimentos em ativos com liquidez protegidos da inflação e o restante em títulos especulativos. Qualquer coisa que elimina o risco de fracasso nos levará a esse *barbell*. O lendário investidor Ray Dalio criou uma regra para quem faz apostas especulativas: "Certifique-se de que a probabilidade do inaceitável (isto é, o risco de fracasso total) seja nula". Uma regra como essa leva o indivíduo diretamente para o *barbell*.**

Outra ideia, agora de Rory Sutherland: as diretrizes do Reino Unido para pacientes com problemas leves causados pelo consumo de álcool procuram reduzir o consumo diário para menos de determinada quantidade de gramas de álcool por dia. Mas o ideal seria evitar o álcool três vezes por semana (propiciando ao fígado uma folga mais prolongada), e depois beber à vontade nos quatro dias remanescentes. A matemática por trás dessa e de outras estratégias *barbell* está delineada na próxima discussão, sobre a desigualdade de Jensen.

* Nas finanças, defendi em 2008 que os bancos fossem nacionalizados, em vez de receberem socorro financeiro, e outras formas de especulação que não implicassem deixar os contribuintes à solta. Ninguém estava entendendo a minha estratégia *barbell* — alguns odiaram o aspecto libertário, outros detestaram a parte da nacionalização. Por quê? Porque o meio do caminho — aqui, a regulamentação de ambos — não funciona, pois um bom advogado consegue com que seja burlada. Os fundos hedge precisam ser desregulamentados e os bancos precisam ser nacionalizados, como um *barbell*, em vez do horror que temos agora.

** Mais uma vez, a dependência do domínio. As pessoas acham que fazer um seguro residencial é uma necessidade, e não algo a ser avaliado mediante uma estratégia financeira, mas quando se trata de seus portfólios de investimento, por causa da maneira como as coisas são retratadas pela mídia, as pessoas não os veem da mesma forma. Elas acham que minha estratégia *barbell* precisa ser examinada em relação a seu *potencial retorno* como investimento. Essa não é a questão. O *barbell* é, simplesmente, um conceito de seguro de sobrevivência; é uma necessidade, não uma opção.

A maioria dos itens à direita da Tríade tem um componente *barbell*, necessário mas não suficiente.

Então, assim como o estoicismo é a domesticação, mas não a eliminação, das emoções, o *barbell* é a domesticação, mas não a eliminação, da incerteza.

Livro IV

Opcionalidade, tecnologia e a inteligência da antifragilidade

Agora, vamos investigar a fundo a inovação, o conceito de opções e de opcionalidade. Como entrar no impenetrável, dominá-lo e conquistá-lo totalmente.

VOCÊ SABE MESMO PARA ONDE ESTÁ INDO?

A *Suma Teológica*, de São Tomás de Aquino, é o tipo de livro que não existe mais, o livro-como-monumento, uma *summa* como enfoque abrangente de determinada disciplina, ao mesmo tempo que a liberta da estrutura que as autoridades lhe haviam dado antes — o livro didático às avessas. Nesse caso, o assunto da *Suma* é teologia, significando tudo que é filosófico, e a obra comenta cada conjunto de conhecimento nos aspectos em que o conhecimento se relaciona aos argumentos do autor. E o livro reflete — e, em larga medida, direciona — o pensamento da Idade Média.

Uma diferença e tanto de um livro com um assunto único e restrito.

A melhor forma de observar a depreciação que a mente erudita faz da antifragilidade é uma frase que domina a *Suma*, sendo repetida em muitos trechos; uma das variantes dessa fórmula é a seguinte: "Todo agente age em vista de um fim", *agen autem non movet nisi ex intentione finis*. Em outras palavras, os seres que agem devem saber para onde estão indo, um argumento teleológico (de *telos*, "norteado por um objetivo") que se origina em Aristóteles. Todo o mundo, incluindo os estoicos (mas excluindo os céticos), se apaixonou por esses argumentos teleológicos intelectualmente, mas com certeza não em ação. A propósito, não é Aristóteles que Aquino está citando — ele o chama de o Filósofo —, mas sim o sintetizador árabe do pensamento aristotélico, Ibn Rushd, também conhecido como Averróis, a quem Tomás de Aquino chama de o Comentador. E o Comentador causou estragos consideráveis. Pois o pensamento ocidental é vastamente mais árabe do que se admite, embora os árabes pós-medievais tenham conseguido escapar do racionalismo medieval.

É em toda essa herança de pensamento, fundamentada na frase "Todo agente age em vista de um fim", que está o erro humano mais disseminado, intensificado por dois ou mais séculos da ilusão do entendimento científico incondicional. Esse é também o mais fragilizador dos erros.

A falácia teleológica

Então, vamos chamar aqui de falácia teleológica a ilusão de que a pessoa sabe exatamente para onde está indo, e de que sempre soube exatamente para onde estava indo, e de que outras pessoas tiveram êxito no passado por saberem para onde estavam indo.

O flanador racional é alguém que, ao contrário de um turista, toma a decisão, a cada etapa, de repensar seus planos, de modo que possa absorver as coisas com base em novas informações, o que Nero estava tentando colocar em prática em suas viagens, muitas vezes guiado por seu senso de olfato. O flanador não é prisioneiro de um mapa. O turismo, real ou metafórico, está impregnado da ilusão teleológica; ele supõe a completude da visão e confina a pessoa a uma programação difícil-de-repensar, ao passo que o flanador, continuamente — e, o aspecto que é mais decisivo, racionalmente —, modifica suas metas à medida que adquire informações.

Agora, um alerta: o oportunismo do flanador é imenso na vida e nos negócios, mas não na vida pessoal e em questões que envolvem outras pessoas. O oposto do oportunismo nas relações humanas é a lealdade, um sentimento nobre — mas que precisa ser aplicado nos lugares certos, isto é, nas relações humanas e nos comprometimentos morais.

O erro de pensar que sabemos exatamente para onde estamos indo e de supor que sabemos *hoje* quais serão nossas preferências *amanhã* traz a reboque outro erro correlato. É a ilusão de pensar que as *outras pessoas* também sabem para onde estão indo, e que elas nos diriam o que almejam, bastando apenas que lhes perguntássemos.

Nunca pergunte às pessoas o que elas querem, ou para onde querem ir, ou para onde pensam que deveriam ir, ou, pior ainda, o que elas pensam que desejarão amanhã. A força do empreendedor do ramo da computação Steve Jobs estava, precisamente, em desconfiar das pesquisas de mercado e dos grupos de foco — aqueles com o objetivo de perguntar às pessoas o que elas querem — e seguir sua própria imaginação. O *modo de fazer as coisas* de Jobs era o de que as pessoas não sabem o que querem até você mostrar a elas.

Essa capacidade de mudar de uma linha de ação para outra é uma *opção* de mudança. As opções — e a opcionalidade, a propriedade da opção — são o tema do Livro IV. A opcionalidade nos levará a muitos lugares, mas, no cerne, uma opção é o que faz com que a pessoa se torne antifrágil e o que permite a ela beneficiar-se com o lado positivo da incerteza, sem os graves danos correspondentes do lado negativo.

O principal ativo dos Estados Unidos

E é a opcionalidade que faz com que as coisas funcionem e cresçam — mas isso requer certo tipo de indivíduo. Muita gente continua deplorando o baixo nível da educação formal nos Estados Unidos (definido, por exemplo, pelas notas em matemática). Essas pessoas, contudo, não conseguem perceber que o *novo* surge aí e é imitado em outros lugares. E isso não é graças às universidades, que obviamente reivindicam para si muito mais crédito do que seria justificado por suas realizações.

Assim como a Inglaterra durante a Revolução Industrial, o ativo dos Estados Unidos é, simplesmente, a exposição a riscos e o uso da opcionalidade, essa extraordinária capacidade de se empenhar em formas racionais de tentativa e erro, sem nenhuma vergonha comparativa em fracassar, começar de novo e fracassar mais uma vez. No Japão moderno, ao contrário, o fracasso está associado à vergonha, o que faz com que as pessoas escondam os riscos embaixo do tapete, sejam eles financeiros ou nucleares, obtendo assim pequenos benefícios sentadas sobre dinamite, uma atitude que contrasta estranhamente com o tradicional respeito nipônico pelos heróis decaídos e a pretensa nobreza do fracasso.

O Livro IV levará essa ideia à sua conclusão natural e mostrará evidências (que vão da arquitetura medieval à medicina, à engenharia e à inovação) de que, talvez, nosso maior ativo seja aquele em que menos confiamos: a antifragilidade inerente a certos sistemas de exposição a riscos.

12. As uvas doces de Tales

Em que discutimos a ideia de fazer em vez de percorrer a Grande Caminhada – A ideia de uma livre opção – Um filósofo pode ser chamado de novo-rico?

Na *Política* de Aristóteles aparece um relato sobre o filósofo e matemático pré-socrático Tales de Mileto. Essa história, que mal chega a meia página, expressa tanto a antifragilidade quanto sua difamação, e nos introduz na opcionalidade. O aspecto extraordinário da história é que Aristóteles, provavelmente o pensador mais influente de todos os tempos, entendeu exatamente ao contrário o argumento central de seu próprio relato. O mesmo foi feito por seus seguidores, em especial após o Iluminismo e a revolução científica. Não estou dizendo isso para conspurcar o grande Aristóteles, mas para mostrar que a inteligência faz com que descartemos a antifragilidade e ignoremos o poder da opcionalidade.

O filósofo Tales era jônico de língua grega e linhagem fenícia, nascido na cidade costeira de Mileto, na Ásia Menor, e, como *alguns* filósofos, gostava do que fazia. Mileto era um entreposto comercial e tinha o espírito mercantil geralmente atribuído aos povoados fenícios. Mas Tales, como filósofo, era tipicamente desprovido de recursos pecuniários. Ele se cansava de ouvir seus amigos, cuja vida girava em torno de transações comerciais, insinuando em tom de censura que "quem sabe fazer faz; os demais filosofam". Ele realizou a seguinte proeza: arranjou algum capital e pagou um adiantamento que lhe dava o direito de uso sazonal de todas as prensas de azeite de oliva dos arredores de Mileto e Quios, arrendamento que conseguiu negociar a um baixo preço. Chegada a safra, a colheita de azeitonas foi extremamente generosa, o que resultou na alta da demanda por prensas, então Tales renegociou o aluguel delas em seus próprios termos, angariando no processo uma substancial fortuna. Depois disso, voltou para suas meditações filosóficas.

A soma em dinheiro que Tales amealhou era vultosa, talvez não o suficiente para torná-lo podre de rico, mas o suficiente para provar — para os outros, mas, desconfio, também para si mesmo — que ele agia conforme o próprio discurso e realmente estava acima, e não abaixo, da riqueza. Esse tipo de acúmulo de capital é o que chamo no meu vernáculo de "dinheiro suficiente para mandar todo mundo à m***" — uma soma grande o bastante para que a pessoa obtenha a maior parte, se não todas, as vantagens da riqueza (a mais importante delas a independência e a capacidade de ocupar a mente apenas com assuntos que lhe interessam), mas não seus efeitos colaterais, como ser obrigado a frequentar eventos beneficentes vestindo traje de gala e obrigado a ouvir uma refinada exposição dos detalhes da reforma de uma suntuosa casa adornada com mármore de Carrara. O pior efeito colateral da riqueza são as relações sociais que ela impõe a suas vítimas, já que as pessoas com mansões luxuosas tendem a acabar se socializando com outros donos de mansões luxuosas. Além de certo nível de opulência e independência, os cavalheiros tendem a ser cada vez menos encantadores, e suas conversas, cada vez menos interessantes.

A história de Tales tem muitas morais, todas ligadas à assimetria (e à construção de uma compensação antifrágil). A principal está relacionada ao seguinte trecho de Aristóteles: "*O conhecimento dos astros permitiu-lhe prever, ainda no inverno, que haveria uma safra abundante de olivas* [...]". Assim, para Aristóteles, o motivo reconhecido como fato era claramente o conhecimento superior de Tales.

Conhecimento superior?

Tales colocou-se em uma posição que lhe permitiu tirar proveito de sua *falta* de conhecimento — e da propriedade secreta da assimetria. A chave para nossa mensagem sobre essa assimetria vantagens-desvantagens é que ele não precisava entender a fundo as mensagens transmitidas pelos corpos celestes.

Tales apenas fez um contrato que é o arquétipo do que constitui uma assimetria, talvez a única assimetria explícita que é possível encontrar em sua forma mais pura. É uma opção, "o direito, mas não a obrigação" para o comprador, e, é claro, "a obrigação, mas não o direito" para a outra parte, chamada de vendedor. Tales tinha o direito — mas não a obrigação — de usar as prensas caso houvesse um súbito aumento na demanda; a outra parte tinha a obrigação, mas não o direito. Tales pagou um preço pequeno por esse privilégio, com uma perda limitada e um grande resultado possível. É a primeira opção de que se tem registro.

A opção é um agente da antifragilidade.

OPÇÃO E ASSIMETRIA

O episódio da prensa de azeite aconteceu cerca de seiscentos anos antes de Sêneca escrever seus textos sobre suas mesas com pernas de marfim, e trezentos anos antes de Aristóteles.

A fórmula no capítulo 10 era: *antifragilidade* é igual a *ter mais a ganhar do que a perder, o que é igual a mais vantagens do que desvantagens, o que é igual à assimetria (favorável), o que é igual à volatilidade.* E se você ganha mais quando está certo do que perde, quando está errado, então será beneficiado, a longo prazo, da volatilidade (e vice-versa). Terá prejuízos apenas se, repetidamente, pagar alto demais pela opção. Mas, nesse caso, é evidente que Tales fez um bom negócio — e, veremos, no restante do Livro IV, que não precisamos pagar pelas opções que nos são dadas pela natureza e pela inovação tecnológica. Opções financeiras podem ser caras, pois as pessoas sabem que são opções e que *alguém* as está vendendo e cobrando um preço — mas, na maioria, as opções interessantes são gratuitas ou, na pior das hipóteses, baratas.

E o fundamental é que nós simplesmente não precisamos *saber* o que está acontecendo quando compramos algo barato — quando temos a assimetria trabalhando a nosso favor. Mas essa propriedade vai além de comprar algo a baixo custo: não precisamos entender as coisas quando temos alguma ligeira vantagem. E a ligeira vantagem da opcionalidade está na maior compensação quando você está certo, o que torna desnecessário estar certo com muita frequência.

As opções das uvas doces

A opção da qual estou falando não é nem um pouco diferente do que chamamos de opções na vida diária: por exemplo, o resort de férias com mais opções de lazer está mais propenso a oferecer a você uma atividade que lhe agrade, e aquele com menos opções tende a não atender a suas expectativas. Assim, você precisa de *menos informações*, ou seja, menos conhecimento, sobre o resort com o maior leque de opções.

Há outras opções ocultas na nossa história de Tales. A independência financeira, quando utilizada com inteligência, pode nos tornar robustos; ela dá opções e nos possibilita fazer as escolhas certas. A liberdade é a opção por excelência.

Ademais, uma pessoa nunca chega a conhecer a si mesma — suas verdadeiras preferências —, a menos que tenha de encarar opções e escolhas. Lembre-se de que a volatilidade da vida nos ajuda a disponibilizar informações sobre os outros, mas também sobre nós mesmos. Muitas pessoas são pobres contra a própria vontade inicial, e só se tornam robustas ao manipular os fatos e inventar uma história mal contada de que ser pobre foi uma escolha de caso pensado — como se tivessem essa opção. Algumas dessas histórias são genuínas; muitas pessoas realmente não têm opção — elas a constroem. A história das uvas verdes — como na fábula de Esopo — é quando alguém convence a si mesmo de que as uvas que não consegue alcançar têm gosto amargo. O ensaísta Michel de Montaigne entende o episódio de Tales como uma história de imunidade às uvas verdes e amargas: você precisa saber se *não gosta* da busca de dinheiro e de riqueza porque genuinamente não gosta disso ou porque está racionalizando sua incapacidade de ser bem-sucedido nessa empreitada alegando que a riqueza não é uma coisa boa, porque faz mal ao sistema digestivo ou porque atrapalha o sono, ou outros argumentos da mesma natureza. Assim, o episódio elucidou Tales sobre suas próprias escolhas na vida — até que ponto era genuína sua dedicação à filosofia. Ele tinha outras *opções*. E, vale a pena repetir, opções, quaisquer opções, ao possibilitar a uma pessoa mais vantagens do que desvantagens, são vetores de antifragilidade.*

* Suponho que a principal vantagem de ser rico (mais do que apenas ser independente) é poder desprezar as pessoas ricas (que é possível encontrar em alta concentração em afetadas estações de esqui), sem uvas verdes e amargas. É ainda mais doce quando esses esnobes não sabem que você é mais rico do que eles.

Tales, ao financiar sua própria filosofia, tornou-se o mecenas de si mesmo, talvez a posição social mais alta que alguém pode alcançar: ser ao mesmo tempo independente e intelectualmente produtivo. Ele agora tinha ainda mais *opções*. Não era obrigado a dizer a outras pessoas — que o financiavam — para onde estava indo, porque talvez nem ele mesmo soubesse para que direção rumava. Graças ao poder das opções, ele não tinha que fazer isso.

Os breves relatos a seguir nos ajudarão a investigar mais a fundo a noção de *opcionalidade* — a propriedade de compensações semelhantes a opções e de situações similares a opções.

Sábado à noite em Londres

Tarde de sábado em Londres. Estou às voltas com uma considerável fonte de estresse: decidir para onde ir à noite. Gosto muito do tipo de inesperado que se encontra em festas (ir a festas tem opcionalidade, talvez o melhor conselho para alguém que queira beneficiar-se com a incerteza com baixo nível de desvantagens). Meu medo de comer sozinho em um restaurante enquanto releio o mesmo trecho de *Discussões tusculanas*, de Cícero, que, graças a seu formato de bolso, venho carregando comigo há uma década (e do qual leio mais ou menos três páginas e meia por ano), foi amenizado por um telefonema. Alguém, que não é um amigo íntimo, ao ficar sabendo que eu estava na cidade, convidou-me para uma reunião social em Kensington, mas, sabe-se lá como, não me exigiu nenhum comprometimento, com um mero "apareça por lá se quiser." Ir à festa é melhor do que comer sozinho com as *Discussões tusculanas* de Cícero, mas essas pessoas não são muito interessantes (muitas estão envolvidas na City of London, e funcionários de instituições financeiras raramente são interessantes e, mais raramente ainda, agradáveis), e sei que posso arranjar algo melhor para fazer, mas não tenho certeza se serei capaz disso. Então faço algumas ligações: se surgir algo melhor do que a festa em Kensington, como um jantar com um de meus amigos de verdade, será a minha escolha. Caso contrário, entrarei em um táxi rumo a Kensington. Eu tenho uma *opção*, não uma obrigação. Ela apareceu sem custo algum, já que eu nem sequer a solicitei. Então, tenho nas mãos uma desvantagem pequena, não, inexistente, e uma grande vantagem.

Essa é uma opção gratuita, pois o privilégio não tem custo real nenhum.

Seu aluguel

Segundo exemplo: suponha que você seja o inquilino de um apartamento alugado — e cujo valor do aluguel é controlado — em Nova York, é claro, com paredes forradas de estantes de livros. Você tem a *opção* de morar no apartamento pelo tempo que bem quiser, mas nenhuma obrigação de fazer isso. Caso você decida mudar-se para Ulan Bator, na Mongólia, e começar uma nova vida lá, pode simplesmente notificar o locatário com determinado número de dias de antecedência, dizer muito obrigado e adeus. Caso contrário, o locatário é obrigado a deixá-lo viver ali de modo quase permanente, mediante o pagamento de um valor previamente estipulado. Se o preço dos aluguéis na cidade tiver uma alta extorsiva e o mercado imobiliário sofrer uma explosão semelhante a uma bolha, você estará em grande medida protegido. Por outro lado, se o preço dos aluguéis desabar, você pode facilmente trocar de apartamento e reduzir o pagamento mensal — ou até mesmo comprar um apartamento e obter uma hipoteca com prestações mensais mais baixas.

Pense na assimetria da mesma forma. Você se beneficia com os aluguéis mais baixos, mas não é prejudicado pelos aluguéis mais altos. Como? Porque aqui, mais uma vez, você tem uma opção, não uma obrigação. De certa maneira, a incerteza aumenta o valor desse privilégio. Se você se deparar com um alto grau de incerteza sobre resultados futuros, com enormes decréscimos potenciais ou enormes aumentos potenciais no valor dos imóveis, sua opção se tornaria mais valiosa. Quanto mais incerteza, mais valiosa a opção.

Novamente, trata-se de uma opção inerente, oculta, pois esse privilégio não acarreta custos.

Assimetria

Vamos examinar, mais uma vez, a assimetria de Tales — junto com a assimetria de qualquer opção. Na figura 5, o eixo horizontal representa o aluguel, e o eixo vertical, os lucros correspondentes em *thekels*. A figura 5 mostra a assimetria: nessa situação, o retorno financeiro é maior de uma maneira (se você estiver certo, "ganha uma grana pesada") do que de outra (se estiver errado, "perde uma ninharia").

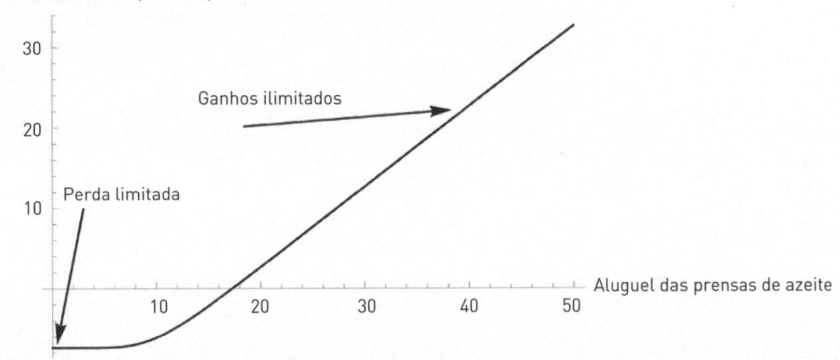

FIGURA 5. A antifragilidade de Tales. Ele paga pouco em troca de um enorme potencial. Podemos ver a assimetria entre as vantagens e as desvantagens.

O eixo vertical na figura 5 representa uma função do aluguel das prensas (o lucro pela opção). Tudo que leitor precisa observar nesse quadro é a não linearidade (ou seja, a assimetria, com mais vantagens do que desvantagens; a assimetria é uma forma de não linearidade).

Coisas que gostam da dispersão

Uma das propriedades da opção: ela não se preocupa com o resultado médio, apenas com os resultados favoráveis (uma vez que, após determinado ponto, a desvantagem não é levada em conta). Para escritores, artistas e até mesmo filósofos, é muito melhor ter um número reduzido de fanáticos que os admiram do que uma multidão que aprecia o trabalho deles. Não importa a quantidade de pessoas que não gostam do trabalho — não existe o *contrário* de comprar um livro, ou o equivalente a perder pontos em um jogo de futebol, e essa ausência do domínio negativo na venda de livros proporciona ao escritor certa medida de opcionalidade.

Além disso, ajuda muito quando seus defensores são ao mesmo tempo entusiastas e influentes. Wittgenstein, por exemplo, era considerado um lunático, um esquisitão ou apenas um falante de bobagens por aqueles cuja opinião não importava (ele publicou muito pouco). Mas contava com um pequeno número de seguidores que o idolatravam, e alguns, a exemplo de Bertrand Russell e J. M. Keynes, eram realmente influentes.

Além dos livros, reflita sobre a seguinte heurística: o seu trabalho e as suas ideias, seja na política, nas artes ou em outros domínios, são antifrágeis se, em vez de ter 100% das pessoas considerando sua missão aceitável ou moderadamente louvável, você estiver em situação mais favorável contando com uma alta porcentagem de pessoas que não gostam de você e de sua mensagem (até mesmo com aversão vigorosa), em combinação com uma baixa porcentagem de apoiadores extremamente fiéis e entusiasmados. As opções gostam da dispersão de resultados e não se importam muito com a média.

Outro segmento de negócios que não se preocupa com a média, mas sim com a dispersão em torno da média, é a indústria de bens de luxo — joias, relógios de pulso, arte, apartamentos caros em locais chiques, vinhos raros de colecionadores, ração gourmet probiótica para cães produzida em fazendas etc. Para esses setores de negócios só importam os recursos disponíveis para os ricaços. Se a população do mundo ocidental tivesse uma renda média de 50 mil dólares, sem nenhuma desigualdade, os vendedores de artigos de luxo não sobreviveriam. Mas se a média permanecer a mesma, só que com um alto grau de desigualdade, com algumas rendas superiores a 2 milhões de dólares, e potencialmente algumas rendas superiores a 10 milhões, então esse ramo terá uma profusão de consumidores — ainda que esses rendimentos elevados sejam contrabalançados por miríades de pessoas com rendimentos mais baixos. As "caudas" da distribuição na ponta superior das categorias de rendimento, as extremidades, são determinadas muito mais por mudanças na desigualdade do que por alterações na média. Ela ganha com a dispersão e, portanto, é antifrágil. Isso explica a bolha nos preços dos imóveis na área central de Londres, determinada pela desigualdade na Rússia e no golfo Pérsico, e totalmente independente da dinâmica do mercado imobiliário na Inglaterra. Alguns apartamentos, aqueles para os muito ricos, são vendidos por um preço vinte vezes maior do que o valor médio do metro quadrado de um edifício a poucos quarteirões de distância.

Larry Summers, ex-presidente da Universidade Harvard, ficou em apuros (de forma desastrada) ao apresentar uma versão para essa questão e terminou perdendo o emprego, em decorrência dos protestos. Ele estava tentando dizer que homens e mulheres são inteligentes em igual medida, mas a população masculina tem mais variações e mais dispersão (portanto, mais volatilidade), havendo mais homens muito pouco inteligentes e mais homens extremamente inteligentes. Para Summers, isso explicaria por que há uma presença maciça de homens nas comunidades científica e intelectual (assim como o elevado número de homens em prisões ou indo à falência). O número de cientistas bem-sucedidos depende das "caudas", dos extremos, mais do que da média. Exatamente como uma opção não se preocupa com os resultados adversos, ou um escritor não se preocupa com as pessoas que o execram.

Atualmente, ninguém ousa afirmar o óbvio: talvez não seja possível alcançar o crescimento da sociedade elevando-se a média ao modo asiático, mas aumentando o número de pessoas nas "caudas", aquele número pequeno, muito pequeno, de pessoas que correm riscos, suficientemente loucas para ter ideias próprias, dotadas daquela muito rara habilidade chamada de imaginação, e daquela qualidade ainda mais rara chamada coragem, e que fazem as coisas acontecer.

O TALESIANO E O ARISTOTÉLICO

Agora, um pouco de filosofia. Conforme vimos anteriormente na explicação do problema do Cisne Negro no capítulo 8, o tomador de decisões concentra-se no ganho auferido, na consequência das ações (portanto, inclui assimetrias e efeitos não lineares). Para o aristotélico, o foco é estar certo e errado — em outras palavras, a lógica em estado bruto. Eles se entrecruzam com menos frequência do que se pensa.

Aristóteles cometeu o erro de pensar que o conhecimento do evento (a safra futura ou o preço do aluguel das prensas de azeite, que demonstramos no eixo horizontal) e a obtenção de lucros com esse conhecimento (eixo vertical) são a mesma coisa. O que aqui não são, por causa da assimetria, como fica óbvio pelo gráfico. Como Tony Gordo afirmará no capítulo 14, "elas não são a mesma coisa" (pronuncia-se "*coza*").

Como ser burro

Se você "tem opcionalidade", não há muita necessidade do que se costuma chamar de inteligência, conhecimento, perspicácia, aptidão e essas coisas complicadas que acontecem em nossos neurônios. Pois você não precisa estar certo com tanta frequência assim. Você precisa é da sabedoria de *não* fazer coisas estúpidas a ponto de se machucar (alguns atos de omissão) e reconhecer os resultados favoráveis quando ocorrerem (o essencial é que a sua avaliação não precisa ser feita com antecedência, apenas após o resultado).

A essa propriedade que nos permite ser burros, ou, como segunda possibilidade, nos permite obter mais resultados do que aqueles que são garantidos pelo conhecimento, chamarei por enquanto de "pedra filosofal" ou "viés de convexidade", o resultado de uma propriedade matemática chamada de desigualdade de Jensen. A mecânica será explicada mais tarde, no Livro V, quando intensificaremos o teor técnico do texto; por ora, tenha em mente que a evolução é capaz de produzir objetos com um alto nível de sofisticação e zero de inteligência, simplesmente devido a uma combinação entre a opcionalidade e algum tipo de filtro de seleção, acrescido de algum grau de aleatoriedade, como veremos a seguir.

Natureza e opções

O grande biólogo francês François Jacob introduziu na ciência a noção de opções (ou características similares à opção) nos sistemas naturais, graças a tentativa e erro, sob uma variante chamada, em francês, de *bricolage*. A bricolagem é uma forma de tentativa e erro parecida com *fazer ajustes*, no sentido de se arranjar com o que se tem, reciclando peças que de outra forma seriam desperdiçadas.

Jacob argumentou que, mesmo dentro do útero, a natureza sabe como selecionar: cerca de metade dos embriões sofre um aborto espontâneo — é mais fácil fazer isso do que conceber o bebê perfeito reproduzindo as especificações de um plano técnico. A natureza simplesmente mantém aquilo de que gosta se atender a seus padrões, ou leva a cabo o "fracassar logo" — ela tem uma opção e a utiliza. A natureza entende os efeitos da opcionalidade de modo vastamente melhor do que os seres humanos e, sem dúvida, melhor do que Aristóteles.

A natureza gira em torno da exploração da opcionalidade; ela ilustra de que modo a opcionalidade é um substituto da inteligência.*

* Usaremos a natureza como modelo para mostrar como seu desempenho operacional superior advém da opcionalidade, e não da inteligência — mas não nos deixemos enganar pela falácia naturalista: regras éticas não têm que brotar da opcionalidade.

Vamos chamar de *experimentações e improvisos* por tentativa e erro quando apresentar pequenos erros e grandes ganhos. A convexidade, uma descrição mais precisa dessa assimetria positiva, será explicada com algum grau de profundidade no capítulo 18.*

O gráfico da figura 7 é o melhor exemplo da ideia presente na Califórnia e proferida por Steve Jobs em um célebre discurso: "Continue faminto, continue tolo". Ele provavelmente quis dizer: "Seja louco, mas mantenha a racionalidade de escolher o limite superior quando o vir". Tentativa e erro pode ser vista como a expressão de uma opção, contanto que a pessoa seja capaz de identificar um resultado favorável e tirar proveito dele, como veremos a seguir.

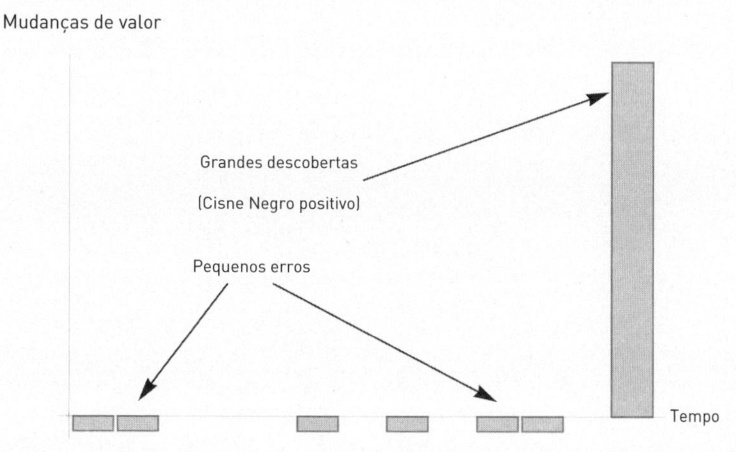

FIGURA 6. O mecanismo de tentativa e erro similar à opção (o modelo fracasse-rápido), também conhecido como experimentação e improviso convexo. Erros de baixo custo, com perdas máximas conhecidas e grande retorno potencial (ilimitado). Uma característica fundamental de Cisnes Negros positivos: os ganhos são irrestritos (ao contrário de um bilhete de loteria), ou melhor, têm um limite desconhecido; mas as perdas resultantes de erros são limitadas e conhecidas.

* Todo mundo fala sobre sorte e sobre tentativa e erro, mas isso não faz quase nenhuma diferença. Por quê? Porque não se trata de sorte, mas de opcionalidade. Por definição, não se pode tirar proveito da sorte; tentativa e erro pode levar a erros. A opcionalidade tem a ver com a obtenção da parte superior da sorte.

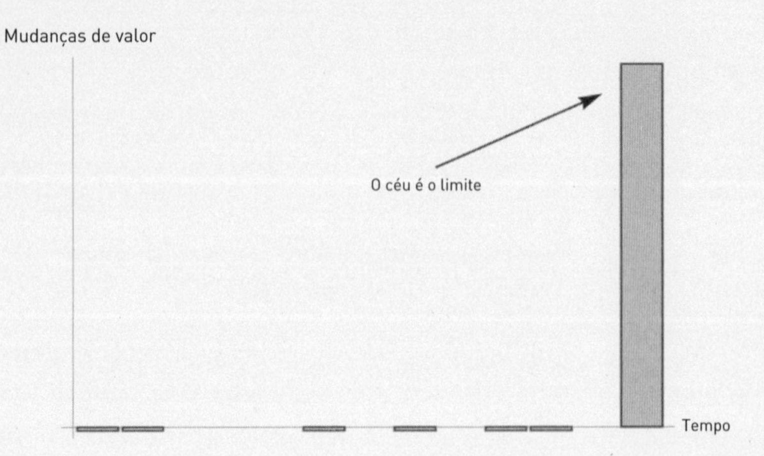

FIGURA 7. A mesma situação da figura 6, mas no Extremistão o ganho obtido pode ser enorme.

A racionalidade

Para fixar, leve em conta a seguinte descrição de uma opção:

Opção = assimetria + racionalidade

A parte da racionalidade está em manter o que é bom e jogar fora o que é ruim, sabendo reter os lucros. Como vimos, a natureza tem um filtro para ficar com o bebê bom e livrar-se do ruim. Aí está a diferença entre antifrágil e frágil. O frágil não tem opção. Mas o antifrágil precisa selecionar o que é melhor — a melhor opção.

Vale a pena insistir que o atributo mais maravilhoso da natureza é a racionalidade com que ela seleciona suas opções e escolhe a melhor para si — graças ao processo de pôr à prova envolvido na evolução. Ao contrário do pesquisador que tem de fazer algo diferente, ela vê uma opção — a assimetria — quando há uma. Assim, a natureza aprimora-se pouco a pouco — os sistemas biológicos engrenam em um estado que é melhor do que o anterior, a propriedade dependente do trajeto que mencionei anteriormente. Na tentativa e erro, a racionalidade consiste em não rejeitar algo que é nitidamente melhor do que se tinha antes.

Como eu disse, nos negócios, as pessoas pagam pela opção quando ela está identificada e mapeada em um contrato, de modo que tende a ser caro comprar opções explícitas, à semelhança dos contratos de seguro. Elas são, quase sempre, bastante divulgadas. Mas, por causa da dependência do domínio de nossa mente, não reconhecemos essas opções em outros lugares, onde elas tendem a permanecer subprecificadas ou a não custar nada.

Aprendi sobre a assimetria das opções na sala de aula da Wharton School, a Escola Superior de Administração da Universidade da Pensilvânia, no curso sobre opções financeiras, que determinou a minha carreira, e logo percebi que o próprio professor não conseguia ver as implicações. Ele simplesmente não entendia as não linearidades e o fato de que a opcionalidade derivava de algum grau de assimetria! Dependência do domínio: ele não a identificava nos lugares em que o livro didático não apontava a assimetria; ele compreendia a opcionalidade em termos matemáticos, mas não fora da equação. Ele não pensava em tentativa e erro como opção. Não pensava no erro do modelo como opção negativa. E, trinta anos depois, pouca coisa mudou na compreensão das assimetrias por parte de muitos que, ironicamente, lecionam a disciplina de opções.*

Uma opção se esconde onde não queremos que ela se esconda. Repito que as opções se beneficiam com a variabilidade, mas também com as situações em que os erros significam pequenos custos. Portanto, esses erros são como opções — a longo prazo, os erros felizes trazem ganhos; erros infelizes trazem prejuízos. E era exatamente disso que Tony Gordo estava tirando proveito: alguns modelos podem conter apenas erros infelizes, principalmente os modelos de derivativos e outras situações fragilizadoras.

O que também me impressionou foi que nós, seres humanos e intelectuais, não enxergamos as opções. Essas opções estavam, como veremos no próximo capítulo, à vista de todos.

* Geralmente hesito em discutir minha carreira relacionada a opções, pois temo que o leitor associe a ideia às finanças, em vez de aplicações mais científicas. Fico furioso quando uso explicações e informações técnicas originadas de derivativos e as pessoas as confundem com uma discussão financeira — são apenas técnicas, técnicas portáteis, técnicas muito portáteis, em nome de Baal!

De fato, à vista de todos.

Um dia, meu amigo Anthony Glickman, rabino e estudioso do Talmude que se tornou *trader* de opções e, em seguida, voltou para a vida de rabino e estudioso do Talmude (até agora), depois de uma dessas conversas sobre como a opcionalidade aplica-se a tudo que existe ao nosso redor, talvez depois de uma de minhas tiradas sobre o estoicismo, calmamente anunciou: "A vida é um *long gamma*" (repetindo: no jargão, "*long*" significa "beneficia-se com", "*short*" quer dizer "prejudicado por", e "*gamma*" é um nome para a não linearidade de opções, portanto "*long gamma*" significa "beneficia-se com a volatilidade e a variabilidade". Anthony o usava inclusive como seu endereço de e-mail "@longgamma.com").

É vasta a literatura acadêmica que tenta nos convencer de que não é racional possuir opções de ações, pois *algumas* têm seu valor superprecificado, e o critério de quem considera que seu preço está além do normal são os métodos de cálculo de riscos das faculdades de economia e administração de empresas, que não levam em conta a possibilidade de eventos raros. Além disso, os pesquisadores invocam algo chamado "viés de probabilidade ínfima", ou efeitos de loteria, em que as pessoas se esforçam ao máximo para pagar um sobrepreço por esses tiros no escuro em cassinos e situações de jogatina. Esses resultados, é claro, são charlatanismo travestido de ciência, com pessoas que, ao estilo de Triffat, são avessas a riscos e, quando querem pensar sobre os riscos, só conseguem pensar em cassinos. Assim como outros enfoques de economistas sobre a incerteza, essa visão é desfigurada ao confundir a aleatoriedade da vida com a aleatoriedade bem controlável dos cassinos, o que chamo de "falácia lúdica" (de *ludes*, palavra em latim para "jogos") — o erro cometido pelo sujeito que joga blackjack, como vimos no capítulo 7. Na verdade, criticar todas as apostas em eventos raros com base no fato de que o preço dos bilhetes de loteria é alto demais é tão tolo quanto criticar toda a exposição a riscos sob o argumento de que os cassinos, a longo prazo, ganham o dinheiro dos apostadores, esquecendo-se de que estamos aqui porque corremos riscos *fora* dos cassinos. Além do mais, as apostas em cassinos e em bilhetes de loteria também têm uma vantagem máxima conhecida — na vida real, o céu é muitas vezes o limite, e a diferença entre os dois casos pode ser significativa.

Correr riscos *não é* apostar em jogatina, e a opcionalidade *não* são bilhetes de loteria.

Além disso, esses argumentos sobre "probabilidade ínfima" são de uma escolha ridiculamente seletiva. Se elaborássemos uma lista dos segmentos de negócios que mais geraram riqueza na história, veríamos que todos tiveram opcionalidade. Infelizmente, há a opcionalidade de pessoas que roubam as opções de outras pessoas e do contribuinte (conforme veremos na seção sobre ética, no Livro VII), como os diretores executivos de empresas, que recebem todas as vantagens e não arcam com desvantagem nenhuma. Contudo, os maiores geradores de riqueza nos Estados Unidos, historicamente, têm sido, em primeiro lugar, o setor imobiliário (os investidores têm a opção à custa dos bancos) e, em segundo lugar, o setor tecnológico (que depende quase completamente de tentativa e erro). Além disso, os ramos de negócios com opcionalidade negativa (isto é, o oposto de ter opcionalidade), caso do setor bancário, tiveram um desempenho deplorável ao longo da história: em função das crises e explosões, os bancos perdem periodicamente cada centavo que ganharam em sua história.

Mas tudo isso fica pequeno diante do papel da opcionalidade nas duas evoluções: a natural e a científico-tecnológica; esta última analisaremos no Livro IV.

A política romana gosta da opcionalidade

Até mesmo os sistemas políticos adotam uma forma de experimentação e improviso racional, quando as pessoas são racionais, e por essa razão escolhem a melhor opção: os romanos edificaram seu sistema político por meio de experimentações, e não pela via da "razão". Políbio, em suas *Histórias*, compara o legislador grego Licurgo, que construiu seu sistema político "ignorando a adversidade", aos romanos mais experientes, que, alguns séculos mais tarde, "chegaram a ele [o sistema político] não por meio de *algum processo racional* [grifo meu], mas pela disciplina de muitas lutas e dificuldades, e sempre escolhendo o melhor à luz da experiência adquirida com o desastre".

A seguir

Deixe-me resumir. No capítulo 10, vimos a assimetria fundamental impregnada das ideias de Sêneca: mais vantagens do que desvantagens e vice-versa.

Este capítulo refinou a questão e apresentou uma manifestação dessa assimetria na forma de opção, por meio da qual uma pessoa pode obter vantagens se assim quiser, mas sem as desvantagens. Uma opção é a arma da antifragilidade.

O outro xis da questão do capítulo e do Livro IV é que a opção é um substituto para o conhecimento — na verdade, não entendo muito bem o que é conhecimento estéril, já que o conhecimento é necessariamente vago e estéril. Então, faço a ousada especulação de que muitas coisas que pensamos ser derivadas da habilidade provêm, em grande medida, de opções, mas de opções bem utilizadas, muito similares à situação de Tales — e muito semelhantes à natureza —, e não do que alegamos ser a compreensão.

A implicação é não trivial. Pois, se você acha que a educação é a causa da riqueza, em vez de ser resultado dela, ou que ações e descobertas inteligentes são o resultado de ideias inteligentes, terá uma surpresa e tanto. Vejamos que tipo de surpresa.

13. Ensinando os pássaros a voar

Enfim, a roda — O pensamento do proto-Tony Gordo — O problema fundamental é que os pássaros raramente escrevem mais do que os ornitólogos — Combinando burrice com sabedoria, e não o contrário

Pense na história da mala com rodinhas.

Em quase todas as minhas viagens, carrego uma grande mala com rodinhas, praticamente lotada de livros. Ela é pesada (os livros que me interessam quando viajo calham de ser sempre de capa dura).

Em junho de 2012, eu estava empurrando essa mala genérica, pesada e atulhada de livros pela área externa do terminal internacional do Aeroporto JFK e, ao olhar para as rodinhas na parte inferior da mala e para a alça de metal que ajuda a puxá-la, de súbito lembrei-me dos dias em que tinha de arrastar a minha bagagem abarrotada de livros ao longo do mesmo terminal, com paradas regulares para descansar e deixar que o ácido láctico jorrasse para fora dos meus braços doloridos. Eu não podia me dar ao luxo de pagar um carregador e, mesmo que tivesse o dinheiro para fazer isso, não me sentiria confortável. Fazia três décadas que eu passava pelo mesmo terminal, carregando malas com e sem rodinhas, e o contraste era espantoso. Surpreendeu-me a nossa carência de imaginação: colocávamos nossas malas em cima de um carrinho com rodas, mas ninguém tinha pensado em acoplar rodinhas sob a própria mala.

Você consegue imaginar que se passaram quase 6 mil anos entre a invenção da roda (pelos mesopotâmios, é o que se supõe) e essa brilhante implementação (obra de algum fabricante de malas em um enfadonho subúrbio industrial)? E bilhões de horas gastas por viajantes como eu, arrastando penosamente sua bagagem através de corredores repletos de agentes alfandegários mal-educados.

Pior, isso aconteceu cerca de três décadas depois de mandarmos um homem à Lua. Pense em toda a sofisticação usada para enviar uma pessoa ao espaço sideral, e o impacto totalmente insignificante disso na minha vida, e compare com o ácido láctico em meus braços, a dor na minha coluna lombar, as palmas de minhas mãos esfoladas e a sensação de impotência diante de um corredor comprido. De fato, embora extremamente importante, estamos falando de algo trivial: uma tecnologia muito simples.

Mas a tecnologia só é trivial em retrospectiva, não em termos prospectivos. Todas aquelas mentes brilhantes, seus cabelos desgrenhados e suas roupas amarrotadas, que frequentam conferências em lugares remotos para discutir Gödel, modelos picaretas, a hipótese de Riemann, quarks e quejandos, tiveram de carregar suas malas por longos terminais de aeroporto, sem cogitar em utilizar seu cérebro para solucionar um insignificante problema de transporte. (Dissemos que a sociedade intelectual premia as derivações "difíceis", em comparação com a prática, em que inexiste qualquer penalidade para a simplicidade.) E, ainda que essas mentes brilhantes tivessem devotado seus cérebros supostamente superdesenvolvidos a um problema tão óbvio e trivial, é muito provável que não chegassem a lugar algum.

Isso nos diz algo sobre o modo como mapeamos o futuro. Nós, humanos, carecemos de imaginação a ponto de nem sequer sabermos como serão as coisas importantes de amanhã. Usamos a aleatoriedade para nos alimentar com doses de descobertas — razão pela qual a antifragilidade é necessária.

A história da roda é em si ainda mais humilhante do que a da mala: continuam fazendo questão de nos lembrar de que os mesoamericanos não inventaram a roda. Eles a inventaram, sim. Eles tinham rodas. Mas eram rodinhas minúsculas que estavam em pequenos brinquedos feitos de madeira para as crianças. Foi exatamente como a história da mala: os maias e os zapotecas não deram o salto para a aplicação prática. Eles empregaram enormes quantidades de trabalho humano, milho e ácido láctico para deslocar gigantescas placas de pedra até os espaços planos, ideais para carrinhos de mão e carroças, onde construíram suas pirâmides. Eles também transportavam os blocos de pedra sobre toras de madeira. Enquanto isso, seus filhos pequenos rolavam seus brinquedos nos pisos de estuque (ou pode ser que nem mesmo fizessem isso, pois talvez os brinquedos fossem utilizados estritamente para propósitos mortuários).

A mesma história vale para o motor a vapor: os gregos tinham uma versão operacional dele, por diversão, é claro: a eolípila, uma turbina que girava quando aquecida, conforme descrita por Heron de Alexandria. Mas foi preciso haver a Revolução Industrial para que descobríssemos essa descoberta anterior.

Assim como os grandes gênios inventam seus predecessores, as inovações práticas criam sua ascendência teórica.

Há algo furtivo no processo de descoberta e implementação — algo que as pessoas, geralmente, chamam de evolução. Somos controlados por pequenas (ou grandes) mudanças acidentais, mais acidentais do que admitimos. Nós contamos vantagem, mas nossa imaginação é escassa, exceção feita a alguns visionários que parecem reconhecer a opcionalidade das coisas. Precisamos de alguma aleatoriedade para nos ajudar — com uma dose dupla de antifragilidade. Pois a aleatoriedade desempenha um papel significativo em dois níveis: invenção e implementação. O primeiro não chega a ser tão surpreendente, embora minimizemos o papel do acaso, em especial com relação a nossas próprias descobertas.

Mas precisei de uma vida inteira para entender o segundo ponto crucial: a implementação não provém, necessariamente, da invenção. Ela requer também a sorte e as circunstâncias propícias. A história da medicina está apinhada da estranha sequência da descoberta de uma cura, seguida, muito mais tarde, da implementação — como se as duas fossem empreendimentos completamente separados, a implementação sendo mais difícil, muito mais difícil do que a descoberta. A simples apresentação de algo ao mercado exige lutar contra um acúmulo de negativistas e pessimistas, administradores, zeros à esquerda metidos a besta, formalistas, montanhas de detalhes que convidam a pessoa a se deixar subjugar, e de tempos em tempos seu próprio ânimo esmorece. Em outras palavras, identificar a opção (mais uma vez, há a cegueira às opções). Aqui, é de sabedoria que você necessita para perceber o que tem em mãos.

O inventado pela metade. Pois há uma categoria de coisas que podemos chamar de inventadas pela metade, e promover a transformação do inventado pela metade em inventado é, não raro, a verdadeira inovação. Às vezes, precisamos de um visionário para descobrir o que fazer com uma descoberta, uma visão que ele, e só ele, consegue ter. Tome-se, por exemplo, o mouse do computador, ou o que chamamos de interface gráfica: foi preciso que Steve Jobs o colocasse sobre nossa mesa, e, em seguida, no nosso laptop – somente ele teve uma visão da dialética entre as imagens e os humanos –, mais tarde adicionando sons, para formar uma trialética. As coisas, como se diz, que estão "olhando para nós".

Além disso, as mais simples "tecnologias", ou talvez nem cheguem a ser tecnologias, mas ferramentas, a exemplo da roda, são as que parecem governar o mundo. Apesar do exagero ao redor, o que chamamos de tecnologia tem um índice de mortalidade muito alto, o que mostrarei no capítulo 20. Basta ter em mente que, de todos os meios de transporte engendrados nos últimos 3 mil anos ou mais desde as armas de ataque dos hicsos e os esboços de Heron de Alexandria, o transporte individual limita-se, hoje, a bicicletas e carros (e a algumas variantes entre os dois). Mesmo assim, as tecnologias parecem retroceder e avançar, com o que é mais natural e menos frágil suplantando o tecnológico. A roda, nascida no Oriente Médio, parece ter desaparecido depois que a invasão árabe apresentou ao Levante um uso mais genérico do camelo e os moradores constataram que o camelo era mais robusto – portanto, mais eficiente a longo prazo – do que a frágil tecnologia da roda. Ademais, uma vez que uma pessoa poderia controlar seis camelos, mas apenas uma carroça, o afastamento da tecnologia mostrou-se mais sensato do ponto de vista econômico.

Outra vez, menos é mais

A história da mala me veio à mente quando percebi, fitando uma xícara de café feita de porcelana, que existia uma definição simples de fragilidade, e, portanto, uma heurística de teste direta e prática: quanto mais simples e mais óbvia a descoberta, menos aparelhados estamos para entendê-la por métodos complexos. O mais importante é que aquilo que é significativo só pode ser revelado por meio da prática. Quantas dessas heurísticas simples, trivialmente simples, estão, neste exato momento, olhando para nós e rindo da nossa cara?

A história da roda ilustra também o ponto central deste capítulo: tanto os governos quanto as universidades fazem pouco, muito pouco em prol da inovação e da descoberta, precisamente porque, além de seu racionalismo ofuscante, procuram o complicado, o sensacionalista, o digno de nota, o narrado, o cientificista e o grandioso, raramente a rodinha na mala. A simplicidade, percebi, não rende medalhas.

Cuidado com as lacunas

Como vimos nas histórias de Tales e da roda, a antifragilidade (graças aos efeitos de assimetria de tentativa e erro) suplanta a inteligência. Mas é necessário haver *alguma* inteligência. Com base em nossa discussão sobre a racionalidade, constatamos que precisamos da capacidade de aceitar que aquilo que temos em nossas mãos é melhor do que o que tínhamos antes — em outras palavras, reconhecer a existência da opção (ou "exercer a opção", como dizem as pessoas no mundo dos negócios, ou seja, tirar proveito de uma alternativa valiosa que é superior àquela que a precede, com certo ganho por ter trocado uma pela outra, a única parte do processo em que se exige a racionalidade). E, com base na história da tecnologia, essa habilidade de usar a opção que nos é dada pela antifragilidade não é garantida: as coisas podem estar na nossa cara há muito tempo. Vimos a lacuna entre a roda e sua utilização. Os pesquisadores médicos chamam esse intervalo de "lacuna translacional", o intervalo de tempo entre a descoberta formal e a primeira implementação, que, devido ao excesso de ruído e aos interesses acadêmicos, está se prolongando nos tempos modernos, conforme foi mostrado por Contopoulos-Ioannidis e seus colegas.

O historiador David Wooton relata uma lacuna de dois séculos entre a descoberta dos germes e a aceitação dos germes como uma causa de doenças, um hiato de trinta anos entre a teoria dos germes da putrefação e o desenvolvimento da antissepsia, e um atraso de sessenta entre a antissepsia e a terapia à base de medicamentos.

Mas as coisas podem piorar. Na idade das trevas da medicina, os médicos costumavam confiar na ingênua ideia racionalista de um equilíbrio de humores no corpo, e se supunha que algum tipo de desequilíbrio era o causador das doenças, o que levou a uma série de tratamentos tidos como necessários para restaurar a estabilidade original. Em seu livro sobre humores, Noga Arikha mostra que depois de o mecanismo de circulação do sangue ter sido demonstrado por William Harvey, na década de 1620, esperava-se que tais teorias e práticas a elas associadas desaparecessem. Entretanto, as pessoas continuaram a se referir ao espírito e aos humores, e os médicos continuaram a receitar, por muitos séculos mais, flebotomias (incisões e sangrias), enemas (prefiro não explicar) e cataplasmas (aplicação de uma papa feita de pedaços úmidos de pão ou de cereal sobre alguma parte do corpo dolorida ou inflamada). Isso continuou inclusive depois de Pasteur ter demonstrado que os germes eram a causa daquelas doenças infecciosas.

Ora, por ser um empirista cético, não considero que resistir às novas tecnologias seja, *necessariamente*, irracional: esperar que o tempo coloque em operação seu teste pode ser uma estratégia válida, se alguém alegar que temos uma visão incompleta das coisas. É nisso que consiste o gerenciamento naturalista de riscos. No entanto, é categoricamente irracional aferrar-se a uma tecnologia antiga que nada tem de naturalista mas é, a olhos vistos, danosa, ou quando a mudança para uma nova tecnologia (como as rodinhas da mala) é, obviamente, livre de possíveis efeitos colaterais que não existiam na tecnologia anterior. E resistir à eliminação da antiga tecnologia é uma atitude francamente incompetente e criminosa (continuo afirmando que a eliminação de algo inatural não acarreta efeitos colaterais no longo prazo; é tipicamente livre de iatrogenia).

Em outras palavras, não dou crédito intelectual nenhum à resistência à implementação dessas descobertas, tampouco a explico por meio de alguma sabedoria oculta ou por uma atitude de gerenciamento de riscos: isso é, sem dúvida, um equívoco. É reflexo da crônica falta de heroísmo e da covardia por parte dos profissionais: poucos querem colocar em risco seu emprego e sua reputação em nome de mudanças.

A busca e como os erros podem ser investimentos

A tentativa e erro tem um valor primordial que as pessoas não conseguem entender: ela não é de fato aleatória; antes, graças à opcionalidade, exige alguma racionalidade. É preciso ser inteligente para reconhecer o resultado favorável e saber o que descartar.

E é preciso ser racional para não fazer da tentativa e erro algo completamente aleatório. Se você se esqueceu de onde guardou a carteira e a está procurando na sala de estar, em um modelo de tentativa e erro, você exerce a racionalidade evitando procurar duas vezes no mesmo lugar a carteira perdida. Em muitas buscas, toda tentativa e todo fracasso fornecem informações adicionais, uma mais valiosa do que a anterior — se você sabe o que não funciona, ou o lugar onde a carteira não está. A cada tentativa a pessoa fica mais próxima de algo, presumindo um ambiente em que ela sabe exatamente o que está procurando. Podemos, a partir da tentativa que não rende resultado positivo, descobrir progressivamente *para onde* ir.

Posso ilustrar melhor com o modus operandi de Greg Stemm, que se especializou em retirar do fundo do mar navios naufragados e há muito dados como desaparecidos. Em 2007, ele chamou sua (até então) maior descoberta de "Cisne Negro", em referência à ideia de procurar por algo que pagasse extremamente bem. O achado foi bastante considerável, um tesouro com metais preciosos que hoje vale 1 bilhão de dólares. O Cisne Negro de Stemm é uma fragata espanhola chamada *Nuestra Señora de las Mercedes*, que havia sido afundada pelos britânicos ao largo da costa sul de Portugal em 1804. Stemm provou ser um típico caçador de Cisnes Negros positivos e alguém que pode ilustrar que esse tipo de busca é uma forma altamente controlada de aleatoriedade.

Eu o conheci e compartilhei ideias com ele: a maioria de seus investidores (assim como os meus à época, pois eu ainda estava envolvido naquele ramo de negócios) não estava programada para entender que, para um caçador de tesouros, um trimestre "ruim" (significando gastos para financiar as buscas, mas sem nenhuma descoberta) não era indicativo de aperto, como ocorreria com um negócio de fluxo de caixa constante, a exemplo de um dentista ou uma prostituta. Por alguma dependência mental do domínio, as pessoas podem gastar dinheiro em, digamos, móveis de escritório, e não chamar isso de "prejuízo", mas, em vez disso, um investimento, e ainda assim tratariam o custo da busca como "perda".

Stemm utiliza o seguinte método: ele realiza uma abrangente análise da área geral onde o navio pode estar. Esses dados são sintetizados em um mapa elaborado com quadrantes de probabilidade. Define então uma área de busca, tendo em mente que é preciso ter certeza de que o navio naufragado não está em uma área específica, antes de se deslocar para uma área de menor probabilidade. Parece aleatório, mas não é. É o equivalente a procurar um tesouro em sua casa: cada busca tem, gradualmente, maior probabilidade de produzir um resultado, mas somente se você puder ter certeza de que a área que você vasculhou não é aquela onde está o tesouro.

Pode ser que alguns leitores não se empolguem muito com a moral da caça a navios naufragados, e talvez considerem que esses tesouros são propriedade nacional, e não privada. Por isso, vamos mudar de domínio. O método que Stemm utiliza aplica-se à exploração de petróleo e gás, em especial no fundo de oceanos inexplorados, com uma diferença: no caso dos despojos de um naufrágio, as vantagens estarão limitadas ao valor do tesouro, enquanto nos campos de petróleo e de outros recursos naturais elas são praticamente ilimitadas (ou têm um limite muito alto).

Por fim, lembre-se da minha discussão sobre a perfuração aleatória no capítulo 6 e sobre como ela parecia superior a técnicas mais direcionadas. Esse método de pesquisa norteado pela opcionalidade não é desarrazoadamente aleatório. Graças à opcionalidade, ele se torna uma aleatoriedade domesticada, cujo cultivo é proveitoso.

Destruições criativas e não criativas

Uma pessoa que apreendeu uma versão (parcial) do argumento de que tentativa e erro generalizada inclui, bem, *erros*, mas sem ter tido uma compreensão mais aprofundada da assimetria (ou do que, desde o capítulo 12, estamos chamando de opcionalidade), é o economista Joseph Schumpeter. Ele percebeu que algumas coisas precisam se quebrar para que o sistema se aperfeiçoe — o que é denominado de *destruição criativa* —, uma noção desenvolvida, entre muitos outros, pelo filósofo Karl Marx, e um conceito descoberto, como mostraremos no capítulo 17, por Nietzsche. Mas uma leitura de Schumpeter mostra que ele não pensava em incerteza e opacidade; ele estava completamente inebriado pelo intervencionismo, sob a ilusão de que os governos poderiam inovar por decreto, algo que vamos contradizer daqui a poucas páginas. Ele tampouco compreendeu a noção da disposição em camadas de tensões evolutivas. E, de modo ainda mais decisivo, tanto ele quanto seus detratores (os economistas de Harvard, que julgavam que ele não sabia matemática) não perceberam a noção de antifragilidade como efeito da assimetria (opcionalidade), portanto, da pedra filosofal — sobre a qual falaremos mais tarde — como o agente de crescimento. Ou seja, desperdiçaram metade da vida.

Ora, uma vez que uma fatia muito grande do conhecimento tecnológico prático provém da antifragilidade, da opcionalidade, de tentativa e erro, algumas pessoas e instituições querem esconder esse fato de nós (e delas próprias) ou, pelo menos, minimizar o papel dele.

Vamos refletir sobre dois tipos de conhecimento. O primeiro não é exatamente o "conhecimento"; seu feitio ambíguo nos impede de associá-lo às estritas definições de conhecimento. É uma maneira de fazer coisas que não somos capazes de expressar em linguagem clara e direta — às vezes chamada de *apofática* —, mas que fazemos mesmo assim, e fazemos bem. O segundo tipo é mais parecido com o que chamamos de "conhecimento"; é o que se adquire na escola, que pode ser avaliado por meio de notas e pontuações, pode ser codificado, é explicável, academizável, racionalizável, formalizável, teorizável, codificável, sovietizável, burocratizável, harvardizável, provável etc.

O erro do racionalismo ingênuo leva à superestimação do papel e da necessidade do segundo tipo, o conhecimento acadêmico, nos assuntos humanos — e ao aviltamento do tipo não codificável, mais complexo, intuitivo ou baseado na experiência.

Não existe prova contra a afirmação de que o papel que esse conhecimento explicável desempenha na vida é tão pequeno que não chega a ser nem sequer engraçado.

Somos muito propensos a acreditar que as habilidades e as ideias que efetivamente adquirimos por meio de *ação* antifrágil, ou que vieram naturalmente a nós (de nosso instinto biológico inato), provêm de livros, ideias e raciocínio. Isso nos torna cegos; é possível que exista em nosso cérebro alguma coisa que faz com que fiquemos encantados com esse aspecto. Vejamos como.

Recentemente, procurei por definições de tecnologia. A maioria dos textos a define como *a aplicação de conhecimento científico a projetos práticos* — o que nos leva a acreditar em um fluxo de conhecimento que se estende, principalmente (e até mesmo exclusivamente), da "ciência" grandiosa (organizada em torno de um grupo sacerdotal de pessoas com títulos antes do nome) à humilde prática (exercida por pessoas não iniciadas, sem dotes e capacidade intelectuais para pertencer ao grupo sacerdotal).

Dessa forma, em seu conjunto, o conhecimento é apresentado como uma derivação, da seguinte maneira: a pesquisa básica produz o conhecimento científico, que por sua vez gera tecnologias, que por sua vez levam a aplicações práticas, que por sua vez resultam em crescimento econômico e outros assuntos aparentemente interessantes. A compensação pelo "investimento" em pesquisa básica será parcialmente direcionada a mais investimentos em pesquisa básica, e os cidadãos vão prosperar e desfrutar dos benefícios dessa riqueza derivada do conhecimento, com carros Volvo, férias em estações de esqui, culinária mediterrânea e longas caminhadas de verão em parques cuidados com esmero.

Esse é o chamado modelo linear baconiano, em homenagem ao filósofo da ciência Francis Bacon; estou adaptando a representação desse modelo feita pelo cientista Terence Kealey (que como bioquímico é um cientista com atuação prática, e não um historiador da ciência), como se segue:

mundo acadêmico → ciência e tecnologia aplicada → prática

Ainda que esse modelo seja válido em algumas instâncias muito restritas (mas bastante propagandeadas) – por exemplo, a construção da bomba atômica –, o exato inverso parece ter embasamento na maioria dos domínios que examinei. Ou, pelo menos, esse modelo não tem a garantia de ser verdadeiro e, o que é espantoso, não há nenhuma evidência rigorosa de que seja verdadeiro. Talvez o mundo acadêmico ajude a ciência e a tecnologia, o que, por sua vez, ajuda a prática, mas de formas involuntárias, não teleológicas, como veremos mais adiante (em outras palavras, é a *pesquisa dirigida* que pode muito bem ser uma ilusão).

Vamos voltar à metáfora das aves. Pense no seguinte evento: um grupo de pessoas hieráticas (de Harvard ou de algum lugar do mesmo naipe) faz uma palestra para ensinar aos pássaros a voar. Imagine homens carecas, na faixa dos sessenta anos, vestidos com túnicas pretas, celebrando uma cerimônia em que usam um registro da língua inglesa repleto de jargões e de quebra com um par de equações aqui e ali. O pássaro voa. Que confirmação maravilhosa! Os homens saem correndo para o departamento de ornitologia a fim de escrever livros, artigos e relatórios, afirmando que a ave lhes obedeceu, uma impecável inferência causal. O Departamento de Ornitologia de Harvard é, agora, indispensável para o voo dos pássaros. A instituição receberá do governo verbas de pesquisa por sua contribuição.

matemática → tecnologias para a navegação ornitológica e o bater de asas → pássaros (ingratos) voam

Acontece, também, que os pássaros não escrevem artigos e livros, talvez porque sejam apenas aves, então nunca vamos conhecer sua versão da história. Enquanto isso, os sacerdotes continuam disseminando sua explicação à nova geração de seres humanos, que desconhecem por completo as condições do mundo anteriores à era das palestras de Harvard. Ninguém discute a possibilidade de que os pássaros não precisam de aulas — e ninguém recebe incentivo para investigar o número de pássaros que voam sem essa ajuda do formidável establishment científico.

A questão é que o que acabei de escrever parece ridículo, mas uma mudança de domínio faz com que pareça razoável. É evidente que nunca pensamos que é graças aos ornitólogos que os pássaros aprendem a voar — e, se algumas pessoas de fato sustentam essa crença, teriam dificuldade para convencer os pássaros. Mas por que é que, quando antropomorfizamos e substituímos "pássaros" por "homens", a ideia de que as pessoas aprendem a fazer coisas graças a aulas e palestras se torna plausível? Quando se trata da agência humana, os assuntos subitamente tornam-se confusos para nós.

Assim, a ilusão cresce cada vez mais, com financiamentos governamentais, dinheiro de impostos, burocracias inchadas (e que se autoalimentam) em Washington dedicadas a ajudar os pássaros a voar melhor. Ocorrem problemas quando as pessoas começam a cortar esse tipo de financiamento — com uma enxurrada de acusações de que não ajudar as aves a voar significa matá-las.

Um ditado iídiche afirma: "Se o aluno é inteligente, o professor é quem leva o crédito". Essas ilusões de contribuição resultam em grande medida de falácias de confirmação: além do triste fato de que a história pertence àqueles que são capazes de escrever sobre ela (sejam vencedores ou perdedores), um segundo viés aparece, já que aqueles que escrevem os relatos podem apresentar fatos confirmatórios (o que funcionou), mas não uma visão completa do que funcionou e do que deu errado. Por exemplo, pesquisas dirigidas diriam a você o que funcionou a partir dos financiamentos (a exemplo dos medicamentos contra aids, ou alguns fármacos sintéticos modernos), e não o que falhou – assim, talvez você fique com a impressão de que isso tem melhor desempenho do que a aleatoriedade.

E, é claro, a iatrogenia nunca faz parte da narrativa. Ninguém nunca nos diz se a educação nos prejudica em alguns aspectos.

Assim, ficamos cegos à possibilidade do processo alternativo ou ao papel desse processo, em um circuito fechado:

experimentações e improvisos aleatórios (antifrágeis) → heurística (tecnologia) → prática e modelo de mestre-aprendiz → experimentações e improvisos aleatórios (antifrágeis) → heurística (tecnologia) → prática e modelo de mestre-aprendiz...

Em paralelo ao círculo anterior,

prática → teorias acadêmicas → teorias acadêmicas → teorias acadêmicas → teorias acadêmicas... (é claro, com algumas exceções, alguns vazamentos acidentais, embora estes de fato sejam raros, alvo de divulgações exageradas e grosseiramente generalizados).

Ora, o fato essencial é que é possível detectar a fraude do assim chamado modelo baconiano observando minuciosamente os eventos na época anterior às aulas e palestras de Harvard sobre voos e examinando os pássaros. Foi o que descobri de maneira acidental (a bem da verdade, de maneira acidental) em minha própria carreira como profissional com atuação prática convertido em pesquisador da volatilidade, graças a alguma afortunada reviravolta. Mas, antes disso, permita-me explicar os epifenômenos e o vetor da educação.

EPIFENÔMENOS

A ilusão soviética de Harvard (ensinar os pássaros a voar e acreditar que a palestra é a causa dessas maravilhosas habilidades) pertence a uma classe de ilusões causais chamadas *epifenômenos*. O que são essas ilusões? Quando uma pessoa passa algum tempo na ponte de comando de um navio ou na cabine do timoneiro com uma imensa bússola na sua frente, facilmente desenvolve a impressão de que é a bússola que está dirigindo o navio, em vez de apenas refletir a direção da embarcação.

O efeito de ensinar os pássaros a voar é um exemplo de crença epifenomênica: vemos um elevado grau de pesquisa acadêmica em países ricos e desenvolvidos, o que nos leva a pensar, de forma acrítica, que a pesquisa é o que gera a riqueza. Em um epifenômeno, não se costuma observar A sem observar ao mesmo tempo B, então é justo pensar que A causa B, ou que B causa A, dependendo da conjuntura cultural ou do que parece plausível para os jornalistas locais.

Raramente temos a ilusão de que, dado o fato de que muitos meninos têm cabelo curto, o gênero é determinado pelo uso de cabelo curto ou que usar uma gravata faz com que uma pessoa se torne um homem de negócios. Mas é fácil render-se a outros epifenômenos, principalmente para quem está imerso em uma cultura norteada pelo noticiário.

E pode-se facilmente perceber a armadilha de fazer com que esses epifenômenos fomentem a ação, para, depois, justificá-la de forma retroativa. Um ditador — tal qual um governo — se sentirá indispensável, pois a alternativa não é facilmente visível, ou foi ocultada por grupos de interesses específicos. O Federal Reserve, por exemplo, pode fazer estragos na economia e, ainda assim, sentir-se convencido de sua eficácia. As pessoas têm medo das alternativas.

A ganância como causa

Sempre que ocorre uma crise econômica, a ganância é apontada como a causa, o que nos deixa com a impressão de que, se pudéssemos chegar à raiz da ganância e extirpá-la da vida, as crises seriam eliminadas. Além disso, tendemos a acreditar que a ganância é uma novidade, uma vez que essas desvairadas crises econômicas são algo novo. Isto é um epifenômeno: a ganância é muito mais antiga do que a fragilidade sistêmica. Já existia desde tempos ancestrais, até onde é possível escarafunchar os anais da história. Pela menção de Virgílio à *ganância de ouro* e pela expressão *radix malorum est cupiditas* [A ganância é a raiz de todo o mal] (a partir da versão latina do Novo Testamento),* ambas

* A fonte original a que o autor se refere é 1 Timóteo 6:10: "Porque o amor do dinheiro é raiz de todos os males; e alguns, nessa cobiça, se desviaram da fé e a si mesmos se atormentaram com muitas dores". Tradução de João Ferreira Almeida, revista e atualizada. (N. T.)

proferidas há mais de vinte séculos, sabemos que os mesmos problemas relativos à ganância foram propostos ao longo do tempo, sem nenhuma cura, é claro, apesar da variedade de sistemas políticos que desenvolvemos desde então. O romance de Trollope, *The Way We Live Now* [O modo como vivemos agora], publicado quase um século e meio atrás, mostra exatamente a mesma reclamação sobre um ressurgimento de impostores e manipuladores da cobiça que ouvi em 1988, com lamentações sobre a "década da ganância", ou em 2008, com as provocações contra a "ganância do capitalismo". Com espantosa regularidade, a ganância é vista como algo (a) novo e (b) suscetível de ser curado. Um enfoque à moda da cama de Procusto; não podemos mudar os seres humanos com a mesma facilidade com que podemos construir sistemas à prova de ganância, e ninguém pensa em soluções simples.*

Da mesma maneira, a "falta de vigilância" é invariavelmente apontada como a causa de um erro (conforme veremos na história da Société Générale, no Livro V, as causas foram o tamanho e a fragilidade). Mas a falta de vigilância não é a causa da morte de um chefão da máfia; a causa da morte é fazer inimigos, e a cura é fazer amigos.

Desmistificando os epifenômenos

Podemos tentar encontrar epifenômenos no discurso cultural e na consciência observando a sequência dos eventos e verificando se um sempre precede o outro. Esse método foi refinado pelo falecido Clive Granger (um refinado cavalheiro), ganhador de um merecido Nobel em Economia — o prêmio do Banco da Suécia (Sveriges Riksbank) em homenagem a Alfred Nobel que já foi dado a inúmeros fragilistas. É a única técnica rigorosamente científica que filósofos da ciência podem usar para estabelecer a causalidade, uma vez que agora eles conseguem extrair, se não medir, a assim chamada "causa Granger",

* A democracia é epifenomênica? Em teoria, a democracia funciona por causa dessa santificada tomada de decisões racional por parte dos eleitores. Mas considere que a democracia pode ser algo completamente acidental para alguma outra coisa, o efeito colateral de pessoas que gostam de ir às urnas por motivos completamente obscuros, assim como as pessoas gostam de se expressar pelo mero gosto de se expressar (certa vez, apresentei essa questão em uma conferência de ciências políticas, e a única resposta que obtive foram caras de paisagem de nerds, nem mesmo um sorriso).

examinando as sequências. Em situações epifenomênicas, você acaba vendo A e B juntos. Porém, se refinar sua análise levando em conta a sequência, consequentemente introduzindo uma dimensão de tempo — o que ocorre primeiro, A ou B? —, e analisar as evidências, então descobrirá se A realmente causa B.

Além disso, Granger teve a grande ideia de estudar as diferenças, isto é, *mudanças* em A e B, e não apenas os níveis de A e B. Embora eu não acredite que o método de Granger me leve a acreditar com convicção que "A causa B", pode me ajudar a desmistificar a falsa causalidade, permitindo-me dizer que "a afirmação de que B causa A está errada" ou que a sequência fornece provas insuficientes.

A grande diferença entre teoria e prática está, precisamente, na detecção da sequência de eventos e na retenção da sequência na memória. Se a vida só pode ser compreendida olhando-se para trás, mas só pode ser vivida olhando-se para a frente, como Kierkegaard observou, então os livros exacerbam esse efeito — nossas próprias lembranças, nosso aprendizado e nosso instinto têm sequências inerentes. Alguém que observa certos eventos hoje *sem tê-los vivido* estaria inclinado a desenvolver ilusões de causalidade, principalmente por ficar confuso pela sequência de eventos. Na vida real, apesar de todos os vieses, não temos o mesmo número de assincronias que aparecem para o estudante de história. História asquerosa, cheia de mentiras, cheia de vieses!

Um exemplo de artifício para desmistificar a causalidade: ainda não morri, mas já estou vendo deturpações sobre a minha obra. Os autores teorizam sobre uma suposta linhagem das minhas ideias, como se as pessoas lessem livros e depois desenvolvessem ideias, sem se perguntar se talvez não seja exatamente o contrário; as pessoas procuram os livros que corroboram sua programação mental. Dessa forma, um jornalista (Anatole Kaletsky) viu uma influência de Benoît Mandelbrot em meu livro *Iludidos pelo acaso*, publicado originalmente em 2001, quando eu nem sequer sabia quem era Mandelbrot. É simples: o jornalista notou semelhanças de pensamento em um tipo de domínio, levou em conta a diferença de idade e fez a falsa inferência, sem nem pensar. Ele não refletiu que pessoas que compartilham das mesmas ideias estão inclinadas a se aproximar, e que essa semelhança intelectual causou a aproximação, e não o contrário. Isso me faz desconfiar das relações mestre-aluno sobre as quais lemos na história da cultura: quase todas as pessoas que foram chamadas de meus alunos foram meus alunos porque partilhávamos da mesma disposição mental.

Escolha seletiva (ou a falácia de confirmação)

Pense nos panfletos turísticos utilizados pelos países para fazer propaganda de seus produtos: você pode ter certeza de que as imagens apresentadas terão um aspecto muitíssimo melhor do que qualquer coisa que você encontrará pessoalmente no local. E o viés, a diferença (à qual os seres humanos se ajustam, graças ao bom senso), pode ser medido como o *país mostrado no panfleto turístico* menos *o país visto a olho nu*. Essa diferença pode ser pequena ou grande. Também fazemos esse tipo de correção com os produtos comerciais, sem confiar demais na publicidade.

Mas não fazemos ajustes sobre as diferenças na ciência, na medicina e na matemática, pelas mesmas razões por que não prestamos atenção na iatrogenia. Somos fanáticos pela sofisticação.

Na pesquisa institucional, é possível que um indivíduo relate, de forma seletiva, fatos que confirmam sua própria história, sem revelar fatos que a invalidem ou que não se apliquem a ela — de modo que a percepção pública da ciência é influenciada a acreditar na necessidade dos métodos harvardizados altamente conceitualizados, precisos e depurados. E a pesquisa estatística tende a ser descaracterizada por essa unilateralidade. Outra razão pela qual se deve confiar mais no desconfirmatório do que no confirmatório.

O mundo acadêmico está bem equipado para nos dizer o que fez por nós, não o que não fez — portanto, o quanto seus métodos são indispensáveis. Isso abrange muitas coisas na vida. Os *traders* falam sobre seus êxitos, e, assim, quem ouve é levado a acreditar que eles são inteligentes — deixando de lado seus fracassos ocultos. Quanto à ciência acadêmica: alguns anos atrás, o grande matemático anglo-libanês Michael Atiyah, famoso por seu papel no desenvolvimento da teoria das cordas, veio a Nova York a fim de arrecadar fundos para um centro de pesquisa de matemática sediado no Líbano. Em seu discurso, ele enumerou aplicações nas quais a matemática mostrava-se útil para a sociedade e para a vida moderna — por exemplo, na sinalização de trânsito. Muito bem. Mas e quanto às áreas em que a matemática nos levou a desastres (por exemplo, economia ou as finanças, onde causou a explosão do sistema)? E quanto às áreas fora do alcance da matemática? Pensei, naquele mesmo momento, em um projeto diferente: um catálogo listando onde a matemática não consegue produzir resultados, portanto provoca danos.

A escolha seletiva tem opcionalidade: a pessoa que conta a história (e a publica) tem a vantagem de ser capaz de apresentar os exemplos positivos e ignorar por completo o resto — e quanto mais volatilidade e dispersão, mais cor-de-rosa será a melhor das histórias (e mais sombria será a pior das histórias). Alguém com opcionalidade — o direito de selecionar e escolher sua história — está apenas informando o que se ajusta a seu propósito. A pessoa seleciona as vantagens de sua história e esconde as desvantagens, de modo que somente o que é sensacional parece ter importância.

O mundo real depende da inteligência da antifragilidade, mas universidade nenhuma engoliria isso — assim como os intervencionistas não aceitam que as coisas possam melhorar sem a sua intervenção. Vamos voltar à ideia de que as universidades geram riqueza e aumento do conhecimento útil na sociedade. Existe uma ilusão de causalidade aqui; é hora de mandá-la pelos ares.

14. Quando duas coisas não são a "mesma coisa"

Madeira verde, outro "azul" — Em que procuramos o vetor da descoberta — Colocando o Iraque no meio do Paquistão — Prometeu nunca olhou para trás

Escrevo estas linhas em um local adequado para pensar a respeito do vetor do conhecimento: Abu Dhabi, uma cidade que brotou no meio do deserto, como que regada de petróleo.

Sinto um mal-estar ao ver a construção dessas enormes universidades, financiadas por receitas governamentais oriundas do petróleo, sob o postulado de que as reservas petrolíferas podem ser transformadas em conhecimento contratando-se professores de universidades prestigiosas e matriculando as crianças na escola (ou, como é o caso, torcendo para que as crianças sintam o desejo de ir à escola, uma vez que muitos estudantes de Abu Dhabi são da Bulgária, Sérvia ou Macedônia e recebem educação gratuita). Melhor ainda, eles podem, com um único cheque, trazer uma escola inteira de algum país estrangeiro, como a Sorbonne e a Universidade de Nova York (entre muitas outras). Assim, em poucos anos, os membros dessa sociedade colherão os benefícios de um grande aprimoramento tecnológico.

Parece ser um investimento razoável, se aceitarmos a noção de que o *conhecimento universitário gera riqueza econômica*. Mas essa é uma crença que surge mais da superstição do que do empirismo. Lembre-se da história da

Suíça, contada no capítulo 5 — trata-se de um país com um baixíssimo nível de educação formal.* Eu me pergunto se a minha sensação ruim resulta da impressão de que essas tribos do deserto estão sendo separadas de seu dinheiro pelo mesmo establishment que vem sugando — até exaurir — seus recursos e os desviando para administradores de universidades ocidentais. Sua riqueza veio do petróleo, e não de algum conhecimento prático vocacional, por isso tenho certeza de que seus gastos em educação são completamente estéreis, uma grande transferência de recursos (em vez da exploração da antifragilidade forçando seus cidadãos a ganhar dinheiro naturalmente, mediante as circunstâncias).

Onde estão os estressores?

Há algo que escapa ao modelo de Abu Dhabi. Onde estão os estressores?

Lembre-se das citações de Sêneca e de Ovídio no sentido de que a sofisticação nasce da necessidade, e o sucesso, das dificuldades — de fato, muitas dessas variações, cuja fonte remonta aos tempos medievais (a exemplo de *necessitas magistra*, de Erasmo), conseguiram chegar a nosso vernáculo cotidiano, como "a necessidade é a mãe da invenção". A melhor delas, como de costume, é do mestre aforista Públio Siro: "A pobreza produz experiências" (*hominem experiri multa paupertas iubet*). Mas tanto a expressão como a ideia aparecem, de uma forma ou de outra, em muitos autores clássicos, incluindo Eurípides, Pseudo-Teócrito, Plauto, Apuleio, Zenóbio, Juvenal, e é claro que hoje é chamada de "crescimento pós-traumático".

Presenciei a sabedoria ancestral em ação no sentido diametralmente oposto da situação de Abu Dhabi. Minha aldeia natal levantina, Amioun, foi saqueada e evacuada durante a guerra, e seus habitantes mandados para o exílio planeta afora. Vinte e cinco anos depois, tornou-se opulenta, recuperando-se com força máxima: minha própria casa, que foi dinamitada, é agora *maior* do que sua versão anterior. Meu pai, mostrando-me a multiplicação de elegantes casas de campo na zona rural, lamentando a existência desses novos-ricos, disse-me,

* O sistema educacional da Suíça tradicionalmente se baseia no aprendizado profissionalizante. Mas agora está cada vez mais orientado para a instrução formal, e pode ser que perca esse diferencial que é uma margem de competitividade. O sucesso e a riqueza trazem transformações que acabam trazendo fragilidades.

com toda calma: "Se tivesse ficado aqui, você também teria se tornado um vagabundo qualquer. O povo de Amioun só é bem-sucedido quando é abalado". Isso é antifragilidade.

L'art pour l'art, *aprender pelo prazer de aprender*

Agora, vamos analisar as evidências da direção do vetor causal, isto é, se é verdade que o conhecimento norteado por aulas e palestras leva à prosperidade. Investigações empíricas sérias (em grande medida graças a certo Lant Pritchett, então economista do Banco Mundial) não mostram evidência alguma de que aumentar o nível geral de educação aumenta a renda de um país inteiro. Mas sabemos que o oposto é verdadeiro, que a riqueza leva ao aumento da educação — não é uma ilusão de ótica. Não precisamos recorrer a dados do Banco Mundial; poderíamos deduzir isso sentados em uma poltrona. Vamos entender a direção do vetor:

educação → riqueza e crescimento econômico

ou

riqueza e crescimento econômico → educação

E a evidência é muito fácil de verificar, está bem na nossa frente. Ela pode ser obtida observando-se os países que ao mesmo tempo são ricos e têm algum nível de educação, e avaliando qual condição precedeu a outra. Levemos em conta o poderoso argumento, de estilo *menos-é-mais*, defendido pelo economista renegado Ha-Joon Chang. Em 1960, Taiwan tinha uma taxa de alfabetização muito menor do que a das Filipinas, e metade da renda per capita; hoje, Taiwan tem uma renda dez vezes maior. Ao mesmo tempo, o índice de alfabetização da Coreia era muito menor do que o da Argentina (que tinha uma das taxas mais altas do mundo) e cerca de um quinto da renda per capita do país sul-americano; hoje, tem três vezes mais. Além disso, no mesmo período, a África Subsaariana viu um significativo aumento em suas taxas de alfabetização, acompanhado de um decréscimo de seu padrão de vida. Podemos multiplicar os exemplos (o estudo de Pritchett é bastante abrangente), mas me pergunto por que as pessoas não percebem essa obviedade incontestável, ou seja, o efeito *iludidos pelo acaso*: confundir o meramente associativo com o causal, isto é, se os países ricos apresentam alto índice de instrução formal, imediatamente inferir que a educação é o que torna um país rico, sem nem mesmo indagar a veracidade disso. Aqui, mais uma vez o epifenômeno (o erro de raciocínio é em parte distorção da realidade, porque a educação é considerada "boa"; surpreende-me que as pessoas não fazem a associação epifenomênica entre a riqueza de um país e alguma coisa "ruim", digamos, a decadência, e inferem que a decadência, ou alguma outra doença da riqueza, como uma alta taxa de suicídio, também gera riqueza).

Não estou dizendo que, para o indivíduo, a educação é inútil: ela constrói credenciais benéficas que são de grande ajuda na carreira das pessoas — mas esse efeito sai de cena no âmbito do país como um todo. A educação estabiliza a renda das famílias ao longo das gerações. Um comerciante ganha dinheiro, e então seus filhos vão para a Sorbonne, tornam-se médicos e magistrados. A família mantém a riqueza, pois os diplomas permitem que seus membros permaneçam na classe média muito tempo depois que a riqueza ancestral se esgotou. Mas, para os países, esses efeitos não contam.

Além disso, Alison Wolf desmistifica a falha lógica em ir do argumento de que é difícil imaginar a Microsoft ou a British Aerospace sem conhecimento avançado para a ideia de que mais educação significa mais riqueza. "A mera relação unidirecional que tanto fascina nossos políticos e comentaristas — maiores gastos em educação resultam em maior crescimento econômico — simplesmente não existe. Além do mais, quanto maior e mais complexo o setor da educação, menos patentes tornam-se quaisquer vínculos com a produtividade." E, como Pritchett, Wolf analisa países como o Egito, mostrando como o gigantesco salto na educação egípcia não se traduziu no Altamente Estimado Crescimento de um PIB Áureo que Torna os Países Importantes ou Desimportantes nas Tabelas de Classificação.

Esse argumento não se opõe à adoção de políticas educacionais do governo para fins nobres, como a redução da desigualdade na população, permitindo que os pobres tenham acesso a boa literatura e leiam Dickens, Victor Hugo ou Julien Gracq, ou o aumento da liberdade das mulheres nos países pobres, o que no fim das contas diminui as taxas de natalidade. Mas, então, ninguém deveria usar as desculpas de "crescimento" ou "riqueza" nesse assunto.

Certa vez, encontrei por acaso Alison Wolf em uma festa (festas são ótimas para a opcionalidade). Quando pedi a ela que explicasse às outras pessoas suas evidências sobre a ineficácia do financiamento à educação formal, uma pessoa mostrou-se frustrada com nosso ceticismo. Wolf respondeu que "a verdadeira educação é esta", apontando para a sala repleta de pessoas batendo papo. Nesse sentido, não estou dizendo que o conhecimento não é importante; nessa discussão o ceticismo aplica-se à variedade de conhecimento comoditizado, pré-embalado e edulcorado, coisas que o indivíduo pode comprar no mercado aberto e usar para autopromoção. Além disso, o leitor me permita lembrá-lo de que erudição e educação organizada não são a mesma coisa.

Outra história sobre festas. Certa vez, em um jantar formal, um sujeito que falava rápido lamentava o deprimente nível de educação nos Estados Unidos — embriagado pelo alarmismo das notas ruins em matemática. Embora eu tenha concordado com todos seus outros pontos de vista, senti-me obrigado a intervir. Eu o interrompi para apresentar o argumento de que os valores dos Estados Unidos eram uma exposição a riscos "convexa", e que eu estava feliz por não sermos iguais às culturas de supermães-helicóptero — o tipo de coisa sobre a qual estou escrevendo aqui. Todos ficaram perplexos, confusos ou em pesada ainda que silenciosa discordância, exceto uma pessoa que veio manifestar seu apoio. No fim revelou-se que era a diretora do sistema escolar de Nova York.

De resto, perceba que não estou dizendo que as universidades não geram conhecimento e não ajudam no crescimento (excetuando, é claro, a maior parte da economia-padrão e outras superstições que nos emperram); tudo que estou afirmando é que seu papel é excessivamente alardeado e superestimado, e que seus membros parecem tirar proveito de nossa credulidade em estabelecer relações causais equivocadas, com base, principalmente, em impressões superficiais.

Companhias refinadas para o jantar

A educação tem benefícios além da estabilização da renda familiar. A educação transforma as pessoas em companhias mais refinadas para o jantar, o que não é insignificante. Mas a ideia de educar as pessoas a fim de melhorar a economia é bastante recente. Cinquenta anos atrás, o governo britânico documentava um objetivo para a educação diferente do que temos hoje: cultivo de valores, formação de bons cidadãos e "aprendizagem", e não o crescimento econômico (eles não eram otários naquela época) – ponto também defendido por Alison Wolf.

Da mesma forma, antigamente a aprendizagem se dava pelo prazer de aprender, para transformar indivíduos em boas pessoas, com quem valesse a pena conversar, e não para aumentar o estoque de ouro nos cofres da cidade, guardados a sete chaves. Os empreendedores, particularmente aqueles em funções técnicas, não são, necessariamente, as melhores companhias à mesa do jantar. Lembro-me de uma heurística que eu usava na minha antiga profissão quando contratava pessoas (chamada de "separar as que, quando vão a um museu, olham para o Cézanne pendurado na parede das que concentram a atenção no conteúdo da lata de lixo"): quanto mais interessantes são suas conversas, quanto mais cultas, mais cairão na armadilha de pensar que são eficazes no que estão fazendo no mundo dos negócios da vida real (algo que os psicólogos chamam de *efeito halo*, o erro de pensar que as habilidades, em esqui, por exemplo, se traduzem, de modo infalível, em habilidades na gestão de uma fábrica de cerâmica ou de um departamento bancário, ou que um bom enxadrista seria um bom estrategista na vida real).*

É claro que carece de rigor a equiparação entre as *habilidades de fazer* e as *habilidades de falar*. Minha experiência com os bons profissionais com atuação prática é que eles podem ser totalmente incompreensíveis – eles não têm que investir uma grande quantidade de energia para converter suas ideias e sua coerência interna em estilo e narrativas elegantes. Empreendedores são selecionados para ser apenas fazedores, e não pensadores, e fazedores fazem, não falam, e seria injusto, errado e absolutamente insultante avaliá-los segundo sua desenvoltura oral. O mesmo vale para os artesãos: a qualidade está em seu produto, e não em sua conversa – na verdade, eles podem facilmente ter falsas convicções de que, como um efeito colateral (iatrogenia inversa), isso os leva a fazer produtos melhores, e daí? Os burocratas, por outro lado, devido à falta de uma métrica objetiva para calcular o sucesso e por causa da ausência de forças de mercado, são selecionados com base nos "efeitos halo" da aparência e da elegância superficiais. O efeito colateral é fazer com que as habilidades conversacionais deles sejam aprimoradas. Tenho plena certeza de que um jantar com um alto funcionário das Nações Unidas seria mais interessante do

* O efeito halo é, basicamente, o oposto da dependência do domínio.

que com um dos primos de Tony Gordo ou com um empresário do ramo da computação obcecado por circuitos eletrônicos.

Vamos analisar mais a fundo essa falha na maneira de pensar.

A FALÁCIA DA MADEIRA VERDE

Em um dos raros livros não charlatanescos sobre finanças, de título bastante descritivo, *What I Learned Losing a Million Dollars* [O que aprendi perdendo 1 milhão de dólares], o protagonista faz uma grande descoberta. Ele comenta que um sujeito chamado Joe Siegel, um dos mais bem-sucedidos comerciantes de uma mercadoria chamada "madeira verde", pensava, na verdade, que o produto era uma madeira pintada de verde (e não uma madeira recém-cortada, chamada de verde por não ter sido submetida a um processo de secagem). E seu trabalho consistia em comercializar esse material! Enquanto o narrador enveredava por grandiosas teorias intelectuais e narrativas acerca do que causava a oscilação do preço das mercadorias, foi à falência.

A questão não é apenas que o bem-sucedido especialista em madeira ignorava aspectos básicos, por exemplo a designação "verde". Ele também sabia coisas sobre madeira que os não especialistas consideram desimportantes. As pessoas a quem chamamos de ignorantes talvez não o sejam realmente.

O fato é que prever o fluxo de pedidos de madeira e a narrativa habitual tinha pouco a ver com os detalhes que um observador de fora consideraria importantes. As pessoas que fazem coisas na prática não são submetidas a testes predeterminados; elas são selecionadas da maneira mais não discursiva possível — bons argumentos não fazem muita diferença. A evolução não depende de narrativas, os seres humanos sim. A evolução não precisa de uma palavra para a cor azul.

Assim, vamos chamar de *falácia da madeira verde* a situação em que alguém confunde uma fonte de conhecimento necessário — a cor verde da madeira — com outra, menos visível do exterior, menos manejável, menos narrável.

Meu mundo intelectual se estraçalhou, como se tudo que eu tinha estudado fosse não apenas inútil, mas uma fraude convincente — da seguinte forma. Quando me tornei um profissional de derivativos ou "volatilidade" (especializei-me em não linearidades), me concentrei em taxas de câmbio, campo no qual já estava entranhado havia vários anos. Tive de conviver com *traders* de câmbio estrangeiro — pessoas que não estavam familiarizadas com instrumentos técnicos como eu estava; o trabalho delas consistia simplesmente em comprar e vender moedas. A troca de dinheiro é uma profissão antiquíssima, com uma vasta tradição e perícia; lembre-se da história de Jesus Cristo e dos cambistas no Templo de Jerusalém. Eu, que vinha de um ambiente altamente requintado de uma prestigiosa universidade de elite estilo Ivy League, fiquei um tanto chocado. Era de se pensar que as pessoas que se especializam em câmbio estrangeiro entendem de economia, geopolítica, matemática, o preço futuro das moedas, diferenciais de preços de país para país. Ou que leem assiduamente os relatórios econômicos publicados por vários institutos em revistas de papel cuchê. Alguém poderia também imaginar indivíduos cosmopolitas, que frequentam a ópera nas noites de sábado usando gravatas do tipo plastrão, que deixam nervosos os sommeliers de vinho e fazem aulas de tango nas tardes de quarta-feira. Ou que falam um inglês inteligível. Nada disso.

Meu primeiro dia no trabalho foi uma assombrosa descoberta do mundo real. À época, a população dos *traders* dos mercados de câmbio compunha-se, em sua maioria, de italianos provenientes de Nova Jersey e do Brooklyn. Eram pessoas que tinham a esperteza das ruas, que haviam começado no setor administrativo dos bastidores dos bancos, fazendo transferências bancárias, e quando o mercado se expandiu, e chegou a explodir, com o crescimento do comércio e a livre flutuação do câmbio, tornaram-se *traders* e subiram nos negócios. E prosperaram.

Minha primeira conversa com um especialista foi com um sujeito chamado B. Um cara com um nome-qualquer-terminado-em-vogal, vestido com um terno Brioni feito à mão. Fui informado de que ele havia sido o maior *trader* de francos suíços do mundo, uma lenda em seu tempo — ele previu o grande colapso do dólar em 1980 e controlava imensas posições. Mas uma breve conversa revelou que ele não era capaz de localizar a Suíça no mapa — tolo como eu era, pensei que ele fosse italiano-suíço, mas o homem nem sequer sabia que havia falantes de italiano na Suíça. Ele jamais havia estado lá. Quando constatei que ele não era a exceção, comecei a surtar ao ver todos aqueles meus anos de formação evaporando-se bem diante dos meus olhos. Nesse mesmo dia, parei de ler os relatórios econômicos. Durante essa minha empreitada de "desintelectualização", por algum tempo senti um mal-estar — verdade seja dita, pode ser que eu ainda não tenha me recuperado disso.

Se Nova York teve origem operária, Londres foi subproletária, e ainda mais bem-sucedida. Seus personagens eram totalmente *cockneys*, ainda mais apartados da sociedade capaz de construir frases completas e inteligíveis. Eram da região leste de Londres, com a esperteza das ruas (bem das ruas), com um sotaque inconfundível, usando seu próprio sistema de numeração. Cinco era "Lady Godiva" ou "ching"; quinze era "comodoro"; 25 era "pônei" etc. Tive de aprender *cockney* apenas para me comunicar e, principalmente, para acompanhar meus colegas nas bebedeiras durante as minhas visitas; na época, os *traders* londrinos embebedavam-se quase todos os dias na hora do almoço, especialmente na sexta-feira, antes da abertura do pregão de Nova York. "A cerveja te transforma em um leão", contou-me um colega, terminando às pressas sua bebida antes da abertura da Bolsa de Nova York.

As cenas mais hilárias eram quando eu ouvia pelos alto-falantes as conversas transatlânticas entre aquele pessoal de Bensonhurst, em Nova York, e os corretores *cockney*, em especial quando o colega do Brooklyn tentava acrescentar a sua pronúncia um leve sotaque *cockney* para ser compreendido (às vezes aqueles *cockneys* não falavam *nem uma* palavra do inglês-padrão).

E foi assim que aprendi a lição de que preço e realidade, do ponto de vista dos economistas, *não são a mesma coisa*. Um pode ser função do outro, mas a função é por demais complexa para mapear em termos matemáticos. Talvez a relação tenha opcionalidade aqui e ali, algo que essas pessoas não-versadas-na-construção-de-frases no fundo sabiam muito bem.*

* A princípio, eu achava que teorias econômicas não eram necessárias para entender os movimentos de curto prazo nas taxas de câmbio, mas no fim ficou claro que a mesma limitação se aplicava aos movimentos de longo prazo. Muitos economistas que brincam com especulação cambial usaram a noção de "paridade de poder de compra" para tentar prever as taxas de câmbio, com base na noção de que a longo prazo os preços "de equilíbrio" não podem divergir demais e que as taxas de câmbio precisam ajustar-se, de modo que um quilo de presunto precisará, mais dia, menos dia, ter um preço semelhante em Londres e em Newark, Nova Jersey. Sob escrutínio, aparentemente não há validade operacional nessa teoria — as moedas que ficam caras tendem a ficar ainda mais caras, e a maioria dos Tony Gordos, na verdade, ganhou fortunas seguindo a regra inversa. Mas os teóricos diriam que, "no longo prazo", ela deveria funcionar. Que longo prazo? É impossível tomar uma decisão com base nessa teoria, mas mesmo assim eles a ensinam aos alunos, porque, sendo acadêmicos, desprovidos de heurísticas e precisando de algo complicado, nunca encontraram nada melhor para ensinar.

Como Tony Gordo ficou rico (e gordo)

Tony Gordo se tornou (literalmente) Tony Gordo, rico e mais pesado, no pós-Guerra do Kuwait (a sequência foi convencional, isto é, primeiro rico, depois gordo). Isso foi em janeiro de 1991, no dia em que os Estados Unidos atacaram Bagdá para restituir o Kuwait, que havia sido invadido pelo Iraque.

Todas as pessoas inteligentes em socioeconomia tinham sua teoria, suas probabilidades, suas hipóteses e tudo o mais. Menos Tony Gordo. Ele nem sequer sabia onde ficava o Iraque, se era uma província do Marrocos ou algum emirado com comida picante ao leste do Paquistão — ele não conhecia a comida, portanto o local não existia para ele.

Tudo o que ele sabia é que existem otários.

Se, naquela época, você perguntasse a qualquer "analista" ou jornalista inteligente, eles teriam previsto um aumento do preço do petróleo *caso houvesse* guerra. Mas esse vínculo causal era precisamente o que Tony não conseguia dar como certo. Assim, ele apostou contra o aumento: todos estavam preparados para a alta do preço do petróleo em decorrência da guerra, então o preço deveria ser devidamente ajustado. A guerra poderia causar uma alta nos preços do petróleo, mas não a guerra *programada* — uma vez que os preços se ajustam às expectativas. Tem que ser "no preço", como ele dizia.

Com efeito, com a eclosão da guerra, o preço do barril do petróleo desabou de cerca de 39 dólares para quase metade desse valor, e Tony transformou seu investimento de 300 mil dólares em 18 milhões de dólares. "Há tão poucas ocasiões oportunas na vida de uma pessoa, não se pode desperdiçá-las", ele disse a Nero mais tarde, durante um de seus almoços, enquanto tentava convencer o amigo que não era de Nova Jersey a apostar em um colapso do sistema financeiro. "As boas apostas especulativas vêm até você, e você não as consegue simplesmente prestando atenção ao noticiário."

E note a principal declaração de Tony Gordo: "O Kuwait e o petróleo não são a mesma coisa". Essa será uma plataforma para nossa noção de fusão. Tony tinha mais vantagens que desvantagens, e para ele era isso e pronto.

Na verdade, muitas pessoas perderam até o último centavo com a queda do petróleo — ao mesmo tempo que *previram corretamente que haveria* guerra. Elas apenas pensaram que era a mesma coisa. Mas havia acúmulo demais, excesso de estoques. Lembro-me de ter ido ao escritório de um gestor de um vasto portfólio de fundos, que mantinha na parede um mapa do Iraque, em um ambiente parecido com uma sala de estratégia de guerra. Os membros da equipe sabiam de todo tipo de informação possível a respeito do Kuwait, do Iraque, de Washington e das Nações Unidas. Exceto o simples fato de que isso nada tinha a ver com petróleo — *não era a mesma "coza"*. Todas essas análises eram excelentes, mas não estavam muito conectadas a nada. É claro que, posteriormente, o sujeito levou uma forte surra com a queda do preço do petróleo, e, pelo que soube, foi para uma faculdade de direito.

Além da visão não narrativa das coisas, outra lição. Indivíduos envoltos em cortinas de fumaça e com o cérebro tomado por métodos e artifícios complicados começam a não perceber coisas elementares, muito elementares. As pessoas do mundo real não podem se dar ao luxo de deixar passar em branco essas coisas; caso contrário, é desastre na certa. Diferentemente dos pesquisadores, elas foram selecionadas para a sobrevivência, não para as complicações. Assim, eu vi o "menos é mais" em ação: quanto mais estudos, menos óbvias tornam-se as coisas elementares mas fundamentais; a atividade, por outro lado, remove todo o verniz das coisas e as reduz ao modelo mais simples possível.

FUSÃO

Logicamente, muitas coisas *não são a mesma "coza"* na vida. Vamos generalizar a fusão.

Essa lição de "não é a mesma coisa" é bastante genérica. Quando você tem opcionalidade, ou alguma antifragilidade, e é capaz de identificar oportunidades de apostas com grandes vantagens e poucas desvantagens, o que você faz está apenas remotamente ligado ao que Aristóteles pensa que você faz.

Existe *algo* (aqui, percepção, ideias, teorias) e uma *função de algo* (nesse caso, um preço ou realidade, ou alguma coisa real). O problema da fusão é confundir um com o outro, esquecendo-se de que há uma "função" e de que essa função tem propriedades diferentes.

Ora, quanto mais assimetrias há entre *algo* e a *função de algo*, mais diferenças há entre ambos. Eles podem acabar não tendo nada a ver um com o outro.

Isso parece trivial, mas há implicações substanciais. O que a ciência usual — não a ciência "social", mas a ciência inteligente — entende. Uma pessoa que escapou do problema da fusão foi Jim Simons, o formidável matemático que fez fortuna construindo uma enorme máquina para fazer transações entre mercados. Ela reproduz os métodos de compra e venda dos suboperários e tem mais significância estatística do que qualquer um no planeta Terra. Simons afirma nunca contratar economistas e pessoas do ramo das finanças, apenas físicos e matemáticos, aqueles que estão envolvidos no reconhecimento de padrões acessando a lógica interna das coisas, sem teorizar. Ele também nunca dá ouvidos aos economistas nem tampouco lê seus relatórios.

O grande economista Ariel Rubinstein compreende a falácia da madeira verde — ver as coisas dessa maneira requer grande dose de inteligência e de honestidade. Rubinstein é um dos maiores líderes no campo da teoria dos jogos, que consiste em experimentos de pensamento; também é o maior especialista do mundo em cafés excelentes para se pensar e escrever, de uma ponta à outra do planeta. Rubinstein se recusa a afirmar que seu conhecimento em questões teóricas possa ser traduzido — por ele — em qualquer coisa diretamente prática. Para Rubinstein, a economia é como uma fábula — um fabulista existe para estimular ideias, inspirar indiretamente a prática, talvez, mas com certeza não para dirigir ou determinar essa prática. A teoria deve permanecer independente da prática e vice-versa — e não devemos arrancar os economistas acadêmicos de seus campi e colocá-los em posições de tomada de decisões. A economia não é uma ciência, e não deveria oferecer consultoria na elaboração de políticas públicas.

Em suas memórias, Rubinstein relembra como tentou convencer um vendedor levantino no *souk* a aplicar ideias da sua teoria dos jogos nas negociações com os fregueses, substituindo os mecanismos antigos. O método sugerido não resultou em um preço aceitável para ambas as partes. Por fim o sujeito lhe disse: "Há gerações, temos negociado do nosso jeito, e você vem e tenta mudar?". Rubinstein concluiu: "Fui embora, envergonhado". Precisamos apenas de mais duas pessoas como Rubinstein nessa profissão, e as coisas serão melhores no planeta Terra.

Às vezes, até mesmo quando uma teoria econômica faz sentido, sua aplicação não pode ser imposta de um modelo, de cima para baixo; então para chegar até ela precisamos de uma estratégia de tentativa e erro orgânica e autopropulsada. Por exemplo, o conceito de especialização, que deixa os economistas obcecados desde Ricardo (e antes dele), destrói os países quando imposto pelos formuladores de políticas públicas, uma vez que torna as economias propensas ao erro; mas funciona bem quando alcançado progressivamente por meios evolutivos, com os freios certos e camadas de redundância. Outro caso em que os economistas podem nos inspirar, mas nunca deveriam nos dizer o que fazer — mais a respeito disso na discussão sobre a vantagem comparativa ricardiana e a fragilidade do modelo, no apêndice.

A diferença entre narrativa e prática — as coisas importantes que não podem ser narradas com facilidade — está, principalmente, na opcionalidade, na negligenciada opcionalidade das coisas. A "coisa certa" aqui é, em geral, uma compensação antifrágil. E meu argumento é que não se vai à escola para aprender opcionalidade, mas o oposto: para tornar-se cego a ela.

PROMETEU E EPIMETEU

Na lenda grega, havia dois irmãos titãs, Prometeu e Epimeteu. Prometeu significa "pré-pensador", é o que pensa antes de agir, enquanto Epimeteu significa "pós-pensador", é o que age antes de pensar, o equivalente a alguém que se deixa levar pela distorção retrospectiva de ajustar as teorias aos acontecimentos passados, em uma forma narrativa posterior ao fato. Prometeu nos deu o fogo e representa o progresso da civilização, ao passo que Epimeteu representa o pensamento retrógrado, a estagnação e a falta de inteligência. Foi Epimeteu quem aceitou o presente de Pandora, a grande caixa, com consequências irreversíveis.

A opcionalidade é prometeica, as narrativas são epimeteicas — uma tem erros reversíveis e benignos, as outras simbolizam a gravidade e a irreversibilidade das consequências da abertura da caixa de Pandora.

Fazemos incursões no futuro por meio do oportunismo e da opcionalidade. Até agora, no Livro IV, vimos o poder da opcionalidade como uma alternativa de fazer as coisas, de modo oportunista, com alta margem competitiva oriunda da assimetria, com grandes benefícios e prejuízos benignos. É uma maneira — a única — de domesticar a incerteza, de trabalhar racionalmente sem compreender o futuro, enquanto a dependência de narrativas é exatamente o oposto: domesticada pela incerteza, a pessoa ironicamente regride. Não é possível olhar para o futuro por meio da projeção ingênua do passado.

Isso nos leva à diferença entre fazer e pensar. Essa é exatamente a questão difícil de entender, do ponto de vista dos intelectuais. Como Yogi Berra afirmou: "Em teoria, não há diferença entre teoria e prática; na prática, há". Até agora, vimos argumentos no sentido de que o intelecto está associado à fragilidade e sugere métodos que entram em conflito com as experimentações e os ajustes. Vimos também a opção como a expressão da antifragilidade. Separamos o conhecimento em duas categorias, a formal e a de Tony Gordo, fortemente alicerçada na antifragilidade de tentativa e erro e na exposição a riscos com menos desvantagens, ao estilo *barbell* — uma forma desintelectualizada de correr riscos (ou melhor, intelectualizada à sua maneira). Em um mundo opaco, esse é o único caminho possível.

A tabela 4 resume os diferentes aspectos da oposição entre narrativa e experimentações e improvisos, o tema dos próximos três capítulos.

Tudo isso não quer dizer que as experimentações e improvisos e tentativa e erro sejam desprovidos de narrativas: simplesmente não dependem em excesso de que a narrativa seja verídica — a narrativa não é epistemológica, mas instrumental. Por exemplo, histórias religiosas podem não ter valor algum enquanto narrativas, mas talvez levem uma pessoa a fazer algo convexo e antifrágil que de outra forma ela não faria, como reduzir riscos. Pais e mães ingleses controlavam os filhos com a falsa narrativa de que, se não se comportassem ou se não comessem o jantar, Boninho (Napoleão Bonaparte) ou algum animal selvagem poderia vir para levá-los embora. As religiões costumam usar o método equivalente para ajudar os adultos a se livrar de encrencas ou a evitar dívidas. Mas os intelectuais tendem a acreditar na sua própria bobagem e a encarar suas ideias de maneira literal demais, e isso é perigoso ao extremo.

Pense no papel do conhecimento heurístico (a regra geral) inerente às tradições. Em termos simples, da mesma forma que a evolução opera sobre os indivíduos, age sobre essas regras gerais tácitas e inexplicáveis, transmitidas por gerações — o que Karl Popper chamou de epistemologia evolutiva. Mas permita-me mudar apenas muito ligeiramente a ideia de Popper (na verdade, mudarei um bocado): minha opinião é a de que essa evolução é não uma competição entre ideias, mas entre seres humanos e sistemas baseados nessas ideias.

TABELA 4 • A DIFERENÇA ENTRE O TELEOLÓGICO E OPCIONALIDADE

CONHECIMENTO NARRATIVO	ANTIFRÁGIL: EXPERIMENTAÇÕES E IMPROVISOS NORTEADOS PELA OPCIONALIDADE, TENTATIVA E ERRO
Odeia a incerteza (frágil à mudança, ou compreensão equivocada do passado, ao estilo do peru)	Domestica a incerteza (antifrágil ao desconhecido)
Olha para o passado, sujeito a ajustar-se demais* a ele	Olha para o futuro
Epimeteu	Prometeu
Ação teleológica	Ação oportunista
Estilo turista	Estilo flanador
Frágil, racionalismo ingênuo	Racionalismo robusto
Psicologicamente confortável	Psicologicamente desconfortável, mas com senso de emoção e aventura
Côncavo (ganhos conhecidos visíveis, erros desconhecidos)	Convexo (pequenos erros conhecidos, grandes ganhos potenciais)
Sujeito a problemas do peru (confundindo evidência de ausência com ausência de evidências)	Pode beneficiar-se com os otários e problemas do peru
Sujeito a epifenômenos e à falácia da madeira verde	Escapa da falácia da madeira verde
Único mecanismo do mundo acadêmico fora do laboratório e da ciência física	Principal mecanismo da prática
A narrativa é epistemológica	A narrativa é instrumental
Preso em uma história	Não há dependência significativa de uma história — a narrativa pode servir apenas para motivação
Domínio estreito, espaço de ação restrito	Domínio amplo, espaço de ação aberto
Precisa entender a lógica das coisas	Um pequeno entendimento é suficiente, apenas racionalidade para comparar resultados (exercendo a melhor opção)
Não se beneficia com a pedra filosofal (também conhecida como viés de convexidade, ver capítulo 19)	Depende da pedra filosofal

* No original, *overfitting* (sobreajuste ou superajuste), termo usado na estatística para descrever quando um modelo estatístico ajusta-se com eficácia ao conjunto de dados anteriormente observado e usado para treiná-lo, mas não consegue sair-se muito bem com dados que nunca viu. (N. T.)

Uma ideia não sobrevive por ser melhor do que a concorrente, mas, sim, porque a pessoa que a defende sobreviveu! Consequentemente, a sabedoria que você aprende com sua avó deveria ir muito além (em termos empíricos, portanto, científicos) do que você aprende em uma aula da faculdade de economia e administração de empresas (e, é claro, substancialmente mais barato). Minha tristeza é que estamos nos afastando cada vez mais de nossas avós.

Os problemas especializados (em que o especialista sabe bastante, mas menos do que pensa saber) invariavelmente trazem fragilidades, e a aceitação da ignorância causa o inverso.* Os problemas especializados colocam a pessoa do lado errado da assimetria. Vamos examinar a questão no que diz respeito aos riscos. Quando a pessoa está frágil, precisa saber muito mais do que quando está antifrágil. Inversamente, quando alguém acha que sabe mais do que sabe, torna-se frágil (ao erro).

Já demonstramos que a educação em sala de aula não leva à riqueza, embora provenha da riqueza (um epifenômeno). A seguir, veremos como, analogamente, a exposição antifrágil a riscos — não a educação e a pesquisa formal e organizada — é em larga medida responsável pela inovação e pelo crescimento, ao mesmo tempo que a história vem sendo mascarada por autores de livros didáticos. Isso não significa que as teorias e as pesquisas não desempenham nenhum papel, mas quer dizer que, assim como somos iludidos pelo acaso, somos engolidos pela ilusão de superestimar o papel das ideias que parecem bem fundamentadas. Vamos examinar as confabulações cometidas pelos historiadores do pensamento econômico, da medicina, da tecnologia e de outros campos do conhecimento, que tendem a sistematicamente rebaixar os profissionais com atuação prática e sucumbir à falácia da madeira verde.

* O excesso de confiança leva à dependência de previsões, o que ocasiona empréstimos, e, em seguida, à fragilidade da alavancagem. Além disso, existem evidências convincentes de que um indivíduo com título de doutor em economia ou finanças faz com que as pessoas montem portfólios de investimento imensamente mais frágeis. George Martin e eu listamos todos os economistas financeiros do primeiro escalão que tiveram envolvimento com fundos, calculamos os estragos causados por esses fundos e observamos uma incidência proporcionalmente muito maior desses estragos por parte de professores de finanças — o mais famoso era o fundo de investimentos Long Term Capital Management (LTCM), que empregava fragilistas como Robert Merton, Myron Scholes, Chi-Fu Huang, entre outros.

15. A história escrita pelos perdedores

Talvez os pássaros ouçam — Combinando burrice com sabedoria, e não o contrário — Em que procuramos o vetor da descoberta — Uma defesa de tentativa e erro

Devido a uma enxurrada de vieses, historiadores estão propensos a epifenômenos e outras ilusões de causa e efeito. Para entender a história da tecnologia, precisamos de hipóteses e relatos de não historiadores, ou de historiadores com o estado de espírito correto, que tenham desenvolvido suas ideias observando a formação das tecnologias, em vez de apenas ler hipóteses e relatos sobre o tema. Mencionei anteriormente a desmistificação que Terence Kealey fez do chamado modelo linear, e afirmei que ele era um cientista com atuação prática.* Um cientista com experiência prática de laboratório, ou um engenheiro com atuação prática, pode testemunhar a produção na vida real de, digamos, inovações farmacológicas ou do motor a jato, e assim pode evitar deixar-se levar por epifenômenos, a menos que tenha sofrido uma lavagem cerebral antes de iniciar sua atuação prática.

* De acordo com David Edgerton, no início do século XX não se acreditava no chamado modelo linear; o fato é que apenas *hoje* acreditamos que *naquela época* acreditávamos na supremacia da ciência teleológica.

Vi, como testemunha ocular, evidências de resultados que não devem *nada* à ciência academicista, mas, sim, a experimentações e improvisos evolutivos que foram mascarados e cuja origem foi dissimuladamente atribuída ao mundo acadêmico.

TABELA 5 • O EFEITO DE ENSINAR OS PÁSSAROS A VOAR EM VÁRIOS DOMÍNIOS: EXEMPLO DE ATRIBUIÇÃO ERRÔNEA DE RESULTADOS EM LIVROS DIDÁTICOS

CAMPO	ORIGEM E DESENVOLVIMENTO, CONFORME SÃO VENDIDOS NO MERCADO PELAS PALESTRAS AOS PÁSSAROS	ORIGEM E DESENVOLVIMENTO REAIS
Motor a jato	físicos (arrasados por Scranton)	engenheiros improvisadores sem compreensão de "por que a coisa funciona"
Arquitetura	geometria euclidiana, matemática (arrasadas por Beaujouan)	heurística e receitas secretas (guildas)
Cibernética	Norbert Wiener (arrasado por Mindell)	programadores "estilo-wiki"
Fórmulas de derivativos	Black, Scholes e o fragilista Merton (arrasados por Haug e Taleb)	*traders* e profissionais com atuação prática, Regnauld, Bachelier, Thorp
Medicina	compreensão biológica (arrasada por diversos médicos)	sorte, tentativa e erro, efeitos colaterais de outros medicamentos ou às vezes envenenamento (gás mostarda)
Revolução Industrial	crescimento do conhecimento, Revolução Científica (arrasados por Kealey)	aventureiros, diletantes
Tecnologia	ciência formal	tecnologia, empresas

Muito antes de eu saber dos resultados da tabela 5, de outros estudiosos desmistificando o efeito de ensinar os pássaros a voar, o problema começou a chamar minha atenção, conforme relato a seguir, por volta de 1998. Eu estava sentado em um restaurante de Chicago com o falecido Fred A., que era economista, mas apesar disso um ponderado e verdadeiro cavalheiro. Ele era o economista-chefe de uma das Bolsas de Valores locais e tinha de aconselhar seus *traders* a respeito de novos e complicados produtos financeiros, sobre os quais queria a minha opinião, já que eu tinha me especializado nisso e publicara uma espécie de manual sobre as chamadas "opções exóticas", que eram complicadíssimas. Ele constatou que a demanda por esses produtos seria muito grande, mas se perguntava "de que modo os *traders* conseguiriam lidar com aquelas complexas opções exóticas se não compreendiam o teorema de Girsanov". Esse teorema é algo matematicamente intrincado, e que na época apenas um número muito restrito de pessoas conhecia. E estávamos falando sobre os operadores de pregão, que — como vimos no último capítulo — certamente confundiriam o nome Girsanov com alguma marca de vodca. Os *traders*, em grande parte incultos, seriam considerados supereruditos se conseguissem soletrar corretamente seu endereço, embora o professor estivesse de fato sob a impressão epifenomênica de que os *traders* estudavam matemática para definir o preço de uma opção. De minha parte, eu tinha aprendido — por tentativa e erro e perguntando a pessoas experientes — a lidar com essas complicadas compensações antes mesmo de ouvir falar dos tais teoremas.

Foi aí que algo me ocorreu. Ninguém se preocupa com o fato de que uma criança que não foi instruída nos vários teoremas de aerodinâmica e que desconhece a maneira de resolver uma equação de movimento talvez seja incapaz de andar de bicicleta. Então, por que ele, o referido economista, não transferia o argumento de um domínio para o outro? Ele não percebia que aqueles *traders* de Chicago respondiam à oferta e à demanda, pouco mais que isso, enquanto competiam para ganhar uns trocados, sem necessidade nenhuma de conhecer o teorema de Girsanov, exatamente da mesma forma que um vendedor de pistache no *souk* de Damasco não precisa resolver equações de equilíbrio geral para definir o preço de seu produto?

Por um instante, eu me perguntei se estava vivendo em outro planeta ou se o doutorado e a carreira acadêmica do cavalheiro em questão haviam levado a essa cegueira e sua estranha perda de bom senso — ou se as pessoas sem senso prático geralmente conseguem encontrar a energia e o interesse para adquirir um título de doutor no mundo ficcional das equações econômicas. Existe um viés seletivo?

Suspeitei que algo não estava certo e senti uma enorme empolgação, mas me dei conta de que, para que alguém tivesse condições de me ajudar, teria de ser ao mesmo tempo um profissional com atuação prática e um pesquisador, a prática tendo primazia sobre a pesquisa. Eu conhecia apenas outra pessoa, um *trader* convertido em pesquisador, Espen Haug, que devia ter observado o mesmo mecanismo. Como eu, ele obteve seu doutorado *depois* de passar algum tempo trabalhando no pregão. Então, imediatamente demos início a uma investigação sobre a origem da fórmula de precificação de opções que estávamos usando: o que as pessoas usavam antes? É graças à fórmula derivada academicamente que temos condições de operar, ou a fórmula nos chegou por meio de algum processo antifrágil de descoberta evolutiva baseado em tentativa e erro, agora expropriada pelos acadêmicos? Eu já tinha uma pista, pois havia trabalhado como *trader* no pregão de Chicago e observado operadores veteranos que se recusavam a tocar em fórmulas matemáticas, usando heurísticas simples e dizendo: "homens de verdade não usam planilhas", as "planilhas" sendo as folhas impressas contendo o produto efetivo das complexas fórmulas que saíam dos computadores. Entretanto, essas pessoas haviam sobrevivido. Seus preços eram sofisticados e mais eficazes do que aqueles produzidos pela fórmula, e era óbvio o que vinha primeiro. Por exemplo, os preços contabilizavam o Extremistão e as "caudas grossas", coisas que as fórmulas-padrão ignoravam.

Haug tinha alguns interesses que divergiam dos meus: gostava da área de finanças e estava ávido para coletar documentos históricos dos profissionais com atuação prática. Ele se autointitulava "o Colecionador", epíteto que usava inclusive à guisa de assinatura, enquanto reunia e acumulava livros e artigos sobre a teoria das opções escritos antes da Primeira Guerra Mundial, e a partir disso construímos uma imagem muito precisa do que tinha ocorrido. Para nossa imensa empolgação, obtivemos uma sucessão de evidências de que os *traders* eram tremendamente mais sofisticados do que a fórmula. E sua sofisticação precedia a fórmula em, pelo menos, um século. Ela foi conquistada, é claro, por meio da seleção natural, sobrevivência, modelos em que o aprendiz fica sob a tutela de experientes profissionais com atuação prática, além da própria experiência pessoal.

Traders *negociam* → traders *desenvolvem técnicas e produtos* → *economistas acadêmicos encontram fórmulas e alegam que os* traders *as estão utilizando* → *novos* traders *acreditam nos acadêmicos* → *explosões (causadas pela fragilidade induzida pela teoria)*

Nosso artigo ficou guardado quase sete anos até ser publicado em uma revista acadêmica de economia — até lá, um estranho fenômeno: o texto se tornara um dos artigos mais baixados da história da economia, mas, durante seus primeiros anos, não foi citado por absolutamente ninguém. Ninguém queria jogar lenha na fogueira.*

Os profissionais com atuação prática não escrevem; eles fazem. Os pássaros voam, e as pessoas que dão palestras para eles são as que escrevem a história das aves. Dessa forma, é fácil perceber que, na verdade, a história é escrita pelos perdedores, que têm tempo livre e uma posição acadêmica protegida.

A maior ironia de todas é que observamos, em primeira mão, como são construídas as narrativas de pensamento, uma vez que tivemos a sorte de testemunhar mais um episódio de escancarada expropriação intelectual. Recebemos um convite para publicar nosso ponto de vista da história — sendo profissionais com atuação prática na compra e venda de opções — na ilustríssima *Wiley Encyclopedia of Quantitative Finance* [Enciclopédia Wiley de Finança Quantitativa]. Então, preparamos uma versão de nosso artigo anterior, acrescida de nossas experiências pessoais. Espanto: pegamos em flagrante o editor da seção histórica, um professor do Barnard College, tentando modificar nosso relato. Historiador do pensamento econômico, ele passou a reescrever nosso artigo a fim de minimizar, se não inverter, a mensagem do texto e alterar o vetor da formação do conhecimento. Isso era a história científica em pleno processo de engendramento. Sentado em sua sala no Barnard College, o sujeito agora estava nos impondo o que havíamos visto como *traders* — deveríamos ignorar o que tínhamos testemunhado com nossos próprios olhos e aplicar a lógica dele.

Tomei ciência de algumas inversões semelhantes da formação do conhecimento. Por exemplo, em seu livro escrito no fim da década de 1990, Mark Rubinstein, professor Fragilista Altamente Qualificado de Berkeley, atribuiu a publicações escritas por professores de finanças técnicas e heurísticas com as quais nós, profissionais com atuação prática, estávamos extremamente familiarizados (quase sempre de formas mais sofisticadas) desde os anos 1980, quando me envolvi nesse ramo de negócios.

* Descobrimos também que dois fragilistas, Myron Scholes e Robert Merton, ganharam o prêmio Memorial em Economia, chamado de Nobel, por terem dado uma nova roupagem a uma fórmula que outras pessoas descobriram, de maneira muito mais sofisticada, antes deles. Ademais, usaram matemática ficcional. É bastante perturbador.

Não, nós não colocamos teorias em prática. Criamos teorias a partir da prática. Essa era nossa história, e é fácil inferir a partir dela — e de histórias semelhantes — que a confusão é generalizada. A teoria é o rebento da cura, e não o inverso — *ex cura theoria nascitur*.

As evidências estão na nossa cara

No fim ficou evidente que os engenheiros também costumam ser vilipendiados pelos historiadores.

Logo após aquele repugnante episódio, apresentei o artigo que havia escrito a quatro mãos com Haug — sobre a ideia de ensinar os pássaros a voar aplicada às finanças — na London School of Economics, em seu seminário de sociologia da ciência. É claro que fui vaiado (mas, àquela altura, já tinha bastante experiência em ser vaiado por economistas). Então, a surpresa: ao término da sessão, os organizadores me informaram de que, exatamente uma semana antes, Phil Scranton, professor da Rutgers, havia apresentado a mesmíssima história. Mas o artigo dele não tratava da fórmula de opções, e sim do motor a jato.

Scranton demonstrou que temos construído e usado motores a jato de maneira completamente experimental, à base de tentativa e erro, sem que ninguém realmente compreenda a teoria. Os construtores precisavam dos engenheiros originais, que sabiam como ajeitar as coisas para fazer o motor funcionar. A teoria vinha depois, de forma capenga, para satisfazer o intelectual obcecado pelos mais ínfimos pormenores. Mas isso não é o que costumamos ler nas histórias sobre tecnologia: meu filho, que estuda engenharia aeroespacial, não estava ciente disso. Scranton foi elegante e se concentrou em situações em que a inovação é caótica, "diferente dos mais conhecidos enfoques analíticos e sintéticos sobre inovação", como se estes fossem a norma, o que obviamente não são.

Procurei outras histórias, e o historiador de tecnologia David Edgerton apresentou-me uma bastante espantosa. Pensamos na cibernética — que nos deu o prefixo "ciber" de ciberespaço — como algo inventado em 1948 por Norbert Wiener. O historiador de engenharia David Mindell desmistificou essa história; ele mostrou que Wiener estava articulando ideias sobre controle de realimentação e computação digital havia muito em prática no mundo da engenharia. No entanto, as pessoas — até mesmo os engenheiros de hoje — têm a ilusão de que devemos esse campo de estudos ao pensamento matemático de Wiener.

Então me veio à mente a seguinte ideia. Todos nós aprendemos geometria em livros didáticos com base em axiomas, como, digamos, *Os elementos*, de Euclides, e tendemos a pensar que é graças a essa aprendizagem que temos, hoje, as belas formas geométricas nas edificações, das casas às catedrais; pensar o contrário seria um anátema. Então, imediatamente especulei que os antigos desenvolveram interesse pela geometria de Euclides e de outros matemáticos porque já vinham usando esses métodos, resultado de experimentações e improvisos e conhecimento derivado da experiência; caso contrário, não teriam se dado ao trabalho. Isso é semelhante à história da roda: lembre-se de que a máquina a vapor havia sido descoberta e desenvolvida pelos gregos cerca de dois milênios antes da Revolução Industrial. É que as coisas que são implementadas tendem a querer nascer da prática, e não da teoria.

Agora, dê uma olhada nos objetos arquitetônicos ao nosso redor: eles parecem muito sofisticados em termos geométricos, das pirâmides às belas catedrais da Europa. Assim, um problema de otários nos faria tender a acreditar que a matemática levou à produção desses belos objetos, com exceções aqui e ali, a exemplo das pirâmides, que precederam a matemática mais formal que tivemos depois de Euclides e de outros teóricos gregos. Alguns fatos: os arquitetos (ou o que à época eram chamados de Mestres de Obras) fiavam-se em heurísticas, métodos empíricos e ferramentas, e quase ninguém sabia nada de matemática (de acordo com o historiador de ciência medieval Guy Beaujouan, antes do século XIII, não mais do que cinco pessoas em toda a Europa sabiam como realizar uma operação de divisão). Nada de teorema, teorema fajuto. Mas os construtores conseguiam descobrir a resistência dos materiais sem as equações que temos hoje — edificações que, em sua maior parte, ainda estão de pé. Villard de Honnecour, arquiteto francês do século XIII, documenta, com sua série de desenhos e anotações em picardo (o dialeto da região da Picardia, na França), como as catedrais foram construídas: heurísticas experimentais, pequenos artifícios e regras, mais tarde tabulados por Philibert de l'Orme em seus tratados arquitetônicos. Por exemplo, um triângulo era imaginado como a cabeça de um cavalo. A experimentação pode tornar as pessoas muito mais cuidadosas do que as teorias.

Além disso, estamos absolutamente convictos de que os romanos, engenheiros admiráveis, construíram aquedutos sem nenhum tipo de matemática (os algarismos romanos não faziam da análise quantitativa uma tarefa fácil). De resto, acredito que, se tivessem sido construídos com o auxílio dessas fórmulas, os aquedutos romanos não existiriam mais, já que um evidente efeito colateral da matemática é fazer com que as pessoas fiquem otimistas em excesso e peguem atalhos, causando fragilidade. Basta observar como o novo é cada vez mais perecível que o velho.

E dê uma olhada no manual de Vitrúvio, o *Tratado de arquitetura*, a bíblia dos arquitetos, escrita cerca de trezentos anos depois de *Os elementos*, de Euclides. Há pouca geometria formal nesse tratado e, é claro, nenhuma menção a Euclides, mas há principalmente heurísticas, o tipo de conhecimento que vem de um mestre orientando seus aprendizes. (De maneira esclarecedora, o principal resultado matemático que Vitrúvio menciona é o teorema de Pitágoras, espantando-se que o ângulo reto pudesse ser formado "sem os dispositivos do artesão".) A matemática teve de ficar limitada a enigmas mentais até o Renascimento.

Ora, não estou dizendo que teorias ou a ciência acadêmica não estejam por trás de algumas tecnologias práticas, diretamente derivadas da ciência para seu uso final (e não para algum uso tangencial) — o que o pesquisador Joel Mokyr chama de "base epistêmica", ou conhecimento proposicional, um tipo de repositório de "conhecimentos" formais que incorpora as descobertas teóricas e empíricas e se torna uma espécie de livro de regras, usado para gerar mais conhecimento e (ele pensa) mais aplicações. Em outras palavras, um conjunto de teorias a partir do qual outras teorias podem ser diretamente extraídas.

Mas não sejamos otários: seguir o sr. Mokyr faria a pessoa querer estudar geografia econômica para prever as cotações das moedas estrangeiras (eu teria adorado apresentá-lo ao especialista em madeira verde). Embora eu aceite a noção da base epistêmica, o que questiono é o papel que ela de fato desempenhou na história da tecnologia. A evidência de um efeito contundente não existe, e ainda estou esperando que alguém me mostre isso. Mokyr e os defensores dessa perspectiva não fornecem evidências de que isso não seja epifenômico — e tampouco parecem entender as implicações dos efeitos assimétricos. Onde está o papel da opcionalidade nisso?

Há um conjunto de conhecimentos práticos que foi transmitido de mestres para aprendizes, e transmitido *apenas* dessa maneira, com graus necessários como um processo de seleção, ou para tornar a profissão mais respeitável, ou para ajudar aqui e ali, mas não de modo sistemático. E o papel desse conhecimento formal será superestimado precisamente por ser bastante visível.

É como cozinhar?

A culinária parece ser o mais perfeito exemplo de atividade que depende da opcionalidade. Você acrescenta um ingrediente e tem a opção de manter o resultado se ele estiver de acordo com o paladar de Tony Gordo, ou deixar para lá caso não esteja. Temos, também, a experimentação colaborativa ao estilo *wiki*, o que gera algumas receitas. Essas receitas são totalmente derivadas, sem conjecturas sobre a química do paladar das papilas gustativas, sem papel algum para qualquer "base epistêmica" que gere teorias a partir de teorias. Até agora ninguém foi iludido pelo processo. Como Dan Ariely observou certa vez, não podemos fazer a engenharia reversa do sabor da comida observando o rótulo com as informações nutricionais. E podemos observar heurísticas ancestrais em ação: gerações de experimentações e improvisos coletivos resultando na evolução das receitas. As receitas de comida estão embutidas nas culturas. Escolas de culinária são inteiramente baseadas no sistema de mestre e aprendiz.

Por outro lado, temos a física pura, com teorias usadas para gerar teorias com alguma validação empírica. Aqui, a "base epistêmica" pode desempenhar algum papel relevante. A descoberta do bóson de Higgs é um caso moderno de uma partícula totalmente esperada a partir de derivações teóricas. O mesmo pode ser dito da relatividade de Einstein. (Antes do bóson de Higgs, um espetacular caso de descoberta a partir de um pequeno número de dados exteriores existentes é a dedução da existência do planeta Netuno, inferida pelo astrônomo francês Le Verrier. Ele fez isso com base no cálculo solitário, a partir do comportamento dos planetas circundantes. Quando o planeta foi efetivamente avistado, ele se recusou a olhar, tão certo estava do seu resultado. Essas são exceções, e tendem a ocorrer na física e em outros campos que chamo de "lineares", em que os erros são do Mediocristão, e não do Extremistão.)

Agora usemos essa ideia de cozinhar como uma plataforma para tentar outras empreitadas: as outras atividades assemelham-se a isso? Se submetêssemos as tecnologias a escrutínio, veríamos que de fato a maioria se assemelha a cozinhar muito mais do que à física, em especial aquelas em domínios complexos.

Até mesmo a medicina atual continua a ser um modelo de mestre e aprendiz, com alguma ciência teórica no pano de fundo, mas cujo feitio é concebido para se parecer inteiramente com ciência. E se ela abandonasse o modelo de mestre e aprendiz, seria em nome do método "baseado em evidências", calcado menos em teorias biológicas e mais na catalogação de regularidades empíricas, a fenomenologia que expliquei no capítulo 7. Por que é que a ciência possui esse vaivém e as tecnologias permanecem estáveis?

Ora, pode-se ver um possível papel da ciência básica, mas não da maneira que se pretende.* Para um exemplo de uma série de utilizações não previstas, vamos começar com a Fase Um, o computador. A disciplina matemática da combinatória, aqui uma ciência básica, derivada do conhecimento proposicional, levou à construção dos computadores, ou é o que diz a história. (E, claro, para lembrar o leitor da escolha seletiva, precisamos levar em conta o conjunto dos conhecimentos teóricos que foram dar em um beco sem saída.) Mas, a princípio, ninguém tinha ideia alguma do que fazer com aquelas enormes caixas repletas de circuitos, que eram desajeitadas e caras, e cujas aplicações não estavam suficientemente difundidas além do gerenciamento de bancos de dados — no mais, só eram boas para processar grandes quantidades de informações. É como se alguém precisasse inventar uma aplicação pelo frisson da tecnologia. As pessoas nascidas na explosão demográfica do pós-Segunda Guerra Mundial se lembrarão daqueles misteriosos cartões perfurados. Depois alguém introduziu o painel de controle no dispositivo de entrada com o auxílio de um monitor, usando um teclado. Isso levou, é

* Faço questão de lembrar ao leitor que o arcabouço do Livro IV é a teleologia e o senso de direção, e embora isso seja em grande medida cético com relação ao mundo acadêmico formal (isto é, antiuniversidades), isso é vigorosamente antipseudociência (ou ciência cosmética) e ultra-pró-ciência. A questão é que aquilo que muitos chamam de ciência é altamente não científico. A ciência é um antiproblema de otários.

claro, ao processamento de texto, e o computador decolou por causa de sua adaptação ao processamento de texto, particularmente com o microcomputador, no início da década de 1980. Era conveniente, mas não mais que isso, até que outra consequência involuntária surgiu para ser acrescida à mistura. Agora a Fase Dois, a internet, que tinha sido projetada como um resiliente dispositivo de rede de comunicação militar, desenvolvido por uma unidade de pesquisa do Departamento de Defesa chamada Darpa,* e ganhou um boom na época em que Ronald Reagan estava obcecado com os soviéticos. O intuito da internet era dar aos Estados Unidos condições para sobreviver a um ataque militar generalizado. Ótima ideia, mas juntando o computador pessoal *mais* a internet, chegamos às redes sociais, aos casamentos desfeitos, ao aumento da nerdice, às chances de uma pessoa pós-soviética com dificuldades sociais de encontrar um parceiro. Tudo isso graças aos dólares iniciais dos contribuintes norte-americanos (ou melhor, graças ao déficit orçamentário) durante a cruzada antissoviética de Reagan.

Então, até aqui estamos examinando o vetor que aponta para a frente e, em nenhum momento, embora a ciência tenha tido *alguma* utilidade ao longo do caminho, uma vez que a tecnologia computacional depende da ciência na maior parte de seus aspectos, em nenhum momento a ciência acadêmica serviu para definir a direção do vetor; pelo contrário, prestou-se ao papel de escrava de descobertas casuais em um ambiente opaco, sem que praticamente ninguém, a não ser pessoas que largaram a faculdade e alunos de colégio crescidos demais, tenham se beneficiado ao longo do caminho. O processo permaneceu independente e imprevisível em todas as etapas. E a grande falácia é fazer com que pareça irracional — o irracional está em não ver uma livre opção quando ela nos é dada.

A história da China talvez seja bastante convincente, sob o prisma das obras de um observador genial, Joseph Needham, que desmistificou crenças ocidentais e decifrou os poderes da ciência chinesa. À medida que a China se tornou um mandarinato governado de cima para baixo (ou seja, um Estado gerenciado por escribas centralizados ao estilo soviético de Harvard, como o Egito havia sido antes), seus protagonistas perderam de alguma forma o

* Defense Advanced Research Projects Agency (Agência de Projetos de Pesquisa Avançada de Defesa). (N. T.)

interesse pela bricolagem, a avidez por tentativa e erro. Simon Winchester, biógrafo de Needham, cita a descrição que o sinólogo Mark Elvin fez do problema, de que os chineses não tinham, ou melhor, não tinham mais o que ele chamou de "mania europeia de improvisar, experimentar e aprimorar". Eles contavam com todos os meios para desenvolver um tear mecânico, mas "ninguém tentou" — outro exemplo de conhecimento obstruindo a opcionalidade. Provavelmente, os chineses precisavam de alguém como Steve Jobs — abençoado com a ausência de formação universitária e a dose exata de agressividade no temperamento — para levar os elementos à sua conclusão natural. Como veremos na próxima seção, foi precisamente esse tipo de fazedor desinibido que fez a Revolução Industrial acontecer.

A seguir, examinaremos dois casos: primeiro, a Revolução Industrial e em seguida a medicina. Então, comecemos desmascarando um mito causal sobre a Revolução Industrial, o exagero do papel ocupado pela ciência no processo.

A Revolução Industrial

A formação do conhecimento, mesmo que teórico, leva tempo, exige um pouco de tédio e requer a liberdade que resulta de quando o indivíduo tem outra ocupação, assim permitindo que escape da pressão ao estilo jornalístico da moderna e perecível máxima "publique ou pereça" do mundo acadêmico para produzir conhecimento cosmético, de forma muito parecida com os relógios de pulso falsificados vendidos em Chinatown, em Nova York, o tipo de produto que sabemos que são falsos, embora se passem por autênticos. No século XIX e no início do XX havia duas fontes principais de conhecimento técnico e inovador: a dos diletantes e a dos párocos ingleses, ambos, de modo geral, em uma situação *barbell*.

Uma quantidade incrível de obras foi produzida pelo trabalho de párocos e vigários ingleses, desprovidos de preocupações, sem erudição, com uma casa grande ou pelo menos confortável, empregados domésticos, um abastecido estoque de chá e bolinhos com nata fresca, e tempo livre em abundância. E, é claro, opcionalidade. Ou seja, o amador esclarecido. Os reverendos Thomas Bayes (o da probabilidade bayesiana) e Thomas Malthus (o da superpopulação malthusiana) são os mais famosos. Mas há muitas outras surpresas, catalogadas no livro *Em casa*, de Bill Bryson, no qual o autor encontrou dez vezes mais vigários e clérigos que deixaram seus traços registrados para a posteridade do que cientistas, físicos, economistas e, até mesmo, inventores. Além dos dois gigantes já mencionados, enumero, aleatoriamente, contribuições dos vigários de paróquias rurais: o reverendo Edmund Cartwright inventou o tear mecânico, contribuindo para a Revolução Industrial; o reverendo Jack Russell criou a raça de cães terrier; o reverendo William Buckland foi a primeira autoridade em dinossauros; o reverendo William Greenwell inventou a arqueologia moderna; o reverendo Octavius Pickard-Cambridge foi o mais destacado especialista em aranhas; o reverendo George Garrett inventou o submarino; o reverendo Gilbert White foi o mais respeitado naturalista de sua época; o reverendo M. J. Berkeley foi o maior especialista em fungos; o reverendo John Michell ajudou a descobrir Urano; e muitos outros. Note que, assim como no episódio que documentamos com Haug, essa ciência organizada tende a omitir o que "não foi feito aqui", de modo que a lista de contribuições visíveis de diletantes e fazedores é certamente menor do que a real, já que alguns acadêmicos podem ter se apropriado das inovações de seus antecessores.*

Permita-me ser poético por um momento. A erudição autônoma tem uma dimensão estética. Durante muito tempo, mantive na parede de minha sala de estudos a seguinte citação de Jacques Le Goff, o grande medievalista francês, que acredita que o Renascimento resultou do trabalho dos humanistas independentes, e não dos acadêmicos profissionais. Ele examinou o impressionante contraste em pinturas, desenhos e músicas da época, que comparam os membros das universidades medievais aos humanistas:

> Um é o professor sitiado por amontoados de estudantes. O outro é o estudioso solitário, sentado na tranquilidade e na privacidade de seus aposentos, à vontade na espaçosa e confortável sala de estudos, onde seus pensamentos podem movimentar-se livremente. Aqui encontramos o tumulto das escolas, a poeira das salas de aula, a indiferença à beleza em locais de trabalho coletivo,
> Lá, tudo é ordem e beleza,
> *Luxe, calme et volupté.*

* Extraordinariamente, Johan Jensen, da desigualdade de Jensen, a mais importante sustentação técnica para as ideias deste livro, foi um matemático amador que nunca ocupou nenhum cargo acadêmico.

Quanto ao diletante em geral, as evidências mostram que ele (junto com o ávido aventureiro e o investidor privado) está na origem da Revolução Industrial. Kealey, que, conforme mencionamos, não era historiador e, felizmente, não foi economista, coloca em dúvida, em *The Economic Laws of Scientific Research* [As leis econômicas da pesquisa científica], o "modelo linear" convencional (isto é, a crença de que a ciência acadêmica leva à tecnologia) – para ele, as universidades prosperaram como uma consequência da riqueza nacional, e não o contrário. Ele foi mais longe para alegar que, como a intervenção ingênua, as universidades tinham iatrogenias que forneciam uma contribuição negativa. Ele mostrou que, nos países em que o governo interveio financiando pesquisas com o dinheiro dos contribuintes, o investimento privado diminuiu e foi para outras bandas. No Japão, por exemplo, o todo-poderoso Ministério de Tecnologia e Investimento (Miti) tem um deplorável histórico de investimentos. Não estou usando as ideias dele para ratificar um programa político contra o financiamento científico, mas apenas para desmistificar vetores causais na descoberta de coisas importantes.

Para refrescar a memória, a Revolução Industrial originou-se de "tecnólogos construindo tecnologia", ou o que ele chama de "ciência de passatempo". Pense novamente na máquina a vapor, o artefato que, mais do que qualquer outra coisa, corporifica a Revolução Industrial. Como vimos, tínhamos um modelo detalhado de como construí-la desde Heron de Alexandria. No entanto, por cerca de dois milênios a teoria não despertou o interesse de ninguém. Assim, prática e redescoberta tiveram de ser a causa do interesse no modelo de Heron, e não o contrário.

Kealey apresenta um argumento convincente – bastante convincente – de que a máquina a vapor surgiu de uma tecnologia preexistente e foi criada por homens incultos, muitas vezes isolados, que aplicaram bom senso e intuição prática para lidar com os problemas mecânicos que os incomodavam, e cujas soluções propiciariam óbvias recompensas econômicas.

Agora, em segundo lugar, leve em conta as tecnologias têxteis. Mais uma vez, as principais tecnologias que deram o salto para o mundo moderno não devem nada à ciência, de acordo com Kealey. "Em 1733", ele escreve, "John Kay inventou a lançadeira volante, que mecanizou a tecelagem, e, em 1770, James Hargreaves inventou o filatório ou fiandeira múltipla mecânica, máquina que, como o nome indica, mecanizou a fiação. Esses avanços de grande envergadura na tecnologia têxtil, bem como os de Wyatt e Paul (carda mecânica, 1758) e Arkwright (máquina de fiar hidráulica, 1769), pressagiaram a Revolução Industrial, entretanto nada ficaram a dever à ciência; foram desdobramentos e incrementos empíricos baseados em tentativa e erro, e experimentações de hábeis artesãos que estavam tentando melhorar a produtividade (e, assim, os lucros) de suas fábricas."

David Edgerton se deu ao trabalho de questionar a ligação entre ciência acadêmica e prosperidade econômica, junto com a ideia de que, no passado, as pessoas acreditavam no "modelo linear" (ou seja, que a ciência acadêmica estava na origem da tecnologia). As pessoas não eram *otárias* nos séculos XIX e XX; hoje achamos que elas acreditavam no mencionado modelo linear, mas não era assim. Na verdade, até meados do século XIX a maioria dos acadêmicos compunha-se apenas de professores, não de pesquisadores.

Ora, em vez de analisar os textos de um acadêmico para saber se ele é digno de confiança ou não, é sempre melhor levar em conta o que dizem os detratores desse acadêmico — os críticos revelarão o que há de pior nos argumentos dele. Assim, saí em busca dos detratores de Kealey ou de pessoas contrárias às suas ideias, a fim de verificar se tratavam de alguma coisa digna de interesse — e para ver de onde vinham. Além de alguns comentários feitos por Joel Mokyr, que, como eu disse, ainda não descobriu a opcionalidade, e de um ataque desferido por um economista cuja opinião é do tipo que não vale nada, dada a desvalorização da profissão de economista, a principal crítica a Kealey, publicada na influente revista *Nature* por um burocrata da ciência, era — em sua argumentação contra pesquisas financiadas com dinheiro dos impostos dos contribuintes — a de que Kealey usa dados de agências patrocinadas pelo governo, a exemplo da OCDE [Organização para a Cooperação e Desenvolvimento Econômico]. Até agora, não existe evidência substancial de que Kealey estivesse errado. Mas vamos inverter o ônus da prova: não há evidência *nenhuma* de que o oposto da tese dele esteja remotamente correto. A maior parte disso é uma convicção religiosa no poder *incondicional* da ciência organizada, que substituiu a crença religiosa incondicional na religião organizada.

Os governos deveriam gastar em experimentações e improvisos não teleológicos, e não em pesquisas

Perceba que eu não acredito que o argumento que acabo de mostrar deva nos levar logicamente a afirmar que o governo não deve gastar dinheiro algum. Esse raciocínio é mais contra a teleologia do que a pesquisa em geral. Deve existir alguma forma de gasto que funcione. Por alguma perversa guinada no rumo dos acontecimentos, as pesquisas renderam aos governos enormes compensações, mas não da maneira desejada – basta pensar na internet. E pense na recuperação que obtivemos dos gastos militares na forma de inovações e, conforme veremos, nas curas médicas. É que os funcionários públicos são teleológicos demais na maneira como procuram as coisas (especialmente os japoneses), e o mesmo se pode dizer das grandes corporações. Elas, na maioria, a exemplo dos gigantes da indústria farmacêutica, são inimigas de si mesmas.

Pense na pesquisa *blue sky*, em que bolsas de pesquisa e financiamento são concedidas a pessoas, e não a projetos, e distribuídas em pequenas quantidades para muitos pesquisadores. O sociólogo da ciência Steve Shapin, que passou um período na Califórnia estudando capitalistas de risco, relata que os investidores tendem a financiar os empreendedores, não as ideias. As decisões são, em larga medida, uma questão de opinião, fortalecida por "quem você conhece?" e "quem disse o quê?", já que, para usar o jargão do capitalista de risco, você aposta no jóquei, não no cavalo. Por quê? Porque as inovações oscilam, e é preciso ter habilidades de flanador para continuar indo atrás das oportunidades que surgem, em vez de ficar aprisionado em um molde burocrático. As decisões significativas do capital de risco, conforme demonstrou Shapin, foram tomadas sem planejamentos de negócios de verdade. Então, se houvesse qualquer "análise", teria de ser de natureza confirmatória, à guisa de suporte. Eu mesmo passei algum tempo entre os capitalistas de risco na Califónia, de olho nos investimentos, e comprovei que era esse o molde.

É visível que o dinheiro deveria ir para os que colocam em prática a improvisação, os experimentadores agressivos que, de maneira líquida e certa, sugarão uma opção até o fim.

Usemos argumentos estatísticos para elaborar um parágrafo de teor mais técnico. As compensações propiciadas pelas pesquisas são do Extremistão; seguem um tipo de distribuição estatística da lei de potência, com vantagens enormes e quase ilimitadas, mas, por causa da opcionalidade, desvantagens limitadas. Como consequência, a compensação resultante das pesquisas deve, necessariamente, ser linear ao número de tentativas, e não ao total de recursos aplicados em cada tentativa. Uma vez que, como na figura 7, o vencedor terá uma compensação considerável, sem limite máximo, a estratégia correta requer certo estilo de financiamento às cegas. Isso significa que a política correta seria o que se chama de estilo "1 dividido por *n*" ou "1/N", distribuindo esforços no maior número de tentativas possível: se a pessoa estiver diante de *n* opções, investe em todas elas, em quantidades idênticas.* Pequenas quantidades por tentativa, diversas tentativas, mais amplas do que o desejado. Por quê? Porque, no Extremistão, é mais importante estar envolvido em alguma coisa em uma quantidade pequena do que não tomar parte em nada. Como me disse um capitalista de risco: "A recompensa pode ser tão alta que você não tem como se dar ao luxo de não estar envolvido em tudo".

O CASO NA MEDICINA

Ao contrário da tecnologia, a medicina tem um longo histórico de domesticação da sorte; ela já aceitou a aleatoriedade em sua prática. Mas não exatamente.

Dados médicos permitem-nos avaliar o desempenho da pesquisa teleológica em comparação com as descobertas geradas de modo aleatório. Para tanto, o governo dos Estados Unidos nos fornece o conjunto de dados ideal: as atividades do Instituto Nacional do Câncer [NCI, na sigla em inglês], resultantes da "guerra contra o câncer" empreendida por Nixon no início da década de 1970. Morton Meyers, médico e pesquisador com atuação prática, escreve, em seu maravilhoso *Happy Accidents: Serendipity in Modern Medical Breakthrough* [Felizes coincidências: descobertas acidentais nos avanços da medicina moderna]:

* Este é um comentário técnico. "1/N" é o argumento que Mandelbrot e eu usamos em 2005 para desmistificar os portfólios de investimentos otimizados e a moderna teoria de finanças, com base em fundamentos matemáticos simples; sob os efeitos do Extremistão, preferimos uma diversificação ampla, bastante ampla, com pequenos aportes idênticos, em vez do que estipula a teoria financeira moderna.

"Ao longo de um período de vinte anos examinando minuciosamente mais de 144 mil extratos de plantas, o que representa cerca de 15 mil espécies, nem um único medicamento anticancerígeno fitoterápico alcançou o status de aprovado. Esse fracasso está em um nítido contraste com a descoberta, no fim da década de 1950, de um expressivo grupo de medicamentos anticancerígenos derivados de plantas, os alcaloides da vinca — uma descoberta que aconteceu por acaso, e não por meio de uma pesquisa dirigida".

John LaMatina, um delator com informações confidenciais que descreveu o que sabia depois de abandonar a indústria farmacêutica, mostra estatísticas ilustrativas da lacuna entre a percepção pública das contribuições acadêmicas e a verdade: a indústria privada desenvolve nove medicamentos em cada grupo de dez. Até mesmo os Institutos Nacionais de Saúde, custeados pelo dinheiro dos impostos dos contribuintes, descobriram que, dentre os 46 medicamentos disponíveis no mercado com vendas significativas, cerca de três tinham a ver com o financiamento federal.

Não nos damos conta de que as curas do câncer estavam vindo de outros campos de pesquisa. O pesquisador procura medicamentos não anticancerosos (ou produtos que não são medicamentos e tampouco não anticancerosos) e encontra algo que não estava procurando (e vice-versa). Mas a constante interessante é que, quando um resultado é inicialmente descoberto por um pesquisador acadêmico, é provável que ele despreze as consequências porque o resultado não é o que pretendia encontrar — um acadêmico tem um roteiro a seguir. Assim, sintetizando em relação à opção, o pesquisador não exerce a opção, apesar de seu valor, uma estrita violação da racionalidade (qualquer que seja a definição que o leitor tem de racionalidade), como uma pessoa que é ao mesmo tempo gananciosa e não pega para si uma grande soma de dinheiro encontrada em seu jardim. Meyers também mostra o efeito de ensinar os pássaros a voar à medida que descobertas são descritas após o fato, em uma narrativa retrospectiva que as atrela a alguma pesquisa acadêmica, o que contribui para nossa ilusão.

Em alguns casos, quando a fonte da descoberta é militar, não conseguimos saber exatamente o que está acontecendo. Veja-se o exemplo da quimioterapia, que Meyers discute em seu livro. Um navio norte-americano transportando gás mostarda foi bombardeado pelos alemães em 1942 no porto de Bari, na Itália. Isso ajudou a desenvolver a quimioterapia, por causa do efeito do gás sobre o estado de saúde dos soldados portadores de cânceres líquidos (as leucemias, erradicação dos glóbulos brancos ou leucócitos). Mas o gás mostarda foi proibido pelas Convenções de Genebra, por isso a história foi mantida em sigilo — Churchill expurgou qualquer menção dos registros do Reino Unido, e nos Estados Unidos a informação foi abafada, embora a investigação sobre o efeito da mostarda nitrogenada não tenha sido suprimida.

James Le Fanu, médico e autor de livros de medicina, escreveu que a revolução terapêutica, ou o período dos anos pós-guerra que testemunhou um número considerável de terapias eficazes, não foi deflagrada por um lampejo científico de grande envergadura. A origem veio do extremo oposto, da "percepção, por parte de médicos e cientistas, de que não era necessário compreender em detalhes o que estava errado, mas que a química sintética produziria, de maneira cega e aleatória, os remédios que, por séculos a fio, haviam escapado ao entendimento dos médicos". (Ele usa como exemplo central as sulfonamidas identificadas por Gerhard Domagk.)

Além disso, o aumento da nossa compreensão teórica — a "base epistêmica", para usar os termos de Mokyr — acompanhou uma *diminuição* do número de novos medicamentos. Isso é algo que Tony Gordo ou o sujeito da madeira verde poderiam ter dito para nós. Ora, pode-se argumentar que já exaurimos todas as alternativas mais fáceis e à mão, mas vou mais longe, com mais indícios de outros lugares (como as compensações do Projeto Genoma Humano ou a estagnação das curas médicas nas últimas duas décadas diante dos gastos em pesquisa cada vez maiores) — o conhecimento, ou o que é chamado de "conhecimento", em domínios complexos inibe a pesquisa.

Outra maneira de ver a questão: estudar a composição química dos ingredientes não fará com que um indivíduo se torne um cozinheiro melhor nem um especialista em degustação — pode inclusive fazer com que piore em ambos (cozinhar é particularmente humilhante para sujeitos norteados pela teleologia).

Pode-se fazer uma lista dos medicamentos que surgiram ao estilo Cisne Negro, a partir de descobertas fortuitas, e compará-la à lista de fármacos sintéticos e drogas planejadas. Eu estava prestes a iniciar uma lista desse tipo quando me dei conta de que as exceções notáveis, ou seja, os medicamentos que foram descobertos de forma teleológica, são pouquíssimas — basicamente, AZT e os medicamentos contra a aids. Drogas laboratoriais ou de síntese têm uma propriedade essencial – são análogos estruturais projetados (portanto, são teleológicos). Mas aparentemente não somos capazes de inventar um medicamento e, ao mesmo tempo, levar em conta seus potenciais efeitos colaterais. Consequentemente, um problema para o futuro dos fármacos sintéticos. Quanto mais medicamentos houver no mercado, mais interações terão uns com os outros – dessa maneira, no fim temos um elevado número de possíveis interações a cada novo medicamento introduzido no mercado. Se existem vinte medicamentos que não estão inter-relacionados, o vigésimo primeiro precisa levar em conta vinte interações potenciais; até aí não é um grande problema. Mas, se houver mil medicamentos, será preciso prever um pouco menos de mil interações. E hoje em dia existem dezenas de milhares de medicamentos disponíveis. Além disso, pesquisas mostram que talvez estejamos subestimando as interações dos medicamentos *atuais*, aqueles que já estão no mercado, por um fator quatro; assim, na verdade, o conjunto de medicamentos disponíveis deveria estar encolhendo, e não aumentando.

Há uma óbvia mudança de rumos nesse negócio, já que um medicamento pode ser inventado para alguma coisa e encontrar novas aplicações, o que o economista John Kay chama de *obliquidade* – o uso da aspirina, por exemplo, mudou diversas vezes; ou as ideias de Judah Folkman sobre restringir a irrigação sanguínea dos tumores (inibidores de angiogênese) que levaram ao tratamento da degeneração macular (o medicamento bevacizumabe, conhecido como Avastin), um efeito que é mais eficaz do que a intenção original.

Ora, em vez de apresentar aqui minha lista de medicamentos (seria muito deselegante), indico ao leitor, além do livro de Meyers, *Fabuleux hasards, histoire de la découverte des médicaments* [Acasos fabulosos, história da descoberta dos medicamentos], de Claude Bohuon e Claude Monneret, e *Laughing Gas, Viagra and Lipitor* [Gás hilariante, Viagra e Lipitor], de Jie Jack Li.

O argumento antiteleológico de Matt Ridley

O formidável filósofo cético medieval de língua árabe Algazel, também conhecido como Al-Ghazali, que tentou destruir a teleologia da Averróis e seu racionalismo, propôs a famosa metáfora da fabricação de alfinetes – hoje erroneamente atribuída a Adam Smith. O alfinete não é fabricado por uma única pessoa, há 25 indivíduos envolvidos; na ausência de uma figura central de planejamento, todas são colaboradoras — uma colaboração guiada por uma mão invisível. Pois ninguém sabe como produzi-lo por conta própria.

Aos olhos de Algazel, um cético fideísta (isto é, um cético com fé religiosa), o conhecimento não estava nas mãos dos seres humanos, mas nas de Deus, enquanto Adam Smith chama isso de lei do mercado e alguns teóricos modernos o definem como auto-organização. Se o leitor quiser saber por que o fideísmo é epistemologicamente equivalente ao puro ceticismo no que concerne ao conhecimento humano e à aceitação da lógica oculta das coisas, é só substituir Deus pela natureza, pelo destino, pelo Invisível, Opaco e Inacessível, e obterá basicamente o mesmo resultado. A lógica das coisas está fora de nós (nas mãos de Deus ou em forças naturais ou espontâneas); uma vez que hoje em dia ninguém está em comunicação direta com Deus, nem mesmo no Texas, há pouca diferença entre Deus e a opacidade. Nenhum indivíduo tem a menor pista sobre o processo geral, e isso é decisivo.

O autor Matt Ridley formula um argumento mais potente, graças à sua formação em biologia. A diferença entre os seres humanos e os animais está na capacidade de colaborar, de se envolver em negócios, de deixar as ideias, perdoe-me pela expressão, copularem. A colaboração tem vantagens explosivas, o que, em termos matemáticos, chama-se de função superaditiva, ou seja, 1 mais 1 é igual a mais de 2, e 1 mais 1 mais 1 é igual a muito, muito mais do que 3. Isso é pura não linearidade com benefícios explosivos — investigaremos em detalhes como ela se beneficia com a pedra filosofal. Fundamentalmente, esse é um argumento em prol da imprevisibilidade e dos efeitos Cisne Negro: uma vez que não é possível prever as colaborações, tampouco direcioná-las, não se pode ver para onde o mundo está indo. Tudo que se pode fazer é criar um ambiente que facilite essas colaborações e estabelecer as bases para a prosperidade. E não, não é possível centralizar as inovações, tentamos isso na Rússia.

Extraordinariamente, para lidar em termos um pouco mais filosóficos com as ideias de Algazel, é possível ver o efeito da religião na redução da dependência da falibilidade das teorias e da agência humanas — de modo que, nesse sentido, Adam Smith está em consonância com Algazel. Para um, a mão invisível é o mercado; para o outro, Deus. Para as pessoas é difícil entender que, historicamente, o ceticismo tem sido em larga medida ceticismo em relação ao conhecimento especializado, em vez de ceticismo em relação às entidades abstratas como Deus, e que todos os grandes céticos foram em grande parte ou muito religiosos ou, pelo menos, pró-religião (isto é, a favor de que os *outros* fossem religiosos).

Teleologia corporativa

Quando eu cursava a faculdade de economia e administração de empresas, raramente frequentava as aulas sobre uma coisa chamada planejamento estratégico, uma disciplina obrigatória, e quando eu dava as caras na sala de aula, não prestava atenção em nada do que estava sendo discutido ali; não chegava a comprar nem os livros. Há algo especial no senso comum da cultura estudantil; sabíamos que era tudo papo-furado. Passei as aulas obrigatórias de gestão desnorteando os professores, brincando com lógicas complexas, e tinha a sensação de que seria intelectualmente desonesto inscrever-me em mais disciplinas do que o estritamente necessário.

As corporações adoram a ideia do planejamento estratégico. Elas precisam pagar para descobrir aonde estão indo. Contudo, não existem evidências de que o planejamento estratégico funcione — aparentemente temos até mesmo evidências contra ele. Um pesquisador de gestão, William Starbuck, publicou alguns artigos desmistificando a eficácia do planejamento — planejar torna a empresa cega às opções, uma vez que a aprisiona a uma linha de ação não oportunista.

Já está mais do que provado e comprovado que, quando submetido a testes empíricos, quase tudo que existe de teórico em relação à gestão, do taylorismo às várias histórias de produtividade, é desmascarado como pseudociência e, tal qual a maioria das teorias econômicas, vive em um mundo paralelo às evidências. Matthew Stewart, que se formou em filosofia mas terminou trabalhando como consultor de gestão empresarial, conta uma história bastante repugnante, ainda que engraçada, em *Desmascarando a administração*.* Lembra a postura egoísta dos banqueiros. Abrahamson e Freedman, em seu belo livro *Uma bagunça perfeita*, também desmistificam muitos enfoques precisos, concisos e teleológicos. No fim fica claro que o planejamento estratégico é apenas uma conversa fiada supersticiosa.

* *The Management Myth*. Edição brasileira: *Desmascarando a administração: As verdades e mentiras que os gurus contam e as consequências para os seus negócios*. Rio de Janeiro: Elsevier, 2010.

Como ilustração das mudanças de direção nos rumos tomados pelos negócios, uma guinada racional e oportunista, tenha em mente o seguinte exemplo: a Coca-Cola começou como um produto farmacêutico. A Tiffany & Co., chiquérrima empresa do ramo de comércio de joias, foi fundada como loja de artigos de papelaria. Os dois exemplos talvez sejam próximos, mas veja este: a Raytheon, que criou o primeiro sistema de orientação de mísseis, era uma fabricante de geladeiras (um de seus fundadores foi ninguém menos que Vannevar Bush, que concebeu o modelo linear teleológico de ciência que vimos anteriormente; vai entender!). Agora, pior: a Nokia, que costumava ser a maior fabricante mundial de telefones celulares, começou como uma fábrica de papel (em algum momento, dedicou-se à produção de sapatos de borracha). A DuPont, empresa hoje famosa por suas panelas antiaderentes de teflon, bancadas de cozinha de corian e o resistente tecido kevlar, no início era uma fabricante de explosivos. A Avon, empresa de cosméticos, começou vendendo livros de porta em porta. E, a mais estranha de todas, a Oneida Silversmiths, fabricante de artigos de prata, era um culto comunitário religioso, mas, por motivos de regulamentação legal, precisou usar como disfarce o modelo de sociedade anônima.

O PROBLEMA DO PERU ÀS AVESSAS

Agora, um pouco do arcabouço por trás do que estou dizendo — a epistemologia das afirmações estatísticas. A discussão a seguir mostrará como o desconhecido, aquilo que não vemos, pode conter boas notícias em um caso e, em outro, más notícias. E, no território do Extremistão, as coisas ficam ainda mais acentuadas.

Repetindo (é necessário fazer isso, porque os intelectuais tendem a esquecer), ausência de evidências não é evidência de ausência, um aspecto simples que tem as seguintes implicações: para o antifrágil, as boas notícias tendem a estar ausentes das informações do passado, e, para o frágil, as más notícias é que não aparecem com facilidade.

Imagine ir ao México munido de um notebook e tentar descobrir a renda média da população conversando com as pessoas que você encontrar aleatoriamente. É provável que, sem Carlos Slim* na sua amostragem, sua sondagem obterá poucas informações relevantes. Pois, dentre os cerca de 100 milhões de mexicanos, Slim seria (presumo) mais rico do que todos os 70 milhões a 90 milhões de pessoas que estão na base da pirâmide, somadas. Assim, você pode ter uma amostra de 50 milhões de pessoas, mas, a menos que inclua aquele "evento raro", talvez a amostra seja inexpressiva e subestime a riqueza total.

Lembre-se dos gráficos das figuras 6 e 7, ilustrando as compensações oriundas de tentativa e erro. Quem se ocupa de improvisos e experimentações incorre em uma série de pequenas perdas, e, então, vez por outra, encontra algo bastante significativo. Essa metodologia, quando vista de fora, mostrará os atributos indigestos — ela oculta as qualidades, não os defeitos.

> No caso antifrágil (de assimetrias positivas, negócios do Cisne Negro positivos), a exemplo de tentativa e erro, o histórico de desempenho da amostra tenderá a subestimar a média de longo prazo; ocultará as qualidades, não os defeitos.

(Há uma tabela no Apêndice, para aqueles que gostam de visualizar graficamente a questão.)

Lembre-se de nossa missão de "não ser um peru". No fim das contas, a mensagem que prevalece é que, quando se vê diante de uma ampla amostra sujeita a problemas ao estilo do peru, o indivíduo tende a estimar um número *menor* de eventos adversos — em termos simples, eventos raros são raros e tendem a não aparecer em amostras passadas, e uma vez que *o raro é quase sempre negativo*, temos um quadro mais otimista do que a realidade. Mas, aqui, encaramos a imagem de espelho, a situação inversa. Sob assimetrias positivas, isto é, o caso antifrágil, o "inobservado" é positivo. Assim, as "evidências empíricas" tendem a deixar passar despercebidos os eventos positivos e a subestimar os benefícios totais.

* Empresário bilionário incluído pelas revistas *Forbes* e *Fortune* na lista de homens mais ricos do mundo; com patrimônio estimado em mais de 67 bilhões de dólares em 2018, Carlos Slim Helú é dono de lojas de departamentos, redes de restaurantes, imóveis, mas a base de seu império é a companhia de telecomunicações América Móvil. (N. T.)

Com relação ao clássico problema do peru, a regra é a seguinte:

No caso frágil das assimetrias negativas (problemas do peru), o histórico de desempenho da amostra tenderá a superestimar a média no longo prazo; ocultará os defeitos e mostrará as qualidades.

As consequências tornam a vida simples. Mas, já que as metodologias padronizadas não levam em conta as assimetrias, praticamente todo o mundo que estudar as estatísticas convencionais sem se aprofundar muito no tema (apenas para teorizar em ciências sociais ou ensinar alunos) entenderá errado o problema do peru. Sigo uma regra simples: a de que se deve esperar daqueles que lecionam em Harvard uma compreensão muito mais restrita das coisas do que a de taxistas ou pessoas que não conhecem os métodos enlatados de inferência (é uma heurística, pode estar errada, mas funciona; chamou-me a atenção que a Harvard Business School costumava incluir em seu corpo docente o fragilista Robert C. Merton).

Por isso, vamos atormentar os professores da Business School, que fazem por merecer, e muito. No que diz respeito ao primeiro caso (o erro de ignorar as assimetrias positivas), um professor de Harvard, Gary Pisano, ao escrever sobre o potencial da biotecnologia, cometeu o erro elementar do peru às avessas, ao não perceber que, em um negócio com perdas limitadas e potencial ilimitado (exatamente o oposto do sistema bancário), o que não se vê pode ao mesmo tempo ser significativo e ter permanecido oculto no passado. Ele escreve: "Apesar do sucesso comercial de diversas empresas e do avassalador aumento das receitas para a indústria como um todo, a maioria das empresas de biotecnologia não obtém lucro algum". Isso pode estar certo, mas a inferência a partir daí está errada, possivelmente inversa, por duas razões, e isso ajuda a repetir a lógica em virtude da gravidade das consequências. Em primeiro lugar, "a maioria das empresas" no Extremistão não obtém lucro algum — o evento raro domina, e um pequeno número de empresas gera todos os shekels. E, seja qual for o argumento que ele apresenta, na presença do tipo de assimetria e de opcionalidade que vemos na figura 7, é inconclusivo, de modo que é melhor escrever sobre outro assunto, algo menos prejudicial e que possa interessar aos alunos de Harvard — por exemplo, como fazer uma apresentação de PowerPoint convincente ou a diferença entre as culturas de gestão de japoneses e franceses. Mais uma vez, pode ser que ele esteja certo quanto ao lamentável potencial de investimentos em biotecnologia, mas não com base nos dados que mostrou.

Ora, por que esse tipo de pensamento, de figuras como o professor Pisano, é perigoso? Não é uma questão de saber se inibiria ou não pesquisas na área de biotecnologia. O problema é que esse tipo de erro inibe tudo na área econômica que tem propriedades antifrágeis (em termos mais técnicos, "enviesado à direita"). E fragilizaria a coisa toda, por favorecer os negócios que são "apostas líquidas e certas".

Por incrível que pareça, outro professor de Harvard, Kenneth Froot, cometeu exatamente o mesmo erro, mas na direção oposta, com as assimetrias negativas. Analisando as empresas de resseguros (aquelas que fazem seguros para eventos catastróficos), ele pensou ter encontrado uma aberração. As resseguradoras lucravam demais em comparação com os riscos que assumiam, uma vez que as catástrofes pareciam ocorrer *com frequência menor* do que refletiam os prêmios dos seguros. Ele deixou escapar o fato de que os eventos catastróficos atingem essas empresas apenas negativamente, e tendem a estar ausentes de dados do passado (mais uma vez, eles são raros). Lembre-se do problema do peru. Um único episódio, o das indenizações a vítimas contaminadas por amianto, levou à bancarrota famílias inteiras de companhias de seguros subscritoras e intermediárias do Lloyd's, dissipando uma renda que havia sido acumulada ao longo de gerações. Um único episódio.

Voltaremos a essas duas compensações distintas, com "limitação à esquerda" (perdas limitadas, como a aposta de Tales) e a "limitação à direita" (ganhos limitados, como os seguros ou o sistema bancário). A distinção é fundamental, pois a maioria das compensações na vida está em uma ou em outra categoria.

Cair sete vezes, mais ou menos duas

Permita-me fazer uma pausa para anunciar as regras, baseadas no que vimos até agora neste capítulo. (i) Procure a opcionalidade; na verdade, classifique hierarquicamente as coisas de acordo com a opcionalidade; (ii) de preferência, com compensações irrestritas, não limitadas; (iii) não invista em planos de negócios, mas em pessoas, portanto procure alguém que seja capaz de mudar seis ou sete vezes ao longo da carreira, ou mais (uma ideia que faz parte do modus operandi do capitalista de risco Marc Andreessen), a maneira de ficar imune às narrativas de reajuste retroativo do plano de negócios é investir em pessoas. Simplesmente é mais robusto fazer isso; (iv) certifique-se de que você está atuando no modo *barbell*, independentemente do que isso signifique para o seu negócio.

O CHARLATÃO, O ACADÊMICO E O SHOWMAN

Termino o capítulo em tom de tristeza: nossa ingratidão para com as muitas pessoas que nos ajudaram a chegar até aqui — por deixar que nossos antepassados sobrevivessem.

Nosso equívoco acerca das experimentações e dos improvisos convexos, da antifragilidade e de como domar a aleatoriedade está entranhado nas nossas instituições — embora não de modo consciente e explícito. Há na medicina uma categoria de pessoas chamadas de empiristas, ou céticos empiristas, os fazedores, e só — não dispomos de muitos nomes para caracterizá-las, pois elas escreveram poucos livros. Muitas de suas obras foram destruídas ou escondidas da consciência cultural, ou naturalmente excluídas dos registros, e sua memória vem sendo bastante maltratada pela história. Os pensadores formais e os teorizadores de teorias tendem a escrever livros; as pessoas intuitivas e empiristas tendem a ser profissionais com atuação prática que, quase sempre, se contentam em sentir a empolgação, ganhar ou perder o dinheiro e contar vantagem no bar. Suas experiências são, invariavelmente, formalizadas por acadêmicos; com efeito, a história vem sendo escrita por aqueles que querem que você acredite que o raciocínio exerce um monopólio, ou um semimonopólio, sobre a produção de conhecimento.

Assim, o derradeiro ponto aqui diz respeito aos chamados charlatães. Alguns eram, outros eram um pouco menos; alguns não eram; e muitos foram casos limítrofes. Por um longo tempo, a medicina oficial teve de competir com multidões de *showmen* espalhafatosos, trapaceiros, curandeiros que diziam possuir remédios milagrosos, feiticeiros e feiticeiras, e todos os tipos de impostores sem habilitação médica oficial para praticar suas curas. Alguns eram itinerantes, passando por vilarejos e realizando seus atos curativos diante de várias pessoas. Vez por outra, realizavam cirurgias enquanto entoavam palavras mágicas.

Essa categoria incluía os médicos que não adotavam práticas e métodos da escola da medicina racional greco-árabica dominante, desenvolvida no mundo helênico da Ásia Menor e mais tarde cultivada pela escola de língua árabe. Os romanos eram um grupo pragmático antiteórico; os árabes adoravam tudo que fosse filosófico e "científico", e colocaram Aristóteles, a quem até então ninguém parecia ter dado muita atenção, em um pedestal. Por exemplo, sabemos muito pouco sobre a escola empírica e cética de Menódoto de Nicomédia — sabemos muito mais sobre Galeno, o racionalista. A medicina, para os árabes, era um exercício de erudição acadêmica, calcada na lógica aristotélica e nos métodos de Galeno; eles abominavam a experiência.* Os médicos com atuação prática eram os Outros.

A regulamentação do establishment médico oficial corresponde a preocupações de ordem econômica com relação aos empíricos, à medida que a concorrência com os charlatães fez caírem os rendimentos dos médicos. Assim, não é surpresa alguma que eles tenham sido colocados no mesmo balaio dos ladrões — a título de exemplo, veja-se este longo título de um tratado elisabetano: *Um breve relato, ou, a descoberta de certos estratagemas, por meio dos quais nossos empiristas londrinos, tem-se observado, opugnam e, muitas vezes, expugnam fortemente o pecúlio de seus pobres pacientes.*

"Charlatão" era tido como sinônimo de empírico. O termo "empírico" designava alguém que se fiava em experimentos e na experiência para certificar-se de que algo estava correto. Em outras palavras, tentativa e erro, experimentações e improvisos. Isso era considerado inferior — em âmbito profissional, social e intelectual. Ainda hoje não é tido como muito "inteligente".

Mas, felizmente para nós, os empíricos desfrutavam de imensa popularidade, e foi impossível extirpá-los. Não vemos as obras que eles produziram, mas deixaram uma marca descomunal na medicina.

Atente para o pico inicial de intensidade de iatrogenia após a academização — e a institucionalização — da medicina com o advento da modernidade. Apenas recentemente isso começou a se reverter. Ademais, os acadêmicos formais, vistos à luz da história, não eram melhores do que aqueles que eram

* Não se chama a devida atenção para o fato de que o pensamento árabe privilegia o pensamento abstrato e a ciência no sentido mais teórico da palavra — violentamente racionalista, distante do empirismo.

chamados de charlatães — eles simplesmente ocultavam seus embustes sob o peso de racionalizações mais convincentes. Eram apenas charlatães *organizados*. Minha esperança é que isso mude.

Ora, concordo que, em sua maioria, os praticantes de medicina não validados pelo establishment acadêmico eram patifes, charlatães, curandeiros farsantes e, no mais das vezes, muito piores do que isso. Mas, alto lá, sejamos cuidadosos para não tirar conclusões equivocadas. Os formalistas, para proteger seu território, sempre tiraram proveito da falácia lógica de que, se por um lado há charlatães em meio às hostes de não acadêmicos, por outro os não acadêmicos são todos charlatães. Eles continuam fazendo isto: a afirmação de que *tudo que não é rigoroso é não acadêmico* (presumindo que a pessoa é uma otária e acredita nisso) não implica que *tudo que é não acadêmico é não rigoroso*. O embate entre os médicos "legítimos" e os Outros é bastante esclarecedor, em particular quando notamos que os médicos estavam, discretamente (e com relutância), copiando alguns remédios e tratamentos desenvolvidos e promovidos pelos Outros. Tiveram de fazer isso por razões econômicas. Eles se beneficiaram com a tentativa e erro coletiva dos Outros. E o processo levou a curas, atualmente integradas à medicina.

Agora, leitor, vamos reservar um minuto para prestar uma homenagem. Pensemos na nossa ingratidão para com aqueles que nos fizeram chegar até aqui, receberam nosso desprezo e nem sequer souberam que foram heróis.

16. Uma lição sobre a desordem

Onde vai ser a próxima briga de rua? – Como descomoditizar, desturistificar – O aluno inteligente (também no sentido contrário) – Flanador como opção

Vamos continuar com a teleologia e a desordem – na vida pessoal e na educação individual. Em seguida, um breve relato autobiográfico.

O ECOLÓGICO E O LÚDICO

Como vimos no capítulo 7 com o sujeito que fazia a habitual mas falsa analogia com o blackjack, há dois domínios: o lúdico, cuja configuração é como a de um jogo, com suas regras estabelecidas de antemão e de forma explícita, e o ecológico, em que não conhecemos as regras e não podemos isolar as variáveis, à semelhança da vida real. Ver a não transferibilidade de habilidades de um domínio para o outro fez com que eu me tornasse cético em relação às habilidades, sejam quais forem, adquiridas em uma sala de aula, qualquer coisa de feição não ecológica, em comparação com as brigas de rua e as situações da vida real.

Não se fala muito sobre o fato de não existirem evidências de que as habilidades de xadrez resultam em melhor capacidade de raciocínio fora do tabuleiro de xadrez — nem mesmo aqueles que jogam xadrez às cegas com um punhado de adversários são capazes de lembrar mais facilmente de coisas alheias ao tabuleiro do que uma pessoa normal. Aceitamos a especificidade do domínio dos jogos, o fato de que eles não nos treinam de verdade para a vida, de que há graves perdas nessa tradução. Mas temos dificuldade para aplicar a lição às habilidades técnicas adquiridas nas escolas, isto é, aceitar o fato crucial de que o que se aprende na sala de aula *permanece*, em grande medida, na sala de aula. Pior ainda: a sala de aula pode trazer alguns danos detectáveis, uma quantidade de iatrogenia que quase nunca é discutida: Laura Martignon mostrou-me resultados obtidos por sua doutoranda Birgit Ulmer, demonstrando que a capacidade das crianças de *contar* diminui imediatamente depois de aprenderem aritmética. Quando se pergunta às crianças quantos intervalos existem entre quinze estacas, as que não sabem aritmética imaginam que existam catorze. As que estudaram aritmética ficam confusas e muitas vezes cometem o erro de responder errado, achando que há quinze.

A turistificação da mãe-helicóptero

Certa vez, perguntaram ao biólogo e intelectual E. O. Wilson o que representava o maior entrave para o desenvolvimento das crianças; sua resposta foi: a mãe-helicóptero. Ele não recorreu à noção da cama de Procusto, mas a resumiu perfeitamente. Seu argumento é que essas mães costumam reprimir a biofilia natural das crianças, seu amor pelos seres vivos. Mas o problema é mais generalizado; as mães-helicóptero tentam eliminar da vida dos filhos pequenos a tentativa e erro, a antifragilidade, afastar as crianças do ecológico e transformá-las em nerds que funcionam sob os ditames de mapas preexistentes da realidade (e compatíveis-com-a-mãe-helicóptero). Bons alunos, mas nerds — ou seja, essas crianças são como computadores, só que mais lentas. Além disso, elas agora estão totalmente despreparadas para lidar com a ambiguidade. Sendo uma criança que cresceu em meio à guerra civil, desconfio da aprendizagem estruturada — verdade seja dita, acredito que uma pessoa pode ser um intelectual sem que seja nerd, desde que tenha uma biblioteca particular em vez de frequentar uma sala de aula, e contanto que passe seu tempo como um flanador sem rumo (mas racional), beneficiando-se com o que a aleatoriedade é capaz de nos dar, dentro e fora da biblioteca. Desde que tenhamos o tipo certo de rigor, precisamos da aleatoriedade, da bagunça, das aventuras, da incerteza, da autodescoberta, de episódios quase traumáticos, todas essas coisas que fazem a vida valer a pena de ser vivida, em comparação com a vida estruturada, falsa e ineficaz de um diretor executivo metido a besta, com uma agenda predeterminada e um despertador. O próprio lazer deles acontece de forma cronometrada, partida de squash das quatro às cinco, pois sua vida é espremida entre um e outro compromisso. É como se a missão da modernidade fosse sugar até a última gota toda a variabilidade e a aleatoriedade da vida — com o irônico resultado (como vimos no capítulo 5) de tornar o mundo muito mais imprevisível, como se as deusas do acaso quisessem ter a última palavra.

Somente os autodidatas são livres. E não apenas em questões de educação acadêmica — aqueles que descomoditizam, desturistificam a vida. Os esportes tentam acondicionar a aleatoriedade dentro de caixas, como aquelas que são vendidas no corredor 6, ao lado das latas de atum — uma forma de alienação.

Se você quiser entender como são enfadonhos os argumentos modernosos atuais (e entender nossas prioridades existenciais), leve em conta a diferença entre os leões selvagens e os criados em cativeiro. Os leões criados em cativeiro vivem mais tempo; são tecnicamente mais ricos, e sua estabilidade no emprego está garantida para o resto da vida, se esses forem os critérios que você está pondo em foco...

Como de hábito, um autor da Antiguidade — neste caso, Sêneca — detectou o problema (e a diferença) com sua máxima "Não estudamos para a vida, mas apenas para a sala de aula", *non vitae, sed scolae discimus*, que, para meu grande espanto, foi corrompida e alterada de modo interesseiro para ajustar-se ao lema de muitas faculdades nos Estados Unidos, *non scolae, sed vitae discimus*, o que significa "[Aqui] estudamos para a vida, não para a sala de aula".

A maior parte das tensões da vida real ocorrerá quando aquele que reduz e fragiliza (o formulador de políticas públicas, por exemplo) invocar a racionalidade.

UMA EDUCAÇÃO ANTIFRÁGIL (*BARBELL*)

Algo me curou dos efeitos da educação e me tornou muito cético em relação à própria noção de aprendizagem padronizada.

Pois sou um autodidata puro, apesar de ter adquirido diplomas.

Meu pai era conhecido no Líbano como o "Aluno Inteligente Inteligente Aluno", um jogo de palavras, pois a expressão em árabe para "aluno (ou estudioso) inteligente" é *taleb nagib*, e seu nome era Nagib Taleb. Foi dessa forma que o jornal publicou seu nome quando, ao término do ensino médio, ele obteve a maior nota de todo o Líbano no exame final de avaliação. Meu pai era um tipo de orador oficial nacional, e por ocasião de seu falecimento, em 2002, o principal jornal do país estampou na primeira página uma manchete com um trocadilho com seu nome predestinado: O ALUNO INTELIGENTE SE FOI E JÁ NÃO É MAIS O INTELIGENTE ALUNO. Sua formação escolar foi angustiante, porque frequentou a escola jesuíta da elite. A missão dos jesuítas era produzir os mandarins que mandavam no país, filtrando e refiltrando os alunos ano após ano. Foram mais que bem-sucedidos em seu objetivo, pois, além de ter uma das mais elevadas taxas de desempenho em todo o mundo no bacharelado em francês (apesar da guerra), a escola incluía em seu rol de ex-alunos uma lista de nomes de fama internacional. Os jesuítas também impediam os alunos de ter tempo livre, e, por causa disso, muitos desistiam. Dessa forma, é de supor que ter um pai no papel de orador oficial nacional sem dúvida me asseguraria uma cura contra a escola, o que de fato aconteceu. Meu próprio pai não parecia superestimar a educação escolar, uma vez que decidiu não me matricular na escola jesuíta — para me poupar da angústia que ele mesmo havia sofrido. Mas isso claramente me deixou livre para buscar em outro lugar a satisfação do meu ego.

Observar meu pai de perto me fez perceber o que significava ser um orador oficial nacional, o que significava ser um *Aluno Inteligente*, principalmente no sentido negativo: havia coisas que os alunos inteligentes eram incapazes de compreender. Junto com o pacote vinha uma espécie de cegueira. Essa ideia me acompanhou por muito tempo, por exemplo no período em que trabalhei em pregões da Bolsa, onde passamos a maior parte do tempo sentados, esperando que as coisas aconteçam, situação semelhante à de pessoas sentadas em bares ou à dos mafiosos que "ficam de bobeira". Descobri como selecionar as pessoas levando em conta sua capacidade de integrar-se socialmente com as outras enquanto ficavam sentadas à toa e desfrutavam da vagueza e da falta de nitidez. Você seleciona as pessoas com base na capacidade delas de ficar paradas sem fazer coisa alguma, como um filtro, e as pessoas estudiosas não eram boas em ficar à toa: elas sentiam necessidade de ter uma tarefa claramente definida.

Quando eu tinha mais ou menos dez anos, percebi que as notas altas não traziam tantos benefícios fora da escola quanto dentro dela, já que traziam a reboque alguns efeitos colaterais. Elas tinham de corresponder a um sacrifício, a uma espécie de sacrifício intelectual. Na verdade, meu pai vivia me dando indiretas sobre o problema que ele mesmo tinha vivenciado por ser bom aluno: seu colega de classe que ocupava a última posição no quesito desempenho acadêmico (o aluno de piores notas, ironicamente pai de uma colega que tive em Wharton) tornou-se um comerciante autônomo, de longe a pessoa mais bem-sucedida da turma (ele era dono de um iate enorme, ostentando suas iniciais gravadas em letras graúdas); outro fez fortuna, em curto período de tempo e sem muito esforço, comprando madeira na África, aposentou-se antes dos quarenta anos, em seguida tornou-se historiador amador (especializou-se em história antiga do Mediterrâneo) e entrou para a política. Em certo sentido, meu pai parecia não valorizar a educação, mas sim a cultura ou o dinheiro — e me instigou a sair no encalço das duas coisas (em um primeiro momento, fui em busca da cultura). Ele tinha verdadeiro fascínio por eruditos e homens de negócios, pessoas cuja posição não dependia de credenciais.

Minha ideia era ser rigoroso no mercado aberto. Isso me fez focar no que um antialuno inteligente precisava ser: um autodidata — ou uma pessoa de conhecimento, em comparação com os alunos chamados, no dialeto libanês, de "devoradores", aqueles que "devoram o material escolar" e cujo conhecimento deriva apenas da programação dos cursos. Percebi que o diferencial não estava no pacote do que estava no programa oficial do bacharelado — conteúdo que todos dominavam, com pequenas variações que se multiplicavam em grandes discrepâncias nas notas —, mas exatamente no que estava fora do currículo.

Em um ambiente estruturado, alguns podem ser mais inteligentes do que outros — de fato, a escola tem um viés de seleção, na medida em que favorece aqueles mais rápidos em ambientes desse tipo, e, como em qualquer coisa de natureza competitiva, à custa do desempenho fora desse ambiente. Embora eu ainda não estivesse familiarizado com as academias, minha ideia de conhecimento era a seguinte: as pessoas que constroem sua força usando esses aparelhos modernos e caros de academias conseguem levantar pesos extremamente consideráveis, mostram medidas descomunais e desenvolvem músculos visualmente impressionantes, mas são incapazes de erguer uma pedra; se acabarem envolvidos em uma briga de rua, levarão uma surra acachapante de algum sujeito treinado em ambientes com menos requinte. Sua força é extremamente específica de domínio, e seu domínio não existe fora dos construtos lúdicos — e bem organizados. De fato, sua força, assim como no caso dos atletas superespecializados, é resultado de uma deformação. Eu achava que o mesmo acontecia com as pessoas selecionadas por tentar obter notas altas em um pequeno número de disciplinas, em vez de seguir sua curiosidade: tente afastá-las ligeiramente do que elas estudaram e assista à sua desintegração, sua perda de confiança e suas contradições. (Assim como os executivos corporativos são selecionados por sua habilidade de suportar o tédio das reuniões, muitas dessas pessoas foram selecionadas por sua capacidade de se concentrar em material enfadonho.) Já travei debates com muitos economistas que alegam ser especialistas em risco e probabilidade: quando eles se desviam minimamente de seu foco limitado, mas ainda no âmbito da disciplina da probabilidade, eles desmoronam, com a expressão desconsolada de um rato de academia diante de um assassino profissional a serviço do crime organizado.

Reitero que eu não era exatamente um autodidata, pois tenho diplomas acadêmicos: eu era, antes, um autodidata tipo *barbell*, pois estudava somente o mínimo necessário para ser aprovado em qualquer prova, vez por outra superando meus próprios limites acidentalmente, e só me metia em apuros em algumas ocasiões quando meu desempenho ficava aquém do desejado. Mas eu era um leitor voraz, que consumia volumes inteiros, inicialmente na área de humanidades, mais tarde em matemática e ciências, e agora em história — fora do âmbito dos currículos acadêmicos, longe dos aparelhos das academias de musculação, por assim dizer. Constatei que qualquer coisa que eu mesmo selecionasse seria lida por mim com mais profundidade e amplitude — pois era páreo para a minha curiosidade. E eu conseguia tirar proveito daquilo que, mais tarde, as pessoas patologizaram como transtorno do déficit de atenção com hiperatividade (TDAH) ao usar a estimulação natural como um dos principais catalisadores da aprendizagem. Para valer a pena, a empreitada tinha de ser totalmente desprovida de esforço. No minuto em que eu me entediava com um livro ou um assunto, partia para outro livro ou tema, em vez de desistir completamente de ler — quando você se limita ao material escolar e se entedia, tende a desistir e a não fazer nada, ou a matar aula por puro desânimo. O artifício é ficar entediado com um livro específico, e não com o ato da leitura em si. Assim o número de páginas absorvidas poderá aumentar mais rapidamente do que de outro modo. E você encontra ouro, por assim dizer, sem esforço nenhum, como na pesquisa racional (mas não dirigida) baseada na tentativa e erro. É exatamente como as opções, tentativa e erro, ficar emperrado em uma rotina, bifurcar quando necessário, mas mantendo um senso de ampla liberdade e oportunismo. Tentativa e erro é a liberdade.

(Confesso que ainda estou usando esse método enquanto escrevo este livro. Evitar o tédio é o único modo de ação digno. Não vale a pena viver de outra maneira.)

Meus pais tinham um cadastro na maior livraria de Beirute, e eu escolhia livros em quantidades que me pareciam ilimitadas. Havia uma diferença descomunal entre as prateleiras da biblioteca e o tacanho material escolar; logo descobri que a escola era um complô destinado a privar as pessoas de erudição, espremendo seus conhecimentos até reduzi-los a um conjunto restrito de autores. Comecei, por volta dos treze anos, a fazer o registro das minhas horas de leitura, tendo como meta alcançar entre trinta e sessenta horas por semana, prática que mantive por muito tempo. Li escritores como Dostoiévski, Turguêniev, Tchekhov, bispo Bossuet, Stendhal, Dante, Proust, Borges, Calvino, Céline, Schultz, Zweig (não gostei), Henry Miller, Max Brod, Kafka, Ionesco, os surrealistas, Faulkner, Malraux (junto com outros excepcionais aventureiros, como Conrad e Melville; o primeiro livro que li em inglês foi *Moby Dick*) e autores literários similares, muitos deles obscuros, além de Hegel, Schopenhauer, Nietzsche, Marx, Jaspers, Husserl, Lévi-Strauss, Levinas, Scholem, Benjamin e outros da mesma estirpe em filosofia, porque eles tinham o status de ouro de não fazer parte do programa escolar, e eu não conseguia ler *nada* do que a escola prescrevia, por isso até hoje não li Racine, Corneille e outros chatos de galocha. Houve um verão em que decidi ler os vinte romances de Émile Zola em vinte dias, um por dia, e consegui dar cabo da empreitada a duras penas. Talvez ingressar em um grupo antigovernista clandestino tenha me motivado a dar atenção aos estudos marxistas, e aprendi quase tudo sobre Hegel de maneira indireta, principalmente por intermédio da obra de Alexandre Kojève.

Quando decidi vir para os Estados Unidos, repeti, por volta dos dezoito anos, a maratona de comprar algumas centenas de livros em inglês (uma gama de autores que iam de Trollope a Burke, Macaulay e Gibbon, com Anaïs Nin e outros escritores *de scandale* que então estavam na moda); eu não dava as caras nas aulas, e mantinha a disciplina de trinta a sessenta horas semanais de leitura.

Na escola, eu havia descoberto que, quando alguém consegue escrever redações com um vocabulário rico, literário, porém preciso (embora não inadequado ao tema em questão), mantendo certa coerência do início ao fim, o que se escreve torna-se secundário, e a partir disso a banca de examinadores consegue fazer uma ideia do estilo e do rigor de quem está escrevendo. Depois que, ainda adolescente, o jornal local publicou um texto de minha autoria, meu pai me deu carta branca. "Apenas não seja reprovado", foi sua única condição. Era uma situação *barbell* — não corra riscos demais na escola e leia por conta própria, tendo expectativa *zero* em relação à escola. Mais tarde, depois que fui preso por agredir um policial em uma manifestação estudantil, meu pai fingiu ter ficado com medo de mim e me deixou fazer tudo que eu queria. Quando, com vinte e poucos anos, cheguei à fase do "dinheiro suficiente para mandar todo mundo à m**", em uma época em que isso era muitíssimo mais raro do que hoje, apesar da guerra que fustigava nosso país natal, meu pai tomou para si o crédito, atribuindo meu sucesso à amplitude da educação que ele havia me propiciado e ao modo como isso me diferenciava de outras pessoas como ele, cuja instrução formal era restrita.

Quando, em Wharton, descobri que queria especializar-me em uma profissão ligada à probabilidade e a eventos raros, uma obsessão por probabilidade e aleatoriedade assumiu o controle da minha mente. Eu também suspeitava de algumas falhas no material estatístico, coisas que o professor não era capaz de explicar, por isso as escondia de nós — e o conteúdo essencial tinha de ser o que o professor estava tentando esconder. Percebi que havia uma fraude em algum lugar, que os eventos "seis sigma" (medidas de eventos raríssimos) eram calculados com grosseiros equívocos e não tínhamos base alguma para seu cômputo, mas eu não conseguia articular com clareza o meu discernimento e estava sendo humilhado por pessoas que começaram a me trucidar com uma matemática complexa. Eu via bem diante dos meus olhos, cristalinas, as limitações da probabilidade, mas não conseguia encontrar as palavras para expressar meu argumento. Então, fui à livraria e encomendei (na época não existia internet) quase todos os livros que tivessem no título as palavras "probabilidade" ou "estocástico". Durante dois anos não li mais nada, nenhum material da bibliografia obrigatória dos cursos, nenhum jornal, nenhuma obra literária, nada. Eu lia os livros na cama, pulando de um para o outro quando empacava em alguma coisa que não entendia de imediato ou quando me sentia ligeiramente entediado. E continuei a encomendar aqueles livros. Eu estava faminto para me aprofundar cada vez mais no problema das pequenas probabilidades. Eu não fazia esforço algum. Foi meu melhor investimento — o risco passou a ser o tema que melhor conheço. Cinco anos depois, eu estava com a vida ganha, e, agora, venho fazendo carreira como pesquisador dos vários aspectos dos eventos com pequenas probabilidades. Se tivesse estudado o assunto por meios pré-preparados, teria sofrido uma lavagem cerebral que me levaria a pensar que a incerteza é algo que só se encontra em cassinos, esse tipo de coisa. Existe uma matemática aplicada que não tem nada a ver com a nerdice: primeiro encontre um problema, depois descubra a matemática que funciona para a solução dele (da mesma forma que uma pessoa adquire a linguagem), em vez de estudar no vácuo por meio de teoremas e exemplos artificiais, e, em seguida, mudar a realidade para fazer com que ela se assemelhe a esses exemplos.

Um dia, na década de 1980, jantei com um célebre especulador, um homem extremamente bem-sucedido. Ele resmungou a hipérbole que me abriu os olhos: "Grande parte do que as outras pessoas sabem não vale a pena saber".

Até hoje, ainda tenho o instinto de que o tesouro, o que o indivíduo precisa saber para exercer uma profissão, é, necessariamente, o que está fora do repertório comum, o mais longe possível do centro. Mas há algo decisivo em seguir a própria direção na hora de escolher o que ler: o que fui obrigado a estudar na escola já esqueci; o que decidi ler por conta própria, ainda lembro.

17. Tony Gordo debate com Sócrates

Piedade para os impiedosos — Tony Gordo não bebe leite — Sempre peça aos poetas que expliquem sua poesia — Filosofastro Mistagogo

Tony Gordo acredita que havia motivos totalmente justificáveis para condenar Sócrates à morte.

Este capítulo nos permitirá completar a discussão sobre a diferença entre o conhecimento narrado, inteligível, e o tipo mais opaco, que tateamos totalmente por meio de experimentações e improvisos — as duas colunas da tabela 4, separando a ação narrativa da não narrativa. Há o erro de pensar que as coisas sempre têm uma *razão* que é acessível a nós — que somos capazes de compreender facilmente.

Com efeito, o mais grave erro que se comete na vida é confundir o ininteligível com o incompreensível — algo que Nietzsche entendeu. Até certo ponto, isso se assemelha ao problema do peru, confundir o que não vemos com aquilo que não existe, algo afim à confusão entre ausência de evidências e evidências de ausência.

Temos sido ludibriados pelo problema da madeira verde desde o início da era de ouro da filosofia — vimos Aristóteles equivocando-se sobre a causa do sucesso de Tales; agora, voltamos nossas atenções para Sócrates, o maior dos grandes mestres.

Platão expressou-se principalmente por meio do uso que ele fez da pessoa que, sem dúvida, tornou-se o filósofo mais influente da história: Sócrates, o ateniense, o primeiro filósofo no sentido moderno. Sócrates não deixou nenhum texto próprio, de forma que a representação direta que temos dele se dá essencialmente por intermédio de Platão e Xenofonte. E, tal qual no caso de Tony Gordo, seu autoproclamado biógrafo, tentando satisfazer a sua própria pauta de prioridades, levando a distorções em seu caráter e a uma representação interesseira de algumas ideias do referido autor, também estou certo de que o Sócrates de Platão é um personagem mais platônico do que o verdadeiro Sócrates.*

Em um dos diálogos de Platão, *Eutífron*, Sócrates estava à porta do tribunal, aguardando o julgamento no qual acabaria sendo sentenciado à morte, quando o Eutífron epônimo, especialista em religião e meio que um profeta, entabula conversa com ele. Sócrates começa a explicar que pelas "atividades" das quais estava sendo acusado pelo tribunal (corromper a juventude e introduzir novos deuses, não reconhecendo a existência das divindades mais antigas) ele não apenas não cobrava nenhum tipo de honorário, como também estava totalmente disposto a pagar para que as pessoas o ouvissem.

No fim fica claro que Eutífron estava lá para acusar seu pai por homicídio culposo (nada mal como tópico para iniciar uma conversa). Assim, Sócrates questionou de que modo acusar o próprio pai de homicídio era compatível com as obrigações religiosas de Eutífron.

A técnica de Sócrates era fazer com que seu interlocutor, que iniciou com uma tese, concordasse com uma série de afirmativas, e, a partir daí, prosseguir até mostrar-lhe como as afirmativas com que ele concordara eram inconsistentes com a tese original, assim demonstrando que seu interlocutor não fazia a menor ideia do que estava falando. Sócrates usava essa estratégia

* O outro biógrafo de Sócrates, Xenofonte, apresenta um retrato diferente. O Sócrates da *Memorabilia* vai direito ao ponto e tem os pés no chão; despreza o conhecimento estéril e os especialistas que estudam assuntos sem consequências práticas, negligenciando tantas coisas úteis e importantes (em vez de olhar para as estrelas a fim de entender as causas, descobrir como se pode utilizá-las na navegação; usar a geometria para determinar as dimensões das terras, mas não mais do que isso).

principalmente para mostrar às pessoas o quanto os pensamentos delas careciam de clareza, como elas sabiam pouco sobre os conceitos que usavam rotineiramente – e a necessidade da filosofia para elucidar esses conceitos.

No início do diálogo *Eutífron*, ele pega de surpresa seu interlocutor ao usar a palavra "piedade", caracterizando a ação penal contra seu pai como um ato piedoso, assim dando a impressão de que Eutífron estava insistindo na instauração do processo em razão da piedade. Mas ele não foi capaz de apresentar uma definição que Sócrates considerasse adequada. Sócrates continuou importunando o pobre sujeito, que não conseguia articular uma definição de piedade. O diálogo continuou com mais definições (o que é "retidão moral"?), até que Eutífron encontrou uma boa desculpa para fugir. O diálogo termina abruptamente, mas o leitor fica com a impressão de que poderia ter prosseguido até hoje, 25 séculos depois, sem ter nos possibilitado proximidade com coisa alguma.

Vamos reabri-lo.

TONY GORDO CONTRA SÓCRATES

Como Tony Gordo teria lidado com o minucioso interrogatório do implacável ateniense? Agora que o leitor está familiarizado com nosso robusto personagem, vamos examinar, à guisa de experimento mental, um diálogo similar entre Tony Gordo e Sócrates (devidamente traduzido, é claro).

Há evidentes semelhanças entre os dois personagens. Ambos dispunham de muito tempo livre e apreciavam a ociosidade ilimitada, ainda que, no caso de Tony, o tempo livre fosse resultado de perspicácia produtiva. Ambos gostavam de debater, e os dois consideravam a conversa ativa (em vez de uma tela de TV ou da passividade da sala de concertos) a principal fonte de entretenimento. Ambos detestavam a escrita: Sócrates por não gostar do caráter definitivo e imutável associado à palavra escrita, pois, para ele, respostas nunca são definitivas e não devem ser fixas. Nada deve ser definido de modo indelével, escrito na pedra, nem mesmo literalmente: em *Eutífron*, Sócrates vangloria-se por ter como antepassado o escultor Dédalo, cujas estátuas ganhavam vida tão logo a obra estava concluída. Quando você conversa com uma das estátuas de Dédalo, ela responde, ao contrário das esculturas que vemos no Metropolitan

Museum of Art, em Nova York. Tony, por sua vez, não gostava da escrita por outras razões, não menos respeitáveis: ele quase foi convidado a se retirar da escola de ensino médio em Bay Ridge, no Brooklyn.

Mas as semelhanças cessam em algum lugar, o que já seria o suficiente para um diálogo. Claro que podemos esperar certa dose de surpresa da parte de Tony Gordo, vendo-se diante do homem que Nero descrevera como o maior filósofo de todos os tempos: Sócrates, dizem, tinha uma aparência física que ia muito além da feiura. Sócrates foi descrito várias vezes como um homem de barriga protuberante, pernas e braços finos, olhos esbugalhados e nariz pequeno e arrebitado. Ele tinha o aspecto desleixado. Talvez até cheirasse mal, já que se dizia que tomava banho com menos frequência do que seus pares. Pode-se imaginar Tony Gordo sorrindo com escárnio enquanto aponta o dedo para o sujeito: "Olha só, Neeero, você quer que eu converse com... *issu?*". Ou, talvez, não: ao que parece, Sócrates tinha presença, certa confiança pessoal e uma serenidade de espírito que faziam com que alguns rapazes o considerassem "belo".

De uma coisa Nero tinha certeza: de início Tony Gordo se aproximaria de Sócrates e formaria sua opinião sobre o sujeito depois de alguma investigação olfativa — e, como dissemos, Tony Gordo nem sequer percebe que isso faz parte de seu modus operandi.

Agora, suponha que Sócrates perguntasse a Tony Gordo como ele definiria piedade. A resposta de Tony Gordo teria sido, certamente, *cai fora!* — ciente da afirmação de Sócrates de que ele não apenas debateria de graça como estaria, inclusive, disposto a pagar por uma conversa, Tony Gordo teria dito que a pessoa deve recusar-se a debater com alguém disposto a pagar para conversar.

Mas o poder de Tony Gordo na vida é que ele jamais deixa a outra pessoa formular a pergunta. Ele ensinou Nero que toda pergunta traz inserida uma resposta; nunca dê uma resposta direta a uma pergunta que não faça o menor sentido para você.

TONY GORDO: Você está me pedindo para definir qual é a característica que estabelece a diferença entre o piedoso e o impiedoso. Eu realmente *preciso* ser capaz de lhe dizer o que é ser capaz de realizar uma ação piedosa?

SÓCRATES: Como pode usar uma palavra como "piedade" sem saber o que ela significa, fingindo que sabe o que significa?

TONY GORDO: Eu preciso mesmo ser capaz de lhe dizer, em puro e bárbaro inglês não grego, ou em puro grego, o que significa provar que eu sei e entendo o que significa? Eu não sei em palavras, mas sei o que é.

Sem dúvida, Tony Gordo teria levado Sócrates de Atenas ainda mais longe em sua própria jornada, e seria ele quem formularia a pergunta:

TONY GORDO: Diga-me, velhote. Uma criança precisa definir o leite materno para entender a necessidade de tomá-lo?

SÓCRATES: Não, não precisa.

TONY GORDO (usando o mesmo padrão repetitivo de Sócrates, nos diálogos de Platão): E, meu caro Sócrates, um cachorro precisa definir o que é um dono para ser leal a ele?

SÓCRATES (perplexo por se ver diante de alguém que lhe formulava perguntas): Um cão tem... instintos. Ele não reflete acerca de sua vida. Ele não a examina. Nós não somos cães.

TONY GORDO: Concordo, meu caro Sócrates, que um cachorro tem instintos e que não somos cachorros. Mas nós, seres humanos, somos fundamentalmente tão diferentes que chegamos a ser desprovidos de instintos que nos levem a fazer coisas a respeito das quais não temos a menor noção? Temos de limitar a vida àquilo que somos capazes de responder no protoinglês do Brooklyn?

Sem esperar pela resposta de Sócrates (apenas os otários esperam respostas; perguntas não são feitas para receber respostas):

TONY GORDO: Então, meu caro Sócrates, por que você acha que precisamos determinar o significado das coisas?

SÓCRATES: Meu caro Mega-Tony, precisamos saber do que estamos falando quando falamos acerca das coisas. Toda a ideia da filosofia fundamenta-se na capacidade de refletir e de entender o que fazemos, examinar nossa vida. Uma vida que não é objeto de reflexão não vale a pena ser vivida.

TONY GORDO: O problema, meu pobre grego antigo, é que você está matando as coisas que podemos saber, mas não somos capazes de expressar. E, se eu pedisse a uma pessoa que sabe andar de bicicleta muito bem que me explicasse a teoria que está por trás do ato de pedalar, ela cairia da bicicleta. Ao intimidar e interrogar as pessoas, você as confunde e as prejudica.

Então, lançando na direção de Sócrates um olhar arrogante e um sorrisinho irônico, Tony diz com toda a calma do mundo:

TONY GORDO: Meu caro Sócrates... você sabe por que estão condenando você à morte? É porque você faz as pessoas se sentirem burras por seguirem, cegamente, hábitos, instintos e tradições. Pode ser que você esteja certo numa ou outra ocasião. Mas talvez esteja deixando as pessoas confusas com relação às coisas que elas vêm fazendo muito bem sem se meter em problemas. Você está destruindo as ilusões que as pessoas têm sobre si mesmas. Você está roubando a alegria da ignorância que há nas coisas que não entendemos. E você não tem *nenhuma* resposta; você não tem *nenhuma* resposta para oferecer a elas.

A PRIMAZIA DO CONHECIMENTO DEFINICIONAL

Dá para ver que Tony Gordo acertou em cheio aqui no cerne da filosofia: de fato, é com Sócrates que as principais perguntas que se tornariam a filosofia de hoje foram suscitadas, a exemplo de "o que é a existência?", "o que é a moral?", "o que é uma evidência?", "o que é ciência?", "o que é isto?" e "o que é aquilo?".

A questão que vimos em *Eutífron* permeia os vários diálogos escritos por Platão. O que Sócrates está buscando implacavelmente são definições da natureza essencial da coisa em questão, em vez de descrições das propriedades por meio das quais podemos reconhecer a coisa.

Indo ainda mais longe, Sócrates chegou a questionar os poetas e alegar que desconheciam suas próprias obras, tanto quanto o público não fazia ideia sobre elas. Na *Apologia*, o relato que Platão faz do julgamento de Sócrates, o filósofo acusado conta como interrogou, em vão, os poetas: "Tomei alguns dos seus poemas, os que me pareciam os mais primorosos, e lhes perguntei o que queriam dizer certas passagens. Quase envergonho-me de lhes dizer isto, mas devo afirmar que todos os aqui presentes teriam discorrido sobre a poesia melhor do que aqueles que compuseram os versos".

E essa prioridade no conhecimento definicional levou à tese de Platão de que ninguém conhece alguma coisa a menos que conheça as Formas, que são aquilo que as definições especificam. Se não pudermos definir piedade a partir do trabalho com pormenores, então que comecemos com os universais, de onde esses pormenores devem brotar. Em outras palavras, se você não consegue obter um mapa a partir de um território, construa um território a partir do mapa.

Em defesa de Sócrates, diga-se: os questionamentos socráticos levaram a um resultado de grande envergadura: se não lhe permitiram definir o que uma coisa era, pelo menos possibilitaram que ele tivesse a certeza do que uma coisa não era.

Confundindo o ininteligível com o incompreensível

É claro que Tony Gordo teve muitos precursores. De muitos deles não ouviremos falar, por causa da primazia da filosofia e do modo como ela foi integrada às práticas diárias pelo cristianismo e pelo islamismo. Por "filosofia" eu me refiro ao conhecimento teórico e conceitual, todo o conhecimento, coisas que podemos registrar por escrito. Pois, até recentemente, o termo referia-se em larga medida ao que chamamos hoje de ciência — a filosofia natural, essa tentativa de racionalizar a natureza, de penetrar sua lógica.

Um incisivo ataque moderno a esse aspecto foi desferido pelo jovem Friedrich Nietzsche, embora embelezado com arroubos literários sobre o otimismo e o pessimismo, misturados com uma alucinação acerca dos significados de "Ocidente", "um heleno típico" e "a alma alemã". O jovem Nietzsche escreveu seu primeiro livro, *O nascimento da tragédia*, com vinte e poucos anos. Ele foi ao encalço de Sócrates, a quem chamava de "mistagogo da ciência", por "fazer a existência parecer compreensível". Esta brilhante passagem expõe o que chamo de falácia racionalista-otário:

> Talvez — assim devia ele [Sócrates] indagar-se — o não inteligível para mim não é necessariamente o incompreensível? Acaso existe um Reino da Sabedoria, do qual o lógico está banido?

"O não inteligível para mim não é necessariamente o incompreensível?" talvez seja a frase mais contundente em todo o século de Nietzsche — e usamos uma versão dela no prólogo, na própria definição do fragilista que confunde com absurdo aquilo que ele não entende.

Nietzsche também é alérgico à versão socrática da verdade, em grande parte motivado pelo intuito da promoção da compreensão, uma vez que, de acordo com Sócrates, ninguém pratica o mal conscientemente — argumento que parece ter permeado o Iluminismo, na medida em que pensadores como Condorcet fizeram da verdade a única e suficiente fonte do bem.

Era precisamente contra esse argumento que Nietzsche vituperava: o conhecimento é a panaceia; o erro é o mal; por essa razão a ciência é um empreendimento otimista. A obrigação do otimismo científico irritava Nietzsche: o uso do raciocínio e do conhecimento a serviço da utopia. Deixa para lá essa história de otimismo/pessimismo sobre a qual as pessoas falam quando discutem Nietzsche, pois o assim chamado pessimismo nietzschiano nos desvia do âmago da questão: o que ele questiona é a própria *bondade* do conhecimento.

Levei muito tempo para entender o problema central de que Nietzsche tratou em *O nascimento da tragédia*. Ele vê duas forças, apolínea e dionisíaca. Uma é comedida, equilibrada, racional, imbuída de razão e de autocontenção; a outra é escura, visceral, selvagem e indômita, difícil de compreender, emergindo das camadas mais profundas de nosso ser. A cultura grega antiga representava um equilíbrio entre as duas forças, até que a influência de Sócrates sobre Eurípides privilegiou o apolíneo e desestruturou o dionisíaco, causando um aumento desmedido do quinhão do racionalismo. É o equivalente a romper a harmonia química natural de nosso corpo por meio da injeção de hormônios. O apolíneo sem o dionisíaco é, como diriam os chineses, o yang sem o yin.

A força de Nietzsche como pensador continua a me surpreender: ele descobriu a antifragilidade. Embora muitos atribuam (equivocadamente) a noção de "destruição criativa" ao economista Joseph Schumpeter (sem se perguntarem como algo perspicaz e profundo poderia ter sido proposto por um economista),* enquanto, como vimos, os mais eruditos atribuem o conceito a Karl Marx, o fato é que foi Nietzsche quem primeiro cunhou o termo, em referência a Dionísio, por ele chamado de "criatividade destrutiva" e "destrutivamente criativo". Nietzsche — à sua própria maneira — realmente descobriu a antifragilidade.

* Adam Smith foi, acima de tudo, um filósofo moral. Marx foi um filósofo. Kahneman e Simon são, respectivamente, psicólogo e cientista cognitivo. A exceção é, claro, Hayek.

Li *O nascimento da tragédia* duas vezes, a primeira quando eu ainda era uma criança muito imatura, e a segunda já depois de uma vida inteira pensando sobre a aleatoriedade. Eu me dei conta de que Nietzsche compreendera algo que não encontrei enunciado de forma explícita em sua obra: que o aumento do conhecimento, ou de qualquer outra coisa, não pode ocorrer sem o dionisíaco. O dionisíaco revela questões que podemos selecionar em algum momento, visto que temos a opcionalidade. Em outras palavras, o dionisíaco pode ser a fonte dos improvisos e experimentações estocásticos, ao passo que o apolíneo pode ser parte da racionalidade no processo de seleção.

Deixe-me trazer para a cena o chefão de todos, Sêneca. Ele também fez referência a atributos dionisíacos e apolíneos. Aparentemente apresentou, em um de seus escritos, uma versão mais substanciosa de nossas inclinações humanas. Falando sobre um Deus (a quem Sêneca chama também de "destino", equiparando-o à interação de causas), ele lhe descreve em três manifestações. A primeira, o "Liber Pater", a força de Baco (ou seja, o Dionísio a quem Nietzsche se referia), que fornece um poder seminal para a continuação da vida; a segunda, Héracles, personificação da força física; e a terceira, Mercúrio, que representava (para os contemporâneos de Sêneca) as artes e os ofícios, a ciência e a razão (o que para Nietzsche parecia ser o apolíneo). Mais rico do que Nietzsche, Sêneca incluiu a força como uma dimensão adicional.

Como eu disse, ataques anteriores à "filosofia", no sentido do conhecimento racionalista derivado de Platão e Aristóteles, foram lançados por várias pessoas, não necessariamente visíveis no corpus, em especial em textos esquecidos ou quase nunca mencionados. Por que esquecidos? Porque a aprendizagem estruturada gosta do empobrecimento e da simplificação do racionalismo ingênuo, fácil de ensinar, e não da copiosa textura do empirismo, e, como afirmei, aqueles que atacavam o pensamento acadêmico tinham pouca representatividade (algo que veremos ser irrefutável de forma gritante na história da medicina).

Ernest Renan, pensador francês do século XIX, um estudioso clássico ainda mais talentoso e de mente muito mais aberta do que Nietzsche, dominava, além do grego e do latim de praxe, hebraico, aramaico (sírio) e árabe. Em seu ataque a Averróis, ele expressou a famosa ideia de que a lógica exclui — por definição — nuances e, uma vez que a verdade reside exclusivamente nas nuances, é "um instrumento inútil para encontrar a Verdade nas ciências morais e políticas".

Como Tony Gordo disse, Sócrates foi condenado à morte por perturbar algo que, aos olhos do sistema ateniense, estava funcionando perfeitamente bem. As coisas são complicadas demais para serem expressas em palavras; ao fazer isso, está se matando seres humanos. Ou pode ser que as pessoas — como no caso da madeira verde — estejam voltadas para as coisas certas, mas não somos bons o suficiente para entender isso em termos intelectuais.

A morte e o martírio são bons chamarizes de marketing, principalmente quando o indivíduo encara o destino ao mesmo tempo que permanece inabalável em suas convicções. Um herói é alguém impregnado de confiança intelectual e de ego, e a morte é algo pequeno demais para ele. Enquanto a maioria dos relatos sobre Sócrates que chegaram a nós o descreve como heroico, em função da sua morte e sua resignação de morrer de maneira filosófica, na concepção de alguns críticos clássicos o filósofo estava destruindo os alicerces da sociedade — as heurísticas que são transmitidas pelos mais antigos e que, talvez, não sejamos suficientemente maduros para questionar.

Catão, o Velho, que conhecemos no capítulo 2, era bastante avesso a Sócrates. Catão tinha a mesma mentalidade do tipo direto ao ponto de Tony Gordo, mas com um senso cívico muito mais acentuado, um sentido de missão, respeito pela tradição e comprometimento com a retidão moral muito maiores. Ele também era avesso a todas as coisas gregas, como demonstrado em sua antipatia pelos filósofos e os médicos — repulsa que, como veremos em capítulos futuros, tinha justificativas extraordinariamente modernas. O compromisso de Catão com a democracia levou-o a acreditar tanto na liberdade quanto nas regras do costume, em combinação com o temor da tirania. Plutarco cita Catão, que teria dito: "Sócrates foi um tremendo tagarela, que tentou assumir o papel de tirano de seu país, a fim de destruir os costumes nacionais e instigar os cidadãos a defender opiniões contrárias à lei e à ordem".

Assim, o leitor pode ver como os antigos compreendiam o racionalismo ingênuo: ao empobrecer — em vez de fazer sobressair — o pensamento, o racionalismo ingênuo introduz a fragilidade. Eles sabiam que a incompletude — o conhecimento pela metade — é sempre perigosa.

Muitas outras pessoas além dos antigos envolveram-se na defesa desse tipo diferente de conhecimento — lutando pelo seu reconhecimento. Primeiro,

Edmund Burke, o estadista e filósofo político irlandês que também se opôs à Revolução Francesa, por perturbar a "razão acumulada dos séculos". Ele acreditava que as grandes alterações sociais podem nos deixar vulneráveis a efeitos invisíveis, e por isso defendia a ideia de pequenos experimentos de tentativa e erro (na verdade, experimentações e improvisos convexos) em sistemas sociais, conjugados com o respeito às complexas heurísticas da tradição. Também Michael Oakeshot, filósofo da história e filósofo político conservador do século XX, que acreditava que as tradições fornecem um conjunto de conhecimentos coletivos apurados. Outro nome nesse mesmo time seria Joseph de Maistre, que, como vimos, pensava em "segundas etapas". Pensador francês monarquista e contrailuminista, ele bradava sem papas na língua contra os males da Revolução e acreditava na corrupção fundamental dos homens, a menos que refreados por alguma ditadura.

Claramente, Wittgenstein ocuparia o primeiro lugar na lista dos modernos pensadores antifrágeis, com sua excepcional clareza de visão do inexprimível com palavras. E, entre todos os pensadores, é ele quem mais bem entende a questão da madeira verde — talvez tenha sido o primeiro a expressar uma versão disso quando duvidou da capacidade da linguagem de exprimir o literal. Além disso, o sujeito era um santo — sacrificou sua vida, suas amizades, sua fortuna, sua reputação, tudo, em nome da filosofia.

Podemos ser levados a pensar que Friedrich Hayek estaria nessa categoria antifrágil e antirracionalista. Ele é um filósofo e economista do século XX que se opunha ao planejamento social, sob o argumento de que o sistema de preços revela, por meio das transações, o conhecimento incrustado na sociedade, conhecimento que não é acessível ao planejador social. Mas Hayek deixou passar despercebida a noção de opcionalidade como uma substituta para o formulador de planejamentos sociais. De certa forma, ele acreditava na inteligência, mas em uma inteligência distribuída ou coletiva — não na opcionalidade como algo que toma o lugar da inteligência.*

O antropólogo Claude Lévi-Strauss mostrou que povos iletrados tinham sua própria "ciência do concreto", uma maneira holística de pensar sobre seu

* O filósofo Rupert Read me convenceu de que, na verdade, Hayek nutria um tipo de racionalismo ingênuo, como Popper, e apresenta argumentos convincentes de que os dois não deveriam ser incluídos na categoria de pensadores antifrágeis.

ambiente em relação a objetos e suas qualidades "secundárias", sensórias, que não era necessariamente menos coerente do que muitos de nossos enfoques científicos e, em muitos aspectos, pode ser tão ou até mais fértil do que a nossa. Novamente, madeira verde.

Por fim, John Gray, o filósofo político e ensaísta contemporâneo que se opõe à arrogância humana e vem lutando contra as ideias preponderantes de que o Iluminismo é uma panaceia — tratando certa categoria de pensadores como fundamentalistas iluministas. Reiteradas vezes, Gray mostrou como o que chamamos de progresso científico pode ser somente uma miragem. Quando ele, eu e o ensaísta Bryan Appleyard nos encontramos para um almoço, eu estava mentalmente preparado para discutir ideias e defender as minhas próprias. Tive uma agradável surpresa no que acabou sendo o melhor almoço de toda a minha vida. Havia a serenidade de saber que nós três entendíamos tacitamente o mesmo fundamento da questão e, em vez disso, partimos para a segunda etapa, a discussão de aplicações — algo tão mundano quanto substituir nossas reservas de moedas por metais preciosos, já que estes não são propriedade dos governos. Gray trabalhava em um escritório próximo a Hayek e me disse que Hayek era um sujeito bastante enfadonho, desprovido de senso de humor — portanto, opcionalidade.

A DISTINÇÃO ENTRE OTÁRIO E NÃO OTÁRIO

Vamos trazer de volta à conversa a pedra filosofal. O negócio de Sócrates é conhecimento. Não é o de Tony Gordo, que nem sequer faz ideia do que seja isso.

Para Tony, a distinção fundamental na vida não é entre Verdadeiro e Falso, mas sim entre o otário e o não otário. Com ele as coisas são sempre mais simples. Na vida real, como vimos com as ideias de Sêneca e as apostas de Tales, a exposição é mais importante do que o conhecimento; os efeitos da decisão suplantam a lógica. Falta ao "conhecimento" dos livros didáticos uma dimensão, a assimetria oculta dos benefícios — exatamente como a noção de média. Em larga medida, a necessidade de pôr em foco a compensação por nossas ações, em vez de estudar a estrutura do mundo (ou compreender o "Verdadeiro" e o "Falso"), tem passado despercebida na história intelectual, de maneira extrema. *A compensação, o que acontece com você (os benefícios ou os danos resultantes), é sempre a coisa mais importante, não o acontecimento em si.*

Os filósofos falam sobre a verdade e a mentira. Na vida, as pessoas falam sobre compensação, exposição e consequências (riscos e recompensas), daí a fragilidade e a antifragilidade. E, às vezes, os filósofos, os pensadores e as pessoas que estudam fundem a Verdade aos riscos e às recompensas.

Minha premissa, levada adiante, é a de que o Verdadeiro e o Falso (consequentemente, o que chamamos de "crenças") desempenham um papel escasso, secundário, nas decisões humanas; o que domina é a compensação resultante do Verdadeiro e do Falso — e é quase sempre assimétrica, com uma consequência muito maior do que a outra, isto é, abarcando assimetrias positivas e negativas (frágeis ou antifrágeis). Deixe-me explicar.

Fragilidade, não probabilidade

Antes de as pessoas embarcarem em um avião, passam por um detector de armas. É porque elas são terroristas: Verdadeiro ou Falso? Falso, pois é improvável que sejam terroristas (a probabilidade é ínfima.) Mesmo assim são submetidas a procedimentos de segurança porque somos frágeis ao terrorismo. Há uma assimetria. Estamos interessados na compensação, e a consequência, ou a compensação, do Verdadeiro (descobrir que as pessoas são de fato terroristas) é alta demais, e os custos da inspeção de segurança são baixos demais. Você acha que há chances de o reator nuclear explodir no ano que vem? Falso. No entanto, você quer se comportar como se isso fosse Verdadeiro e gastar milhões em segurança adicional, porque somos frágeis a eventos nucleares. Um terceiro exemplo: você acha que um medicamento aleatório vai lhe causar algum mal? Falso. Você vai ingerir os comprimidos? Não, não, não.

Se você se sentasse com um lápis na mão e anotasse todas as decisões que tomou na semana passada, ou, se fosse capaz, durante toda a sua vida, perceberia que quase todas as decisões tiveram uma compensação assimétrica, com um dos lados contendo consequências maiores do que o outro. *Você toma decisões com base, principalmente, na fragilidade, e não na probabilidade.* Reformulando a frase: *Você toma decisões com base, principalmente, na fragilidade, e não tanto na dicotomia Verdadeiro/Falso.*

Vamos discutir a ideia da insuficiência do Verdadeiro/Falso na tomada de decisões no mundo real, especialmente quando há o envolvimento de probabilidades. Verdadeiro ou falso são interpretações, correspondentes a probabilidades altas ou baixas. Os cientistas recorrem a algo chamado "nível de confiança"; um resultado obtido com um nível de confiança de 95% significa que há uma probabilidade de não mais que 5% de o resultado estar errado. A ideia, é claro, não tem aplicabilidade, uma vez que ignora o tamanho dos efeitos, o que, obviamente, torna piores as coisas no caso de eventos extremos. Se eu lhe dissesse que algum resultado é verdadeiro com um nível de confiança de 95%, você ficaria bastante satisfeito. Mas e se eu disser que o avião tem um nível de confiança de 95% em relação à segurança? Não adiantaria nem mesmo um nível de confiança de 99%, já que uma probabilidade de acidente aéreo de 1% seria alarmante (hoje, os aviões comerciais operam com menos de uma em várias centenas de milhares de probabilidades de cair, e a proporção está melhorando, pois, como vimos, todo erro leva ao aprimoramento da segurança geral). Então, para repetir, a probabilidade (portanto, o Verdadeiro/Falso) não funciona no mundo real; é a compensação que importa.

É provável que você já tenha tomado bilhões de decisões em sua vida. Quantas vezes você levou em conta as probabilidades? Claro, talvez você faça isso em cassinos, mas não em outras situações.

Fusão de eventos e exposição

Isso nos leva, novamente, à falácia da madeira verde. Um evento Cisne Negro e como ele afeta você — o impacto sobre suas finanças, emoções, a destruição que causará — *não são a mesma "coza"*. E o problema está profundamente entranhado em reações-padrão; a resposta dos previsores quando apontamos suas falhas tem sido, tipicamente, que "precisamos melhorar os cálculos", de modo a prever de maneira mais precisa o evento e identificar as probabilidades, em vez do muito mais eficaz "modifique sua exposição" e aprenda a se livrar do problema, algo que as religiões e as heurísticas tradicionais têm conseguido fazer cumprir melhor do que a ciência ingênua e cosmética.

CONCLUSÃO DO LIVRO IV

Além dos empiristas médicos, esta seção tentou fazer uma defesa dos irracionais dissidentes e inconformistas, engenheiros, empreendedores autônomos, artistas inovadores e pensadores antiacadêmicos que a história tem difamado. Alguns deles foram tremendamente corajosos — tiveram a coragem não apenas de levar adiante suas ideias, mas a de aceitar viver em um mundo que eles sabiam não compreender. E eles gostaram de fazer isso.

Para concluir esta seção, note que fazer é algo mais sábio do que você está propenso a acreditar — e mais racional. O que fiz aqui foi apenas desmistificar o epifenômeno de *ensinar os pássaros a voar* e o "modelo linear", usando, entre outras coisas, as propriedades matemáticas simples da opcionalidade, o que não requer conhecimento tampouco inteligência, meramente a racionalidade na escolha.

Lembre-se de que não existem evidências empíricas que corroborem a afirmação de que a pesquisa organizada, no sentido em que é atualmente alardeado, leva às grandes coisas que as universidades prometem. E os promotores da ideia soviética de Harvard não usam a opcionalidade nem os efeitos de segunda ordem — essa ausência de opcionalidade em suas hipóteses e explicações invalida suas concepções sobre o papel da ciência teleológica. Eles precisam reescrever a história da tecnologia.

O que vai acontecer a seguir?

Da última vez que me encontrei pessoalmente com Alison Wolf, discutimos o catastrófico problema da educação e as ilusões da contribuição acadêmica, com as prestigiosas universidades estilo Ivy League tornando-se, aos olhos das novas classes altas da Ásia e dos Estados Unidos, um artigo de luxo e uma marca de status. Harvard é como uma bolsa Louis Vuitton ou um relógio Cartier. É um grande entrave para pais e mães de classe média, que têm sacrificado um quinhão cada vez maior de suas economias para essas instituições, transferindo seu dinheiro para administradoras, incorporadoras, professores e outros agentes. Nos Estados Unidos, há um acúmulo de financiamentos e empréstimos estudantis, automaticamente transferidos para esses sugadores de renda. De certa forma, não é nem um pouco diferente de extorsão: para progredir na vida, a pessoa precisa do "nome" de uma universidade respeitável; mas sabemos que, coletivamente, a educação organizada não faz a sociedade avançar.

Alison Wolf pediu que eu lhe enviasse por escrito minhas reflexões sobre o futuro da educação — pois eu lhe disse que ela era otimista acerca desse tema. Minha resposta: essa m** é frágil. Que tipo de fraude, ao longo da história, durou para sempre? Tenho uma fé enorme no Tempo e na História como inevitáveis desmistificadores da fragilidade. A educação é uma instituição que vem crescendo sem estressores externos; mais cedo ou mais tarde, a coisa entrará em colapso.

Os dois livros seguintes, V e VI, lidarão com a noção de que as coisas frágeis se quebram — previsivelmente. O Livro V mostrará como detectar a fragilidade (de maneira mais técnica) e apresentará a mecânica por trás da pedra filosofal. O Livro VI é baseado na ideia de que o Tempo é uma borracha em vez de um construtor, e um que funciona muito bem para ajudar a quebrar o que é frágil — sejam edifícios ou ideias.*

* Pode ser que o leitor esteja se perguntando sobre a conexão entre educação e desordem. A educação é teleológica e odeia a desordem. Além disso, tende a trabalhar em favor dos fragilistas.

Livro V

O não linear e o não linear*

Hora de mais um breve relato autobiográfico. Como Charles Darwin escreveu em uma seção histórica de seu *A origem das espécies*, apresentando um esboço sobre a evolução da opinião: "Espero que me perdoem por entrar em pormenores pessoais, pois apenas os divulgo para demonstrar que minha decisão não foi apressada". Pois não é exatamente verdade que não existe uma palavra, um conceito e uma aplicação precisos para a antifragilidade. Meus colegas e eu tínhamos um sem saber. E eu já chegara a ele havia muito, muito tempo. Afinal, vinha pensando sobre o mesmo problema durante quase toda a vida, em parte conscientemente, em parte sem ter ciência disso. O Livro V examina com cuidado essa trajetória e a ideia surgida a partir dela.

* O leitor leigo pode pular o Livro V sem prejuízo algum: a definição de antifragilidade, a partir da assimetria de Sêneca, é suficiente para uma leitura literária do restante do livro. Aqui, o que se tem é uma reformulação mais técnica.

SOBRE A IMPORTÂNCIA DOS SÓTÃOS

Em meados da década de 1990, discretamente joguei minha gravata na lata de lixo da esquina da rua 45 com a Park Avenue, em Nova York. Decidi tirar uma folga de alguns anos e me tranquei no sótão, tentando expressar o que estava saindo do meu interior, tentando articular o que chamei de "não linearidades ocultas" e seus efeitos.

O que eu tinha era não exatamente uma ideia, mas, antes, um método, pois a ideia central mais profunda ainda se esquivava de mim. Contudo, utilizando esse método, produzi uma discussão de cerca de seiscentas páginas sobre o gerenciamento de efeitos não lineares, com gráficos e tabelas. Lembre-se de que afirmei, no prólogo, que "não linearidade" significa que a resposta não é uma linha reta. Mas eu estava indo mais longe e examinando a ligação com a volatilidade, algo que em breve deverá ficar claro. E investiguei mais a fundo a volatilidade da volatilidade e esses efeitos de ordem superior.

O livro resultante dessa solitária investigação no sótão, enfim intitulado *Dynamic Hedging* [Cobertura de risco dinâmica], era sobre as "técnicas para gerenciar e lidar com exposições de derivativos complexos não lineares". Era um documento técnico que estava completamente ab ovo (no início), e à medida que eu avançava sabia instintivamente que a questão tinha muito mais importância do que os limitados casos que eu estava usando na minha profissão; eu sabia que minha atuação profissional era a plataforma perfeita para começar a pensar sobre essas questões, mas eu era preguiçoso demais e convencional demais para me aventurar a ir mais longe. O livro continuou sendo, com grande margem de diferença sobre os demais, minha obra favorita (antes deste), e me lembro com carinho dos dois rigorosos invernos de Nova York, no silêncio quase completo do sótão, com o efeito luminoso do sol reluzindo sobre a neve e aquecendo tanto o recinto quanto o projeto. Passei anos a fio sem pensar em outra coisa.

Nesse episódio aprendi também algo bastante divertido. Meu livro foi equivocadamente submetido a quatro pareceristas, todos eles economistas financeiros acadêmicos, em vez de "*quants*" (analistas quantitativos que trabalham em finanças usando modelos matemáticos). A pessoa incumbida de apresentar o livro à apreciação não tinha plena ciência da diferença. De maneira interessante, os quatro acadêmicos rejeitaram meu livro, por quatro conjuntos de razões completamente diferentes entre si, sem que houvesse absolutamente nenhuma interseção entre seus argumentos. Nós, profissionais com atuação prática e *quants*, não nos abalamos muito com observações de acadêmicos — seria como prostitutas escutando avaliações técnicas de freiras. O que me impressionou foi que, estivesse eu errado, todos eles teriam alegado exatamente a mesma razão para a rejeição. Isso é antifragilidade. Depois, é claro, tendo o editor percebido o erro, o livro foi submetido a avaliadores quantitativos e viu a luz do dia.*

A cama de Procusto na vida consiste, precisamente, em simplificar o não linear e torná-lo linear — a simplificação que distorce.

Depois, meu interesse pela não linearidade das exposições sumiu à medida que comecei a lidar com outras questões relacionadas à incerteza, que me pareciam mais intelectuais e filosóficas, por exemplo a natureza da aleatoriedade — em vez de como as coisas reagem a eventos aleatórios. Talvez isso se devesse ao fato de que me mudei de casa e já não tinha aquele sótão.

Mas alguns eventos levaram-me de volta para uma segunda fase de intensa reclusão.

Após a crise do fim da primeira década dos anos 2000, passei por um episódio infernal, ao ter de lidar com a imprensa. De repente, eu me vi desintelectualizado, corrompido, arrancado de meu hábitat, transformado em uma commodity pública. Eu não tinha percebido que para os membros da mídia e do público é difícil aceitar que o trabalho de um estudioso é ignorar as atualidades, escrever livros (e não e-mails) e não proferir palestras enquanto dança em um palco; que ele tem outras coisas a fazer, como ler na cama pela manhã, escrever em uma escrivaninha de frente para uma janela, fazer longas caminhadas (lentamente), tomar café expresso (pela manhã), chá de camomila (à tarde), vinho libanês (à noite) e vinhos Muscat (após o jantar), fazer mais longas caminhadas (lentamente), debater com amigos e familiares (mas nunca de manhã) e ler (de novo) na cama antes de dormir, e não ficar reescrevendo

* Um teste semelhante: quando um grupo de pessoas escreve que "Não há nada novo aqui", e cada uma delas cita um originador diferente da ideia, pode-se afirmar, com segurança, que há algo efetivamente novo.

seu livro e suas ideias em benefício de desconhecidos e dos membros da filial da Rede de Contatos Internacional, que não o leram.

Então, optei por me retirar da vida pública. Quando consegui retomar o controle do meu cronograma e do meu cérebro, recuperar-me das feridas no fundo da minha alma, aprender a usar filtros de e-mail e a função autoexcluir e reiniciar minha vida, a Dona Fortuna trouxe-me duas ideias, fazendo com que eu me sentisse idiota – pois me dei conta de que elas estavam dentro de mim o tempo todo.

É evidente que as ferramentas para análise de efeitos não lineares são até certo ponto universais. A parte triste é que, até aquele dia de minha nova vida nova de viajante solitário e adepto do chá de camomila, quando olhava para uma xícara de porcelana eu não percebia que tudo ao meu redor que era não linear poderia ser submetido às mesmas técnicas de detecção, como as que haviam me ocorrido em meu episódio de reclusão anterior.

O que descobri está descrito nos dois capítulos seguintes.

18. Sobre a diferença entre uma pedra grande e mil pedrinhas

Como punir usando uma pedra – Pousei antes da hora (uma vez) – Por que os sótãos são sempre úteis – Sobre os grandes benefícios de evitar o aeroporto de Heathrow, a menos que você tenha um violão

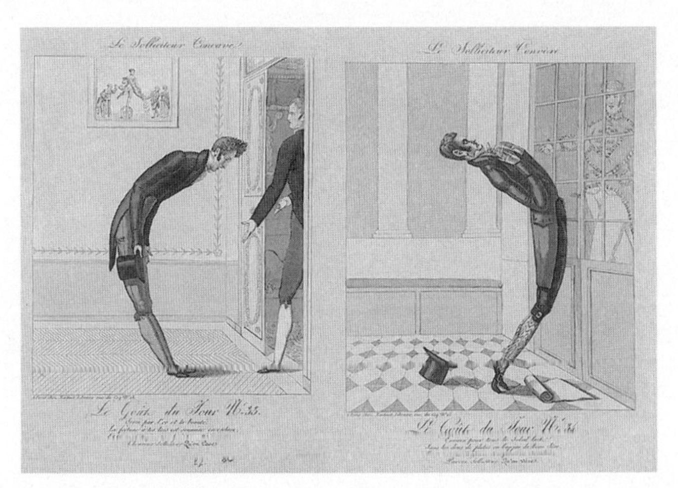

FIGURA 8. O procurador batendo às portas em posição côncava (à esquerda) e convexa (à direita). Ele ilustra as duas formas de não linearidade; se ele fosse "linear", estaria de pé, com as costas retas. Este capítulo mostrará — um refinamento da assimetria de Sêneca — como uma posição (a convexa) representa a antifragilidade em todas as suas formas, e a outra (a côncava), a fragilidade, e como podemos facilmente detectar e até mesmo mensurar a fragilidade avaliando de que modo o cortesão se mantém de pé, encurvado (convexo) ou arqueado (côncavo).

Notei, olhando para a xícara de porcelana, que ela não gostava de volatilidade, nem de variabilidade, nem de ação. Ela queria apenas paz e ser deixada sozinha na tranquilidade da biblioteca-estúdio da minha casa. A constatação de que a fragilidade era, simplesmente, *vulnerabilidade à volatilidade das coisas que a afetam* foi para mim um imenso constrangimento pessoal, uma vez que minha especialidade era o vínculo entre volatilidade e não linearidade; eu sei, eu sei, uma especialidade estranhíssima. Então, vamos começar com o resultado.

UMA REGRA SIMPLES PARA DETECTAR O FRÁGIL

Uma história presente na literatura rabínica (*Midrash Tehillim*), provavelmente originária das coletâneas de tradições do Oriente Próximo, narra o seguinte: um rei, furioso com o filho, jurou que o esmagaria com uma pedra grande. Depois de se acalmar, ele percebeu que estava em apuros, pois um rei que não cumpre sua palavra não está apto a governar. Seu sábio conselheiro sugeriu uma solução: lascar o rochedo em pequenas pedrinhas, e, aí sim, castigar com pedradas o filho travesso.

A diferença entre mil pedrinhas e uma pedra grande de peso equivalente é uma potente ilustração de como a fragilidade origina-se de efeitos não lineares. Não lineares? Mais uma vez, "não linear" significa que a resposta não é simples nem direta e não é uma linha reta; por isso, se você, digamos, duplicar a dose, terá muito mais ou muito menos do que o dobro do efeito — se eu arremessar contra alguém uma pedra de 4,5 quilos, ela causará mais do que o dobro do dano causado por uma pedra de 2,25 quilos, mais de cinco vezes o estrago ocasionado por uma pedra de 450 gramas etc. É simples: se você traçar uma linha em um gráfico, com o dano no eixo vertical e o tamanho da pedra no eixo horizontal, ela será uma curva, e não uma reta. Isso é o refinamento da assimetria.

Agora o ponto extremamente simples que permite detectar a fragilidade:

Para o frágil, as colisões trazem danos maiores à medida que a intensidade dos impactos vai aumentando (até certo nível).

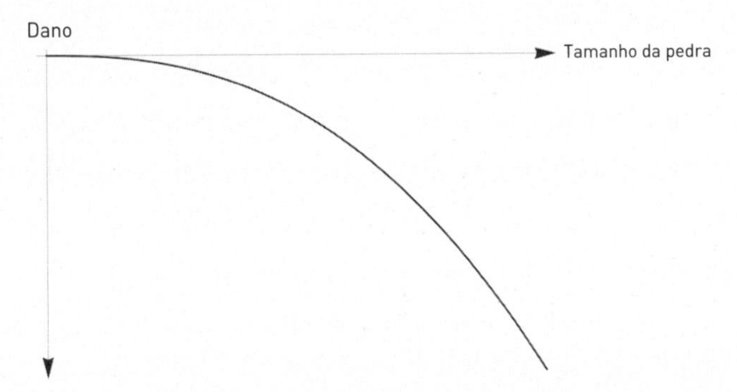

FIGURA 9. O rei e seu filho. O dano causado pelo tamanho da pedra como uma função do tamanho da pedra (até certo ponto). Qualquer peso adicional da pedra danifica mais do que o anterior. A não linearidade se torna visível (o dano curva-se para dentro, com uma inclinação vertical cada vez mais acentuada).

O exemplo é mostrado na figura 9. Vamos generalizar. Seu carro é frágil. Se você colidir com uma parede a oitenta quilômetros por hora, isso pode causar mais danos do que se você bater contra a mesma parede dez vezes a oito quilômetros por hora. O dano a oitenta quilômetros por hora é mais de dez vezes o dano a oito quilômetros por hora.

Outros exemplos. Beber sete garrafas de vinho (Bordeaux) de uma vez só, e depois, nos seis dias restantes da semana, apenas água purificada com raspinha de limão é mais prejudicial do que beber uma garrafa de vinho por dia, durante sete dias (distribuída em duas taças por refeição). Cada taça adicional de vinho prejudica você mais do que a anterior, por isso seu sistema é frágil ao consumo alcoólico. Deixar uma xícara de porcelana cair no chão de uma altura de trinta centímetros é pior do que doze vezes o dano de uma queda de uma altura de dois centímetros e meio.

Saltar de uma altura de dez metros provoca um dano dez vezes maior do que o estrago causado por saltar de uma altura de um metro — na verdade, o limite de dez metros parece ser o ponto-padrão de corte para morrer por queda livre.

Note que essa é uma simples expansão da assimetria fundamental que vimos dois capítulos atrás, quando usamos o pensamento de Sêneca como pretexto para falar sobre a não linearidade. A assimetria é, necessariamente, a não linearidade. Mais danos do que benefícios: simplesmente um aumento na intensidade causa mais danos do que um decréscimo correspondente oferece benefícios.

Por que a fragilidade é não linear?

Deixe-me explicar o argumento central – por que a fragilidade está, de forma geral, no não linear, e não no linear. Foi minha dedução a partir da xícara de porcelana. A resposta tem a ver com a estrutura das probabilidades de sobrevivência: contanto que algo saia ileso (ou sobreviva), então será mais prejudicado por uma única pedra do que por mil pedrinhas, isto é, por um único evento infrequente de grandes proporções, do que pelo efeito cumulativo de colisões menores.

Se, para um ser humano, saltar um milímetro (um impacto de pequena força) causasse uma fração linear exata dos danos de, digamos, pular de uma altura de dez metros até o chão, então a pessoa já estaria morta em decorrência dos danos cumulativos. Na verdade, um cálculo simples mostra que ela daria seu último suspiro em poucas horas, ao tocar em objetos ou andar em sua sala de estar, em função da multiplicidade desses estressores e seu efeito total. A fragilidade que vem da linearidade é imediatamente visível, de modo que a descartamos porque o objeto já estaria quebrado. A nós resta o seguinte: o que é frágil é algo ao mesmo tempo intacto e sujeito a efeitos não lineares – e eventos raros e extremos, uma vez que os impactos de grande monta (ou de alta velocidade) são mais raros do que os de tamanho reduzido (e de velocidade lenta).

Deixe-me reformular essa ideia em conexão com os Cisnes Negros e os eventos extremos. Há muito mais eventos comuns do que eventos extremos. Nos mercados financeiros existem, pelo menos, 10 mil vezes mais eventos de magnitude de 0,1% do que eventos de magnitude de 10%. Todo dia no planeta Terra acontecem cerca de 8 mil microterremotos, isto é, abaixo de dois graus na escala Richter – mais ou menos 3 milhões por ano. São tremores totalmente inofensivos, e, sendo 3 milhões por ano, ainda bem que eles são assim. Mas os abalos de intensidade 6 e superiores na escala rendem manchetes nos jornais. Pense em objetos como as xícaras de porcelana. Elas sofrem diversos impactos, 1 milhão de colisões de, digamos, um centésimo de quilo por centímetro quadrado (para usarmos uma medida arbitrária) a mais do que colisões de 45 quilos por centímetro quadrado. Assim, estamos necessariamente imunes ao efeito *cumulativo* dos pequenos desvios, ou impactos de magnitude muito pequena, o que implica que nos afetam desproporcionalmente menos (isto é, menos no sentido não linear) do que os maiores.

Deixe-me reformular minha regra anterior:

Para o frágil, o efeito cumulativo de pequenas colisões é menor do que o efeito de um único grande impacto equivalente.

Com isso, resta-me o princípio de que o frágil é o que sofre mais danos decorrentes de eventos extremos do que de uma sucessão de eventos intermediários. *Finito* — e não existe *nenhuma outra* maneira de ser frágil.

Agora, vamos inverter o argumento e refletir sobre o antifrágil. A antifragilidade, também, está calcada em não linearidades, respostas não lineares.

Para o antifrágil, as colisões trazem mais benefícios (de modo equivalente, menos danos) à medida que sua intensidade aumenta (até certo ponto).

Um caso simples — conhecido heuristicamente pelos levantadores de peso. Na história de ficar com a aparência de um guarda-costas, descrita no capítulo 2, me concentrei apenas no máximo que eu conseguia fazer. Levantar 45 quilos de uma vez traz mais benefícios do que erguer 22,5 quilos duas vezes, e, certamente, muito mais benefícios do que levantar meio quilo cem vezes. Aqui, os benefícios estão relacionados com a linguagem dos levantadores de peso: fortalecimento do corpo, massa muscular e visual de valentão de briga de bar, em vez de resistência e da capacidade de correr uma maratona. O segundo peso de 22,5 quilos desempenha um papel maior, daí o efeito não linear (isto é, veremos, *convexidade*). Cada quilo extra traz mais benefícios, até o indivíduo chegar perto do limite, o que os levantadores de peso chamam de "quebrar".*

Por ora, note o alcance dessa curva simples: ela afeta praticamente tudo que está visível, até mesmo o erro médico, o tamanho do governo, a inovação — qualquer coisa que passe perto da incerteza. E isso ajuda a estabelecer o "arcabouço" por trás das afirmações sobre tamanho e concentração no Livro II.

* Na verdade, existem diferentes fibras musculares, cada uma respondendo a diferentes conjuntos de condições, com variadas assimetrias de respostas. As chamadas "fibras de contração rápida", usadas para levantar objetos muito pesados, são muito antifrágeis, pois são convexas ao peso. E, na ausência de intensidade, morrem.

A não linearidade vem sob duas formas: a côncava (curvas para dentro), como no caso do rei e da pedra, ou seu oposto, a convexa (curvas para fora). E, é claro, na forma mista, com seções côncavas e convexas.

As figuras 10 e 11 mostram as seguintes simplificações da não linearidade: a convexa e a côncava assemelham-se, respectivamente, a um sorriso e a uma cara fechada.

FIGURA 10. Os dois tipos de não linearidade, a convexa (à esquerda) e a côncava (à direita). As curvas convexas para fora; as curvas côncavas para dentro.

FIGURA 11. Sorria! Uma melhor maneira de entender a convexidade e a concavidade. O que se curva para fora parece um sorriso — o que se curva para dentro parece um rosto tristonho. O convexo (à esquerda) é antifrágil, o côncavo (à direita) é frágil (tem efeitos de convexidade negativos).

Uso o termo "efeito de convexidade" para ambos, a fim de simplificar o vocabulário, dizendo "efeitos de convexidade positivos" e "efeitos de convexidade negativos".

Por que a assimetria pode ser delineada tanto como convexidade quanto como concavidade? Em termos simples, se para dada variação você tiver mais vantagens do que desvantagens e desenhar a curva, ela será convexa; para a côncava, acontece o oposto. A figura 12 mostra a assimetria expressa novamente, agora em relação a não linearidades. Mostra também o efeito mágico da matemática que nos permitiu lidar, num só fôlego, com o *steak tartare*, o empreendedorismo e o risco financeiro: o gráfico convexo transforma-se em côncavo quando uma pessoa simplesmente coloca um sinal de menos na sua frente. Por exemplo, Tony Gordo obtinha uma compensação diametralmente oposta do que, digamos, um banco ou uma instituição financeira em determinada transação: Tony ganhou algum dinheiro sempre que eles perderam, e vice-versa. Ao cozinhar ovos, lucros e prejuízos são imagens espelhadas um do outro, mas um é o sinal de menos vezes o outro.

A figura 12 também mostra por que o convexo *gosta da volatilidade*. Se você ganha mais do que perde com as flutuações, está atrás de muitas flutuações.

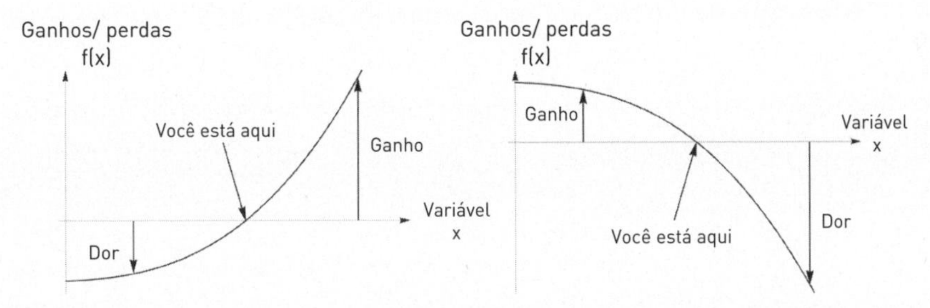

FIGURA 12. Mais dor do que ganho, ou mais ganho do que dor. Suponha que você parta do ponto "Você está aqui". No primeiro caso, se a variável **x** aumentar, isto é, mover-se para a direita sobre o eixo horizontal, os ganhos (eixo vertical) serão maiores do que as perdas encontradas no deslocamento para a esquerda, isto é, um decréscimo equivalente na variável **x**. O gráfico mostra de que modo a assimetria positiva (primeiro gráfico) converte-se em uma curva convexa (para dentro) e a assimetria negativa (segundo gráfico) transforma-se em uma curva côncava (para fora). Repetindo: para determinado desvio em uma variável, em quantidades equivalentes em ambas as direções, o convexo ganha mais do que perde, ocorrendo o inverso com o côncavo.

Por que o côncavo é prejudicado por eventos Cisne Negro?

Agora a ideia que tem ocupado minha mente durante toda a vida – nunca percebi que ela poderia ser expressa com tanta clareza na forma de um gráfico. A figura 13 ilustra o efeito do dano e do inesperado. Quanto mais côncava for a exposição, maior será o dano causado pelo inesperado, e isso se dá desproporcionalmente. Assim, desvios muito grandes têm um efeito cada vez maior, mais e mais desproporcionalmente.

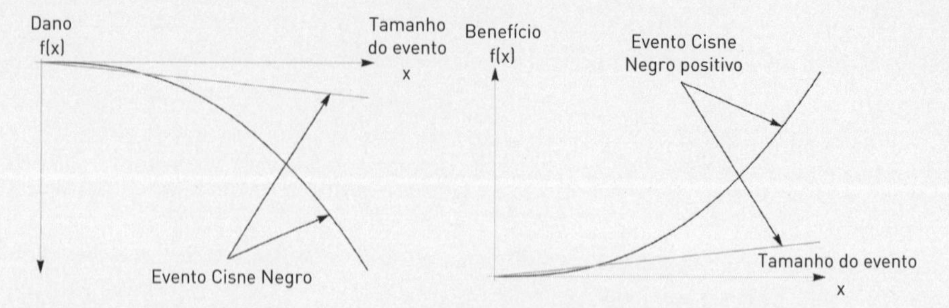

FIGURA 13. Duas exposições, uma linear, uma não linear, com convexidade negativa — isto é, concavidade — no primeiro gráfico, convexidade positiva no segundo. Um evento inesperado afeta o não linear de modo mais desproporcional. Quanto maior o evento, maior a diferença.

A seguir, vamos aplicar essa técnica bastante simples à detecção de fragilidade e da posição na Tríade.

O TRÂNSITO EM NOVA YORK

Apliquemos os "efeitos de convexidade" às coisas ao nosso redor. O trânsito é algo extremamente não linear. Quando pego o voo matinal de Nova York para Londres, e saio de casa por volta das cinco da manhã (sim, eu sei), demoro cerca de 26 minutos para chegar ao terminal da British Airways no aeroporto JFK. A essa hora, Nova York está vazia, um cenário sinistramente não Nova York. Quando saio de casa às seis da manhã para o voo seguinte, quase não há diferença alguma no tempo de trajeto, embora o fluxo de veículos esteja um pouco mais denso. Podem-se adicionar mais e mais carros à estrada, sem impacto nenhum, ou com um impacto mínimo, sobre o tempo gasto no trânsito.

Eis, então, um mistério – aumente o número de carros em 10% e veja o tempo de viagem saltar em 50% (estou usando números aproximados). Veja o efeito de convexidade em ação: o número médio de carros na rodovia não tem a menor importância para a velocidade do tráfego. Se houver 90 mil carros em uma hora, e depois 110 mil carros na hora seguinte, o fluxo dos veículos será muito mais lento do que se houvesse 100 mil carros por duas horas. Repare que o tempo de viagem é um dado negativo, então eu o considero um custo, como uma despesa, e um aumento é um fator ruim.

Portanto, o custo de viagem é frágil à *volatilidade* do número de carros na rodovia; não depende tanto da média de veículos. Cada carro adicional aumenta o tempo de viagem mais do que o anterior.

Isso é um indício de um problema central do mundo atual, o da compreensão equivocada da resposta não linear por parte das pessoas envolvidas na criação de "eficácias" e na "otimização" dos sistemas. Por exemplo, os aeroportos e as ferrovias europeias estão sobrecarregados, mas parecem funcionar de maneira muito eficiente. Operam no limite, perto da capacidade máxima, com o mínimo de redundâncias e de capacidade ociosa, portanto com custos aceitáveis; porém, um pequeno aumento no congestionamento, digamos 5% a mais de aviões no céu devido a um ínfimo atraso, pode suscitar caos nos aeroportos e causar cenas de viajantes infelizes acampados no chão, seu único consolo sendo canções folclóricas francesas tocadas por algum sujeito barbudo ao violão.

Podemos ver aplicações desse mesmo aspecto em diferentes domínios econômicos: os bancos centrais podem imprimir dinheiro; eles imprimem e imprimem sem nenhuma consequência (e alegam "segurança" dessa medida); em seguida, "inesperadamente", a impressão causa um salto na inflação. Muitos resultados econômicos são completamente anulados pelos efeitos de convexidade – e a boa notícia é que sabemos por quê. Infelizmente, as ferramentas (e a cultura) dos formuladores de políticas públicas são baseadas no excessivamente linear, ignorando esses efeitos ocultos. Eles chamam isso de "aproximação". Quando você ouve falar de um efeito "de segunda ordem", significa que a convexidade está fazendo com que a falha de aproximação represente o mundo real.

Coloquei, na figura 14, um gráfico (bastante hipotético) da resposta do trânsito ao número de carros na rodovia. Observe, por ora, a forma curva do gráfico. A curva se volta para dentro.

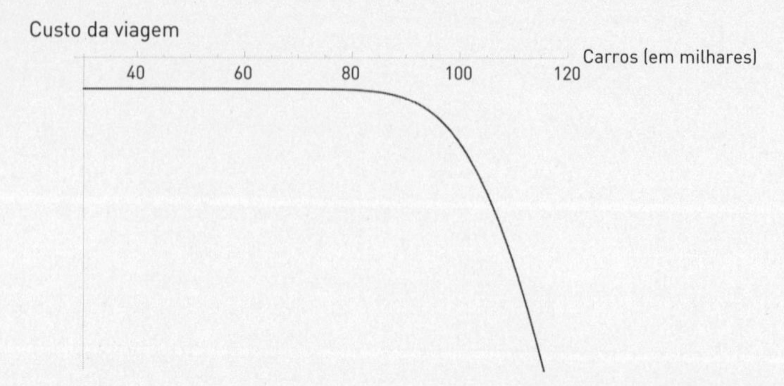

FIGURA 14. O gráfico mostra como o tempo de viagem do autor (e os custos de viagem) até o aeroporto JFK depende, além de certo ponto, não linearmente do número de carros na rodovia. Mostramos os custos de viagem como uma curva que se volta para dentro, côncava, o que não é uma coisa boa.

Alguém chame as autoridades de Nova York

Um bom exemplo de como os efeitos de convexidade, junto com substanciais desvios de previsão equivocada, afetam um sistema superotimizado é esta história das autoridades de Nova York, que subestimaram os efeitos que o fechamento de uma linha acarretaria para o trânsito. Esse erro é bastante comum: uma pequena modificação produz resultados intensificados e multiplicados em um sistema que está sobrecarregado e, portanto, é frágil.

Em uma noite de sábado em novembro de 2011, fui de carro até Nova York para me encontrar com o filósofo Paul Boghossian e jantar com ele no Village — em geral uma viagem de quarenta minutos. Ironicamente, o motivo do meu encontro com Boghossian era para falar sobre meu livro, o que o leitor tem em mãos, e sobre um tema mais específico: minhas ideias a respeito da redundância nos sistemas. Venho defendendo a injeção de redundância na vida das pessoas e venho me gabando, para ele e outras pessoas, de que, desde minha resolução de ano-novo de 2007, nunca mais cheguei atrasado para o que quer que seja, nem um minuto sequer (bem, quase). Lembre-se, no capítulo 2, da minha defesa das redundâncias como uma postura agressiva. Essa disciplina pessoal obriga-me a colocar certos amortecedores de segurança, e, uma vez que sempre carrego um caderno, me permitiu escrever um livro inteiro de aforismos. Sem contar as longas visitas às livrarias. Ou posso me sentar em um café e ler as mensagens com insultos que recebo. Sem estresse nenhum, é claro, já que não tenho medo de me atrasar. Mas o maior benefício dessa disciplina é que ela me impede de abarrotar meu dia com compromissos (geralmente, compromissos não são nem úteis nem agradáveis). Na verdade, por causa de outra regra de disciplina pessoal, não marco compromissos (exceto as palestras) a não ser na manhã do mesmo dia do evento, pois uma data no calendário me dá a sensação de ser um prisioneiro (mas essa é outra história).

Quando cheguei a Midtown, por volta das seis horas, o trânsito estava parado. Completamente. Às oito, eu mal havia avançado alguns quarteirões. Assim, até mesmo meu "amortecedor de redundância" falhou e não me permitiu manter a até então inquebrantável resolução. Então, depois de reaprender a operar essa coisa barulhenta e cacofônica chamada rádio, comecei a entender o que havia acontecido: a cidade de Nova York autorizara uma produtora cinematográfica a bloquear parte da ponte da rua 59, imaginando que, por ser sábado, não causaria grandes transtornos. E o pequeno problema de trânsito transformou-se em caos, devido aos efeitos multiplicadores. O que eles achavam que seria, no pior cenário possível, alguns minutos de atraso foi multiplicado por duas ordens de grandeza; minutos tornaram-se horas. Simplesmente, as autoridades que governam Nova York não compreendiam as não linearidades.

Este é o problema decisivo da eficácia: esses tipos de erro combinam-se, multiplicam-se, avolumam-se, com efeitos que vão em uma única direção — a direção errada.

ONDE MAIS É DIFERENTE

Outra maneira intuitiva de examinar os efeitos de convexidade: considerar a propriedade do aumento da escala. Se você duplicar a exposição a alguma coisa, mais do que dobrará os danos causados pela exposição? Se sim, então essa é uma situação de fragilidade. Caso contrário, você é robusto.

A questão foi expressa de maneira muito perspicaz por P. W. Anderson no título de seu artigo "More Is Different" [Mais é diferente]. E o que os cientistas envolvidos na complexidade chamam de "propriedades emergentes" é o resultado não linear do acréscimo de unidades, à medida que a soma se torna cada vez mais diferente das partes individuais. Basta olhar para o quanto a pedra grande é diferente das pedrinhas: estas têm o mesmo peso e a mesma forma geral, mas só. Da mesma maneira, vimos no capítulo 5 que uma cidade grande não é um vilarejo grande; uma corporação não é uma microempresa um pouco maior. Vimos também como a aleatoriedade muda de natureza do Mediocristão para o Extremistão, como um Estado não é uma aldeia grande, e muitas alterações que resultam do tamanho — e da velocidade. Tudo isso mostra a não linearidade em ação.

Uma "refeição balanceada"

Outro momento em que se ignora a dimensão oculta, ou seja, a variabilidade: atualmente, as autoridades de saúde soviético-norte-americanas de Harvard nos orientam a ingerir todos os dias determinadas quantidades de nutrientes (calorias totais, proteínas, vitaminas etc.) em porções recomendadas de cada um. Todo alimento tem seu "percentual de valores diários". À parte a total falta de rigor empírico na forma como essas recomendações são atualmente derivadas (mais sobre isso nos capítulos médicos), há outro desleixo nessa norma: a insistência no discurso sobre a *regularidade*. Aqueles que recomendam as políticas nutricionais são incapazes de entender que obter "em ritmo constante" as calorias e os nutrientes ao longo de todo o dia, com uma composição "equilibrada" e regularidade metronômica, não surte, necessariamente, o mesmo efeito que consumi-los de forma desigual ou aleatória, digamos, por exemplo, ingerindo uma grande dose de proteínas um dia, jejuando por completo no outro, devorando um banquete no terceiro etc.

Isso é uma negação da hormese, o ligeiro estressor da privação episódica. Durante muito tempo, ninguém nem sequer se deu ao trabalho de tentar descobrir se a variabilidade na distribuição — o efeito de segunda ordem — era tão importante quanto a composição a longo prazo. Agora as pesquisas estão começando a se inteirar dessa ideia simples. Acontece que o efeito da variabilidade em fontes alimentícias e da não linearidade da resposta fisiológica é fundamental para os sistemas biológicos. Ao que parece, não consumir nenhuma proteína na segunda-feira e recuperar o tempo perdido na quarta-feira causa uma resposta fisiológica diferente — e melhor —, possivelmente porque a privação, como um estressor, ativa alguns caminhos que facilitam a absorção posterior dos nutrientes (ou algo similar). E, até alguns estudos empíricos recentes (e não relacionados entre si), esse efeito de convexidade era totalmente negligenciado pela ciência, embora não pelas religiões, heurísticas ancestrais e tradições. E, se os cientistas entendem alguns efeitos de convexidade (conforme dissemos acerca da dependência do domínio, os médicos, assim como os levantadores de peso, compreendem, aqui e ali, as não linearidades na resposta à dose), a noção de efeitos de convexidade em si parece estar completamente ausente da linguagem e dos métodos deles.

Corra, em vez de andar

Outro exemplo, dessa vez uma situação que se beneficia com a variação — efeitos de convexidade positivos. Pense no caso de dois irmãos, Castor e Pólux, que precisam percorrer a distância de 1,6 quilômetro. Castor caminha em um ritmo lento e chega ao destino em vinte minutos. Pólux gasta catorze minutos brincando com seu dispositivo portátil e recebendo atualizações sobre fofocas, depois perfaz, correndo, o mesmo trecho em seis minutos, e chega ao mesmo destino junto com Castor.

Ou seja, ambos percorreram exatamente a mesma distância, exatamente no mesmo tempo — a mesma média. Castor, que andou durante todo o trajeto, provavelmente não obterá os mesmos benefícios para a saúde e os ganhos de força que Pólux, que optou pela corrida veloz e intensa. Os benefícios para a saúde são *convexos* à velocidade (até certo ponto, é claro).

A própria ideia de se exercitar está relacionada a obter ganhos, da antifragilidade aos estressores da prática da atividade — como vimos, todos os tipos de exercício são apenas explorações dos efeitos de convexidade.

O PEQUENO PODE SER FEIO; CERTAMENTE É MENOS FRÁGIL

Não é raro escutarmos a expressão "a beleza está nas pequenas coisas". É uma máxima forte e atraente, e em sua defesa muitas ideias foram formuladas — quase todas anedóticas, românticas ou existenciais. Vamos apresentá-la no âmbito de nosso enfoque de *fragilidade* igual a *concavidade*, que é igual à *aversão à aleatoriedade*, e observar como poderemos medir esse efeito.

Como passar por um aperto

Um aperto ocorre quando as pessoas não têm outra escolha a não ser fazer alguma coisa, e fazê-la de imediato, sejam quais forem os custos.

Sua cara-metade vai defender a tese de doutorado em história da dança alemã, e você precisa pegar um avião até Marburg para estar presente nesse momento tão importante, conhecer os pais dela e assumir oficialmente o noivado. Você mora em Nova York e conseguiu comprar uma passagem econômica até Frankfurt por quatrocentos dólares, e fica animado por pagar tão barato. Mas precisa fazer escala em Londres. Ao chegar ao aeroporto Kennedy, em Nova York, você é informado pelo agente da companhia aérea que os voos para Londres foram cancelados, desculpe, atrasos devido ao acúmulo de voos por causa de problemas climáticos, esse tipo de coisa. Algo a ver com a fragilidade do Heathrow. Você pode embarcar em um voo de última hora com destino a Frankfurt, mas agora precisa pagar 4 mil dólares, cerca de dez vezes mais que o preço inicial, e decida rápido, pois restam poucos lugares. Você se enfurece, e berra, e xinga, culpa a si mesmo, sua educação e seus pais, que lhe ensinaram a poupar, e por fim gasta os 4 mil dólares. Isso é um exemplo de aperto.

Os apertos são exacerbados pelo tamanho. Quem é grande fica vulnerável a alguns erros, apertos especialmente horrendos. Os apertos tornam-se não linearmente mais dispendiosos à medida que aumenta o tamanho.

Para entender como o tamanho torna-se uma desvantagem, pense nas razões pelas quais uma pessoa não deveria ter um elefante como animal de estimação, independentemente do apego emocional que possa sentir pelo animal. Digamos que você tenha condições financeiras para comprar um paquiderme, como parte do seu orçamento familiar após receber uma promoção no trabalho, e mande alguém entregá-lo em seu quintal. Se houvesse escassez de água — e, portanto, um aperto, já que você não tem escolha a não ser desembolsar dinheiro para comprar água —, você teria de pagar um preço cada vez mais alto por galão adicional de água. Isso é fragilidade, pura e simples, um efeito de convexidade negativo resultante do tamanho excessivo. O custo inesperado, como uma porcentagem do total, seria monstruoso. Ter, digamos, um gato ou um cachorro não acarretaria esses elevados custos extras inesperados em momentos de aperto — os gastos excedentes, tomados como uma porcentagem dos custos totais, seriam muito baixos.

Apesar do que é estudado nas faculdades de economia e administração de empresas a respeito das "economias de escala", o tamanho é prejudicial em momentos de estresse; em tempos difíceis não é uma boa ideia ser grande. Alguns economistas vêm se perguntando por que as fusões de empresas parecem não dar certo. A unidade combinada é agora muito maior, portanto, mais poderosa, e, de acordo com as teorias das economias de escala, deveria ser mais "eficiente". Mas os números mostram, no melhor dos casos, que não há ganho algum com o aumento de tamanho — e isso já era verdade em 1978, quando Richard Roll anunciou a "hipótese do húbris", julgando irracional que as empresas se envolvessem em fusões, tendo em vista seu medíocre histórico de desempenho. Dados recentes, mais de três décadas depois, confirmam tanto o minguado histórico das fusões quanto o mesmo excesso de soberba, pois os gestores parecem ignorar o péssimo aspecto econômico da transação. Parece que existe no tamanho algo que se torna prejudicial às empresas.

Assim como a ideia de ter elefantes como animais de estimação, os apertos são muito mais caros (em relação ao tamanho) para as grandes corporações. Os ganhos obtidos com o tamanho são visíveis, mas os riscos são ocultos, e alguns riscos encobertos parecem trazer fragilidade às empresas.

Animais de grande porte, como elefantes, jiboias, mamutes e outros semelhantes, tendem a entrar rapidamente em extinção. Além do aperto quando os recursos são escassos, há as considerações de ordem mecânica. Animais de grande porte são mais frágeis a impactos do que animais pequenos — mais uma vez, pedra grande e pedrinhas. Jared Diamond, sempre à frente dos demais, esmiuçou essa vulnerabilidade em um artigo intitulado "Why Cats Have Nine Lives" [Por que gatos têm nove vidas]. Se jogarmos um gato ou um rato de uma altitude equivalente a várias vezes a altura do animal, a tendência é que sobrevivam. Os elefantes, em comparação, quebram os membros com muita facilidade.

Kerviel e Micro-Kerviel

Vamos analisar um estudo de caso banal do mundo das finanças, um campo em que os participantes são muito bons em cometer erros. Em 21 de janeiro de 2008, o banco parisiense Société Générale apressou-se para colocar à venda um valor próximo a 70 bilhões de dólares em ações, uma quantia muito vultosa para qualquer "queima de estoque" individual. Os mercados não estavam muito ativos (no jargão, "mercados magros"), já que nos Estados Unidos era feriado do Dia de Martin Luther King, e no mundo todo acabaram caindo vertiginosamente, perto de 10%, o que custou à empresa um prejuízo de quase 6 bilhões de dólares, apenas com a tal venda urgente. O xis da questão desse aperto é que o banco não podia mais esperar e não teve outra opção a não ser transformar essa operação em uma venda-relâmpago. Pois, naquele fim de semana, descobriu-se uma fraude. Jérôme Kerviel, um *trader* trapaceiro, estava especulando com somas colossais no mercado e escondendo essas exposições do sistema de computação principal. O SocGen não teve escolha a não ser vender, imediatamente, aquelas ações que nem sequer sabia ter.

Agora, para visualizar o efeito de fragilidade decorrente do tamanho, observe a figura 15, que mostra os prejuízos como uma função da quantidade vendida. Uma venda-relâmpago emergencial de 70 bilhões de dólares em ações leva a um prejuízo de 6 bilhões. Mas uma venda a curto prazo de um décimo desse tamanho, 7 bilhões, não resultaria em nenhum prejuízo, já que os mercados absorveriam essa quantidade sem entrar em pânico, talvez sem nem sequer perceber. Então, isso nos diz que se, em vez de um banco grande com o sr. Kerviel no papel de *trader* desonesto, tivéssemos dez bancos menores, cada qual com seu sr. Micro-Kerviel proporcional, e cada um realizando suas operações ilícitas de forma independente e em momentos aleatórios, os prejuízos totais para os dez bancos seriam quase nulos.

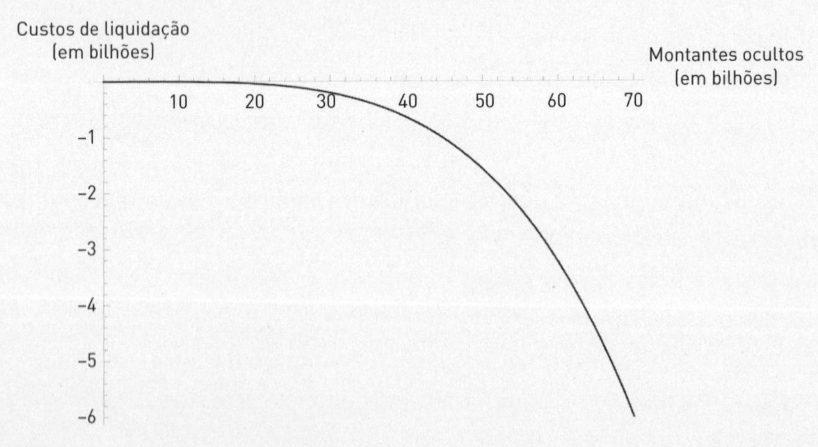

FIGURA 15. As coisas pequenas podem ser bonitas; certamente são menos frágeis. O gráfico mostra os custos de transação como uma função do tamanho do erro: eles aumentam de forma não linear, e podemos ver a megafragilidade.

Algumas semanas antes do episódio Kerviel, uma faculdade de economia e administração de empresas francesa contratou-me para apresentar, na reunião do conselho de executivos do Société Générale, em Praga, minhas ideias sobre os riscos Cisne Negro. Aos olhos dos banqueiros, eu era como um pregador jesuíta visitando Meca, em meio à anual peregrinação Hajj — os "*quants*" e o pessoal de análise de risco me odiavam com força, e me arrependi de não ter insistido em falar em árabe, já que eles contavam com tradução simultânea. Minha palestra girou em torno de pseudotécnicas de risco à la Triffat — métodos que amiúde são utilizados, como afirmei, para medir e prever eventos, métodos que nunca funcionaram antes —, e de como precisávamos pôr em foco a fragilidade e o *barbell*. Durante a palestra, fui incessantemente importunado pelo chefe de Kerviel e por seu colega, o diretor da gestão de riscos. Depois de minha fala, fui ignorado por todos, como se eu fosse um marciano, uma situação constrangedora de "quem trouxe esse cara aqui?" (eu havia sido selecionado pela faculdade, não pelo banco). A única pessoa que me tratou com gentileza foi o presidente do conselho, pois ele me confundiu com outra pessoa, e não fazia a menor ideia de sobre o que eu estava falando.

Assim, o leitor pode imaginar meu estado de espírito quando, logo que voltei para Nova York, o escândalo das operações fraudulentas de Kerviel veio à tona. Também foi torturante o fato de que, por causa de razões legais, tive de manter a boca fechada (o que fiz, exceto por alguns deslizes).

Evidentemente, as análises post-mortem estavam enganadas, atribuindo o problema a controles ruins do sistema capitalista malvado e à falta de vigilância do banco. Não era isso. Tampouco era a "ganância", como geralmente supomos. O problema é, sobretudo, o tamanho, e a fragilidade que vem como consequência do tamanho.

Sempre tenha em mente a diferença entre uma pedra e seu peso em pedrinhas. A história de Kerviel é ilustrativa, por isso podemos generalizar e observar evidências em vários domínios.

No gerenciamento de projetos, Bent Flyvbjerg apresentou sólidas provas de que um aumento no tamanho dos projetos se reflete em resultados mais fracos e em custos cada vez mais elevados como consequência de atrasos em proporção ao orçamento total. Mas há uma nuance: o que importa é o tamanho por segmento do projeto, e não o projeto todo — alguns projetos podem ser divididos em partes, outros não. Projetos de pontes e túneis envolvem planejamento monolítico, pois não podem ser fragmentados em pequenas porções; seu percentual da sobrecarga de custos aumenta acentuadamente com o tamanho. O mesmo vale para as barragens. Com as rodovias, construídas em pequenos segmentos, não há nenhum efeito grave de tamanho, pois os gerentes de projeto incorrem apenas em pequenos erros e podem adaptar-se a eles. Os pequenos segmentos lidam com um erro pequeno de cada vez, e os apertos não desempenham papéis significativos.

Outro aspecto do tamanho: as grandes corporações também acabam pondo a vizinhança em perigo. Usei o seguinte argumento contra as grandes redes de lojas de departamentos, apesar dos alardeados benefícios. Uma imensa cadeia de megalojas de departamentos queria adquirir um bairro inteiro perto de onde moro, causando alvoroço devido às mudanças em potencial que isso acarretaria nas características do lugar. O argumento a favor era a revitalização da área, esse tipo de história. Combati a proposta com os seguintes fundamentos: se a empresa fosse à falência (e o elefante estatístico na sala indica que, mais cedo ou mais tarde, ela vai falir), terminaríamos com uma gigantesca zona de guerra. Esse foi o tipo de argumento que os conselheiros britânicos Rohan Silva e Steve Hilton usaram a favor dos pequenos comerciantes, junto com o poético "a beleza está nas pequenas coisas". É um erro crasso utilizar o cálculo de benefícios sem incluir a probabilidade de fracasso.*

Como sair de um cinema

Outro exemplo do que pode custar um aperto: imagine pessoas saindo de uma sala de cinema. Alguém grita "fogo", e você tem uma dúzia de pessoas mortas por esmagamento. Assim, há uma fragilidade da sala em relação ao tamanho, decorrente do fato de que cada pessoa adicional saindo do cinema provoca mais e mais traumas (tal dano desproporcional é um efeito de convexidade negativo). Mil pessoas saindo (ou tentando sair) em um minuto

* Uma nuance: as noções de "grande" e "pequeno" são relativas a determinada ecologia ou estrutura de negócios. Pequeno, para um fabricante de aviões, é diferente de "pequeno" quando se trata de uma padaria. Como no caso do princípio da subsidiariedade da União Europeia, "pequeno", aqui, significa a menor unidade possível para determinada função ou tarefa capaz de operar com certo nível de eficiência.

não é igual ao mesmo número de pessoas saindo em meia hora. Alguém não familiarizado com o negócio, que ingenuamente *otimize* o tamanho do lugar (o aeroporto de Heathrow, por exemplo), pode deixar passar despercebida a ideia de que o funcionamento tranquilo em momentos de normalidade é diferente do funcionamento turbulento em momentos de estresse.

Acontece que a otimizada vida econômica contemporânea nos leva a construir salas de cinema cada vez maiores, mas com as mesmíssimas portas. Esse erro já não é cometido com tanta frequência quando se constroem cinemas, teatros e estádios, mas tendemos a cometer o erro em outros domínios, por exemplo, no caso dos recursos naturais e no abastecimento de alimentos. Basta ter em mente que o preço do trigo mais do que triplicou entre 2004 e 2007, em resposta a um pequeno aumento na demanda líquida, cerca de 1%.*

Os gargalos são a origem de todos os apertos.

PROJETOS E PREVISÕES

Por que os aviões não chegam adiantados

Vamos começar, como sempre, com um problema de transporte, e generalizar para outras áreas. Viajantes (geralmente) não gostam da incerteza — em especial quando têm um cronograma predefinido. Por quê? Existe um efeito de mão única.

Durante a maior parte da minha vida, venho pegando o mesmo voo Londres-Nova York. O voo dura cerca de sete horas, o equivalente a um livro curto, mais uma breve e educada conversa com o ocupante do assento ao lado e uma refeição com vinho do Porto, queijo stilton e bolachas de água e sal. Lembro-me de algumas ocasiões em que cheguei antes do previsto, uns vinte minutos, não mais que isso. Mas houve casos em que cheguei ao meu destino com mais

* Outro problema é o da compreensão equivocada da não linearidade dos recursos naturais, ou de qualquer coisa particularmente escassa e vital. Os economistas têm a chamada lei da escassez, pela qual as coisas aumentam de valor de acordo com a demanda por ela — mas ignoram as consequências das não linearidades sobre o risco. Hélyette Geman, ex-orientadora de minha tese, e eu estamos estudando atualmente uma "lei da convexidade" que faz com que as commodities, especialmente as imprescindíveis, sejam ainda mais preciosas do que se pensava antes.

de duas ou três horas de atraso, e, em pelo menos uma ocasião, levei mais de dois dias para desembarcar.

Uma vez que o tempo de viagem não pode ser negativo, a incerteza tende a causar atrasos, fazendo com que a hora de chegada aumente, quase nunca diminua. Ou faz com que a hora de chegada diminua em apenas alguns minutos, mas aumente em horas, uma óbvia assimetria. Qualquer coisa inesperada, qualquer impacto, qualquer volatilidade, tem muito mais probabilidade de estender o tempo total de voo.

Isso explica também, de certa forma, a irreversibilidade do tempo, se considerarmos a passagem do tempo como um aumento de desordem.

Agora vamos aplicar esse conceito a projetos. Da mesma maneira que quando se acrescenta incerteza a um voo os aviões tendem a aterrissar mais tarde e não mais cedo (e essas leis da física são tão universais que funcionam até mesmo na Rússia), quando se acrescenta incerteza aos projetos eles tendem a custar mais e a demorar mais tempo para ser concluídos. Isso se aplica a muitos projetos; na verdade a quase todos eles.

No passado, a interpretação que eu tinha era a de que um viés psicológico, a subestimação da estrutura aleatória do mundo, era a causa por trás dessa subestimação — projetos levam mais tempo do que o planejado porque as estimativas são otimistas demais. Temos evidências desse viés, chamado de excesso de confiança. Cientistas da tomada de decisões e psicólogos de negócios expuseram uma teoria sobre algo chamado de "falácia do planejamento", em que tentam explicar, utilizando fatores psicológicos, o fato de que projetos levam mais tempo, raramente menos tempo, para sua conclusão.

Mas o enigma era que essa subestimação não parecia existir no século passado ou algo assim, embora estivéssemos lidando com os mesmos seres humanos, dotados dos mesmos vieses. Muitos projetos de grande escala de um século e meio atrás foram concluídos a tempo; muitos dos altos edifícios e monumentos que vemos hoje não são apenas mais elegantes do que as estruturas modernas, mas foram concluídos no prazo programado, e, muitas vezes, antes. Isso inclui não apenas o Empire State Building (ainda de pé, em Nova York), mas o Crystal Palace, de Londres, construído para a Grande Exposição de 1851, a marca característica do reinado vitoriano, baseado nas inventivas ideias de um jardineiro. Do conceito à inauguração do palácio, que abrigou a exposição, foram apenas nove meses. O edifício tomou a forma de uma enorme estufa, com 536 metros de comprimento e 138 de largura; foi construído com componentes estruturais de ferro fundido e vidro, fabricados quase exclusivamente em Birmingham e Smethwick.

Muitas vezes o óbvio é ignorado: o projeto do Crystal Palace não usou computadores, e as partes foram construídas não muito longe da fonte, com um pequeno número de firmas envolvidas na cadeia de abastecimento. Ademais, naquela época, não havia faculdades de economia e administração de empresas para ensinar algo chamado "gerenciamento de projetos" e para aumentar a já excessiva confiança. Não havia escritórios de consultoria. O problema de agência (que definimos como a divergência entre o interesse do agente e o de seu cliente) não era significativo. Em outras palavras, era uma economia muito mais linear — menos complexa — do que hoje. E temos mais não linearidades — assimetrias, convexidades — no mundo atual.

Os efeitos Cisne Negro estão necessariamente aumentando, como resultado de complexidade, de interdependência das partes, da globalização e dessa coisa abominável chamada "eficiência", que faz com que as pessoas naveguem em águas perigosas. Acrescente a isso os consultores e as faculdades de economia e administração de empresas. Um problema em algum lugar pode interromper todo o projeto — assim, os projetos tendem a ficar tão fracos quanto o elo mais fraco em sua cadeia (um efeito agudo de convexidade negativo). O mundo está ficando cada vez menos previsível, e a cada dia que passa nos tornamos mais dependentes de tecnologias repletas de erros e de interações mais difíceis de estimar, e mais ainda de prever.

E a culpa é da economia da informação. Bent Flyvbjerg, aquele dos projetos de pontes e estradas mencionado no início deste capítulo, apresentou outro resultado. O problema dos estouros de orçamento, excessos de custos e de atrasos é muito mais agudo na presença de tecnologias da informação (TI), pois os projetos computacionais são a causa de largas fatias dessa sobrecarga de custos, e é melhor concentrar-se principalmente neles. Contudo, mesmo fora do âmbito desses pesados projetos de TI, tendemos a ter atrasos consideráveis.

Mas, de novo, a lógica é simples: os efeitos de convexidade negativos são o principal culpado, uma causa direta e visível. Há certa assimetria na maneira como os erros nos atingem — exatamente como nas viagens.

Nenhum psicólogo que tenha discutido a "falácia do planejamento" percebeu que, no âmago, o que está em jogo não é essencialmente um problema psicológico, uma questão de erro humano; é inerente à estrutura não linear dos projetos. Assim como o tempo não pode ser negativo, um projeto de três meses não pode ser concluído em zero hora ou em um prazo negativo. Assim, em uma linha do tempo que vai da esquerda para a direita, os erros são acrescidos à extremidade direita, e não à esquerda. Se a incerteza fosse linear, observaríamos que alguns projetos são concluídos com bastante antecedência (assim como às vezes chegamos muito cedo e, às vezes, muito atrasados). Mas esse não é o caso.

Guerras, déficits e déficits

A Primeira Guerra Mundial estava prevista para durar apenas alguns meses; quando o conflito chegou ao fim, França e Inglaterra estavam afundadas em dívidas (ambos os países gastaram pelo menos dez vezes mais do que previram que seria seu custo financeiro), além de todos os horrores, sofrimento e destruição. O mesmo, é claro, aconteceu com a Segunda Guerra, que elevou vertiginosamente a dívida do Reino Unido, principalmente nas obrigações contraídas com os Estados Unidos.

Nos Estados Unidos, o exemplo primordial continua sendo a guerra do Iraque, que, nos cálculos de George W. Bush e seus amigos, custaria de 30 bilhões a 60 bilhões de dólares, e que, até aqui, computando todos os custos indiretos, pode ter inflado até chegar a mais de 2 trilhões de dólares — os custos indiretos multiplicam-se, causando cadeias, explosivas cadeias de interações, todas indo na mesma direção, a de mais custos, não a de menos despesas. Novamente, a complexidade acrescida de assimetria (e mais figuras como George W. Bush) leva a erros explosivos.

Quanto maior o aparato de poderio das Forças Armadas, mais desproporcionalmente aumenta a sobrecarga nos custos.

Entretanto, as guerras — com erros multiplicados em mais de vinte vezes — são apenas ilustrativas do modo como os governos subestimam as não linearidades explosivas (efeitos de convexidade) e o motivo de não ser aconselhável confiar neles em matéria de finanças ou de quaisquer decisões de grande escala. Com efeito, os governos não precisam de guerras para nos colocar em apuros com déficits: a subestimação dos custos de seus projetos é crônica, pela mesma razão que 98% dos projetos contemporâneos apresentam estouros nas contas. Os governos simplesmente acabam gastando mais do que nos dizem. Isso me levou a instituir uma regra de ouro para os governos: proibição total de empréstimos, equilíbrio fiscal forçado.

ONDE O "EFICIENTE" NÃO É EFICIENTE

Podemos facilmente enxergar os custos da fragilidade avolumando-se na nossa frente, é algo visível a olho nu. Hoje, os custos globais de desastres são mais de três vezes maiores do que eram na década de 1980, em valores já corrigidos pela inflação. O efeito, notado algum tempo atrás pelo visionário pesquisador de eventos extremos Daniel Zajdenweber, parece estar acelerando. Pode ser que a economia fique cada mais vez "eficiente", mas a fragilidade está elevando os custos.

As Bolsas de Valores deixaram de ser pregões de "viva voz", onde *traders* desvairados se enfrentavam uns aos outros, berrando e vociferando como se estivessem em um *souk*, para depois saírem para beber juntos. Os *traders* foram substituídos por computadores, em troca de pequenos benefícios visíveis e riscos colossais. Enquanto os erros cometidos pelos *traders* são restritos e distribuídos, os que são cometidos por sistemas informatizados são de enlouquecer — em agosto de 2010, um erro de computador fez com que o mercado inteiro despencasse (o evento conhecido como "*flash crash*", ou "quebra súbita"); em agosto de 2012, quando o manuscrito deste livro estava chegando à gráfica, o sistema de computadores do Knight Capital Group surtou e causou prejuízos de 10 milhões de dólares por minuto, uma perda total de 480 milhões de dólares.

E ingênuas analises de custo-benefício podem ser um pouco prejudiciais, um efeito que, é claro, se avoluma com o tamanho. Por exemplo, os franceses, no passado, concentraram-se em energia nuclear, pois ela parecia "limpa" e barata. E "ideal" em uma tela de computador. Após o alerta do desastre de Fukushima em 2011, eles perceberam que precisavam de recursos de segurança adicionais e fizeram das tripas coração para acrescentá-los a qualquer custo. De certa forma, isso é similar ao aperto que mencionei antes: eles são forçados a investir, independentemente do preço. Essa despesa extra não fazia parte da análise de custo-benefício que entrou na conta da decisão inicial, e que parecia excelente em uma tela de computador. Assim, quando decidimos por uma fonte de combustível em detrimento de outra, ou quando fazemos comparações similares, não percebemos que o erro do modelo pode prejudicar mais um lado do que o outro.

Poluição e danos ao planeta

A partir disso, podemos gerar uma simples diretriz política ecológica. Sabemos que os combustíveis fósseis são prejudiciais de forma não linear. O dano é, necessariamente, côncavo (se uma quantidade pequena de combustível não causa danos, uma grande quantidade pode ocasionar distúrbios climáticos). Enquanto, em bases epistemológicas, devido à opacidade, não precisamos acreditar na mudança climática antropogênica (causada pelos seres humanos) para sermos ecologicamente cautelosos, podemos utilizar esses efeitos de convexidade para produzir uma regra de gerenciamento de riscos relativa à poluição. Em termos simples, assim como no caso do tamanho, trata-se de dividir nossas fontes de poluição entre muitas fontes naturais. O dano que advém de poluir por dez fontes diferentes é menor do que a poluição equivalente causada por uma única fonte.*

Vamos examinar os mecanismos ancestrais, similares à natureza, de regulação dos efeitos de concentração. Nós, seres humanos contemporâneos, vamos até os supermercados para comprar os mesmos itens, como atum, café ou chá, arroz, muçarela, vinho Cabernet e azeite, que aparentemente não são facilmente substituíveis. Por causa dos inquebrantáveis hábitos contemporâneos, do contágio cultural e da rigidez das fábricas, somos persuadidos ao uso excessivo de produtos específicos. Essa concentração é prejudicial. O consumo extremado de atum, por exemplo, pode prejudicar outros animais, bagunçar o ecossistema e levar espécies à extinção. E o dano não apenas cresce de forma não linear, mas a escassez leva a altas desproporcionais nos preços.

Os seres humanos ancestrais faziam diferente. Jennifer Dunne, pesquisadora da complexidade que estuda os caçadores-coletores, examinou as evidências do comportamento dos aleútes, tribo nativa norte-americana sobre

* Volatilidade e incerteza são equivalentes, como vimos na tabela da família da Desordem. Portanto, note que o frágil é prejudicado pelo aumento da incerteza.

a qual temos amplas informações, abrangendo cinco milênios. Eles exibiam uma extraordinária falta de concentração em seu comportamento predatório, com uma estratégia de alternância de presas. Não eram tão apegados e rígidos em seus hábitos, ao contrário de nós. Sempre que algum recurso começava a escassear, eles trocavam por outro, como que para preservar o ecossistema. Portanto, compreendiam os efeitos de convexidade — ou melhor, seus hábitos compreendiam.

Note que a globalização teve o efeito de tornar planetário o contágio — como se o mundo inteiro tivesse se transformado em uma enorme sala com saídas estreitas e pessoas precipitando-se para as mesmas portas, com danos acelerados. Assim como praticamente todas as crianças leem *Harry Potter* e têm conta (por enquanto) no Facebook, quando as pessoas ficam ricas elas começam a exercer as mesmas atividades e a comprar os mesmos itens. Bebem vinho Cabernet, planejam conhecer Veneza e Florença, sonham em comprar uma segunda casa no sul da França etc. Os locais turísticos estão se tornando insuportáveis: tente ir a Veneza nas próximas férias de julho.

A não linearidade da riqueza

Podemos atribuir com segurança o efeito fragilizador da globalização contemporânea à complexidade e ao modo como a conectividade e os contágios culturais tornam muito mais graves os bruscos rodopios em variáveis econômicas — a clássica mudança para o Extremistão. Mas há outro efeito: a riqueza. A riqueza significa mais, e, devido ao aumento de escala não linear, mais é diferente. Estamos propensos a cometer erros mais graves, simplesmente porque somos mais ricos. Assim como os projetos de 100 milhões de dólares são mais imprevisíveis e mais suscetíveis a incorrer em descontrole de custos do que os projetos de 5 milhões de dólares apenas porque dispõem de mais recursos, o mundo está tumultuado por causa do incremento de imprevisibilidade e de fragilidade. Isso vem com o crescimento — no nível dos países, o Tão Sonhado Crescimento do PIB. Até mesmo em nível individual, riqueza significa mais dores de cabeça; pode ser que precisemos trabalhar com mais afinco para mitigar as complicações acarretadas pela riqueza do que trabalhamos para adquiri-la.

Conclusão

Para concluir este capítulo, a fragilidade, em qualquer domínio – de uma xícara de porcelana a um organismo, do sistema político ao tamanho de uma empresa ou aos atrasos nos aeroportos –, reside no não linear. Além disso, a descoberta pode ser vista como um antidéficit. Pense no que é diametralmente oposto aos atrasos dos voos ou aos projetos com custos altos demais – algo que se beneficia com a incerteza. E a descoberta apresenta a imagem espelhada do que considerávamos situações frágeis, que detestam a aleatoriedade.

19. A pedra filosofal e seu inverso

Eles avisam quando estão indo à falência — Às vezes o ouro é uma variedade especial de chumbo

E agora, leitor, após o esforço hercúleo que fiz para tornar mais claras para você as ideias dos últimos capítulos, é hora de pegar mais leve e expressar as coisas em termos técnicos, mais ou menos. Assim, este capítulo — um aprofundamento das ideias do anterior — será mais denso e deve ser pulado pelo leitor esclarecido.

COMO DETECTAR QUEM VAI FALIR

Vamos examinar um método de detecção de fragilidade — o inverso da pedra filosofal. Podemos usar como exemplo a história da gigantesca empresa de empréstimos imobiliários subvencionados pelo governo chamada Fannie Mae, uma corporação de hipotecas que foi à falência, deixando no colo dos contribuintes estadunidenses um prejuízo de centenas de bilhões de dólares (montante que, infelizmente, continua aumentando).

Um dia, em 2003, Alex Berenson, jornalista do *New York Times*, entrou em meu escritório com os relatórios de risco secretos da Fannie Mae, que um desertor lhe entregara. Era o tipo de relatório que esmiuçava as entranhas da metodologia de cálculo de risco, ao qual apenas uma fonte interna com informações privilegiadas pode ter acesso — a Fannie Mae fazia seus próprios cálculos de risco e divulgava o que bem queria para quem bem queria, o público ou quem quer que fosse. Mas apenas um desertor poderia ter a audácia de nos mostrar os meandros de como o risco era calculado.

Examinamos o relatório: simplesmente, um movimento ascendente em uma variável econômica levava a perdas gigantescas; um movimento descendente (na direção oposta), a lucros modestos. Movimentos ascendentes adicionais resultavam em perdas suplementares ainda maiores, e novos movimentos descendentes conduziam a lucros ainda menores. Parecia exatamente idêntico à história da pedra na figura 9. A progressão dos danos era óbvia — verdade seja dita, era monstruosa. Então, logo constatamos que a catastrófica explosão era inevitável: suas exposições a risco eram extremamente "côncavas", similares às do gráfico do trânsito na figura 14: perdas que se acumulam à medida que há desvio das variáveis econômicas (nem sequer precisei entender qual variável, já que a fragilidade a uma variável dessa magnitude implica a fragilidade de todos os outros parâmetros). Trabalhei com minhas emoções, e não com o cérebro, e senti uma pontada no coração antes mesmo de compreender os números que eu estava analisando. Era a fonte de todas as fragilidades, e, graças a Berenson, o *New York Times* externou a minha preocupação. Seguiu-se uma campanha difamatória, mas nada muito digno de nota. Nesse meio-tempo eu havia chamado algumas pessoas importantes de charlatãs, e elas não ficaram muito entusiasmadas com isso.

O fundamental é que o não linear é vastamente mais afetado por eventos extremos — e ninguém estava interessado em eventos extremos, uma vez que tinham um bloqueio mental contra eles.

Continuei dizendo, para quem quisesse escutar, inclusive taxistas (bem, quase), que a empresa Fannie Mae estava "sentada em cima de um barril de dinamite". Claro, explosões não acontecem todos os dias (assim como as pontes mal construídas não desabam imediatamente), e as pessoas continuavam dizendo que minha opinião estava errada e era infundada (usando algum argumento de que as ações estavam subindo, ou algo ainda mais falacioso). Também inferi que outras instituições, em sua esmagadora maioria bancos, estavam na mesma situação. Depois de verificar instituições similares, e constatar que o problema era generalizado, concluí que um colapso total do sistema bancário eram favas contadas. Eu estava tão convicto disso que não consegui pensar direito e voltei aos mercados para me vingar dos perus. Como na cena de *O poderoso chefão III*: "Sempre que eu penso que estou fora, eles me puxam de volta para dentro".

As coisas aconteceram como se tivessem sido planejadas pelo destino. A Fannie Mae foi à bancarrota, junto com outros bancos. Só demorou um pouco além do esperado, nada de mais.

A parte burra da história é que eu não havia percebido o vínculo entre a fragilidade financeira e a fragilidade geral — tampouco usei o termo "fragilidade". Talvez eu não tenha prestado atenção a muitas xícaras de porcelana. Porém, graças ao episódio do sótão, eu tinha um instrumento para a medição da fragilidade e, portanto, da antifragilidade.

Tudo se resume ao seguinte: descobrir se nossos cálculos incorretos e erros de previsão são, considerando todos os fatos, mais prejudiciais do que benéficos, e até que ponto os danos são cumulativos. Exatamente como na história do rei, em que o dano de uma pedra de dez quilos representa mais do que o dobro do dano causado por uma pedra de cinco quilos. O acúmulo de danos significa que uma pedra grande poderia, mais cedo ou mais tarde, matar a pessoa. Da mesma forma que um grande desvio no mercado, no fim das contas, destruiria a empresa.

Tão logo percebi que a fragilidade resultava diretamente da não linearidade e dos efeitos de convexidade, e que a convexidade era mensurável, fiquei empolgadíssimo. A técnica — detectar *o acelerado e progressivo acúmulo* do dano — aplica-se a qualquer coisa que implique a tomada de decisões sob a incerteza e a gestão de riscos. Embora fosse mais interessante na medicina e na tecnologia, a demanda imediata estava na economia. Então, sugeri ao Fundo Monetário Internacional (FMI) que substituísse por uma medida de fragilidade as suas medidas de risco, que eles sabiam muito bem que não funcionavam. A maior parte das pessoas que atuam no negócio de riscos tinha se frustrado com o péssimo (ou melhor, aleatório) desempenho de seus modelos, mas elas não eram fãs da minha postura anterior: "Não usem modelo algum". Eles queriam alguma coisa. E havia uma medida de risco aí.*

* O método não requer um bom modelo para a medição de riscos. Uma régua, por exemplo. Você sabe que é o instrumento errado. Ela não será capaz de medir a altura de uma criança. Mas vai mostrar se a criança está crescendo. Na verdade, o erro com que você se depara acerca da taxa de crescimento da criança é muitíssimo menor do que o erro que você obteria medindo a altura da criança. O mesmo vale para uma balança: por mais defeituosa que seja, ela quase sempre será capaz de indicar se você está ganhando peso — portanto, pare de culpá-la.

Então, aqui está algo para ser utilizado. A técnica, uma heurística simples chamada de *heurística de detecção de fragilidade (e da antifragilidade)*, funciona da seguinte maneira. Digamos que você queira verificar se uma cidade está superotimizada e que sua medição constata que, se o tráfego aumentar em 10 mil carros, o tempo de viagem aumentará em dez minutos. Porém, se o fluxo de veículos aumentar em outros 10 mil carros, o tempo de viagem agora se estenderá por trinta minutos adicionais. Esse acelerado incremento do tempo de tráfego mostra que o trânsito é frágil, que há carros demais, e que é necessário reduzir o tráfego até que o acúmulo acelerado diminua (o acúmulo acelerado, repito, é a concavidade aguda ou o efeito de convexidade negativo).

Da mesma maneira, os déficits governamentais são particularmente côncavos a mudanças nas condições econômicas. Cada desvio adicional, digamos, na taxa de desemprego — principalmente quando o governo tem dívidas —, agrava ainda mais os déficits. E a alavancagem financeira de uma empresa tem o mesmo efeito: é preciso pedir emprestado um volume cada vez maior de dinheiro para obter o mesmo resultado. Exatamente como em uma pirâmide financeira.

O mesmo vale para a alavancagem operacional por parte de uma empresa frágil. Se as vendas aumentassem 10%, então os lucros aumentariam menos do que diminuiriam se as vendas caíssem 10%.

Essa foi, de certo modo, a técnica que usei intuitivamente para declarar que a Empresa Altamente Respeitada Fannie Mae estava a caminho do cemitério — e a partir disso foi fácil produzir uma regra prática geral. Agora, tínhamos uma métrica simples com a chancela do FMI. Ela parece simples, simples demais, e por isso a reação inicial dos "especialistas" foi decretar que era "trivial" (isso foi dito por pessoas que visivelmente nunca haviam detectado esses riscos — acadêmicos e analistas quantitativos desprezam o que conseguem compreender com muita facilidade e ficam irritados com o que não pensaram por conta própria).

A convexidade diz respeito ao acúmulo acelerado. A coisa extraordinária sobre a mensuração dos efeitos de convexidade para detectar os erros do modelo é que, embora o modelo utilizado para o cálculo esteja errado, ele pode dizer se uma entidade é frágil e o quanto é frágil. Assim como acontece com a balança defeituosa, estamos à procura apenas de efeitos de segunda ordem.

De acordo com o maravilhoso princípio de que o indivíduo deve usar a estupidez das pessoas para se divertir, convidei meu amigo Raphael Douady para colaborar na expressão dessa ideia simples, usando as derivações matemáticas mais opacas, com teoremas incompreensíveis que levariam metade de um dia para ser entendidos (por um profissional). Ao longo de quase duas décadas, Raphael, Bruno Dupire e eu estivemos envolvidos em um debate contínuo sobre como tudo que acarreta risco — tudo — pode ser visto com muito mais rigor e clareza do ponto de vista de um profissional do mercado de opções. Raphael e eu conseguimos provar o vínculo entre a não linearidade, a aversão à volatilidade e a fragilidade. Foi demonstrado que, se a pessoa pode expressar algo simples de forma complicada, com teoremas complexos, mesmo que essas equações complicadas não resultem em nenhum grande ganho de rigor, ela leva a ideia muito a sério. Todas as reações que obtivemos foram positivas, e, a partir dali, começaram a nos dizer que aquela simples heurística de detecção era "inteligente" (as mesmas pessoas que a haviam julgado trivial). O único problema é que a matemática vicia.

A ideia do erro dos modelos positivo e negativo

Agora, o que acredito ser minha verdadeira especialidade: o erro dos modelos.

Quando eu estava no ramo das transações comerciais, costumava cometer muitos erros de execução. Você compra mil unidades e, no dia seguinte, descobre que, na verdade, comprou 2 mil. Se nesse meio-tempo o preço subir, você teve um lucro considerável. Caso contrário, seu prejuízo é grande. Então, esses erros são, a longo prazo, neutros em seus efeitos, uma vez que, como uma faca de dois gumes, podem afetar você em ambos os sentidos. Eles aumentam a variância, mas não afetam demais seus negócios. Eles não têm unilateralidade. E podem ser mantidos sob controle graças aos limites de tamanho — você faz várias pequenas transações, então os erros permanecem pequenos. E, no fim do ano, geralmente os erros "se dissolvem", como se diz.

Entretanto, não é o que acontece com a maioria das coisas que construímos, e com os erros relacionados a coisas frágeis, na presença de efeitos de convexidade negativos. Essa classe de erros tem um resultado de mão única, ou seja, negativo, e tende a fazer com que os aviões pousem com atraso, e não com antecedência. As guerras tendem a ficar piores, em vez de melhorar. Como vimos no caso do tráfego, as variações (agora chamadas de distúrbios) tendem a aumentar o tempo de viagem entre o bairro londrino de South Kensington e a praça Piccadilly Circus, nunca a reduzi-lo. Algumas coisas, como o fluxo de veículos, raramente passam por algo equivalente a distúrbios positivos.

Essa unilateralidade traz ao mesmo tempo uma subestimação da aleatoriedade e uma subestimação dos danos, uma vez que um indivíduo está mais exposto aos danos do que aos benefícios oriundos do erro. Se no longo prazo tivermos a mesma variação na fonte de aleatoriedade em ambos os sentidos, os danos sobrepujarão, com grande margem de diferença, os benefícios.

Assim — e esta é a chave para a Tríade —, podemos classificar as coisas por meio de três distinções simples: coisas que, a longo prazo, gostam de distúrbios (ou erros); coisas que são neutras aos distúrbios; e aquelas que antipatizam com eles. A essa altura, já vimos que a evolução gosta dos distúrbios. Vimos que as descobertas gostam dos distúrbios. Algumas previsões são prejudicadas pela incerteza — e, como o tempo de viagem, é necessário um amortecedor de segurança. As empresas aéreas descobriram como fazer isso, mas não os governos, quando calculam os déficits.

Esse método é muito genérico. Eu o usei até mesmo com os cálculos ao estilo de Fukushima e constatei o quanto seu cálculo de pequenas probabilidades era frágil — na verdade, todas as probabilidades pequenas tendem a ser muito frágeis aos erros, pois uma pequena mudança nos pressupostos pode fazer a probabilidade aumentar drasticamente, de uma em 1 milhão até uma em cem. Com efeito, uma subestimação da ordem de 10 mil vezes.

Por fim, esse método pode nos mostrar o ponto em que a matemática dos modelos econômicos é uma fraude — quais modelos são frágeis e quais não são. Faça apenas uma pequena alteração nas premissas, observe o tamanho do efeito e veja se há acúmulo acelerado desse efeito. O acúmulo acelerado implica — como aconteceu com a Fannie Mae — que aquele que confiar no modelo explodirá em decorrência dos efeitos Cisne Negro. *Molto facile*. Uma metodologia detalhada para detectar quais resultados são espúrios na economia — junto com uma discussão acerca das pequenas probabilidades — é fornecida no apêndice. O que posso dizer, por ora, é que muito do que é ensinado em economia contendo equações, assim como a econometria, deveria ser imediatamente jogado no lixo — o que explica por que a economia é, em linhas gerais, uma profissão charlatanesca. Fragilistas, *semper fragilisti*!

COMO PERDER UMA AVÓ

A seguir, explicarei o seguinte efeito da não linearidade: condições sob as quais a média — o efeito de primeira ordem — não tem importância. Como um primeiro passo antes de entrar no funcionamento da pedra filosofal.

Como diz o ditado:

Nunca atravesse um rio se ele tiver em média
1,20 metro de profundidade.

Você acaba de ser informado de que sua avó passará as próximas duas horas a uma temperatura média muito agradável de 21°C. Ótimo, você pensa, já que essa é a temperatura ideal para as avós. Como você cursou uma faculdade de economia e administração de empresas, é o tipo de pessoa que analisa o "quadro geral" e se dá por satisfeito com informações sumárias.

Mas há um segundo conjunto de informações. Sua avó passará a primeira hora a –18°C, e a segunda hora a 60°C, até chegar a uma média muito agradável, de clima mediterrâneo, de 21°C. Então, é muito provável que você vai ficar sem avó, mas com um funeral e, quem sabe, uma herança.

Evidentemente, mudanças de temperatura tornam-se cada vez mais prejudiciais quanto mais se desviam dos 21°C. Como se vê, o segundo conjunto de informações, a variabilidade, mostrou-se mais importante do que o primeiro. A noção de média não tem relevância alguma quando se é frágil às variações — a dispersão em possíveis resultados térmicos é aqui muito mais importante. Sua avó é frágil às variações de temperatura, à volatilidade do clima. Vamos chamar esse segundo conjunto de informações de *efeito de segunda ordem*, ou, em termos mais precisos, de *efeito de convexidade*.

Aqui, leve em conta que, embora a noção de média possa ser uma boa simplificação, também pode ser uma cama de Procusto. A informação de que a temperatura média é de 21°C não simplifica a situação para sua avó. É informação espremida em uma cama de Procusto — isto é, necessariamente, feita por modeladores científicos, uma vez que um modelo é, *por sua própria natureza*, uma simplificação. Você simplesmente não quer que a simplificação distorça a situação a ponto de ser danosa.

A figura 16 mostra a fragilidade da saúde da avó às variações. Se no eixo vertical eu indicar a saúde dela, e no vertical a temperatura, observo uma forma que se curva para dentro – uma forma "côncava", ou efeito de convexidade *negativo*. Se a resposta da avó fosse "linear" (sem curva, uma linha reta), então os danos de uma temperatura inferior a 21°C seriam contrabalançados pelos benefícios da temperatura superior a essa. E o fato é que a saúde da avó tem de estar limitada a um nível máximo, caso contrário ela continuaria melhorando.

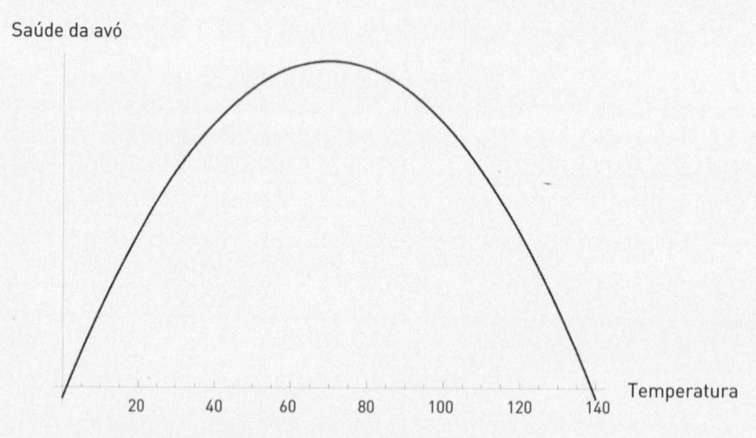

FIGURA 16. Megafragilidade. A saúde como uma função da temperatura curva-se para dentro. Uma combinação entre 0°C e 60°C é pior para a saúde de sua avó do que apenas 21°C. Na verdade, quase **todas** as combinações tendo como média 21°C são piores do que apenas 21°C.* O gráfico mostra a concavidade ou os efeitos de convexidade negativos — curvas para dentro.

Tenha isso em mente por ora, enquanto avançamos rapidamente para os atributos mais gerais; no caso da resposta de saúde da avó à temperatura: (a) existe uma não linearidade (a resposta não é uma linha reta, não é "linear"),

* Estou simplificando um pouco. Pode haver uma variação em torno de 21°C em que a avó talvez se sinta melhor do que apenas em 21°C, mas preferi omitir essa nuance. Na verdade, os seres humanos mais jovens são antifrágeis às variações térmicas, até certo ponto, beneficiando-se com alguma variabilidade, e depois, com o passar dos anos, perdem essa antifragilidade, por causa da idade (ou do desuso, já que suspeito que o conforto térmico envelhece as pessoas e as torna frágeis).

(b) ela se curva, e bastante, para dentro, e, por fim, (c) quanto mais não linear a resposta, menos relevante a média, e mais relevante a estabilidade em torno dessa média.

AGORA, A PEDRA FILOSOFAL*

Grande parte do pensamento medieval empenhou-se em encontrar a pedra filosofal. É sempre bom lembrar que a química é filha da alquimia, boa parte da qual consistia em analisar os poderes químicos das substâncias. Os principais esforços giravam em torno de criar valor por meio da transformação de metais em ouro, pelo método da *transmutação*. A substância necessária era chamada de pedra filosofal — *lapis philosophorum*. Muita gente acreditou nisso, uma lista que inclui estudiosos como Alberto Magno, Isaac Newton e Roger Bacon, além de grandes pensadores que não eram exatamente estudiosos eruditos, caso de Paracelso.

Não é de pouca monta o fato de que a transmutação tenha sido chamada de *Magnus Opus*, a grande obra (a maior e melhor de todas). Realmente acredito que a operação que discutirei — tomando por base algumas propriedades de opcionalidade — é o mais próximo possível que conseguimos chegar da pedra filosofal.

O apontamento a seguir nos permitiria compreender:

(a) A gravidade do problema da fusão (confundir o preço do petróleo com geopolítica, ou confundir uma aposta lucrativa com uma boa previsão — e não a convexidade das compensações e da opcionalidade).
(b) Por que qualquer coisa com opcionalidade tem uma vantagem a longo prazo — e como medi-la.
(c) Uma sutil propriedade adicional, chamada de desigualdade de Jensen.

Lembre-se de nosso exemplo do tráfego no capítulo 18 — 90 mil carros em uma hora, e, então, na hora seguinte, 110 mil carros, em uma média de 100 mil

* Lembro ao leitor que esta seção é técnica e pode ser pulada.

veículos, resultando em um trânsito medonho. Por outro lado, supondo que tenhamos 100 mil carros durante duas horas, o fluxo de carros será tranquilo, e o tempo de tráfego, breve.

O número de carros é a *coisa*, uma variável; o tempo de tráfego é a *função da coisa*. O comportamento da *função* é tal que, como dissemos, "não é a mesma coisa". Podemos ver aqui que a *função da coisa* se torna diferente da *coisa* sob não linearidades.

(a) Quanto mais não linear, mais a *função da coisa* dissocia-se da *coisa*. Se o trânsito fosse linear, então não haveria diferença alguma no tempo de tráfego entre estas duas situações: 90 mil carros, depois 110 mil carros de um lado, ou 100 mil carros de outro.
(b) Quanto mais volátil a *coisa* — quanto maior a incerteza —, mais a *função* dissocia-se da *coisa*. Consideremos novamente o número médio de carros. A função (tempo de viagem) depende mais da volatilidade em torno da média. As coisas se deterioram se houver disparidade na distribuição. Para a mesma média, é preferível ter 100 mil carros em ambos os períodos; 80 mil e depois 120 mil seriam ainda pior do que 90 mil e 110 mil.
(c) Se a função for convexa (antifrágil), então a média da função *da coisa* será maior do que a função da média da *coisa*. Quando a função for côncava (frágil), é o contrário.

Como um exemplo de (c), que é uma versão mais complicada do viés, suponha que a função em questão seja a função quadrática (multiplicar um número por si mesmo). Trata-se de uma função convexa. Imagine um dado convencional (com seis lados) e considere uma compensação igual ao número em que ele cair, ou seja, paga-se ao indivíduo um número igual ao que o dado mostrar — 1 se cair no 1, 2, se cair no 2, até 6, se o dado cair no 6. O quadrado da compensação (média) esperada será, então (1 + 2 + 3 + 4 + 5 + 6 dividido por $6)^2$, igual a $3{,}5^2$; aqui, 12,25. Portanto, *a função da média* é igual a 12,25.

Mas a média da função é a seguinte. Considere o quadrado de cada compensação, $1^2 + 2^2 + 3^2 + 4^2 + 5^2 + 6^2$ dividido por 6, ou seja, a compensação quadrática média, e vemos que a *média da função* é igual a 15,17.

Dessa maneira, uma vez que a quadrática é uma função convexa, a média da compensação elevada ao quadrado é maior do que o quadrado da compensação média. A diferença, aqui, entre 15,17 e 12,25 é o que chamo de benefício oculto da antifragilidade — neste caso, uma "margem" de 24%.

Há dois vieses: um efeito de convexidade elementar, que leva ao erro de confundir as propriedades da média de algo (neste caso, 3,5) com aquelas de uma função (convexa) da coisa (aqui, 15,17), e o segundo, mais intrincado, que é confundir a média de uma função com a função de uma média, neste caso, 15,17 com 12,25. Esta última representa a opcionalidade.

Alguém com uma compensação linear precisa estar certo mais de 50% das vezes. Alguém com uma compensação convexa, muito menos. O benefício oculto da antifragilidade é que você pode fazer suposições piores do que o acaso, e, ainda assim, ter um desempenho excepcional. Aí está o poder da opcionalidade — a *função da coisa* é muito convexa; portanto, você pode estar errado e, ainda assim, se dar bem — quanto mais incerteza, melhor.

Isso explica minha afirmação de que a pessoa pode ser ignorante e antifrágil, e, ainda assim, ser bem-sucedida.

Esse "viés de convexidade" oculto resulta de uma propriedade matemática chamada desigualdade de Jensen. É isso que falta ao costumeiro discurso sobre inovações. Quem ignora o viés de convexidade deixa passar despercebida uma parte do que faz girar o mundo não linear. E o fato é que essa ideia não está presente nas narrativas. Desculpe-me.*

Como transformar ouro em lama: o inverso da pedra filosofal

Vamos levar em conta o mesmo exemplo de antes, usando como função a raiz quadrada (o exato oposto da quadrática, que é côncava, mas muito menos côncava do que a função quadrática é convexa).

* A avó se dá melhor em 21°C do que em uma média de 21°C, com uma hora a 0°C e outra a 60°C. Quanto maior a dispersão em torno da média, mais danos ela sofrerá. Vejamos o efeito contraintuitivo em relação a x e à função de x, $f(x)$. Vamos representar a saúde da avó como $f(x)$, em que x é a temperatura. Temos uma função da temperatura média, $f\{(0 + 60)/2\}$, mostrando a avó em excelente estado. Mas $\{f(0) + f(60)\}/2$ nos deixa com uma avó morta em $f(0)$ e uma avó morta em $f(60)$, para uma "média" de avó morta. Podemos ver uma explicação sobre a afirmação de que as propriedades de $f(x)$ e as de x dissociam-se umas das outras quando $f(x)$ é não linear. A média de $f(x)$ é diferente de f(média de x).

A raiz quadrada da compensação (média) esperada é então √(1 + 2 + 3 + 4 + 5 + 6 dividido por 6), igual a √3,5, aqui, 1,87. A *função da média* é igual a 1,87.

Mas a média da função é a seguinte. Pegue a raiz quadrada de cada compensação (√1 + √2 + √3 + √4 + √5 + √6), divida por 6, ou seja, a média da raiz quadrada da compensação, e você descobrirá que *a média da função* é igual a 1,80.

A diferença é chamada de "viés de convexidade negativo" (ou, se você é purista, "viés de concavidade"). O dano oculto da fragilidade é que você precisa ser muito, muito melhor do que a aleatoriedade em sua previsão, e saber para onde está indo, apenas para contrabalançar o efeito negativo.

Deixe-me sintetizar o argumento: se você tem assimetrias favoráveis, ou convexidade positiva, as opções sendo um caso particular, então a longo prazo você será razoavelmente bem-sucedido, superando-se em um desempenho acima da média na presença de incerteza. Quanto mais incerteza, mais espaço para a opcionalidade entrar em cena e surtir efeito, e melhor será nosso desempenho. Essa propriedade é essencial na vida.

Livro VI

Via negativa

Lembre-se de que não tínhamos um nome para a cor azul, mas conseguíamos passar muito bem sem essa palavra — ao longo de boa parte da história humana, permanecemos culturalmente, e não biologicamente, daltônicos. E, antes de o capítulo 1 ter sido escrito, não dispúnhamos de uma palavra para a antifragilidade, mas ainda assim os sistemas dependiam efetivamente dela, na ausência da intervenção humana. Existem muitas coisas sem nome, assuntos que conhecemos e que podem influenciar nosso modo de agir, mas que não somos capazes de descrever de forma direta, não conseguimos traduzir fielmente em linguagem humana ou dentro dos limitados conceitos humanos à nossa disposição. Quase tudo que nos rodeia e tem importância é difícil de apreender em termos linguísticos — e, na verdade, quanto mais poderoso é algo, mais incompleta nossa compreensão linguística acerca dele.

Mas, se não somos capazes de expressar com exatidão o que alguma coisa é, podemos dizer algo sobre o que essa coisa não é — a expressão indireta, em vez da direta. O "apofático" destaca o que não pode ser dito diretamente em palavras — do grego *apophasis* (negar, dizer não ou mencionar sem mencionar). O método começou como uma forma de evitar a descrição direta, colocando em foco a descrição negativa, o que é chamado, em latim, de *via negativa*, o caminho negativo, na esteira de tradições teológicas, especialmente da Igreja ortodoxa oriental. A *via negativa* não tenta expressar o que é Deus — isso fica para a variedade primitiva de pensadores e filosofastros contemporâneos com tendências cientificistas. A *via negativa* apenas enumera o que Deus *não* é, e seu raciocínio é calcado no processo de eliminação. A ideia é geralmente associada ao teólogo místico Pseudo-Dionísio, o Areopagita. Obscuro habitante do Oriente Próximo que atendia pelo nome de Dionísio e escreveu poderosos tratados místicos, ele foi por muito tempo confundido com Dionísio, o Areopagita, um juiz de Atenas que se converteu ao ouvir a pregação do apóstolo Paulo. Por isso o qualificador "Pseudo" acrescentado a seu nome.

Os neoplatônicos eram seguidores das ideias de Platão; concentravam-se, principalmente, nas formas de Platão, aqueles objetos abstratos que tinham uma nítida existência própria. Pseudo-Dionísio era discípulo de Proclo, o Neoplatônico (por sua vez, aluno de Siriano, outro neoplatônico sírio). Proclo ficou conhecido por repetir a metáfora de que as estátuas são esculpidas por subtração. Já li inúmeras vezes uma versão mais recente dessa ideia, com o seguinte trocadilho apócrifo: Michelangelo foi indagado pelo papa sobre qual era o segredo de sua destreza, em particular como ele havia esculpido a estátua de Davi, por muitos considerada a mãe de todas as obras-primas. Sua resposta foi: "É simples. Eu apenas removo tudo que não é Davi".

O leitor pode, assim, reconhecer a lógica por trás da estratégia *barbell*. Lembre-se da lógica *barbell*, de que é necessário, primeiro, eliminar as fragilidades.

Onde está o charlatão?

Lembre-se de que o intervencionista põe em foco a ação positiva, concentra-se em fazer algo. Assim como as definições positivas, vimos que as ações de caso pensado são respeitadas e glorificadas por nossas mentes primitivas e levam, digamos, a intervenções governamentais ingênuas que terminam em desastre, seguidas por reclamações generalizadas sobre as intervenções governamentais ingênuas, já que elas, como agora se percebe, terminam em desastre, seguidas por mais intervenções governamentais ingênuas. Atos de omissão, *não* fazer algo, não são considerados ações, e não parecem ter lugar na missão de um indivíduo. A tabela 3 mostrou o quanto esse efeito pode ser generalizado para vários domínios, da medicina aos negócios.

Durante toda a minha vida, venho usando uma heurística maravilhosamente simples: é possível reconhecer os charlatães, na medida em que oferecerem conselhos positivos, e somente conselhos positivos, tirando proveito de nossa credulidade e de nossa propensão de otários a receitas que parecem instantaneamente óbvias, mas que, mais tarde, somem quando as deixamos de lado. É só olhar para os livros do tipo "como fazer", cujos títulos incluem fórmulas como "Dez passos para..." (escolha o tópico: ficar rico, perder peso, fazer amigos, inovar, ser eleito, ficar forte, arranjar um marido, administrar um orfanato etc.). Na prática, porém, é a parte negativa que acaba sendo utilizada pelos profissionais, aqueles selecionados pela evolução: os grandes mestres de xadrez geralmente ganham ao não perder; as pessoas enriquecem por não falirem (principalmente quando outras vão à falência); as religiões fundamentam-se, em linhas gerais, em interditos e penas eclesiásticas; a aprendizagem da vida gira em torno do que evitar. Você reduz a maior parte de seus riscos de acidentes pessoais graças a um pequeno número de medidas.

Ademais, ser iludido pelo acaso significa que, na maioria das circunstâncias crivadas de um alto grau de aleatoriedade, ninguém consegue de fato dizer se uma pessoa bem-sucedida tem aptidões, ou se uma pessoa com aptidões será bem-sucedida — mas é fácil prever o negativo, que uma pessoa totalmente desprovida de aptidões vai, mais cedo ou mais tarde, fracassar.

Conhecimento subtrativo

Ora, quando se trata do conhecimento, é a mesma coisa. A mais extraordinaria — e mais robusta — contribuição para o conhecimento consiste em eliminar o que julgamos estar errado — epistemologia subtrativa.

Na vida, o modo de alcançar a antifragilidade é *não* sendo otário. Em *Peri Mystikes Theologias*, Pseudo-Dionísio não usou exatamente esses termos, nem discutiu a desconfirmação, tampouco entendeu com clareza a ideia, mas, a meu ver, discerniu essa epistemologia subtrativa e as assimetrias no conhecimento. Chamei de "platonicidade" o amor por algumas formas abstratas categóricas, as formas teóricas e universais que nos cegam à bagunça da realidade e causam efeitos Cisne Negro. Então, percebi que havia uma assimetria. Eu acredito sinceramente em ideias platônicas quando elas aparecem no sentido inverso, como universais negativos.

Assim, o dogma central da epistemologia que defendo é o seguinte: temos muito mais consciência sobre o que está errado do que sabemos sobre o que está certo, ou, para formular de acordo com a classificação frágil/robusto, o conhecimento negativo (o que é errado, o que não funciona) é mais robusto ao erro do que o conhecimento positivo (o que é certo, o que funciona). Ou seja, o conhecimento cresce muito mais por subtração do que pelo acréscimo — dado que o que sabemos hoje pode vir a mostrar-se errado, mas o que sabemos ser errado não pode, ao fim e ao cabo, revelar-se certo, pelo menos não tão facilmente. Se eu vejo um cisne negro (sem letras maiúsculas), posso ter quase certeza de que a afirmação "todos os cisnes são brancos" está incorreta. Mas, mesmo que eu jamais tenha visto um cisne negro, nunca poderei asseverar que essa afirmação é verdadeira. Reformulando mais uma vez: já que uma pequena observação pode invalidar uma afirmação, enquanto milhões de outras nem de longe conseguirão confirmá-la, a desconfirmação é mais exata do que a confirmação.

Em nosso tempo, essa ideia tem sido associada ao filósofo Karl Popper, e eu, em um equívoco tremendo, achei que ele fosse o criador do conceito (embora Popper esteja na origem de uma ideia ainda mais potente sobre a incapacidade essencial de prever o andamento da história). Na verdade, essa noção é muitíssimo mais antiga, e foi um dos princípios centrais da escola de medicina cético-empírica da era pós-clássica no Mediterrâneo Oriental. Ela era bem conhecida por um grupo de estudiosos franceses do século XIX, que redescobriram essas obras. E a ideia do poder da desconfirmação permeia a maneira como praticamos as ciências naturais.

Como se vê, podemos vincular isso aos quadros gerais de positivo (aditivo) e negativo (subtrativo): o conhecimento negativo é mais robusto. Mas não é perfeito. Popper foi criticado pelos filósofos pelo tratamento que deu à desconfirmação, a seu ver dura, inequívoca, absoluta. Não é uma definição livre de ambiguidades: é impossível descobrir se um experimento falhou quanto a produzir os resultados almejados — assim "falsificando" a teoria — por causa do fracasso das ferramentas, por causa do azar ou devido a uma fraude do cientista. Digamos que você tenha encontrado um cisne negro. Isso certamente invalida a ideia de que todos os cisnes são brancos. Mas e se você tiver bebido vinho libanês, ou se um excesso de tempo on-line está levando você a ter alucinações? E se fosse uma noite escura, em que todos os cisnes são pardos? Vamos dizer que, em geral, o fracasso (e a desconfirmação) é mais informativo do que o sucesso e a confirmação, razão pela qual afirmo que o conhecimento negativo é, pura e simplesmente, "mais robusto".

Ora, antes de começar a escrever esta seção, passei algum tempo esquadrinhando as obras completas de Popper, perguntando-me como o grande pensador, cujo enfoque sobre a falsificação era tão obsessivo, deixou passar despercebida a ideia de fragilidade. Sua obra-prima, *A miséria do historicismo*, em que ele apresenta as limitações das previsões, mostra a impossibilidade de uma representação aceitável do futuro. Mas Popper deixou escapar o fato de que, se um cirurgião incompetente operar um cérebro, é possível prever, seguramente, danos graves, até mesmo a morte do paciente. Todavia, essa representação subtrativa do futuro está em perfeita conformidade com a ideia de Popper de desconfirmação, em sua segunda etapa lógica. O que Popper chama de falsificação de uma teoria deveria levar, na prática, à quebra do objeto de sua aplicação.

Em sistemas políticos, um bom mecanismo é aquele que ajuda a eliminar os vilões; não se trata de decidir o que fazer ou quem instalar no poder. Pois o vilão pode causar mais danos do que as ações coletivas dos mocinhos. Jon Elster vai além e apresenta outra espécie de *via negativa*: um sistema adequado é aquele que protege o indivíduo comum contra influências perniciosas. Recentemente ele escreveu um livro com um título interessante, *Preventing Mischief* [Prevenção contra danos], em que baseia a ação negativa na ideia de Bentham de que "a arte do legislador está limitada à prevenção de tudo que possa tolher o desenvolvimento da liberdade e da inteligência [dos membros da coletividade]".

E, como esperado, a *via negativa* é parte da sabedoria clássica. Para o estudioso e líder religioso árabe Ali Bin Abi-Taleb (sem parentesco comigo), manter distância de uma pessoa ignorante é equivalente a estar acompanhado de um homem sábio.

Por fim, pense nesta versão modernizada, em uma frase de Steve Jobs: "As pessoas acham que foco significa dizer 'sim' para a coisa em que você precisa focar. Mas isso nada tem a ver com foco. Foco significa dizer 'não' para as centenas de outras boas ideias que existem. Você precisa escolher com cuidado. Na verdade, sinto-me tão orgulhoso das coisas que não fizemos quanto das coisas que já fiz. Inovação é dizer 'não' para mil coisas".

BARBELLS, DE NOVO

O conhecimento subtrativo é uma forma de *barbell*. Fundamentalmente, ele é convexo. O que é errado é bastante robusto, o que você não conhece é frágil e especulativo, mas você não leva isso a sério de modo a certificar-se de que isso não o prejudique caso se mostre falso.

Ora, outra aplicação da *via negativa* está na ideia menos é mais.

Menos é mais

Pode-se dizer que a ideia menos é mais na tomada de decisões remonta a Spyros Makridakis, Robyn Dawes, Dan Goldstein e Gerd Gigerenzer, que descobriram, em vários contextos, que os métodos mais simples para a previsão e a inferência podem funcionar muitíssimo melhor do que as técnicas complicadas. Ainda que as regras gerais formuladas por eles não sejam perfeitas, não foram concebidas com esse propósito; a adoção de alguma humildade intelectual e o abandono do objetivo da sofisticação podem produzir efeitos poderosos. A dupla Goldstein e Gigerenzer cunhou a noção de heurística "veloz e frugal", que toma boas decisões apesar das limitações de tempo, de conhecimento e de poder computacional.

Constatei que a heurística do menos é mais ajustava-se perfeitamente ao meu trabalho, em dois aspectos. Primeiro, nos efeitos extremos: há domínios em que o evento raro (repito, bom ou ruim) desempenha um papel desproporcional, e tendemos a ser cegos em relação a tal participação; assim, pôr em foco a exploração desse evento raro, ou proteger-se contra ele, muda bastante a exposição aos riscos. Preocupe-se apenas com as exposições Cisne Negro, e a vida se torna uma moleza.

Menos é mais acabou por mostrar-se uma ideia impressionantemente fácil de encontrar e de aplicar — e "robusta" a erros e mudanças de opinião. Talvez não haja uma causa facilmente identificável para uma larga fatia dos problemas, mas, muitas vezes, há uma solução fácil (não para todos os problemas, mas para uma quantidade boa o suficiente — e realmente boa o suficiente), e essa solução é identificável de cara, às vezes a olho nu, e não por meio do uso de análises intrincadas e uma fragilíssima nerdice perscrutadora de causas e propensa a erros.

Algumas pessoas estão cientes da ideia de *oitenta/vinte*, baseada na descoberta de Vilfredo Pareto, mais de um século atrás, de que 20% dos moradores na Itália detinham 80% das terras e vice-versa. Desses 20%, 20% (isto é, 4%) seriam proprietários de 80% dos 80% (isto é, 64%). Ao fim e ao cabo, tínhamos menos de 1% representando cerca de 50% do total. Esses números descrevem os efeitos de o vencedor leva tudo do Extremistão. Esses efeitos são muito generalizados, da distribuição de riqueza à venda de livros por autor.

Poucos atinam com o fato de que estamos caminhando para uma distribuição muito mais desigual de 99/1 em muitas coisas que costumavam ser de 80/20: 99% do tráfego da internet é atribuível a menos de 1% dos sites, 99% das vendas de livros dizem respeito a menos de 1% dos escritores... e eu preciso parar, porque números trazem à tona emoções. Quase tudo que é contemporâneo tem efeitos de o vencedor leva tudo, o que inclui fontes de danos e benefícios. Consequentemente, como mostrarei, uma modificação da ordem de 1% nos sistemas pode reduzir a fragilidade (ou aumentar a antifragilidade) em cerca de 99% — e são necessárias apenas algumas poucas etapas, pouquíssimas, quase sempre a baixo custo, para tornar as coisas melhores e mais seguras.

Por exemplo, um pequeno número de pessoas sem-teto custa aos governos uma fatia desproporcional de despesas, o que torna óbvio o lugar onde está a redução de gastos. Um pequeno número de funcionários de uma empresa causa a maior parte dos problemas, deteriorando o comportamento geral — e vice-versa —, portanto, livrar-se dessas pessoas é uma ótima solução. Um pequeno número de clientes gera grande parte da receita. Cerca de 95% das postagens ofensivas que eu recebo são das mesmas três pessoas obsessivas, todas representando os mesmos protótipos de fracasso (uma delas já escreveu, calculo, quase 100 mil palavras em postagens insultuosas — precisa escrever mais e mais e encontrar mais e mais coisas para criticar em meu trabalho e em minha personalidade a fim de obter o mesmo efeito). No que diz respeito a serviços de saúde, Ezekiel Emanuel mostrou que metade da população responde por menos de 3% dos custos, os 10% das pessoas mais doentes consumindo 64% do bolo total. Bent Flyvbjerg (do capítulo 18) mostrou, em seu *Black Swan Management* [Gerenciamento do Cisne Negro], a ideia de que o grosso da sobrecarga de custos das empresas é, simplesmente, atribuível a projetos de tecnologia de grande envergadura — sugerindo que é isso que temos de colocar em foco, em vez de tagarelar sem parar e escrever artigos complicados.

Como dizem na máfia, simplesmente se foque em tirar a pedra que está em seu sapato.

Há alguns domínios, como o setor imobiliário, em que os problemas e as soluções estão resumidos de forma categórica em uma única heurística, uma regra geral para analisar as três propriedades mais importantes: "localização, localização e localização" — boa parte do resto, supõe-se, é titica de galinha. Não é exatamente assim, e nem sempre é verdade, mas isso mostra o elemento principal com o qual se preocupar, pois o resto dá um jeito de se virar sozinho.

Ainda assim, as pessoas querem mais informações para "resolver problemas". Certa vez, fui ao Congresso prestar um depoimento contra um projeto de lei que visava ao financiamento de um projeto de previsão de crises. As pessoas envolvidas estavam cegas ao paradoxo de que nunca antes tivemos mais informações disponíveis do que temos hoje, porém há menos previsibilidade do que nunca. Mais dados — como prestar atenção às cores dos olhos das pessoas ao seu redor quando você atravessa a rua — podem fazer você se distrair e não ver o enorme caminhão vindo. Quando você atravessa a rua, elimina informações, qualquer coisa menos a ameaça essencial.* Como Paul Valéry escreveu certa vez: *que de choses il faut ignorer pour agir* — quantas coisas é preciso ignorar para agir.

* Lembre-se de que o intervencionista maníaco por cortes deixou passar despercebido o erro principal. O documento de 663 páginas, *Relatório de investigação da crise financeira*, elaborado pela Comissão de Inquérito da Crise Financeira, não notou o que a meu ver são as razões mais importantes: fragilidade e ausência de arriscar a própria pele. Mas é claro que eles listaram todos os possíveis epifenômenos imagináveis como possíveis causas.

Disciplinas convincentes – e confiantes –, a exemplo da física, tendem a usar poucos dados estatísticos como respaldo, ao passo que a ciência política e a economia, que nunca produziram nada que seja digno de nota, estão atulhadas de estatísticas detalhadas e de "evidências" estatísticas (e você sabe que, tão logo se remove a cortina de fumaça, as evidências não são evidências). A situação nas ciências é semelhante à dos romances policiais, em que no fim se revela que a pessoa com o maior número de álibis é a culpada. E você não precisa de resmas de papel entupidas de informações para derrubar as megatoneladas de artigos repletos de estatísticas na economia: o simples argumento de que os Cisnes Negros e eventos de cauda regem o mundo socioeconômico – e não é possível prever esses eventos – é suficiente para invalidar as estatísticas.

Temos mais evidências da potência do menos é mais a partir do seguinte experimento: Christopher Chabris e Daniel Simons, em seu livro *O gorila invisível e outros equívocos da intuição*,* mostram como as pessoas que assistem a um vídeo de uma partida de basquete, quando distraídas por detalhes que prendem sua atenção – por exemplo, a contagem de passes –, podem deixar de notar a presença de um gorila no meio da quadra.

Descobri que, intuitivamente, eu vinha usando a ideia do menos é mais como um auxílio para a tomada de decisões (contrariamente ao método de colocar uma série de prós e contras lado a lado na tela do computador). Por exemplo, se você tiver mais de uma razão para fazer alguma coisa (escolher um médico ou um veterinário, contratar um jardineiro ou um funcionário, casar-se com uma pessoa, ir viajar), simplesmente não faça nada disso. Não quer dizer que uma razão seja melhor do que duas, mas que, ao invocar mais de uma razão, você está tentando convencer a si mesmo a fazer alguma coisa. Decisões óbvias (robustas a erros) *exigem* apenas uma única razão, não mais do que isso. Da mesma forma, o Exército francês tinha uma heurística para rejeitar desculpas que justificavam o absenteísmo alegando mais de uma razão, como a morte da avó, pegar um resfriado e ter sido mordido por um javali. Se alguém ataca um livro ou uma ideia usando mais de um argumento, você sabe que isso não é real: ninguém diz "ele é um criminoso, matou muita gente e além disso tem péssimas maneiras à mesa, tem mau hálito e dirige muito mal".

* *The Invisible Gorilla: How Our Intuitions Deceive Us*. [Ed. bras.: *O gorila invisível e outros equívocos da intuição*. Rio de Janeiro: Rocco, 2011.] (N. T.)

Invariavelmente tenho seguido o que chamo de navalha de Bergson: "Um filósofo deveria ser conhecido por uma única ideia, não mais" (não sei ao certo se a fonte é de fato Bergson, mas a regra é suficientemente boa). O ensaísta e poeta francês Paul Valéry certa vez perguntou a Einstein se ele carregava um caderno para anotar ideias. "Eu nunca tenho ideias", foi a resposta (na verdade, ele simplesmente não tinha ideias de m**). Portanto, uma heurística: se alguém tiver uma biografia longa, fico longe dessa pessoa. Em uma conferência, um amigo convidou-me para almoçar com um figurão fora de série cujo currículo "cobre mais de duas ou três vidas"; recusei o convite e preferi sentar-me a uma mesa com os estagiários e engenheiros de palco.* Da mesma forma, quando fico sabendo que alguém tem trezentos artigos acadêmicos e 22 doutorados honorários, mas nenhuma outra contribuição persuasiva ou nenhuma ideia de caráter essencial por trás disso, evito essa pessoa como se ela fosse a peste bubônica.

* Até mesmo o Nobel, com todo o seu caráter censurável por induzir a competição em algo tão sagrado quanto a ciência, não é concedido em reconhecimento a um conjunto de artigos, mas em função de uma única, porém importante, contribuição.

20. Tempo e fragilidade

A profecia, assim como o conhecimento, é subtrativa, não aditiva – O efeito Lindy, ou como o velho prevalece sobre o novo, especialmente em tecnologia, não importa o que digam na Califórnia – A profecia não é uma carreira recomendada nem voluntária

A antifragilidade implica – ao contrário do instinto inicial – que o velho é superior ao novo, e muito mais do que você pensa. Não importa a aparência de algo para seu mecanismo intelectual, nem se a forma de ele narrar é boa ou ruim, o tempo conhecerá melhor suas fragilidades e o destruirá quando necessário. Exponho, aqui, uma doença contemporânea – atrelada ao intervencionismo – chamada de *neomania*, que provoca fragilidade, mas acredito que ela seja tratável, desde que se tenha paciência suficiente.

O que sobrevive tem de ser bom para servir a algum propósito (na maioria das vezes oculto) que o tempo consegue detectar, mas que nossos olhos e mente são incapazes de compreender. Neste capítulo, usamos a noção de fragilidade como o propulsor central da previsão.

Lembre-se da assimetria fundamental: o antifrágil beneficia-se com a volatilidade e a desordem; o frágil é prejudicado. Bem, tempo e desordem são a mesma coisa.

À guisa de exercício sobre o uso da distinção entre fragilidade e antifragilidade, vamos brincar de profetas, com o entendimento de que esta não é uma boa opção profissional, a menos que você lide bem com críticas, um bom círculo de amigos, pouco acesso à internet, uma biblioteca com uma boa provisão de provérbios antigos, e, se possível, a capacidade de extrair benefícios pessoais a partir das suas próprias profecias. Conforme demonstra o registro de desempenho dos profetas: antes de provar que está certo, você será alvo de insultos; depois de prová-lo, você será odiado por algum tempo, ou, o que é pior, suas ideias parecerão "triviais", graças à distorção retrospectiva. Isso torna muito mais convincente seguir o método de Tony Gordo de se concentrar nos shekels mais do que no reconhecimento. E esse tratamento perdura nos tempos modernos: os intelectuais do século XX que seguiram as ideias erradas, como o comunismo ou, até mesmo, o stalinismo, mantiveram-se na moda — e seus livros continuam nas prateleiras das livrarias —, ao passo que aqueles que, a exemplo do filósofo político Raymond Aron, viram os problemas receberam pouca atenção, tanto antes quanto depois de reconhecido o fato de que acertaram em cheio em suas previsões.

Agora, feche os olhos e tente imaginar seu ambiente futuro, daqui a, digamos, cinco, dez ou 25 anos. É possível que sua imaginação produza coisas *novas* nesse futuro, coisas que chamamos de *inovação*, *aprimoramentos*, *incríveis tecnologias de ponta* e outras palavras deselegantes e banais do jargão empresarial. Esses conceitos comuns em matéria de inovação, como veremos, não são apenas ofensivos em termos estéticos, mas um absurdo do ponto de vista empírico e filosófico.

Por quê? O mais provável é que a sua imaginação acrescente coisas ao mundo de hoje. Sinto muito, mas neste capítulo mostrarei que tal enfoque é exatamente retrógrado: o modo de fazer isso com rigor, de acordo com as noções de fragilidade e de antifragilidade, é *retirar coisas* do futuro, reduzi-lo, simplesmente eliminar dele o que não pertence ao porvir. *Via negativa.* Mais cedo ou mais tarde, o que é frágil se quebrará; e, para nossa sorte, podemos apontar com facilidade o que é frágil. Cisnes Negros positivos são mais imprevisíveis do que os negativos.

"O tempo tem dentes afiados que destroem tudo", declamou o poeta do século VI (a.C.) Simônides de Ceos, iniciando talvez uma tradição na literatura ocidental sobre o efeito inexorável do tempo. Posso apresentar uma miríade de expressões clássicas elegantes, de Ovídio (*tempus edax rerum* — o tempo devora tudo) à não menos poética Elsa Triolet, poeta franco-russa do século XX ("o tempo arde, mas não deixa cinzas"). Esse exercício desencadeou certo furor poético orgânico, por isso agora estou cantarolando um poema francês musicado, "Avec le temps", que versa sobre como o tempo apaga as coisas, até mesmo as lembranças ruins (embora não mencione que, durante o processo, apaga também a nós mesmos). Agora, graças aos efeitos de convexidade, podemos salpicar aí um pouco de ciência, e produzir nossa própria taxonomia do que deveria ser devorado com mais rapidez pelo tempo inexorável. O frágil, mais dia, menos dia, acabará se quebrando, e, felizmente, somos capazes de identificar o que é frágil. No fim das contas, até mesmo aquilo que acreditamos ser antifrágil se despedaçará, mas deve demorar muito, muito mais tempo para se romper (o vinho fica melhor com o tempo, mas só até certo ponto; e não se você colocá-lo na cratera de um vulcão).

O verso de Simônides, que iniciou o parágrafo anterior, continua com a premissa "até mesmo as coisas mais sólidas". Assim, Simônides teve um prenúncio da ideia, bastante útil, de que o mais sólido será engolido com mais dificuldade e por último. Logicamente, ele não achava que algo pudesse ser antifrágil a ponto de jamais ser engolido.

Ora, insisto que o único método válido de profecia é o da *via negativa*: não existe outra maneira de fazer uma previsão sem ser um peru em algum lugar, principalmente no ambiente complexo em que vivemos hoje em dia. Mas não estou dizendo que novas tecnologias não surgirão — algo novo dominará sua época, por algum tempo. O que hoje é frágil será substituído por outra coisa, é claro. Mas essa "outra coisa" é imprevisível. Provavelmente, as tecnologias que você tem em mente não são as que sobreviverão, não importam a percepção que você tenha da aptidão e a aplicabilidade delas — com todo o respeito à sua imaginação.

Lembre-se de que o mais frágil é o preditivo, o que é construído com base na previsibilidade — em outras palavras, aqueles que subestimam os Cisnes Negros serão, no fim das contas, excluídos da população.

Um evidente e interessante paradoxo é que, de acordo com esses princípios, as previsões de mais longo prazo são mais confiáveis do que as de curto prazo, uma vez que se pode ter plena certeza de que o que está propenso a ser um Cisne Negro será, mais dia, menos dia, engolido pela história, já que o tempo amplia a probabilidade de eventos dessa natureza. Por outro lado, as previsões típicas (que não envolvem o que é atualmente frágil) deterioram-se com o tempo; na presença de não linearidades, quanto mais longo o prognóstico, pior sua exatidão. A taxa de erro de um prognóstico de dez anos sobre, digamos, as vendas de uma fábrica de computadores ou os lucros de um fornecedor de commodities, pode ser mil vezes maior do que a de uma projeção para um ano.

APRENDENDO A SUBTRAIR

Imagine as projeções futurísticas feitas ao longo dos últimos 150 anos, conforme expressas em romances literários como os de Jules Verne, H. G. Wells ou George Orwell, ou nas agora esquecidas narrativas futurísticas produzidas por cientistas ou futuristas. É extraordinário que as ferramentas que aparentemente dominam o mundo atual, como a internet, ou questões mais mundanas, a exemplo das rodinhas nas malas vistas no Livro IV, estavam completamente ausentes dessas previsões. Mas não é aqui que se encontra o maior erro. O problema é que quase tudo que foi imaginado jamais aconteceu, exceto por algumas histórias exploradas à exaustão (caso do motor a vapor de Heron de Alexandria, ou o tanque projetado por Leonardo da Vinci). Nosso mundo parece muito próximo ao deles, muito mais próximo do que eles imaginaram ou quiseram imaginar. E tendemos a ser cegos a esse fato — não parece existir nenhum mecanismo de correção que seja capaz de nos conscientizar desse aspecto, uma vez que continuamos prevendo um futuro dos mais tecnocráticos.

Talvez haja um viés de seleção: as pessoas que se empenham para produzir essas visões do futuro tenderão a ter uma (incurável e irreparável) *neomania*, o amor pelo moderno em si.

Hoje à noite me encontrarei com amigos em um restaurante (as tavernas existem há, pelo menos, 25 séculos). Andarei até lá usando sapatos quase idênticos àqueles que eram usados há 530 anos pelo homem mumificado, descoberto em uma geleira nos Alpes austríacos. No restaurante, manusearei talheres, uma tecnologia da Mesopotâmia que se configura como um "aplicativo matador", uma vez que esses utensílios me permitem lidar com um pernil de carneiro, separando a carne do osso enquanto poupo meus dedos de queimaduras. Beberei vinho, líquido que vem sendo usado por, pelo menos, seis milênios. O vinho será servido em taças, uma inovação que, meus compatriotas libaneses reivindicam, é legado de seus ancestrais fenícios, e se você discordar dessa origem, podemos dizer que os objetos de vidro vêm sendo vendidos por eles como quinquilharias há pelo menos 2900 anos. Após o prato principal, consumiremos uma tecnologia um pouco mais recente, queijo artesanal, pagando preços mais altos por aqueles que durante vários séculos não sofreram alteração no seu modo de preparo.

Se alguém tivesse previsto, em 1950, esse tipo de reunião, imaginaria algo completamente diferente. Então, ainda bem, não vestirei um terno de tecido sintético reluzente estilo traje espacial, consumindo pílulas nutricionalmente otimizadas enquanto me comunico por meio de telas com meus companheiros de mesa. Eles, por sua vez, expelirão em meu rosto germes transmitidos pelo ar, pois não estarão localizados em remotas colônias humanas do outro lado da galáxia. A comida será preparada por meio de uma tecnologia muito arcaica (fogo), com o auxílio de utensílios de cozinha e instrumentos que não sofreram alterações desde os romanos (exceto na qualidade de alguns metais utilizados). Eu me sentarei em um dispositivo de (pelo menos) 3 mil anos de idade, comumente conhecido como cadeira (que será, quando muito, menos ornamentada do que sua majestosa ancestral egípcia). E não irei ao restaurante em uma motocicleta voadora. Irei a pé ou, se estiver atrasado, de táxi, uma tecnologia centenária, conduzido por um imigrante — imigrantes já dirigiam táxis em Paris há um século (aristocratas russos), bem como em Berlim e em Estocolmo (refugiados iraquianos e curdos), em Washington (estudantes etíopes de pós-doutorado), em Los Angeles (armênios musicófilos) e, hoje, em Nova York (de múltiplas nacionalidades).

David Edgerton mostrou que, no início dos anos 2000, fabricávamos duas vezes e meia mais bicicletas do que carros e investíamos boa parte de nossos recursos tecnológicos na manutenção de equipamentos existentes ou no aprimoramento de tecnologias antigas (note que não se trata de um fenômeno exclusivamente chinês: as cidades ocidentais estão tentando, de forma agressiva, tornar-se propícias às bicicletas). Leve em conta também que uma das tecnologias de consequências mais relevantes parece ser aquela sobre a qual as pessoas menos falam: o preservativo. Ironicamente, a camisinha não quer parecer uma tecnologia; vem passando por significativas melhorias, com o objetivo preciso de se tornar cada vez menos perceptível.

FIGURA 17. Utensílios de cozinha de Pompeia, muito pouco diferentes daqueles encontrados nas (boas) cozinhas de hoje.

Assim, o erro primordial é o seguinte: quando pedem que imaginemos o futuro, temos a tendência de considerar o presente como o padrão; em seguida, inventamos um destino especulativo adicionando a essa linha de base novas tecnologias e produtos e qualquer coisa que *faça sentido*, interpolando acontecimentos passados. Também representamos a sociedade de acordo com nossa utopia vigente no momento, em grande medida norteados por nossos desejos – exceto por algumas pessoas chamadas de profetas do apocalipse, o futuro será em larga medida habitado por nossos desejos. Então, tenderemos a tecnologizar em excesso o futuro e a subestimar o poderio do equivalente às rodinhas das malas de viagem, que nos encararão pelos próximos milênios.

Uma palavra sobre a cegueira a esse excesso de tecnologização. Depois que saí do mercado financeiro, comecei a participar de algumas convenções concorridas, frequentadas por pessoas do ramo da tecnologia – pré-ricas e pós-ricas – e pela nova categoria de intelectuais da tecnologia. De início, me entusiasmei por ver que essas pessoas não usavam gravatas, pois, tendo vivido em meio a abomináveis banqueiros engravatados, eu havia desenvolvido a ilusão de que qualquer pessoa que não usava gravata não era um zero à esquerda metido a besta. Mas essas convenções, embora coloridas e chamativas no uso de imagens computadorizadas e animações mirabolantes, pareceram-me deprimentes. Eu sabia que não pertencia àquele mundo. Não apenas por causa de seu enfoque aditivo em relação ao futuro (a incapacidade de subtrair o frágil, em vez de fazer acréscimos ao destino). Não era inteiramente sua cegueira, causada por uma neomania inflexível. Demorei algum tempo para perceber a razão: uma profunda falta de elegância. Os tecnopensadores tendem a ter uma "mente engenhosa" – para usar termos menos educados, têm tendências autistas. Embora geralmente não usem gravatas, essas figuras tendem, é claro, a exibir todas as características clássicas da nerdice – principalmente a falta de charme e o interesse por objetos em vez de pessoas, o que os leva a negligenciar a aparência. Eles amam a precisão, à custa da aplicabilidade. E costumam compartilhar uma ausência de cultura literária.

Essa ausência de cultura literária é, na verdade, um marcador de cegueira futura, porque geralmente vem acompanhada de uma depreciação da história, um subproduto da neomania incondicional. Fora do seu nicho e do gênero isolado da ficção científica, a literatura diz respeito ao passado. Não aprendemos física nem biologia em livros medievais, mas ainda lemos Homero, Platão ou o moderníssimo Shakespeare. Não podemos falar sobre escultura sem ter conhecimento das obras de Fídias, Michelangelo ou do formidável Canova. Elas estão no passado, não no futuro. Só de colocar os pés dentro de um museu, uma pessoa com inclinações estéticas conecta-se com os antigos. De maneira patente ou não, ela tenderá a adquirir e a respeitar o conhecimento histórico, mesmo que seja para rejeitá-lo. E o passado – devidamente trabalhado, como veremos na próxima seção – é um professor muito melhor do que o presente para ensinar as propriedades do futuro. Para entender o futuro, você não precisa do jargão tecnoautista, a obsessão com os "aplicativos de ponta matadores", esse tipo de coisa. Você precisa apenas do seguinte: certa dose de respeito pelo passado, alguma curiosidade sobre os registros históricos, fome pela sabedoria dos mais velhos e uma compreensão da noção de "heurística", essas regras gerais muitas vezes tácitas e tão determinantes para a sobrevivência. Em outras palavras, você será forçado a dar peso às coisas que ainda estão por aí, coisas que sobreviveram.

Mas a tecnologia pode cancelar o efeito das tecnologias ruins, por autossubtração.

A tecnologia está em sua melhor forma quando é invisível. Estou convencido de que a tecnologia é mais benéfica quando toma o lugar da tecnologia anterior, deletéria, inatural, alienante e, sobretudo, inerentemente frágil. Muitos aplicativos modernos que conseguiram sobreviver até hoje surgiram para desarticular o efeito deletério do filisteísmo da modernidade, particularmente no século XX: a imensa corporação multinacional burocrática, com "zeros à esquerda metidos a besta" no topo; a família (nuclear) isolada, em um relacionamento de mão única com o aparelho de TV, ainda mais isolada graças à sociedade dependente de automóveis e loteada em áreas residenciais; o domínio do Estado, particularmente do Estado-nação militarista, com controles de fronteiras; a destrutiva ditadura sobre o pensamento e a cultura pelos meios de comunicação tradicionais; o rígido controle sobre a publicação e a difusão de ideias econômicas pela charlatanesca economia instituída; as grandes corporações, que tendem a controlar seus mercados agora ameaçados pela rede mundial de computadores; o pseudorrigor que tem sido destruído pela internet, e muitos outros. Você não precisa mais "pressionar 1 para inglês" ou esperar na linha para falar com um operador mal-educado a fim de fazer reservas para sua lua de mel no Chipre. Em muitos aspectos, por mais inatural que seja, a internet eliminou alguns elementos ainda mais inaturais que nos rodeiam. Por exemplo, a ausência de papelada torna a burocracia — algo da modernidade — mais palatável do que nos dias em que as informações eram arquivadas em papel. Com um pouco de sorte, um vírus de computador apagará todos os registros e libertará as pessoas de seus erros pregressos.

Estamos até mesmo usando tecnologia para reverter a tecnologia. Lembre-se de minha ida ao restaurante usando sapatos não muito diferentes daqueles que eram usados pelo indivíduo ancestral e pré-clássico encontrado nos Alpes. A indústria de calçados, depois de passar décadas "projetando" os sapatos perfeitos para caminhadas e corridas, com todo tipo de mecanismo "de apoio" e material para amortecimento, agora nos vende sapatos que reproduzem a sensação de estar descalço — querem ser tão imperceptíveis que sua única função propagada é a de proteger nossos pés dos elementos do ambiente físico, em vez de ditar a maneira como devemos caminhar, o que era a determinação da missão mais moderna. Em certo sentido, os fabricantes de calçados estão nos vendendo os pés calejados dos caçadores-coletores, que podemos calçar, usar, e depois tirar quando retornamos à civilização. A pessoa se sente muito revigorada ao usar esses sapatos enquanto caminha na natureza, quando desperta para novos aspectos da realidade, sentindo as três dimensões do terreno. Os calçados comuns parecem moldes de gesso que nos separam do meio ambiente. E não precisam ser deselegantes: a tecnologia está no solado, não no sapato, já que as novas solas podem ser ao mesmo tempo robustas e muito finas, permitindo que o pé faça contato com o chão, como se a pessoa estivesse descalça — minha descoberta mais incrível é um mocassim de estilo italiano, fabricado no Brasil, que me permite tanto correr sobre pedras quanto ir jantar em restaurantes.

Por outro lado, talvez devessem nos vender apenas meias à prova d'água reforçadas (de fato, era o que sujeito que vivia nos Alpes usava), mas não seria muito lucrativo para essas empresas.*

E a melhor ferramenta do tablet (em especial o iPad) é que ele nos permite voltar à Babilônia e às raízes fenícias de escrever e fazer anotações em tabuletas (foi assim que a coisa toda começou). Agora é possível fazer anotações à mão, ou melhor, com os dedos — é muito mais reconfortante escrever à mão do que ter de fazê-lo pela instrumentalidade de um teclado. Meu sonho seria, um dia, escrever tudo à mão, como quase todos os escritores faziam antes da modernidade.

Dessa forma, talvez seja uma propriedade natural da tecnologia querer ser substituída apenas por si mesma.

Permita-me, a seguir, mostrar como o futuro está, em sua maior parte, no passado.

* Há evidências, a partir de relatos informais de corredores descalços e de usuários de sapatilhas esportivas do estilo "cinco dedos" — o que me inclui —, de que os pés guardam alguma lembrança do terreno, recordando-se de onde estiveram no passado.

Hora de usar uma linguagem mais técnica; por isso, nesta etapa será útil uma distinção. Vamos separar o perecível (humanos, itens individuais) do não perecível, o potencialmente perene. O não perecível é qualquer coisa que não tem um prazo de validade orgânico. O perecível é, em geral, objeto, o não perecível tem uma natureza informacional em si mesmo. Um único automóvel é perecível, mas o automóvel como tecnologia sobrevive há cerca de uma centena de anos (e especularemos se sobreviverá por mais um século). Os seres humanos morrem, mas seus genes — um código — não necessariamente. O livro físico é perecível — um exemplar específico do Antigo Testamento, digamos —, mas seu conteúdo não é, na medida em que pode ser expresso em outro livro físico.

Permita-me exprimir minha ideia primeiramente em dialeto libanês. Quando vemos dois seres humanos, um jovem e um velho, podemos ter quase certeza de que o mais jovem sobreviverá ao mais velho. Com algo não perecível, por exemplo uma tecnologia, não é assim que funciona. Temos duas possibilidades: ou presumimos que ambas terão a mesma expectativa de vida adicional (caso em que a distribuição de probabilidade é chamada de *exponencial*), ou se espera que a mais antiga tenha uma expectativa de vida maior do que a mais nova, em proporção à idade relativa de ambas. Nessa situação, se a mais velha tem oitenta anos e a mais jovem tem dez, espera-se que a mais velha viva oito vezes mais do que a mais nova.

TABELA 6 • DOMÍNIOS E COMPARAÇÃO DA EXPECTATIVA DE VIDA QUANDO SE COMPARAM O "VELHO" E O "JOVEM"

EXPECTATIVA DE VIDA COMPARATIVA	DOMÍNIO	DISTRIBUIÇÃO DE PROBABILIDADE
Espera-se que o jovem viva mais tempo que o velho.	Perecível: a vida dos seres humanos e de outros animais.	Gaussiana (ou próxima, do mesmo tipo de família).
Tanto o jovem quanto o velho têm expectativa de vida equivalente.	Não perecível e informacional: a existência das espécies.	Exponencial.
EFEITO LINDY. Espera-se que o velho dure mais tempo do que o jovem, em proporção à idade de ambos.	Não perecível informacional: a vida da produção intelectual, a existência dos gêneros	Lei de potência.

Considerando que algo pertença a uma das categorias, proponho o seguinte (com base no chamado efeito Lindy, na versão desenvolvida posteriormente pelo formidável Benoît Mandelbrot):*

Para o perecível, cada dia adicional em sua vida traduz-se em uma expectativa de vida extra mais curta. *Para o não perecível, cada dia adicional pode implicar uma expectativa de vida* mais longa.

Assim, quanto mais tempo uma tecnologia vive, maior é a expectativa de que ela dure mais tempo. Deixe-me ilustrar esse argumento (as pessoas têm dificuldade de entendê-lo de imediato). Digamos que a única informação de que disponho a respeito de um cavalheiro é a de que ele tem quarenta anos, e quero prever quanto tempo ele viverá. Posso consultar as tabelas atuariais e descobrir a expectativa de vida dele ajustada por idade, como fazem as companhias de seguros. A tabela preverá que ele tem mais 44 anos pela frente. No ano que vem, quando fizer 41 anos (ou, de modo equivalente, se aplicarmos hoje o raciocínio a outra pessoa que tenha atualmente 41 anos), ele terá um pouco mais de 43 anos de sobrevida. Assim, cada ano que passa reduz a expectativa de vida do cavalheiro em cerca de um ano (na verdade, um pouco menos de um ano, de modo que, se sua expectativa de vida ao nascer é de oitenta anos, sua expectativa de vida aos oitenta anos não será zero, e sim mais uma década, mais ou menos).**

O oposto aplica-se a itens não perecíveis. Estou simplificando os números em nome da clareza. Se um livro vem sendo publicado há quarenta anos, posso esperar que continue sendo impresso por mais quarenta anos. Contudo, e essa é a principal diferença, se o livro sobreviver por mais uma década, então pode-se esperar que continue com tiragens por mais cinquenta anos. Isso, simplesmente, como uma regra, nos diz por que as coisas que existem há tanto tempo não estão "envelhecendo" como as pessoas, mas sim "envelhecendo"

* Se algo não tiver um limite superior natural, então a distribuição do tempo de qualquer evento específico será restringida apenas pela fragilidade.

** Ao que parece, a expressão teve origem em um artigo de publicado em 13 de junho de 1964 na revista *The New Republic*, embora o artigo tenha cometido o erro de aplicá-la a itens perecíveis. O autor escreveu que "as expectativas quanto à carreira futura de um comediante de TV são proporcionais à quantidade de tempo total de sua exposição passada na televisão". Isso funcionaria no caso de um jovem comediante, não para um mais velho (comediantes são, infelizmente, perecíveis). Mas tecnologias e livros não têm essa restrição.

em sentido inverso. Cada ano que se passa sem extinção dobra a expectativa de vida adicional.* Esse é um indicador de alguma robustez. A robustez de um item é proporcional à vida do item!

O físico Richard Gott aplicou o que parece ser um raciocínio de todo diferente para afirmar que qualquer coisa que observamos de forma aleatoriamente selecionada não está, com toda probabilidade, nem no começo nem no fim de sua vida, mas, muito provavelmente, no meio. Seu argumento foi criticado por ser bastante incompleto. Mas, ao testar seu raciocínio, ele pôs à prova o que acabei de descrever em linhas gerais, que a expectativa de vida de um item é proporcional a sua vida pregressa. Gott enumerou os espetáculos da Broadway em determinado dia, 17 de maio de 1993, e previu que *os que estavam havia mais tempo em cartaz durariam mais tempo e vice-versa*. Provou-se que ele estava certo, com uma exatidão de 95%. Quando criança, Gott visitara a Grande Pirâmide (de 5700 anos de idade) e o Muro de Berlim (doze anos de idade), e deduziu, corretamente, que a primeira sobreviveria ao último.

A proporcionalidade da expectativa de vida não precisa ser testada explicitamente — ela é o resultado direto dos efeitos de "o vencedor leva tudo" na longevidade.

Dois erros costumam ser cometidos com frequência quando apresento essa ideia — as pessoas têm dificuldade para compreender noções probabilísticas, particularmente quando passaram tempo demais na internet (não que precisem da internet para ficar confusas; temos uma deficiência inata para lidar com probabilidades). O primeiro erro geralmente se manifesta na forma de apresentação do contraexemplo de alguma tecnologia que hoje em dia consideramos ineficiente e moribunda, por exemplo o telefone fixo, jornais impressos e armários contendo recibos de papel para propósitos tributários. Esses argumentos são proferidos com raiva, pois muitos neomaníacos se ofendem com meu ponto de vista. No entanto, meu argumento não abrange *todas* as tecnologias, mas diz respeito à expectativa de vida, que é, tão somente, uma média derivada probabilisticamente. Se eu sei que uma pessoa de quarenta

* Aqui está a minha simplificação: estou presumindo que a cada ano dobra a expectativa de vida adicional. Na verdade, ela pode ser até maior, aumentando em 2,5 ou mais. Assim, o efeito Lindy diz, matematicamente, que o não perecível tem uma expectativa de vida que *aumenta* a cada dia em que sobrevive.

anos está com câncer pancreático em estado terminal, não estimarei mais sua expectativa de vida usando tabelas de seguro incondicionais; seria um erro pensar que ela tem mais 44 anos de vida pela frente, como aconteceria com outras pessoas de sua faixa etária livres do câncer. Da mesma forma, alguém (um guru da tecnologia) interpretou minha ideia como uma sugestão de que a World Wide Web, que atualmente tem pouco menos de vinte anos de existência, terá *apenas* mais vinte anos pela frente — essa é uma estimativa escandalosa, que deveria funcionar na média, mas não em todos os casos. Porém, em geral, quanto mais velha a tecnologia, não apenas se espera que dure mais tempo, como também é maior a certeza de que posso aferrar-me a essa afirmação.*

Lembre-se do seguinte princípio: não estou declarando que *todas* as tecnologias não envelhecem, apenas que as tecnologias propensas ao envelhecimento já estão mortas.

O segundo erro é acreditar que uma pessoa estaria agindo como "jovem" ao adotar uma tecnologia "jovem", revelando tanto um erro de lógica quanto um viés mental. Isso leva à inversão do poder das contribuições geracionais, produzindo a ilusão da contribuição das novas gerações às mais velhas — estatisticamente, os "jovens" não fazem quase nada. Esse erro é cometido por muitas pessoas, embora, mais recentemente, eu tenha ouvido um furioso consultor "futurista" acusando as pessoas que não se jogam de cabeça na tecnologia de "pensar velho" (na verdade, ele é mais velho do que eu e, como a maioria dos tecnomaníacos que conheço, tem aparência doentia, um corpo em formato de pera e uma transição indefinida entre o queixo e o pescoço). Eu não entendi por que alguém estaria agindo de forma particularmente "velha" por amar as coisas históricas. Assim, por amar os clássicos ("os mais velhos"), eu estaria agindo de modo "mais velho" do que se estivesse interessado nos temas medievais "mais jovens". Esse é um erro semelhante a acreditar que alguém se transformaria em vaca por comer carne de vaca. Na verdade, é uma falacia pior do que a inferência da alimentação: uma tecnologia, sendo informacional e não física, não envelhece organicamente como os seres

* Note também que o efeito Lindy é invariável em relação à definição da tecnologia. Pode-se definir uma tecnologia como "carro conversível", "carro" mais genérico, "livro encadernado" ou "livro" definido em sentido amplo (o que incluiria textos eletrônicos); a expectativa de vida dirá respeito ao item conforme sua definição.

humanos, pelo menos não necessariamente. A roda não é "velha" no sentido de sofrer degeneração.

Essa ideia de "jovem" e "velho", vinculada a determinado comportamento de massa, é ainda mais perigosa. Supostamente, se aqueles que não assistem a palestras de dezoito minutos em vídeos virais prestassem mais atenção nos adolescentes e nos jovens na faixa dos vinte anos, que assistem a esses vídeos — e que supostamente são a esperança para o futuro —, pensariam de forma diferente. Uma considerável dose de progresso origina-se dos jovens graças à sua relativa liberdade em relação ao sistema e à sua coragem para tomar atitudes e iniciativas que as pessoas mais velhas perdem à medida que a vida as aprisiona. Mas são justamente os jovens que propõem ideias que se mostram frágeis, não porque sejam jovens, mas porque a maioria das ideias imaturas é frágil. E, é claro, alguém que vende ideias "futuristas" não ganhará muito dinheiro persuadindo os outros a comprar valores do passado! A tecnologia nova é mais fácil de alardear, porque "dá o que falar".

Recebi uma carta interessante de Paul Doolan, de Zurique, que estava querendo saber como poderíamos ensinar às crianças habilidades para o século XXI, uma vez que não sabemos quais habilidades serão necessárias no século XXI — ele descreveu uma elegante aplicação do problema maior que Karl Popper chamou de erro do historicismo. Para propósitos práticos, minha resposta efetiva seria fazer com que os jovens lessem os clássicos. O futuro está no passado. Na verdade, há um provérbio árabe para isso: *quem não tem passado não tem futuro.**

ALGUNS VIESES MENTAIS

A seguir, apresento uma aplicação do efeito *iludidos pelo acaso*. A informação tem uma propriedade terrível: ela mascara os fracassos. Muitas pessoas são atraídas, digamos, para os mercados financeiros depois de ouvirem histórias

* Pelo mesmo efeito Lindy, o mais provável é que as doenças e os problemas de saúde que não eram reconhecidos como enfermidades há cem ou mais anos (1) são doenças da civilização, curáveis pela *via negativa*, ou (2) não são doenças, apenas sintomas inventados. Isso se aplica mais aos "problemas" psicológicos e a jargões rebuscados, usados para classificar as pessoas em categorias bobas: "Tipo A", "passivo-agressivo" etc.

de sucesso de alguém que ficou rico com o mercado de ações e construiu uma imensa mansão do outro lado da rua – mas, quando os fracassos são ocultados e varridos para debaixo do tapete, os investidores são levados a superestimar suas chances de sucesso. O mesmo aplica-se à escrita de romances: não vemos os maravilhosos romances que hoje estão completamente fora de catálogo, apenas pensamos que, já que os romances que fizeram sucesso são bem escritos (seja lá o que isso signifique), o que é bem escrito fará sucesso. Então, confundimos o necessário com o causal: porque todas as tecnologias que sobreviveram têm alguns benefícios óbvios, somos levados a acreditar que todas as tecnologias que oferecem benefícios óbvios sobreviverão. Deixarei para a seção sobre o cachorro de Empédocles a discussão acerca de qual propriedade inacessível pode ajudar na sobrevivência. Mas note aqui o viés mental que faz com que as pessoas acreditem no "poder de" alguma tecnologia e em sua capacidade de comandar o mundo.

Outro viés mental que provoca a exagerada badalação da tecnologia vem do fato de que percebemos a mudança, não o que é estático. O exemplo clássico, descoberto pelos psicólogos Daniel Kahneman e Amos Tversky, aplica-se à riqueza (a dupla desenvolveu a ideia de que nosso cérebro gosta do esforço mínimo e, dessa forma, fica aprisionado; Kahneman e Tversky foram precursores da tradição de catalogar e identificar vieses humanos no que diz respeito à percepção de resultados aleatórios e à tomada de decisões em condições de incerteza). Se dissermos a alguém: "Você perdeu 10 mil dólares", a pessoa ficará muito mais chateada do que se falarmos: "O valor do seu portfólio de investimentos, que era de 785 mil dólares, agora é de 775 mil". Nosso cérebro tem uma predileção por atalhos, e a variação é mais fácil de notar (e de guardar) do que o registro integral. Isso requer menos espaço de armazenamento de memória. Essa heurística psicológica (que muitas vezes opera sem que tenhamos consciência dela), o erro de variação no lugar do montante total, é bastante difundida, mesmo com questões que são visuais.

Prestamos mais atenção ao que varia e muda do que àquilo que desempenha um papel mais relevante, porém não se altera. Somos mais dependentes da água do que de celulares, porém, devido ao fato de a água não mudar e os celulares sim, estamos propensos a pensar que os celulares têm um papel maior do que realmente têm. Em segundo lugar, como as novas gerações são mais agressivas no uso da tecnologia, notamos que elas experimentam mais coisas, mas ignoramos que essas implementações geralmente não duram. A maioria das "inovações" é um fracasso, assim como a maior parte dos livros é um fiasco, o que não deveria desencorajar ninguém de tentar.

A neomania e os efeitos da monotonia da esteira

Você está na rodovia, dirigindo seu carro japonês de dois anos de uso, quando é ultrapassado por um veículo da mesma marca, a versão mais recente, que parece nitidamente diferente. E nitidamente melhor. Nitidamente melhor? O para-choque é um pouco maior e as lanternas traseiras são mais largas. Exceto por esses detalhes cosméticos (e talvez algumas melhorias técnicas ocultas), que representam menos de alguns pontos percentuais de variação, o carro parece o mesmo, mas não dá para afirmar isso apenas olhando. Você simplesmente olha para os faróis e sente que merece um upgrade. E esse upgrade lhe custará, depois de vender o carro, cerca de um terço do preço de um veículo novo — tudo isso motivado por pequenas variações, em sua maior parte superficiais e estéticas. Mas trocar de carro é um custo pequeno em comparação com a troca de computador — o valor de recuperação de um computador velho é insignificante.

Você usa um notebook Mac da Apple. Faz uma semana que acabou de comprar uma nova versão. A pessoa sentada ao seu lado no avião acabou de tirar da mochila uma versão mais antiga. Ele tem alguma semelhança com o seu, mas parece bem inferior. É mais grosso e tem uma tela muito menos elegante. E você se esquece da época em que tinha o mesmo modelo e ficava bastante empolgado com ele.

O mesmo acontece com um celular: você olha com desdém para as pessoas que usam modelos mais antigos, maiores. Só que, alguns anos atrás, você mesmo considerava esses aparelhos pequenos e engenhosos.

Dessa forma, com muitos itens modernosos e movidos a tecnologia — esquis, carros, computadores, aplicativos —, parece que notamos as diferenças — em vez dos pontos em comum — entre as versões. Nós, inclusive, nos cansamos rapidamente da versão que temos, e vivemos em contínua busca de versões 2.0 e modelos atualizados similares. E, depois disso, de uma reencarnação "melhorada". Esses impulsos de comprar coisas novas que mais cedo ou mais tarde perderão sua condição de novidade, especialmente quando comparadas a coisas ainda mais recentes, são chamados de *efeitos da monotonia da esteira*.

Como o leitor pode ver, eles surgem da mesma geradora de vieses de onde tem origem a proeminência de variações mencionada na seção anterior: notamos diferenças e ficamos insatisfeitos com alguns itens e algumas classes de produtos. Esse efeito da monotonia da esteira foi investigado por Danny Kahneman e colegas quando estudaram a psicologia do que eles chamam de estados hedônicos. As pessoas adquirem um novo item, sentem-se *mais satisfeitas* depois de um impulso inicial, e, em seguida, rapidamente voltam a seu padrão de bem-estar. Então, quando você faz um "upgrade", sente um impulso de satisfação propiciada pelas *mudanças* de tecnologia. Mas depois você se acostuma a isso e começa a caçar a *nova* novidade.

Contudo, parece que não incorremos na mesma tecnoinsatisfação ao estilo da monotonia da esteira quando se trata da arte clássica, de móveis antigos — qualquer coisa que não colocamos na categoria do tecnológico. Talvez você tenha uma pintura a óleo e uma TV de tela plana dividindo o mesmo aposento em sua casa. A pintura a óleo é a imitação de uma cena flamenga clássica, de cerca de um século atrás, com os ameaçadores céus sombrios de Flandres, árvores majestosas e uma paisagem rural desinteressante mas reconfortante. Tenho plena certeza de que você não está ávido para substituir a pintura a óleo por uma versão melhorada, mas que, em breve, sua TV de tela plana será doada para alguma instituição de caridade local.

O mesmo acontece com as refeições — lembre-se de que tentamos reproduzir os hábitos de jantar do século XIX. Portanto, existe, pelo menos, outro domínio no qual não tentamos otimizar a questão.

De início, estou escrevendo estas linhas à mão, usando uma velha caneta-tinteiro. Não faço muito estardalhaço sobre o estado de minhas canetas. Muitas já são velhas, atravessaram décadas; uma delas (a melhor) eu tenho há pelo menos trinta anos. Tampouco fico obcecado com pequenas variações de papel. Prefiro usar papel Clairefontaine e cadernos que praticamente não mudaram desde a minha infância — quando muito, houve queda da qualidade.

Mas, quando se trata de transcrever minha produção escrita para o formato eletrônico, fico preocupado com a possibilidade de que meu computador Mac não seja a melhor ferramenta para o trabalho. Ouvi dizer em algum lugar que a nova versão tinha uma bateria mais duradoura, e pretendo adquirir em breve esse modelo atualizado e melhorado, em meu próximo arroubo de compra por impulso.

Note que há aqui uma estranha inconsistência na maneira como percebemos os itens nos domínios tecnológico e real. Sempre que embarco em um avião e me sento ao lado de algum empresário que está lendo o costumeiro lixo que homens de negócios costumam ler em um e-reader, o tal empresário não resistirá ao impulso de menosprezar minha predileção por um livro físico, comparando os dois itens. Supostamente, um leitor de livros digitais é mais "eficiente". O aparelho propicia a essência do livro, o que para o referido empresário é informação, mas de forma mais conveniente, já que ele pode carregar uma biblioteca inteira em seu dispositivo e "otimizar" seu tempo entre tacadas de golfe. Nunca ouvi ninguém discorrer sobre as grandes diferenças entre os e-readers e os livros físicos, como cheiro, textura, dimensão (livros físicos são tridimensionais), cor, capacidade de folhear as páginas, fisicalidade de um objeto em comparação com uma tela de computador e propriedades ocultas que causam inexplicáveis diferenças na sensação de prazer. O foco da discussão serão as coisas em comum (até que ponto esse maravilhoso dispositivo se parece com um livro). Contudo, ao comparar sua versão de um e-reader com outro e-reader, o empresário invariavelmente se concentrará em diferenças ínfimas. Assim como os libaneses, quando se encontram com os sírios, concentram-se nas minúsculas variações em seus respectivos dialetos levantinos; mas, quando se encontram com os italianos, os libaneses põem em foco as semelhanças.

Pode ser que haja uma heurística que ajude a dispor esses itens em categorias. Primeiro, o botão eletrônico ligar/desligar. Qualquer coisa que tenha um botão "desligar" ou "ligar", e que eu precise desligar antes que a comissária de bordo comece a gritar comigo, estará necessariamente em uma categoria (mas não o contrário, dado que muitos itens sem um botão ligar/desligar estarão propensos à neomania). Para esses itens, ponho em foco as variações, com uma neomania concomitante. Mas pense na diferença entre o artesanal — a outra categoria — e o industrial. O que é artesanal tem infundido em si o amor do criador, e tende a satisfazer — não temos aquela irritante impressão de incompletude que sentimos quando nos deparamos com eletrônicos.

Acontece também que tudo que é tecnológico costuma ser frágil. Artigos feitos por um artesão causam menos efeitos da monotonia da esteira. E tendem a ter um pouco de antifragilidade — lembre-se de como meus sapatos artesanais levaram meses até se tornarem confortáveis. Itens com um botão ligar/desligar tendem a não apresentar essa antifragilidade redentora.

Mas, infelizmente, existem algumas coisas que nós gostaríamos que fossem um pouco mais frágeis — o que nos leva à arquitetura.

A ARQUITETURA E A NEOMANIA IRREVERSÍVEL

Há certa guerra evolutiva entre os arquitetos, o que produz uma forma intensificada de neomania. O problema com a arquitetura modernista — e funcional — é que ela não é frágil o suficiente para se quebrar fisicamente, de modo que esses edifícios sobressaem apenas para torturar nossa consciência — ninguém pode pôr em prática seus poderes proféticos fiando-se na fragilidade deles.

O planejamento urbano, por sinal, demonstra a propriedade decisiva do chamado efeito de cima para baixo: geralmente, a estruturação de cima para baixo é irreversível, de modo que os erros tendem a permanecer constantes, ao passo que o de baixo para cima é gradual e cumulativo, com a criação e a destruição ao longo do caminho, ainda que provavelmente com um desnível positivo.

Além disso, coisas que crescem de forma natural, sejam cidades ou casas, têm em si uma qualidade fractal. Como tudo que é vivo, todos os organismos, a exemplo de pulmões ou árvores, crescem sob alguma forma de aleatoriedade auto-orientada, porém domada. O que é fractal? Lembre-se do perspicaz achado de Mandelbrot no capítulo 3: "fractal" implica tanto irregularidade quanto uma forma de autossimilaridade nas coisas (Mandelbrot preferia "autoafinidade"), como árvores ramificando-se em galhos que parecem pequenas árvores, e galhos menores e menores parecidos com uma versão ligeiramente modificada, mas reconhecível, do todo. Esses fractais induzem certa riqueza de detalhes, com base em um pequeno número de regras de repetição de padrões embutidos. O fractal requer alguma irregularidade, mas do tipo que tenha algum método em sua loucura. Tudo na natureza é fractal, irregular e rico em detalhes, embora com certo padrão. O que é regular, por comparação, pertence à classe da geometria euclidiana que estudamos na escola, formas simplificadas que perdem essa camada de riqueza.

Infelizmente, a arquitetura contemporânea é regular, mesmo quando tenta parecer imprevisível. O que é estruturado de cima para baixo geralmente é uniforme (isto é, não fractal) e parece morto.

Às vezes, o modernismo pode dar uma guinada naturalista e depois empacar. As construções de Gaudí em Barcelona, mais ou menos da virada do século XX, são inspiradas pela natureza e por uma rica arquitetura (barroca e mourisca). Cheguei a visitar um apartamento alugado lá: a sensação era a de habitar uma caverna aprimorada, com detalhes abundantes e irregulares. Eu me convenci de que já estivera lá em uma vida passada. A riqueza de detalhes, ironicamente, leva à paz interior. Porém a ideia de Gaudí não ia a lugar algum, a não ser promover o modernismo em suas versões artificial e ingênua: as estruturas modernistas posteriores são regulares e completamente despojadas de irregularidade fractal.

Também gosto de escrever de frente para árvores e, se possível, em jardins silvestres com samambaias. Mas paredes brancas com cantos retos, ângulos euclidianos e formas bruscas e frias me oprimem. E, uma vez construídas, não há como livrar-se delas. Quase tudo que foi construído desde a Segunda Guerra Mundial emana uma suavidade pouco natural.

Para alguns, esses edifícios causam ainda mais do que danos estéticos – muitos romenos ressentiram-se do ditador Nicolae Ceauşescu por ter ordenado a destruição de vilarejos tradicionais, substituindo-os por arranha--céus modernos. A neomania e a ditadura são uma combinação explosiva. Na França, alguns atribuem à arquitetura modernista dos projetos habitacionais a culpa pelos protestos dos imigrantes. Como escreveu o jornalista Christopher Caldwell a respeito das condições de vida inaturais: "Le Corbusier chamava as casas de 'máquinas de viver'. Os projetos habitacionais da França, como sabemos agora, tornaram-se máquinas de alienação".

Jane Jacobs, ativista urbana de Nova York, adotou uma postura heroica com sua resistência de estilo político contra a neomania na arquitetura e no planejamento urbano, enquanto o sonho modernista era conduzido por Robert Moses, que queria aprimorar Nova York demolindo os cortiços e instalando largas ruas e rodovias, cometendo um crime ainda maior contra a ordem natural do que Haussmann, como vimos no capítulo 7, que, durante o século XIX, removeu bairros inteiros de Paris a fim de abrir espaço aos "Grand Boulevards". Jacobs era contra os edifícios altos, que ela considerava deformar a experiência da vida urbana, que acontece no nível da rua. Além disso, sua discórdia com Robert Moses dizia respeito às rodovias, uma vez que esses mecanismos de deslocamento sugam toda a vida das cidades – para ela, uma cidade deveria ser devotada aos pedestres. Mais uma vez, temos a dicotomia máquina-organismo: para Jacobs, a cidade é um organismo; para Moses, uma máquina a ser aperfeiçoada. De fato, Moses tinha planos para pôr abaixo o West Village; foi graças às petições de Jacobs e sua incansável resistência que o bairro — o mais bonito de Manhattan — sobreviveu praticamente intacto. Pode ser que alguém queira dar certo crédito a Moses, pois nem todos os seus projetos mostraram-se nefastos — alguns talvez tenham sido benéficos, a exemplo dos parques e das praias agora acessíveis à classe média graças às autoestradas.

Lembre-se da discussão sobre as propriedades dos municípios — elas não se traduzem em algo maior porque os problemas se tornam mais abstratos à medida que aumentam de tamanho, e o abstrato não é algo que a natureza humana consegue administrar bem. O mesmo princípio precisa ser aplicado à vida urbana: bairros são vilarejos e precisam continuar sendo vilarejos.

Recentemente, fiquei preso em um engarrafamento em Londres, onde, dizem, a velocidade de deslocamento no trânsito é a mesma de um século e meio atrás, isso se não for ainda mais lenta. Levei quase duas horas para atravessar a cidade de uma ponta à outra. Enquanto esgotavam-se os temas do meu bate-papo com o taxista (polonês), eu me perguntava se Haussmann não estava certo, e se Londres não estaria melhor se tivesse tido seu próprio Haussmann para arrasar bairros inteiros e abrir largas artérias para facilitar a circulação. Até que me ocorreu que, na verdade, se havia um tráfego tão intenso em Londres, em comparação com outras cidades, era porque as pessoas queriam estar lá, e, para elas, estar lá compensava os custos. Mais de um terço dos moradores de Londres é composto de estrangeiros, e, além dos imigrantes, a maioria dos indivíduos com alto patrimônio líquido do planeta compra sua primeira casa de férias no centro de Londres. Talvez a ausência dessas grandes avenidas e a ausência de um Estado dominador sejam parte do apelo da cidade. Ninguém compraria uma casa de férias em Brasília, o perfeito exemplo de cidade de cima para baixo construída a partir do zero em um mapa.

Também verifiquei e fiquei sabendo que os bairros mais caros de Paris hoje em dia (por exemplo, o Sexto Arrondissement ou a Île Saint-Louis) são os que os renovadores do século XIX deixaram em paz.

Por fim, o melhor argumento contra o desígnio teleológico é o seguinte: mesmo depois de serem construídos, os edifícios continuam sujeitos a mutações, como se precisassem evoluir lentamente e ser dominados pelo ambiente dinâmico: eles mudam de cor, de formas, de janelas — e de caráter. Em seu livro *How Buildings Learn* [Como os edifícios aprendem], Stewart Brand mostra, em imagens, de que modo os edifícios mudam ao longo do tempo, como se precisassem metamorfosear-se em formas irreconhecíveis — estranhamente, os edifícios, quando erguidos, não se responsabilizam pela opcionalidade das alterações futuras.

Janelas panorâmicas

O ceticismo sobre o modernismo arquitetônico que estou propondo aqui não é incondicional. Embora a maior parte produza um estresse inatural, alguns de seus elementos apresentam melhorias inegáveis. Por exemplo, janelas panorâmicas em um ambiente rural nos expõem à natureza — aqui, mais uma vez, a tecnologia fazendo-se (literalmente) invisível. No passado, o tamanho das janelas era ditado por considerações de ordem térmica, pois o isolamento não era possível — o calor escapava muito rapidamente por elas. Os materiais de hoje permitem-nos evitar essa limitação. Ademais, boa parte da arquitetura francesa foi uma reação ao imposto sobre janelas e portas, que passou a vigorar após a Revolução, motivo pelo qual muitos prédios têm tão poucas janelas.

Assim como no caso dos calçados não invasivos, que nos permitem sentir o terreno, a tecnologia moderna possibilita a alguns de nós reverter a tendência, conforme expressa por Oswald Spengler, que faz com que a civilização vá das plantas à pedra, isto é, do fractal ao euclidiano. Estamos, agora, voltando da pedra polida para a riqueza do fractal e do natural. Benoît Mandelbrot escrevia diante de uma janela com vista para as árvores: ele ansiava tanto pela estética fractal que a alternativa contrária teria sido inconcebível. A tecnologia moderna de hoje permite às pessoas fundir-se à natureza, e, em vez de uma pequena janela, uma parede inteira pode ser transparente, de frente para áreas luxuriantes e densamente arborizadas.

Metrificação

Um exemplo da neomania dos Estados: a campanha pela metrificação das unidades de medida, isto é, o uso do sistema métrico para substituir os sistemas "arcaicos", com base em alegações de eficiência, porque isso "faz sentido". Essa lógica pode ser impecável (até, é claro, ser suplantada por uma lógica melhor, menos ingênua, tentativa que farei aqui). Vamos dar uma olhada no conflito entre racionalismo e empirismo nesse esforço.

Warwick Cairns, um sujeito parecido com Jane Jacobs, vem travando batalhas nos tribunais para que os agricultores ingleses continuem vendendo bananas por libra e coisas do tipo, enquanto resistem ao uso do quilograma, que seria mais "racional". A ideia da metrificação das unidades de medida nasceu com a Revolução Francesa, como parte do estado de ânimo utópico, que incluía a mudança dos nomes dos meses de inverno para *Nivôse*, *Pluviôse*, *Ventôse*, descritivos do clima, e a adoção de horas decimais, semanas de dez dias e questões similares, todas de um racionalismo ingênuo. Felizmente, o projeto de mudança da marcação das horas fracassou. Contudo, depois de repetidas derrotas, o sistema métrico conseguiu ser implantado lá — mas o velho sistema manteve-se, refratário, nos Estados Unidos e na Inglaterra. Edmond About, escritor francês que visitou a Grécia em 1832, doze anos após a independência do país, relata o modo como os camponeses lutavam contra o sistema métrico, que lhes parecia completamente inatural, aferrando-se a padrões otomanos (da mesma forma, a "modernização" do alfabeto árabe, a partir da antiga sequência semítica ABJAD, HAWWAZ — fácil de memorizar e feita para soar como palavras — para a sequência lógica A-B-T-TH, criou uma geração de falantes de árabe desprovidos da capacidade de recitar seu próprio alfabeto).

Mas poucos percebem que as medidas de pesos surgidas naturalmente têm uma lógica própria: usamos pés, milhas, libras, polegadas, oitavos de milha e pedras (na Inglaterra) porque são medidas nitidamente intuitivas, e podemos usá-las com um gasto mínimo de esforço cognitivo — e todas as culturas parecem ter medidas semelhantes, com alguma correspondência física com o cotidiano. Um metro não é equivalente a nada; um pé, sim. Consigo imaginar o significado de "trinta pés" com o mínimo esforço. Uma milha, do latim *milia passum*, corresponde a mil passos. Da mesma forma, uma pedra (catorze libras ou 6,35 quilos) corresponde a... bem, a uma pedra. Uma polegada (ou *pouce*) corresponde a um polegar. Um oitavo de milha (equivalente a 201,17 m) é a distância que uma pessoa consegue correr antes de ficar sem fôlego. Uma libra é aquilo que você pode imaginar segurando nas mãos. Lembre-se da história de Tales, no capítulo 12, em que usamos *thekel* ou shekel: nas línguas cananeias-semíticas, esses vocábulos significam "peso", algo com uma conotação física, similar à libra. Há certa não aleatoriedade no modo como essas unidades entraram nos ambientes ancestrais — e o próprio sistema digital surgiu da correspondência com os dez dedos.

Enquanto estou escrevendo estas linhas, sem dúvida algum funcionário da União Europeia, do tipo que come duzentos gramas de carne bem passada regados a duzentos centilitros de vinho tinto todos os dias no jantar (a quantidade ideal para assegurar benefícios a sua saúde), está engendrando planos para promover a "eficiência" do sistema métrico nos cafundós das zonas rurais dos países-membros.

TRANSFORMANDO CIÊNCIA EM JORNALISMO

Assim, podemos aplicar critérios de fragilidade e de robustez ao modo como lidamos com as informações — o frágil, nesse contexto, é, como a tecnologia, aquilo que não resiste ao teste do tempo. A melhor filtragem heurística, portanto, consiste em levar em conta a idade dos livros e dos artigos científicos. Geralmente, livros que tenham um ano de idade não valem a pena ser lidos (é muito pouco provável que possuam as qualidades necessárias para "sobreviver"), por mais que sejam o hype e pareçam "impactantes". Por isso, uso o efeito Lindy como um guia para selecionar o que ler: livros que já existem há uns dez anos estarão em circulação por mais dez; livros que existem há cerca de dois milênios deverão perdurar por muito mais tempo, e assim por diante. Muitos compreendem esse argumento, mas não o aplicam aos trabalhos acadêmicos, que, em boa parte de sua prática moderna, não diferem do jornalismo (exceto no caso de uma ocasional produção original). Em virtude de sua orientação voltada para a busca de atenção, os trabalhos acadêmicos podem ficar facilmente sujeitos aos efeitos Lindy: pense nas centenas de milhares de artigos que são apenas ruído, por mais que tenham dado o que falar no momento da publicação.

O problema de decidir se um resultado científico ou uma "inovação" recente são um grande avanço, ou seja, o oposto do ruído, é que é preciso examinar todos os aspectos da ideia — e sempre haverá alguma opacidade que o tempo, e somente o tempo, pode dissipar. Como muitas pessoas que acompanham de perto as pesquisas sobre o câncer, fui ludibriado por um trabalho. Em algum momento houve grande entusiasmo pelo que fazia Judah Folkman, que, como vimos no capítulo 15, acreditava que seria possível curar o câncer obstruindo o fornecimento sanguíneo (tumores necessitam de nutrientes e tendem a criar novos vasos sanguíneos, o que é chamado de *neovascularização*). No papel a ideia parecia impecável, mas, cerca de uma década e meia depois, parece que o único resultado significativo obtido nada teve a ver com o câncer, e sim com o abrandamento da degeneração macular.

Da mesma forma, resultados aparentemente desinteressantes que passam despercebidos podem, anos mais tarde, ganhar o status de avanços revolucionários.

Assim, o tempo pode atuar como um purificador de ruído, relegando à lata de lixo todos esses trabalhos superbadalados. Algumas organizações chegaram a transformar a produção científica em uma mesquinha competição esportiva, com rankings dos "dez artigos mais sensacionais do momento" na área da, digamos, oncologia retal ou alguma subsubespecialidade.

Se substituirmos resultados científicos por cientistas, invariavelmente obteremos o mesmo hype neomaníaco. Existe uma doença de conceder prêmios a cientistas promissores "com menos de quarenta anos", doença que está infectando a economia, a matemática, as finanças etc. A matemática é um pouco particular, porque o valor de seus resultados pode ser visto de imediato — então pouparei as críticas. Dos campos com os quais estou familiarizado, por exemplo, literatura, finanças e economia, posso muito bem assegurar que os prêmios conferidos aos cientistas com menos de quarenta anos são o melhor indicador de valor ao contrário (muito semelhante à convicção dos *traders* — testada e comprovada — de que as empresas que são incensadas por seu potencial e chamadas de "as melhores" em capas de revistas ou livros como *Good to great** estão prestes a ter um desempenho abaixo das expectativas, e de que é possível obter um lucro anormal por meio da venda a descoberto de ações dessas empresas). O pior efeito desses prêmios é penalizar os cientistas que não os recebem e desvalorizar a área da pesquisa científica ao transformá-la em uma competição esportiva.

* Livro de Jim Collins. Edição brasileira: *Empresas feitas para vencer. Por que algumas empresas alcançam a excelência... e outras não*. Rio de Janeiro: Alta Books, 2018.

Se é para haver um prêmio, deveria ser para "com mais de cem anos": foram necessários quase 140 anos para validar a contribuição de alguém como Jules Regnault, que descobriu a opcionalidade e a mapeou matematicamente — junto com o que chamamos de pedra filosofal. Durante todo esse tempo, sua obra permaneceu na obscuridade.

Agora, se você quiser ser convencido de meu argumento do quanto a ciência pode ser ruidosa, pense em qualquer livro didático que você tenha lido com interesse na época do ensino médio ou da faculdade — em qualquer disciplina. Abra o livro-texto em um capítulo aleatório e veja se a ideia ainda é relevante. É bastante provável que seja enfadonha, mas ainda relevante — ou talvez não enfadonha, e ainda relevante. Pode ser a famosa Carta Magna de 1215 (história britânica), as guerras gaulesas de César (história romana), uma apresentação histórica da escola dos estoicos (filosofia), uma introdução à mecânica quântica (física) ou as árvores genealógicas de cães e gatos (biologia).

Agora, tente ler as atas de uma conferência aleatória sobre o assunto em questão que tenha sido realizada cinco atrás. Provavelmente não serão nem um pouco diferentes de um jornal de cinco anos atrás, talvez cheguem até a ser menos interessantes. Assim, assistir a conferências inovadoras pode ser, estatisticamente falando, uma perda de tempo tão grande quanto comprar um bilhete de loteria chinfrim, do tipo que paga um prêmio irrisório. A probabilidade de o artigo ser relevante — e interessante — daqui a cinco anos não passa de uma em 10 mil. A fragilidade da ciência!

Até mesmo a conversa com um um professor do ensino médio ou com um professor universitário fracassado tem mais chances de valer a pena do que o artigo acadêmico que acabou de sair do forno, menos corrompida que está pela neomania. Minhas melhores conversas sobre filosofia têm sido com professores de liceus franceses que amam as concepções filosóficas mas não estão interessados em seguir carreira escrevendo artigos sobre o tema (na França, ensina-se filosofia no último ano do ensino médio). Em qualquer disciplina, os amadores são melhores, se for possível conectar-se com eles. Ao contrário dos diletantes, os profissionais de carreira são para o conhecimento o que as prostitutas são para o amor.

Claro que você pode ter a sorte de esbarrar com uma joia preciosa aqui e ali, mas, em geral, na melhor das hipóteses, conversar com um acadêmico seria como conversar com encanadores, e, no pior dos casos, com um porteiro, que espalha o pior tipo de fofoca: fofoca sobre pessoas desinteressantes (outros acadêmicos), conversa fiada. Verdade seja dita, conversar com cientistas de primeira linha pode, às vezes, ser cativante, pois são pessoas que agregam conhecimento e para as quais discorrer sobre um assunto até esgotá-lo é fácil, pois todas as pequenas partes daquele tema estão conectadas. Mas, atualmente, em nosso planeta, essas pessoas são raríssimas.

Termino esta seção com o seguinte relato: um dos meus alunos (que estava se graduando, dentre todas as disciplinas, justamente em economia) pediu-me que lhe desse uma regra sobre o que ler. "Tanto quanto possível, o mínimo do que foi escrito nos últimos vinte anos, exceto livros de história que não sejam sobre os últimos cinquenta anos", deixei escapar, com irritação, já que odeio perguntas do tipo "qual é o melhor livro que você já leu?" ou "quais são os dez melhores livros de todos os tempos?" — meus "dez melhores livros de todos os tempos" mudam no fim de cada verão. Além disso, meu favorito mais recente é o livro de Daniel Kahneman, porque se trata, em grande medida, de uma exposição de suas pesquisas de 35 e quarenta anos atrás, com filtragem e modernização. Minha recomendação pareceu impraticável, mas depois de algum tempo o aluno desenvolveu certa cultura em textos fundamentais de autores como Adam Smith, Karl Marx e Hayek, textos que ele acredita que continuará citando aos oitenta anos. Ele me disse que, depois de sua desintoxicação, percebeu que tudo que seus colegas fazem é ler o material *oportuno*, que na mesma hora se torna obsoleto.

O QUE DEVE SUMIR

Em 2010, a revista *The Economist* pediu-me para participar de um exercício de imaginação sobre como o mundo estará em 2036. Como os editores da revista estavam cientes de minha reticência em relação a gente que faz previsões, sua intenção era dar um "equilíbrio" crítico ao exercício e me usar como contraponto aos inúmeros prognósticos imaginativos, esperando minhas costumeiras afrontas furiosas, desdenhosas e irascíveis.

Eles ficaram para lá de surpresos quando, depois de uma (lenta) caminhada de duas horas, escrevi de uma tacada só uma série de previsões e lhes enviei o texto. É provável que de início tenham pensado que eu estava pregando uma peça ou que alguém tinha recebido o e-mail por engano e estava se passando por mim. Descrevendo em linhas gerais o raciocínio sobre fragilidade e assimetria (concavidade a erros), expliquei que a minha expectativa era a de que o futuro será povoado por estantes de livros forrando as paredes das casas, pelo dispositivo chamado de telefone, por artesãos e coisas assim, usando a noção de que a maior parte das tecnologias que hoje têm 25 anos de existência deve perdurar por outros 25 — mais uma vez, a maioria delas, não todas.* Mas o frágil deverá sumir, ou perder força. Ora, o que é o frágil? A ampla e excessiva dependência da tecnologia, a excessiva dependência do chamado método científico, em vez de heurísticas testadas e comprovadas pelo tempo. As corporações que hoje em dia são grandes deverão desaparecer, já que sempre foram debilitadas pelo que julgavam ser seu ponto forte: o tamanho, que é o inimigo das corporações, uma vez que causa uma fragilidade desproporcional aos eventos Cisne Negro. As cidades-estados e as empresas de pequeno porte estão mais propensas a perdurar, e até mesmo a prosperar. O Estado-nação, o banco central emissor de moeda, essas coisas chamadas de departamentos de economia, podem sobreviver apenas no nome, mas seus poderes sofrerão severo desgaste. Em outras palavras, o que vimos na coluna esquerda da Tríade deverá desaparecer — para ser substituído por outros itens igualmente frágeis, infelizmente.

OS PROFETAS E O PRESENTE

Ao emitir alertas baseados na vulnerabilidade — ou seja, a profecia subtrativa —, estamos mais próximos do papel original do profeta: alertar, não necessariamente prever, e prever calamidades *se as pessoas não derem ouvidos*.

O papel clássico do profeta, pelo menos no sentido levantino, não é tentar esquadrinhar o futuro, mas falar sobre o presente. Ele diz às pessoas o que fazer, ou melhor — o que na minha opinião é mais robusto —, o que *não* fazer. Nas tradições monoteístas do Oriente Próximo — o judaísmo, o cristianismo e

* Tive o privilégio de ler um livro de quinhentos anos, uma experiência um pouco diferente da leitura de um livro moderno. Compare essa robustez à longevidade dos documentos eletrônicos: alguns dos arquivos de computador de meus manuscritos que têm menos de uma década de existência são, agora, irrecuperáveis.

o islamismo –, o principal papel dos profetas é proteger o monoteísmo de seus inimigos idólatras e pagãos, que podem trazer calamidades para a população desgarrada. O profeta é alguém que se comunica com o Deus único, ou que pelo menos é capaz de ler a mente divina – e, o que é fundamental, emite alertas para os súditos Dele. O *nby* semítico, expresso como *Nevi* ou *nebi* (no original hebraico), com pequenas diferenças na pronúncia em aramaico (*nabi'y*) e árabe (*nabi*), é, acima de tudo, uma pessoa que se conecta com Deus, expressando o pensamento de Deus – o significado de *nab'*, em árabe, é "notícia" (a raiz semítica original em acádio, *nabu*, significava "chamar"). A tradução grega inicial, *prophētēs*, que significava "porta-voz", se mantém no islã, já que Maomé, o Profeta, exerce o duplo papel de Mensageiro (*rasoul*) – havia algumas pequenas diferenças de hierarquia entre as funções de porta--voz (*nabi*) e mensageiro (*rasoul*). O trabalho de fazer apenas previsões está de certa forma limitado aos videntes, ou à variedade de pessoas envolvidas no presságio, a exemplo dos "astrólogos", tão desprezados pelo Alcorão e pelo Antigo Testamento. Mais uma vez, os cananeus tinham sido promíscuos demais em suas teologias e em seus diversos modos de agir com relação ao futuro, e o profeta é precisamente alguém que lida apenas com o Deus Único, e não com o futuro, à feição de um mero baalita.

Tampouco a vocação de profeta no Levante era uma atividade profissional particularmente desejável. Como eu disse no início do capítulo, a aceitação estava longe de ser garantida: Jesus, mencionando o destino de Elias (que alertou contra Baal, e, depois, ironicamente, teve de buscar consolo em Sidom, onde Baal era adorado), anunciou que *ninguém se torna profeta em sua própria terra*. E a missão profética não era, necessariamente, voluntária. Pense na vida de Jeremias, carregada de *jeremiadas* (lamentações insistentes, lamúrias), uma vez que suas desagradáveis advertências sobre destruição e cativeiro (e as causas disso) não faziam dele uma figura exatamente popular, e Jerermias era a personificação da ideia de "atire no mensageiro" e da expressão *veritas odium parit* – a verdade traz o ódio. Jeremias foi espancado, punido, perseguido, vítima de inúmeros complôs, com o envolvimento de seus próprios irmãos. Existem até relatos falsos e calcados em fértil imaginação que dizem que ele foi apedrejado até a morte no Egito.

Mais ao norte dos semitas, na tradição grega, encontramos o mesmo foco em mensagens, alertas sobre o presente e a mesma punição infligida àqueles que são capazes de compreender coisas que os outros não compreendem. Cassandra recebeu o dom da profecia, juntamente com a maldição de que ninguém jamais viesse a acreditar nas suas previsões, depois que as serpentes do templo limparam os ouvidos dela para que pudesse ouvir algumas mensagens especiais. Tirésias foi cegado e transformado em mulher por revelar os segredos dos deuses, mas, como consolo, Atena lambeu seus ouvidos para que ele fosse capaz de compreender os segredos no canto dos pássaros.

Lembre-se de que no capítulo 2 vimos a incapacidade de aprender com o comportamento passado. O problema da falta de recursividade na aprendizagem — falta de pensamento de segunda ordem — é o seguinte. Se no passado aqueles que transmitiram algumas mensagens tidas como valiosas no longo prazo foram perseguidos, seria de se esperar que houvesse algum mecanismo de correção, que as pessoas inteligentes aprendessem com essa experiência histórica, de modo que aqueles que transmitem novas mensagens fossem saudados com um novo entendimento em mente. Mas nada desse tipo acontece.

Essa ausência de pensamento recursivo aplica-se não apenas à profecia, mas também a outras atividades humanas: se você acredita que o que funcionará e renderá bons frutos vai ser uma ideia *nova*, sobre a qual outros não pensaram ainda, o que comumente chamamos de "inovação", então sua expectativa seria a de que as pessoas prestassem atenção nisso e encarassem com olhar lúcido as novas ideias, sem levar muito em conta a percepção alheia. Mas não é o que as pessoas fazem: algo considerado "original" tende a ter como modelo alguma coisa que era nova naquela época mas que hoje já não é mais novidade; portanto, para muitos cientistas, ser um Einstein significa resolver um problema semelhante ao que Einstein resolveu, quando, naquele momento, Einstein não estava, de modo algum, resolvendo um problema-padrão. A própria ideia de ser um Einstein em física não é mais original. Detectei na área de gerenciamento de riscos um erro semelhante, cometido por cientistas tentando ser novos de uma maneira-padrão. As pessoas que atuam na gestão de riscos levam em conta apenas as coisas arriscadas que as prejudicaram no passado (dado o enfoque que elas dão a "evidências"), sem perceberem que, no passado, antes de esses eventos acontecerem, as ocorrências que as prejudicaram gravemente não tiveram precedente algum, escapando aos padrões. E minhas tentativas para fazer com que elas se coloquem na pele alheia, enxerguem a questão de outro ponto de vista de vista e atentem para essas considerações de segunda ordem falharam — assim como fracassaram meus esforços para que tomem consciência da noção de fragilidade.

O CACHORRO DE EMPÉDOCLES

Em *Magna moralia*, de Aristóteles, há uma história, possivelmente apócrifa, sobre o filósofo pré-socrático Empédocles, a quem perguntaram por que um cachorro prefere dormir sempre sobre o mesmo ladrilho. Empédocles respondeu que deveria haver alguma *semelhança* entre o cachorro e o ladrilho (na verdade, a história pode ser até duplamente falsa, uma vez que não sabemos se *Magna moralia* foi de fato escrita por Aristóteles).

Tenha em mente a equivalência entre o cachorro e o ladrilho. Uma equivalência natural, biológica, explicável ou não explicável, confirmada por uma longa série de frequentações recorrentes — no lugar do racionalismo, leve em conta apenas a história em si.

O que me leva à conclusão do nosso exercício sobre as profecias.

Suponho que as tecnologias humanas que sobreviveram, a exemplo da escrita e da leitura, são como o ladrilho para o cachorro, uma equivalência entre amigos naturais, porque correspondem a algo profundo em nossa natureza.

Toda vez que ouço alguém tentando fazer uma comparação entre um livro impresso e um digital, ou entre alguma coisa antiga e uma nova tecnologia, as "opiniões" brotam, como se a realidade se importasse minimamente com opiniões e narrativas. No nosso mundo há segredos que só a prática pode revelar, e que nenhuma opinião ou análise jamais será capaz de depreender por completo.

Claro que essa propriedade secreta é revelada pela passagem do tempo, e, felizmente, apenas por esse meio.

O que não faz sentido

Vamos levar um pouco adiante essa ideia do cachorro de Empédocles: se alguma coisa que não faz sentido para você (por exemplo, a religião — se você for ateu — ou algum hábito arraigado ou prática antiquíssima tidos como irracionais); se isso existe há muito tempo, então, irracional ou não, é de esperar que perdure por mais tempo ainda e sobreviva àqueles que exigem sua extinção.

21. Medicina, convexidade e opacidade

O que chamam de não evidências — Onde a medicina fragiliza os seres humanos, e, depois, tenta salvá-los — Lei ou evidência de Newton?

A história da medicina é a narrativa amplamente documentada da dialética entre a ação e o pensamento, e de como tomar decisões sob condições de opacidade. No Mediterrâneo medieval, Maimônides, Avicena, Al-Ruhawi e os médicos sírios como Hunain Ibn Ishaq eram, ao mesmo tempo, filósofos e médicos. No mundo semita medieval, um médico era chamado de Al-Hakim, "o sábio", ou "praticante da sabedoria", sinônimo de filósofo ou rabino (*hkm* é a raiz semítica para "sabedoria"). Até mesmo no período anterior houve muitos indivíduos helenizados que ocupavam exatamente o ponto em que se entrecruzam a medicina e a prática da filosofia — o formidável filósofo cético Sexto Empírico foi médico e membro da escola empírica cética. Assim como Menódoto de Nicomédia e a medicina baseada na experiência, antecessora da medicina baseada em evidências — da qual falaremos mais um pouco daqui a algumas páginas. As obras desses pensadores, ou o que ainda resta delas, são bastante revigorantes para aqueles de nós que suspeitam dos que falam sem fazer.

Deste capítulo derivam regras de decisão e heurísticas simples, bastante simples. A *via negativa*, é claro (pela eliminação do que é inatural): só recorra a técnicas médicas quando a compensação na saúde for muito grande (salvar uma vida, por exemplo) e exceder de forma ostensiva seu dano potencial, como uma cirurgia irrefutavelmente necessária ou medicamentos que salvem vidas (penicilina). O mesmo vale para as intervenções governamentais. Isso é francamente talesiano, não aristotélico (ou seja, a tomada de decisões com base em compensações, não no conhecimento). Pois, nesses casos, a medicina tem assimetrias positivas — efeitos de convexidade —, e o resultado será menos propenso a produzir fragilidade. Por outro lado, em situações em que os benefícios de um medicamento, procedimento ou modificação nutricional ou de estilo de vida específico pareçam pequenos — por exemplo, aqueles que visem ao conforto —, teremos um enorme e potencial problema de otário (o que nos coloca, assim, no lado errado dos efeitos de convexidade). Na verdade, um dos benefícios colaterais involuntários dos teoremas que Raphael Douady e eu desenvolvemos em nosso artigo mapeando as técnicas de detecção de riscos (no capítulo 19) é um vínculo preciso entre (a) a não linearidade na exposição ou na resposta à dose e (b) a fragilidade ou a antifragilidade potenciais.

Estendo ainda o problema para bases epistemológicas e defino regras para *o que deveria ser considerado evidência*: assim como decidimos se um copo deve ser considerado meio vazio ou meio cheio, há situações em que colocamos em foco a ausência de evidências, e outras em que enfatizamos a existência delas. Em alguns casos, é possível ser confirmativo, em outros não — depende dos riscos. Vejamos o exemplo do tabagismo, que, em algum momento, era visto como um hábito que trazia pequenos ganhos em prazer e até mesmo em saúde (as pessoas achavam de verdade que era algo benéfico). Levou décadas para que os danos do consumo de tabaco se tornassem visíveis. No entanto, tivesse alguém questionado esse fato, enfrentaria a reação acadêmica-ensaiada-ingênua e falsamente especializada: "Você tem *evidências* de que isso faz mal?" (uma resposta no nível de "existem evidências de que a poluição faz mal?"). Como de praxe, a solução é simples, uma extensão da *via negativa* e da regra (de Tony Gordo) *não seja um otário*: o não natural precisa provar seus benefícios, o natural não precisa — de acordo com o princípio estatístico esboçado anteriormente de que a natureza deve ser considerada muito menos otária do que os seres humanos. Em um domínio complexo, somente o tempo – um longo tempo – é uma evidência.

Em qualquer decisão, o desconhecido preponderará mais sobre um lado do que outro.

A falácia "Você tem evidências?", em que se confundem as evidências de dano zero com nenhuma evidência de danos, é semelhante à interpretação errônea de quem julga que nenhuma evidência de doença significa evidência de doença nenhuma. É o mesmo erro que confundir a ausência de evidências com a evidência de ausência, engano que tende a afetar pessoas inteligentes e cultas, como se a instrução formal as tornasse mais confirmativas em suas respostas e mais suscetíveis a cometer erros lógicos simples.

E lembre-se de que, sob não linearidades, as simples qualificações "prejudicial" ou "benéfico" esfacelam-se: tudo se resume à dose.

COMO DEBATER EM UM PRONTO-SOCORRO

Certa vez, quebrei meu nariz... caminhando. Em nome da antifragilidade, é claro. Eu estava tentando andar sobre superfícies irregulares, como parte de meu programa de antifragilidade, sob a influência de Erwan Le Corre, que acredita em exercícios naturalistas. Foi empolgante; senti que o mundo era mais exuberante, mais fractal, e quando contrastei esse terreno com as superfícies lisas e regulares das calçadas e dos escritórios corporativos, estas últimas me pareceram prisões. Infelizmente, eu estava carregando algo muito menos ancestral, um celular, que teve a insolência de tocar no meio da minha caminhada.

No pronto-socorro, o médico e a equipe insistiram que eu deveria "gelar" meu nariz, ou seja, aplicar sobre ele uma compressa gelada. Em meio à dor, ocorreu-me que certamente o inchaço que a Mãe Natureza me dera não havia sido causado diretamente pelo trauma. Era a resposta de meu próprio organismo ao ferimento. A mim me pareceu um insulto à Mãe Natureza ignorar suas reações programadas, a menos que tivéssemos uma boa razão para isso, respaldados em testes empíricos adequados para mostrar que nós, humanos, somos capazes de fazer melhor; o ônus da prova recai sobre nós, seres humanos. Então, resmungando, perguntei ao médico do pronto-socorro se ele tinha alguma evidência estatística acerca dos benefícios da aplicação de gelo no meu nariz, ou se isso resultava de uma versão ingênua de um *intervencionismo*.

A resposta dele foi: "O seu nariz está do tamanho de Cleveland, e agora o senhor está interessado em... números?". Lembro-me de que, a partir de seus comentários imprecisos, cheguei à conclusão de que ele não tinha resposta.

De fato, ele não tinha resposta alguma, porque tão logo cheguei a um computador, pude confirmar que não existe evidência empírica convincente a favor da redução do inchaço. Pelo menos não fora do escopo dos casos muito raros em que o edema ameaçaria o paciente, o que evidentemente não era o caso. Era puro racionalismo otário da mente dos médicos, obedecendo ao que fazia sentido para seres humanos com inteligência restrita, acoplado ao intervencionismo, essa necessidade de *fazer algo*, esse defeito de pensar que sabemos mais, e de depreciar o não observado. Esse defeito não está limitado a nosso controle de inchaços: a confabulação é uma praga que assola toda a história da medicina, ao lado, é claro, de muitos outros campos práticos. Os pesquisadores Paul Meehl e Robin Dawes foram pioneiros de uma tradição de catalogar a tensão entre o conhecimento "clínico" e o atuarial (isto é, estatístico), e de examinar quantas coisas tidas como verdadeiras pelos profissionais e médicos não são, de fato, verdadeiras e não correspondem a evidências empíricas. O problema, por certo, é que esses pesquisadores não têm uma ideia clara de onde está o ônus das evidências empíricas (a diferença entre o empirismo ingênuo ou pseudoempirismo e o empirismo rigoroso) — recai sobre os médicos o ônus de nos mostrar por que reduzir a febre é bom, por que é saudável tomar café da manhã antes de realizar uma atividade física (não há evidências) ou por que submeter pacientes a sangrias é a melhor das alternativas (um procedimento que já deixou de ser praticado). Às vezes, chego à conclusão de que eles não têm a menor noção do que estão fazendo quando precisam declarar na defensiva "Eu sou médico" ou "Você é médico?". Porém, pior ainda, vez por outra recebo algumas cartas de apoio e solidariedade de sujeitos que praticam medicina alternativa, o que me deixa furioso: o enfoque deste livro é ultraortodoxo, ultrarrigoroso e ultracientífico, e certamente não faz a apologia da medicina alternativa.

Em grande medida, os custos ocultos dos serviços de saúde negam a antifragilidade. Mas pode ser que isso não se limite apenas à medicina — aquilo que chamamos de doenças da civilização resulta da tentativa dos seres humanos de tornar nossa vida confortável ao arrepio do nosso próprio interesse, uma vez que o confortável é o que fragiliza. O restante deste capítulo põe em foco casos médicos específicos, com efeitos de convexidade negativos ocultos (pequenos ganhos, grandes perdas) — e reformula a iatrogenia, em conexão com minha noção de fragilidade e não linearidades.

PRIMEIRO PRINCÍPIO DA IATROGENIA (EMPIRISMO)

O primeiro princípio da iatrogenia é o seguinte: não precisamos de *evidências de danos* para afirmar que um medicamento ou um procedimento inatural de *via positiva* são perigosos. Lembre-se de meu comentário anterior sobre o problema do peru, de que o dano está no futuro, e não no passado definido em termos restritos. Em outras palavras, o empirismo não é um empirismo ingênuo.

Vimos o argumento do tabagismo. Agora, pare para pensar na aventura de uma gordura inventada pelo ser humano, a gordura trans. De alguma forma, os seres humanos descobriram como fazer produtos com gordura e, como vivíamos a formidável era do cientificismo, eles se convenceram de que seriam capazes de fazer isso *melhor* do que a natureza. Não apenas igual; melhor. Os químicos presumiram que conseguiriam produzir um substituto da gordura que, sob muitos pontos de vista, seria superior à banha ou à manteiga. Para começar, era mais conveniente: produtos sintéticos, a exemplo da margarina, continuam moles na geladeira, o que permite que você os espalhe imediatamente sobre um naco de pão sem a habitual espera enquanto escuta o rádio. Em segundo lugar, era econômica, já que as gorduras sintéticas são derivadas dos vegetais. Por fim, e o que é pior, supôs-se que a gordura trans era mais saudável. Seu uso foi bastante difundido e, depois de algumas centenas de milhões de anos consumindo gordura de origem animal, de repente as pessoas começaram a ficar com medo dela (em especial de uma coisa chamada gordura "saturada"), especificamente a partir de interpretações estatísticas de péssima qualidade. Hoje, a gordura trans é proibida em vários países, pois se descobriu que ela mata pessoas, pois está por trás de doenças cardíacas e de problemas cardiovasculares.

Para outro exemplo homicida desse racionalismo otário (e fragilizador), pense na história da talidomida. Era um remédio utilizado por mulheres grávidas a fim de reduzir os episódios de enjoo, mas causava defeitos congênitos. Outro medicamento, o dietilestilbestrol, prejudicava sorrateiramente o feto e causava câncer ginecológico de diagnóstico tardio nas filhas.

Esses dois erros são bastante esclarecedores porque, em ambos os casos, os benefícios pareciam ser óbvios e imediatos, ainda que pequenos, e os danos demoraram a se manifestar, ocultos por muito tempo, pelo menos por três quartos de uma geração. A discussão seguinte será sobre o ônus da prova, pois é fácil imaginar defensores desses tratamentos logo fazendo a objeção: "Monsieur Taleb, o senhor tem *evidências* para corroborar sua afirmação?".

Agora podemos enxergar o padrão: a iatrogenia, sendo uma situação de custo-benefício, geralmente resulta da traiçoeira condição em que os benefícios são pequenos, e visíveis — e os custos, muito grandes, protelados e ocultos. E, é claro, os custos potenciais são muito piores do que os ganhos cumulativos.

Para aqueles que adoram gráficos, o apêndice mostra os riscos potenciais por diferentes ângulos e expressa a iatrogenia como uma distribuição de probabilidade.

SEGUNDO PRINCÍPIO DA IATROGENIA (NÃO LINEARIDADE DA RESPOSTA)

Segundo princípio da iatrogenia: ela não é linear. Não deveríamos correr riscos com as pessoas quase saudáveis; mas devemos correr muitíssimos mais riscos com aquelas consideradas em situação de perigo.*

* Um comentário técnico. Isso é resultado direto dos efeitos de convexidade sobre a distribuição de probabilidade dos resultados. Por causa do "efeito *barbell* inverso", quando os ganhos são pequenos para a iatrogenia, a incerteza prejudica a situação. Mas sob o "efeito *barbell*", quando os ganhos são grandes em relação aos potenciais efeitos colaterais, a incerteza tende a ser útil. Uma explicação com uma profusão de gráficos é fornecida no apêndice.

Por que precisamos concentrar o tratamento nos casos mais graves, e não nos de importância inexpressiva? Veja este exemplo mostrando a não linearidade (convexidade). Quando a hipertensão é leve, digamos ligeiramente mais alta do que a zona aceita como "normotensão", a chance de o paciente beneficiar-se com determinado medicamento chega perto de 5,6% (apenas um em cada dezoito hipertensos se beneficia com o tratamento). Mas quando a pressão arterial está em alguma posição no intervalo tido como entre "alta" ou "grave", as probabilidades de se beneficiar são, agora, entre 26% e 72%, respectivamente (isto é, uma em cada quatro pessoas e duas em cada três pessoas se beneficiarão com o tratamento). Portanto, os benefícios do tratamento são convexos em relação à condição (os benefícios aumentam desproporcionalmente, de forma progressiva). Mas pense que a iatrogenia deveria ser constante para todas as categorias! Nas condições de doença grave, os benefícios serão grandes em relação à iatrogenia; em uma condição limítrofe, serão pequenos. Isso significa que precisamos nos concentrar nas condições de sintomas graves e ignorar, e quero dizer literalmente ignorar, outras situações em que o paciente não esteja muito enfermo.

O argumento aqui é baseado na estrutura de probabilidades de sobrevivência condicional, semelhante àquela que usamos para provar que o dano precisa ser não linear para as xícaras de porcelana. Considere que a Mãe Natureza teve de ser alvo de experimentações e improvisos por meio da seleção, em proporção inversa à raridade da doença. Dos 120 mil medicamentos disponíveis hoje em dia, mal consigo encontrar um de *via positiva* que deixe uma pessoa saudável incondicionalmente "melhor" (e, se alguém me mostrar um, serei cético acerca dos efeitos colaterais ainda não observados). De tempos em tempos somos apresentados a medicamentos que melhoram o desempenho — os esteroides, por exemplo —, apenas para descobrir o que as pessoas no mundo das finanças já sabem faz tempo: em um mercado "maduro", não existe mais almoço grátis, e o que parece ser isso esconde um risco oculto. Quando alguém pensa ter encontrado um almoço grátis — digamos, esteroides ou gordura trans —, alguma coisa que ajuda as pessoas saudáveis sem nenhuma desvantagem visível, o mais provável é haver uma armadilha em algum lugar. Na verdade, em meus tempos de *trader*, isso era chamado de "negócio de otários".

E há uma razão estatística simples que explica por que ainda não fomos capazes de encontrar medicamentos que nos façam sentir incondicionalmente melhores quando estamos bem (ou incondicionalmente fortes etc.): é provável que a natureza tivesse, por si só, conseguido encontrar essa pílula mágica. Mas considere que a doença é algo raro e, quanto mais doente a pessoa estiver, menor é a probabilidade de a natureza encontrar, sozinha e de forma rápida, a solução. Uma condição que esteja, digamos, a três unidades de desvio da norma é mais de trezentas vezes mais rara do que o normal; uma doença que esteja a cinco unidades de desvio do padrão é mais de 1 milhão de vezes mais rara!

A comunidade médica não deu forma a essa não linearidade de benefícios à iatrogenia segundo um modelo, e se faz isso com palavras, ainda não o vi formalizado em artigos, portanto em uma metodologia de tomada de decisões que leve em conta a probabilidade (como veremos na seção seguinte, há pouco uso explícito dos vieses de convexidade). Até mesmo os riscos parecem ser linearmente extrapolados, causando tanto subestimação quanto superestimação, e, seguramente, um erro de cálculo dos graus de dano — por exemplo, um artigo sobre os efeitos da radiação afirma o seguinte: "O modelo-padrão atualmente em uso aplica uma escala linear, extrapolando o risco de câncer de altas a baixas doses de radiação ionizante". Além disso, as empresas farmacêuticas estão sob pressão financeira para encontrar doenças e deixar felizes os analistas de seguros. Elas vêm raspando o fundo do tacho, procurando doenças entre pessoas cada vez mais saudáveis, fazendo lobby pela reclassificação das condições de saúde e refinando os artifícios de vendas para fazer com que os médicos prescrevam receitas em excesso. Ora, se a pressão arterial da pessoa estiver na parte superior da faixa que costumava ser chamada de "normal", ela não é mais "normotensa", mas "pré-hipertensa", mesmo que não haja nenhum sintoma visível. Não há nada errado com a classificação se ela levar a um estilo de vida mais saudável e a robustas medidas de *via negativa* — mas o que está por trás dessa classificação, invariavelmente, é o ímpeto para mais medicação.

Não sou contra a função e a missão da indústria farmacêutica, mas, sim, à sua prática de negócios: ela deveria concentrar-se, *para seu próprio benefício*, em doenças extremas, não em reclassificações ou em pressionar médicos para que prescrevam medicamentos. Na verdade, a indústria farmacêutica tira proveito do intervencionismo dos médicos.

Outra maneira de ver: a iatrogenia está no paciente, e não no tratamento. Se o paciente estiver à beira da morte, todos os tratamentos especulativos devem ser incentivados — sem restrições. Por outro lado, se o paciente estiver quase saudável, é melhor deixar a Mãe Natureza ser o médico.

A desigualdade de Jensen na medicina

A pedra filosofal explicou que a volatilidade de uma exposição pode ser mais importante do que sua média — a diferença é o "viés de convexidade". Se você for antifrágil (isto é, convexo) a determinada substância, então é melhor fazer com que ela seja distribuída aleatoriamente, em vez de ser fornecida de forma constante.

Encontrei pouquíssimos artigos médicos que utilizam a não linearidade aplicando efeitos de convexidade a problemas médicos, apesar da ubiquidade de respostas não lineares na biologia (estou sendo generoso; na verdade, encontrei um único uso explícito da desigualdade de Jensen em uma aplicação singular, graças a meu amigo Eric Briys — e apenas um que o utilizava corretamente, portanto a resposta "nós sabemos disso", que os pesquisadores médicos dão quando a consequência da não linearidade lhes é explicada, é bastante capenga).

De maneira extraordinária, os efeitos de convexidade operam de forma idêntica com opções, inovações, qualquer coisa que seja convexa. Agora, vamos aplicá-los... aos pulmões.

O parágrafo seguinte é um pouco técnico e pode ser pulado.

As pessoas com uma variada gama de doenças pulmonares, incluindo a síndrome do desconforto respiratório agudo, costumavam ser colocadas em ventilação mecânica, devido à crença de que a pressão e o volume constantes eram desejáveis — a estabilidade parecia ser uma boa ideia. Porém, a reação do paciente é não linear à pressão (convexa durante um intervalo inicial, e côncava acima daí), e essa regularidade o faz sofrer. Além disso, pessoas com pulmões muito debilitados não podem suportar pressão alta por tempo excessivo — embora precisem de muito volume. J. F. Brewster e seus colegas descobriram que distribuir uma pressão mais alta de vez em quando, e uma pressão baixa em outros momentos, lhes permitia fornecer muito mais volume aos pulmões dentro de determinada pressão média, diminuindo dessa forma a mortalidade dos pacientes. Um benefício adicional é que um ocasional pico de pressão ajuda a abrir os alvéolos danificados. Na verdade, é assim que nossos pulmões funcionam quando estão saudáveis: com variações e "ruído", e não com fluxo de ar constante. Os seres humanos são antifrágeis à pressão pulmonar. E isso resulta diretamente da não linearidade da resposta, uma vez que, como vimos, tudo que é convexo é antifrágil, até certa dose. O artigo de Brewster passou por validação empírica, mas isso nem sequer é necessário: ninguém precisa de dados empíricos para provar que um mais um é igual a dois, ou que as probabilidades somadas precisam chegar a 100%.*

Aparentemente as pessoas que lidam com nutrição não examinaram a diferença entre calorias aleatórias e nutrição constante, algo a que voltaremos no próximo capítulo.

Não usar modelos de efeitos não lineares, a exemplo dos vieses de convexidade, enquanto se "faz um trabalho empírico", é como ter de catalogar todas as maçãs que caem de uma árvore e chamar essa operação de "empirismo", em vez de simplesmente usar a equação de Newton.

SOTERRANDO AS EVIDÊNCIAS

Agora, um pouco de contexto histórico. O que fez a medicina enganar as pessoas por tanto tempo é que seus êxitos foram alardeados com grande destaque, ao passo que seus equívocos foram literalmente soterrados — como acontece com tantas outras histórias interessantes que foram relegadas ao cemitério da história.

Não consigo resistir ao seguinte exemplo do viés de intervenção (com efeitos de convexidade negativos). Nas décadas de 1940 e 1950, muitas crianças e adolescentes receberam radiação para tratamento da acne, do aumento da glândula timo, para curar a amigdalite, remover marcas de nascença e debelar casos de tinha (uma infecção causada por fungos dermatófitos) do couro cabeludo. Além do bócio e de outras complicações posteriores, aproximadamente 7% dos pacientes submetidos a essa radiação desenvolveram câncer de tireoide entre duas a quatro décadas mais tarde. Mas não vamos vilanizar totalmente a radiação, uma vez que ela provém da Mãe Natureza. Somos necessariamente

* Em outras palavras, a resposta para, digamos, 50% de determinada dose durante um período, seguida de 150% dessa dose em um período subsequente em casos convexos, é superior a 100% da dose em ambos os períodos. Não precisamos de muito empirismo para estimar o viés de convexidade: de acordo com o teorema, esse viés é o resultado necessário da convexidade.

antifrágeis a alguma dose de radiação — em níveis encontrados naturalmente. Pode ser que pequenas doses previnam lesões e tumores decorrentes de doses maiores, à medida que o corpo desenvolve um tipo de imunidade. E, por falar em radiação, poucos param para pensar sobre por que, depois de centenas de milhões de anos com nossa pele exposta aos raios solares, de repente precisamos de tanta proteção contra eles — é porque nossa exposição está mais danosa do que antes devido a mudanças na atmosfera, ou as populações estão vivendo em ambientes não apropriados para a pigmentação de sua pele — ou, talvez, é porque os fabricantes de produtos de proteção solar precisam lucrar?

A interminável história das situações do peru

A lista das tentativas de ser mais esperto que a natureza sob a orientação do racionalismo ingênuo é longa — sempre com a pretensa intenção de "melhorar" as coisas —, com uma contínua aprendizagem de primeira ordem, isto é, proibindo o medicamento ou o procedimento médico ofensivo, mas sem perceber que talvez estejamos cometendo mais uma vez o erro, só que em outro lugar.

Estatinas. Estatinas são medicamentos receitados para reduzir o colesterol no sangue. Mas há uma assimetria, e das graves. É preciso tratar cinquenta pessoas de alto risco durante cinco anos para evitar um único evento cardiovascular. As estatinas podem, potencialmente, prejudicar pessoas que não estão muito doentes, para as quais os benefícios são mínimos ou totalmente inexistentes. No curto prazo não seremos capazes de obter um panorama dos danos ocultos baseado em evidências (precisamos de anos para isso — lembre-se do tabagismo); ademais, os argumentos atualmente apresentados a favor da administração rotineira desses medicamentos são, muitas vezes, calcados em algumas ilusões estatísticas ou até mesmo em manipulação (os experimentos realizados pelas empresas farmacêuticas parecem tirar proveito de não linearidades e colocam no mesmo balaio o muito enfermo e o menos enfermo, além de presumir que a métrica "colesterol" é 100% equivalente a saúde). Em sua aplicação, as estatinas falham quanto ao primeiro princípio da iatrogenia (dano não observado); além disso, elas sem dúvida *fazem* o colesterol abaixar, mas, como seres humanos, nossa função objetiva não é reduzir certa métrica a fim de obter uma nota para passar em um teste semelhante a uma prova acadêmica, mas melhorar nossa saúde. Além do mais, não se sabe ao certo se esses indicadores que as pessoas tentam reduzir são causas ou manifestações de uma condição de saúde — assim como amordaçar um bebê pararia com o seu choro, mas não eliminaria a causa de suas emoções. Os medicamentos que servem para reduzir métricas são particularmente perversos devido a uma complexidade legal. O médico tem o incentivo para receitá-los porque, caso o paciente tenha um ataque cardíaco, o médico será processado judicialmente por negligência; mas o erro no sentido oposto não sofre nenhum tipo de penalização, já que os efeitos colaterais não parecem de forma alguma ter sido causados pelos medicamentos.

O mesmo problema de interpretação ingênua, misturado com o viés de intervenção, aplica-se à detecção do câncer: há um acentuado viés a favor do tratamento, mesmo quando causa mais danos, porque o sistema jurídico favorece a intervenção.

Cirurgia. Os historiadores mostram que, durante muito tempo, a cirurgia teve um registro de desempenho muito melhor do que a medicação; os processos operatórios eram controlados pelo necessário rigor dos resultados visíveis. Considere que, quando vítimas de traumas muito graves são operadas para a extração de uma bala ou para a recolocação dos intestinos no devido lugar, por exemplo, a iatrogenia é reduzida; o aspecto negativo da cirurgia é pequeno em comparação com os benefícios — portanto, efeitos de convexidade positivos. Ao contrário das habituais intervenções farmacêuticas, é difícil dizer que a Mãe Natureza teria feito um trabalho melhor. Os cirurgiões costumavam ser operários de produção, ou estar mais próximos dos artesãos do que da alta ciência, de modo que não sentiam muita obrigação de teorizar.

As profissões de médico e cirurgião eram, ambas, mantidas independentes, em âmbito profissional e social; uma era *ars*, a outra, *scientia*; portanto, uma era um ofício desenvolvido em torno de heurísticas norteadas pela experiência, e a outra era calcada em teorias, e mais ainda, em uma teoria geral dos seres humanos. Os cirurgiões existiam para as emergências. Na Inglaterra, na França e em algumas cidades italianas importantes, as associações dos cirurgiões fundiam-se às guildas dos barbeiros. Assim, por muito tempo a "harvardização" de estilo soviético por que passou a cirurgia restringiu-se pela visibilidade dos resultados — não é possível enganar o olho. Uma vez que durante muito tempo as pessoas foram operadas sem anestésicos, ninguém precisava justificar-se excessivamente por *não fazer nada* e esperar que a Mãe Natureza cumprisse seu papel.

Mas hoje, graças à anestesia, as cirurgias são realizadas com obstáculos muito menores — e agora os cirurgiões precisam frequentar uma faculdade de medicina, embora menos teórica do que a Sorbonne ou a de Bolonha na Idade Média. Em contraste, no passado, a sangria (flebotomia) era uma das poucas operações que os cirurgiões desempenhavam sem impedimento. Por exemplo, nos tempos modernos, uma cirurgia de coluna para corrigir a ciática é, quase sempre, inútil, exceto pelo possível dano decorrente da operação em si. As evidências mostram que, seis anos depois da cirurgia, em média, esse tipo de procedimento equivale a não fazer nada, por isso temos certo déficit potencial nas operações de coluna, uma vez que cada operação inclui riscos como danos cerebrais da anestesia, erro médico (o cirurgião danificar a medula espinhal) ou exposição a germes hospitalares. Entretanto, cirurgias da medula espinhal, bem como as de fusão vertebral lombar, ainda são praticadas em abundância, sobretudo porque são muito lucrativas para os médicos.*

Antibióticos. Toda vez que você toma um antibiótico, está ajudando, em certa medida, a mutação de germes em variedades resistentes a antibióticos. Acrescente-se a isso o fato de que você está brincando com o sistema imunológico. Você transfere a antifragilidade do seu corpo para o germe. A solução, claro está, é fazer isso apenas quando os benefícios são grandes. A higiene, ou o excesso de higiene, causa o mesmo efeito, sobretudo quando as pessoas limpam as mãos com produtos químicos depois de cada exposição social.

Aqui estão alguns exemplos potenciais e verificados de iatrogenia (no que se refere a maior desvantagem, exceto em pacientes muito doentes, isso foi verificado ou não):** o Vioxx, o medicamento anti-inflamatório que tem como efeitos colaterais o surgimento de problemas cardíacos tardios. Os

* Stuart McGill, cientista que se baseia em evidências e é especialista em problemas de coluna, descreve o processo de autocura da seguinte maneira: o nervo ciático, quando comprimido em uma cavidade muito estreita, o que causa o problema nas costas — passível de cura (acreditam os médicos) somente por meio da (lucrativa) cirurgia —, produz substâncias ácidas que perfuram o osso e, com o tempo, escavam uma passagem maior. O corpo faz um trabalho melhor que os cirurgiões.

** A questão central deste capítulo e a do próximo é a não linearidade e suas ligações com a fragilidade, e como utilizá-la na tomada de decisões médicas, e não em tratamentos e erros médicos específicos. São apenas exemplos de coisas que examinamos sem levar em conta as respostas côncavas.

antidepressivos (usados além dos casos necessários). A cirurgia bariátrica (em substituição à privação de comida dos pacientes diabéticos com sobrepeso). A cortisona. Desinfetantes e produtos de limpeza, potencialmente originando doenças autoimunes. A terapia de reposição hormonal. As histerectomias. As cesáreas além do estritamente necessário. Drenos de ventilação nos tímpanos em bebês como resposta imediata a infecções de ouvido. As lobotomias. Suplementação de ferro. O branqueamento do arroz e do trigo — isso era considerado um progresso. Os protetores solares com suspeita de fazerem mal. A higiene (além de certo ponto, a higiene pode nos tornar frágeis, negando-nos a hormese — nossa própria antifragilidade). Ingerimos probióticos porque não comemos mais a quantidade suficiente de "porcarias". Lysol e outras marcas de desinfetantes matam tantos "germes" que os sistemas imunológicos ainda em desenvolvimento das crianças são privados do treinamento necessário (ou dos germes e parasitas "bons" e amigáveis). Higiene dental: fico imaginando se escovar os dentes com cremes dentais repletos de substâncias químicas não tem a intenção primeira de gerar lucros para a indústria dos dentifrícios — a escovação é natural, o creme dental talvez sirva apenas para compensar os produtos anormais que consumimos, a exemplo de amidos, açúcares e xarope de milho com elevado teor de frutose. Por falar nisso, o xarope de milho com elevada frutose foi resultado da neomania, financiada por um governo Nixon apaixonado pela tecnologia e vítima de certa volúpia por subsidiar os produtores de milho. As injeções de insulina para os diabéticos do tipo 2, com base no pressuposto de que os danos causados pelo diabetes resultam do açúcar no sangue, e não da resistência à insulina (ou de alguma outra coisa relacionada a isso). O leite de soja. O leite de vaca para pessoas de ascendência mediterrânea e asiática. A heroína, a substância mais perigosamente viciante que se pode imaginar, foi desenvolvida como um substituto da morfina para supressores de tosse que não causava os viciantes efeitos colaterais da morfina. A psiquiatria — sobretudo a psiquiatria infantil —, mas acho que não preciso convencer ninguém sobre seus perigos. Paro por aqui.

Mais uma vez, as afirmações que faço aqui são baseadas em gestão de riscos: se a pessoa estiver muito doente, não terá que se preocupar com iatrogenia. O mesmo vale para os casos sem gravidade que apresentam perigos.

As situações que estou discutindo até agora são fáceis de entender, mas algumas aplicações são bem mais sutis. Por exemplo, ao contrário daquilo "que faz sentido" em um nível primitivo, não há evidências claras de que as bebidas adoçadas com substitutos de açúcar nos façam perder peso, de acordo com as calorias "economizadas". Mas foram necessários trinta anos confundindo a biologia de milhões de pessoas para que começássemos a nos fazer essas perguntas. De alguma forma, quem recomenda essas bebidas tem a impressão, impelido pelas leis da física (tradução ingênua da termodinâmica), de que o conceito de que ganhamos peso com a ingestão de calorias é suficiente para justificar uma análise mais aprofundada. Isso certamente seria verdadeiro na termodinâmica, como no caso de uma máquina simples reagindo à energia sem nenhum retorno, digamos, um carro queimando combustível. Mas o raciocínio não se sustenta em uma dimensão informacional, em que o alimento não é apenas uma fonte de energia; ele transmite informações sobre o ambiente (como os estressores). A ingestão de comida, combinada com a atividade da pessoa, ocasiona a liberação em cascata de vários hormônios (ou algo semelhante que transmite informações), causando desejos (daí o consumo de outros alimentos) ou mudanças na maneira como nosso corpo queima energia, caso tenha que conservar gorduras e queimar músculos ou vice-versa. Os sistemas complexos têm ciclos contínuos de realimentação, de modo que aquilo que você "queima" depende do que você consome e de como consome.

A LÓGICA OPACA DA NATUREZA

No momento em que escrevo este livro, o biólogo Craig Venter está envolvido na criação de vida artificial. Ele realizou experimentos e os divulgou em um célebre artigo, intitulado "Creation of a Bacterial Cell Controlled by a Chemically Synthesized Genome" [Criação de uma célula bacteriana controlada por um genoma sintetizado quimicamente]. Tenho imenso respeito por Craig Venter, a quem considero um dos homens mais inteligentes de todos os tempos, e um "fazedor" no sentido pleno da palavra, mas dar esses poderes aos falíveis seres humanos é como entregar um punhado de explosivos a uma criança pequena.

Se entendo bem a questão, para os criacionistas isso deve ser um insulto a Deus; porém, ademais, para os evolucionistas, certamente é um insulto à evolução. E para os probabilistas, como eu mesmo e meus pares, trata-se de um insulto à prudência humana, o início da matriz de todas as exposições a Cisnes Negros.

Permita-me repetir aqui o argumento, em um bloco, de modo a torná-lo mais claro. A evolução se dá por meio de bricolagem ou experimentações e improvisos indiretos e convexos, inerentemente robustos, isto é, com a obtenção de ganhos potenciais estocásticos, graças a erros contínuos, repetitivos, pequenos e localizados. O que os homens fizeram com a ciência de cima para baixo, ao estilo comando e controle, vem sendo exatamente o contrário: intervenções com efeitos de convexidade negativos, ou seja, a conquista de certos ganhos pequenos por meio da exposição a colossais erros potenciais. Nosso histórico de compreensão dos riscos em sistemas complexos (biologia, economia, clima) tem sido deplorável, desfigurado por distorções retrospectivas (só entendemos os riscos depois que o dano ocorre, e, ainda assim, continuamos cometendo o erro), e nada é capaz de me convencer de que ficamos melhores no quesito gerenciamento de riscos. Nesse caso específico, por causa da escalabilidade dos erros, estamos expostos à mais desvairada forma de aleatoriedade possível.

Dito de forma simples, não se devem dar aos seres humanos brinquedos explosivos (por exemplo, bombas atômicas, derivativos financeiros ou ferramentas para criar vida).

Culpado ou inocente

Deixe-me formular o último ponto de modo um pouco diferente. Se existe algo na natureza que não entendemos, provavelmente faz sentido de maneira mais profunda, além de nossa compreensão. Portanto, há uma lógica inerente às coisas naturais que é muito superior à nossa própria lógica. Assim como há uma dicotomia na lei: *inocente até que se prove que é culpado*, em vez de *culpado até que se prove inocente*, permita-me expressar minha regra da seguinte maneira: o que a Mãe Natureza faz é rigoroso até que se prove o contrário; o que os seres humanos e a ciência fazem é imperfeito até que se prove o contrário.

Vamos acabar com esse negócio de "evidências" de m**. Se você quiser falar sobre o "estatisticamente significativo", nada neste planeta pode ser tão próximo do "estatisticamente significativo" quanto a natureza. Isso é em deferência ao histórico de desempenho da natureza e à sua pura significância estatística, fruto de sua monumental experiência — a maneira como ela conseguiu sobreviver aos eventos Cisne Negro. Portanto, sobrepujar a natureza exige uma justificativa muitíssimo convincente de nossa parte, em vez do contrário, como se faz normalmente, e é muito difícil suplantá-la com argumentos estatísticos. Como escrevi no capítulo 7, na discussão sobre procrastinação, podemos invocar a falácia naturalista quando o assunto é ética, não quando se trata de gerenciamento de riscos.*

Permita-me repetir violações da lógica em nome das "evidências", em função da gravidade delas. Não estou brincando: assim como encaro a desconcertante solicitação "Você tem evidências?" quando questiono determinado tratamento inatural, por exemplo aplicando gelo sobre um nariz inchado, no passado muitos enfrentaram a pergunta: "Você tem evidências de que a gordura trans é prejudicial?", e precisaram apresentar provas — o que, obviamente, foram incapazes de fazer, porque levou décadas até que o dano se tornasse evidente. Essas perguntas são feitas quase sempre por pessoas inteligentes, até mesmo por médicos. Então, quando os (atuais) habitantes da Mãe Terra querem fazer algo contrário à natureza, são eles que precisam apresentar as evidências, caso sejam capazes.

Tudo que é instável ou quebrável teve amplas chances de se quebrar ao longo do tempo. Ademais, as interações dos componentes da Mãe Natureza tiveram de ser moduladas de maneira a manter vivo o sistema como um todo. O que surge, depois de milhões de anos, é uma maravilhosa combinação de solidez, antifragilidade e fragilidade local, sacrifícios feitos em uma área para que a natureza funcione melhor. Nós nos sacrificamos em prol de nossos genes, trocando nossa fragilidade pela sobrevivência deles. Envelhecemos, mas eles permanecem jovens, e cada vez mais aptos e adaptados fora de nós. As coisas se quebram em pequena escala o tempo todo, a fim de evitar generalizadas catástrofes em larga escala.

* Um erro comum é argumentar que o corpo humano não está perfeitamente adaptado, como se esse fato tivesse consequências para a tomada de decisões. Não é esta a questão aqui; a ideia é que a natureza é computacionalmente mais capaz do que os seres humanos (e provou ser), não que é perfeita. É só olhar para ela como a mestra da tentativa e erro de alta dimensão.

Expliquei que a fenomenologia é mais potente do que as teorias — e deveria levar à formulação de políticas públicas mais rigorosas. Permita-me dar exemplos aqui.

Eu estava em uma academia em Barcelona, ao lado do sócio majoritário de uma empresa de consultoria, uma profissão alicerçada na construção de narrativas e na racionalização ingênua. Como muitas pessoas que perderam peso, o sujeito estava ávido para falar a respeito disso — é mais fácil falar sobre teorias de perda de peso do que segui-las à risca. Ele me disse que não acreditava em dietas de baixo consumo de carboidratos, como a Atkins ou a Dukan, até que ficou sabendo do mecanismo da "insulina", o que o convenceu a embarcar no regime. Então, ele perdeu catorze quilos — teve que esperar por uma teoria antes de agir. E isso apesar das evidências empíricas mostrando que as pessoas perdiam 45 quilos reduzindo o consumo de carboidratos, sem mudar a sua ingestão total de alimentos — apenas a composição! Ora, sendo exatamente o oposto do consultor, acredito que a "insulina" como uma causa é uma teoria frágil; mas que a fenomenologia, o efeito empírico, é real. Deixe-me apresentar as ideias da escola pós-clássica dos empiristas céticos.

Somos feitos para ser enganados pelas teorias. Mas as teorias vêm e vão; a experiência permanece. Explicações mudam o tempo todo, e mudaram o tempo todo ao longo da história (por causa da opacidade causal, a invisibilidade das causas), com as pessoas envolvidas no desenvolvimento gradual de ideias, acreditando que sempre tinham a teoria definitiva; a experiência permanece constante.

Como vimos no capítulo 7, o que os físicos chamam de fenomenologia do processo é a manifestação empírica, sem levar em conta o modo como ela adere a teorias gerais existentes. Tomemos, por exemplo, a seguinte afirmação, inteiramente baseada em evidências: *se você ganhar músculos, poderá comer mais, sem ficar com mais depósitos de gordura na barriga*, e pode empanturrar-se de costeletas de cordeiro sem precisar comprar um cinto novo. Ora, no passado, a teoria para racionalizar essa asserção era: "Seu metabolismo é mais elevado, pois os músculos queimam calorias". Hoje em dia, costumo ouvir: "Você se torna mais sensível à insulina e armazena menos gordura". Insulina, insulina uma ova; metabolismo, que metabolismo que nada: no futuro surgirá outra teoria, e alguma outra substância aparecerá, mas exatamente o mesmíssimo efeito continuará a prevalecer.

Isso vale também para a afirmação de que *levantar pesos aumenta a massa muscular*. No passado, diziam que o levantamento de pesos causava "microrruptura dos músculos", com subsequentes cura e aumento de tamanho. Hoje, algumas pessoas discutem a sinalização hormonal ou os mecanismos genéticos; amanhã, discutirão outra coisa qualquer. Mas o resultado sempre se manteve e continuará sendo o mesmo.

Quando se trata de narrativas, o cérebro parece ser a última província do teórico-charlatão. Adicione *neuroalgumacoisa* a um campo, e de súbito ele ganha respeitabilidade e se torna mais convincente na medida em que as pessoas terão a ilusão de um forte vínculo causal — entretanto, o cérebro é complexo demais para isso; ele é ao mesmo tempo a parte mais complexa da anatomia humana e a que parece mais suscetível à causalidade otária. Christopher Chabris e Daniel Simons chamaram-me a atenção para a evidência que eu vinha procurando: qualquer teoria que tiver em si uma referência implícita aos circuitos do cérebro parecerá mais "científica" e mais convincente, mesmo quando não passar de psiconeuropalavrório aleatório.

Mas essa causalidade tem profundas raízes na medicina ortodoxa, da forma como ela foi tradicionalmente edificada. Em seu *Cânone* (que, em árabe, significa "lei"), Avicena afirma: "Temos de saber as causas da saúde e da doença se quisermos fazer [da medicina] uma *scientia*".

Estou escrevendo sobre saúde, mas não quero depender da biologia além do mínimo obrigatório (não no sentido teórico) — e acredito que aí estará a minha força. Quero simplesmente compreender o mínimo possível para ser capaz de examinar com atenção as regularidades da experiência.

Assim, o modus operandi de cada empreendimento arriscado é permanecer o mais robusto possível às mudanças nas teorias (permita-me repetir que a minha deferência à Mãe Natureza é inteiramente baseada em estatística e gerenciamento de riscos, ou seja, novamente alicerçado na noção de fragilidade). O médico e ensaísta James Le Fanu mostrou como nossa compreensão dos processos biológicos seguiu pari passu o declínio das descobertas farmacêuticas, como se as teorias de racionalização fossem ofuscantes e, de alguma forma, uma desvantagem.

Em outras palavras, temos um problema de madeira verde na biologia!

Agora, um pouco de história da medicina antiga e medieval. Tradicionalmente, a medicina costumava ser dividida em três vertentes: os racionalistas (baseados em teorias preestabelecidas, na necessidade de entendimento global de *para que* as coisas eram feitas), os empiristas céticos (que recusavam teorias e eram céticos com relação a alegações sobre o não observado) e os metódicos (que ensinavam uns aos outros algumas heurísticas médicas simples, desprovidas de teorias, e encontravam uma maneira ainda mais prática de ser empiristas). Embora as diferenças possam ser enfatizadas pela categorização, podemos entender essas três vertentes tradicionais não como enfoques inteiramente dogmáticos, mas sim como variáveis em seu ponto de partida, o peso das crenças anteriores: algumas começam com teorias, outras, com evidências.

Tensões entre as três tendências sempre existiram ao longo do tempo — e eu me incluo diretamente no campo dos que tentam justificar o ponto de vista dos empiristas, que, como escola filosófica, foram engolidos pela Antiguidade tardia. Venho tentando conferir novo alento às ideias de Enesidemo de Cnossos, Antíoco de Laodiceia, Menódoto de Nicomédia, Heródoto de Tarso, e, é claro, Sexto Empírico. Os empiristas insistiam no "eu não sabia", enquanto lidavam com situações *não exatamente vistas* no passado, isto é, em condições quase idênticas. Os metódicos não tinham as mesmas restrições contra a analogia, mas ainda assim permaneciam cuidadosos.

Os antigos eram mais cáusticos

Esse problema da iatrogenia não é recente — e os médicos sempre foram motivo de chacotas.

Em seus epigramas, Marcial nos dá uma ideia de como o problema da medicina era visto em sua época: "Diaulo é coveiro, não médico, como julgava eu até outro dia — parece que o que o coveiro faz agora o médico já fazia". (*Nuper erat medicus, nunc est uispillo Diaulus: quod uispillo facit, fecerat et medicus*) ou "Eu não me sentia doente, Símaco; agora tenho febre (depois que vieste a minha casa para examinar-me)" (*Non habui febrem, Symmache, nunc habeo*).

O termo grego *phármakon* é ambíguo, pois pode significar tanto "veneno" quanto "cura", e foi usado como um trocadilho pelo médico árabe Al-Ruhawi para fazer um alerta contra a iatrogenia.

Um *problema de atribuição* vem à tona quando a pessoa imputa seus resultados positivos às suas próprias aptidões e seus fracassos à sorte. Nícocles, já no século IV a.C., afirmou que os médicos reivindicavam a responsabilidade pelo sucesso e culpavam a natureza, ou alguma causa externa, pelo fracasso. A mesmíssima ideia foi redescoberta por psicólogos cerca de 24 séculos depois, sendo aplicada a corretores da Bolsa, médicos e gestores de empresas.

Segundo uma antiga lenda, o imperador Adriano, à beira da morte, insistia que seus médicos o haviam matado.

Montaigne, sobretudo um sintetizador dos autores clássicos, encheu seus *Ensaios* com inúmeros relatos: perguntaram a um lacedemônio o que o levara a ter uma vida tão longeva; ele respondeu: "Ignorar a medicina". Montaigne também detectou o problema de agência, ou o motivo pelo qual a última coisa de que um médico precisa é que a pessoa esteja saudável: "Médico nenhum, diz o satirista grego da Antiguidade, alegra-se em ver seus próprios amigos com saúde; tampouco o soldado tem prazer quando seu vilarejo firma a paz com os povos vizinhos. E assim todo o resto". (*Nul medecin ne prent plaisir à la santé de ses amis mesmes, dit l'ancien Comique Grec, ny soldat à la paix de sa ville: ainsi du reste.*)

Como medicar metade da população

Lembre-se de como um médico pessoal pode matar você.

Vimos, na história da avó, nossa incapacidade de perceber a diferença, em nosso raciocínio lógico (embora não em ações intuitivas), entre a média e as outras propriedades, mais férteis, daquilo que observamos.

Certa vez, eu estava em um almoço na casa de campo de um amigo, quando alguém apareceu com um aparelho portátil de medição da pressão arterial. Tentado, medi a minha pressão, que acabou se revelando um pouco mais alta do que a média. Um médico, que estava entre os convidados e tinha um temperamento bastante amigável, imediatamente pegou um pedaço de papel e começou a prescrever algum medicamento para baixá-la — mais tarde, joguei na lata do lixo a receita. Depois, comprei o mesmo aparelho e descobri que minha pressão arterial estava muito mais baixa (portanto, melhor) do que a média, com exceção de uma vez ou outra, quando episodicamente atingia o pico. Em suma, ela apresenta variabilidade. Como tudo na vida.

Essa variabilidade aleatória é muitas vezes confundida com informação, levando, portanto, a uma intervenção. Façamos um experimento mental, mas sem nenhum pressuposto sobre o vínculo entre a pressão arterial e a saúde. Além disso, presumiremos que a pressão "normal" é um número determinado, conhecido. Imagine um grupo de pessoas saudáveis. Suponha que, devido à aleatoriedade, em metade do tempo a pressão de determinada pessoa ficará acima daquele número, e na outra metade do tempo, medindo-se a pressão da mesma pessoa, o número ficará abaixo. Assim, em cerca de metade das visitas ao médico o número indicará o alarmante "acima do normal". Se o médico receitar, automaticamente, a medicação nos dias em que os pacientes estiverem acima do normal, então metade da população *normal* será medicada. E observe que temos plena certeza de que a expectativa de vida delas será reduzida por causa de tratamentos desnecessários. É claro que estou simplificando aqui; médicos sofisticados estão cientes da natureza variável das medições e não prescrevem medicação quando os números não são convincentes (embora seja fácil cair na armadilha e nem todos os médicos sejam sofisticados). Mas esse exemplo abstrato pode mostrar como as visitas frequentes ao médico, especialmente fora dos casos de doenças com risco de vida ou de condições de saúde incômodas — assim como o acesso frequente a informações —, podem ser prejudiciais. Esse exemplo nos mostra também o processo, delineado no capítulo 7, por meio do qual um médico acaba matando um paciente — apenas por reagir de maneira exagerada ao ruído.

Isso é mais sério do que pode se pensar: parece que a medicina sofre bastante para entender a variabilidade normal em amostras — na verdade, às vezes é difícil traduzir a diferença entre o "estatisticamente significativo" e o efetivamente "significativo". Determinada doença pode reduzir um pouco nossa expectativa de vida, mas também é possível considerar que ela faz isso com "alta significância estatística", suscitando surtos de pânico quando, de fato, o que todos esses estudos podem estar dizendo é que se estabeleceu, *com uma significativa margem estatística*, que, em alguns casos — digamos, 1% dos casos —, os pacientes provavelmente serão prejudicados por aquela doença. Permita-me reformular: a magnitude do resultado, a importância do efeito, não é captada pelo que é chamado de "significância estatística", algo que tende a iludir os especialistas. Precisamos ver em duas dimensões: o quanto uma condição de saúde, como a pressão arterial alguns pontos acima do normal, está propensa a afetar nossa expectativa de vida; e até que ponto esse resultado é significativo.

Por que isso é problemático? Se você acha que o estatístico realmente compreende a "significância estatística" na complicada textura da vida real (o "vasto mundo", em oposição ao "mundo pequeno" dos livros didáticos), prepare-se para se surpreender. Kahneman e Tversky mostraram que os estatísticos cometiam também erros práticos na vida real, violando seus próprios ensinamentos, esquecendo-se de que eram estatísticos (lembro ao leitor que pensar exige esforço). Meu colega Daniel Goldstein e eu fizemos algumas pesquisas sobre os "*quants*", profissionais de finanças quantitativas, e percebemos que a esmagadora maioria não entendia o efeito prático de noções elementares como "variância" ou "desvio-padrão", conceitos que eles usam em praticamente todas as suas equações. Um recente e contundente estudo, de autoria de Emre Soyer e Robin Hogarth, mostrou que muitos profissionais e especialistas no campo da econometria, responsáveis por fornecer números pomposos como "regressão" e "correlação", cometiam erros flagrantes ao traduzirem para a prática os números que eles mesmos estavam fornecendo — eles entendiam corretamente a equação, mas cometiam graves erros de tradução quando tentavam representá-la na realidade. Em todos os casos, subestimam a aleatoriedade e subestimam a incerteza nos resultados. E estamos falando de erros de interpretação *cometidos pelos estatísticos*, e não pelos usuários de dados estatísticos, como cientistas sociais e médicos.

Infelizmente, todos esses vieses levam à ação, e raramente à inação.

Além do mais, sabemos agora que os slogans "gordura zero" e a tendência contra as gorduras resultam de um erro elementar na interpretação dos resultados de uma regressão: quando duas variáveis são conjuntamente responsáveis por um efeito (aqui, carboidratos e gorduras), às vezes uma delas deve arcar com a responsabilidade exclusiva. Muitos caíram no erro de atribuir à gordura, e não aos carboidratos, os problemas decorrentes do consumo conjunto de gordura e carboidratos. Ademais, o grande estatístico e desmistificador de más interpretações estatísticas David Freedman demonstrou (de maneira muito convincente), junto com um coautor, que o vínculo entre sal e pressão arterial, com o qual tanta gente fica obcecada, não tem base estatística. Pode ser que ele exista para algumas pessoas hipertensas, porém é provável que isso seja a exceção, mais do que a regra.

O "rigor da matemática" na medicina

Aqueles de nós que acham graça do charlatanismo oculto na matemática fictícia das ciências sociais podem se perguntar por que isso não aconteceu com a medicina.

E, na verdade, o cemitério de ideias ruins (e ocultas) mostra que a matemática nos iludiu aí. Já houve muitas tentativas, relegadas ao esquecimento, de reduzir a medicina a formas matemáticas. Durante certo período a medicina derivou seus modelos explicativos das ciências físicas. Giovanni Borelli, em *De motu animalium*, comparou o corpo a uma máquina que consiste em alavancas animais — portanto, poderíamos aplicar as regras da física linear.

Permita-me repetir: não sou contra o discurso racionalizado culto, contanto que não seja frágil ao erro; sou, acima de tudo, um tomador de decisões híbrido, e nunca separarei o filósofo-probabilista do tomador de decisões, de modo que sou uma pessoa mista o tempo todo, pela manhã, quando bebo o líquido ancestral chamado café, ao meio-dia, quando almoço com meus amigos, e à noite, quando vou para a cama carregando um livro. Sou contra o discurso racionalista *ingênuo*, pseudoerudito, com problemas da madeira verde — do tipo que se concentra unicamente no conhecido e *ignora o desconhecido*. Tampouco sou contra o uso da matemática quando se trata de mensurar a importância do desconhecido — essa é a aplicação robusta da matemática. A bem da verdade, todos os argumentos deste e do próximo capítulo se baseiam na matemática da probabilidade — mas não é um uso racionalista da matemática, e boa parte dela possibilita a detecção de inconsistências flagrantes entre afirmações sobre a gravidade da doença e a intensidade do tratamento. Por outro lado, o uso da matemática nas ciências sociais é como o intervencionismo. Aqueles que a praticam profissionalmente tendem a usá-la em todos os lugares, exceto onde pode ser útil.

A única condição para essa variedade de racionalismo mais sofisticado: acreditar e agir como se não conhecesse a história completa — para ser sofisticado, é preciso que você aceite que não é.

A seguir

Este capítulo apresentou a ideia dos efeitos de convexidade e do ônus da prova na medicina e na avaliação do risco de iatrogenia. A seguir, examinaremos mais aplicações dos efeitos de convexidade e discutiremos a *via negativa* como um rigoroso modo de ver a vida.

22. Viver por muito tempo, mas não por tempo demais

Quartas-feiras e sextas-feiras, mais a Quaresma – Como viver para sempre, de acordo com Nietzsche ou outros – Ou por que, quando você reflete, não viver mais

EXPECTATIVA DE VIDA E CONVEXIDADE

Sempre que se questionam alguns aspectos da medicina – ou do "progresso" tecnológico incondicional –, alguém, invariavelmente e de imediato, refuta com o sofisma de que "tendemos a viver mais tempo" do que as gerações anteriores. Note que alguns se apegam inclusive ao argumento ainda mais tolo de que uma propensão pelas coisas naturais implica favorecer o retorno à época das vidas "brutais e breves", sem perceber que é exatamente o mesmo raciocínio que dizer que consumir alimentos frescos, não enlatados, implica rejeitar a civilização, o Estado de direito e o humanismo. Dessa maneira, há nesse argumento da expectativa de vida uma série de nuances.

A expectativa de vida aumentou (dependente em não ocorrer uma guerra nuclear) por causa da combinação de muitos fatores: saneamento, penicilina, uma queda na criminalidade, cirurgias fundamentais e, é claro, *alguns* profissionais da medicina que atuam em situações de alto risco. Se vivemos mais tempo, é graças aos benefícios ocasionados pela medicina em casos que são letais, em que as condições de saúde são graves — portanto, de baixa iatrogenia, e, como vimos, nos casos convexos. Por isso, é um erro gravíssimo inferir que, se vivemos mais tempo por causa da medicina, todos os tratamentos médicos aumentam nossa longevidade.

Além disso, para explicar o efeito do "progresso", é evidente que precisamos deduzir dos ganhos dos tratamentos médicos os custos das doenças da civilização (as sociedades primitivas são basicamente livres de doenças cardiovasculares, câncer, cáries, teorias econômicas, música ambiente e outras mazelas modernas); os avanços no tratamento do câncer de pulmão precisam ser contrabalançados pelos efeitos do tabagismo. A partir de pesquisas e artigos acadêmicos, pode-se estimar que a prática médica talvez tenha contribuído com o acréscimo de um pequeno número de anos para o aumento da expectativa de vida, mas, de novo, isso depende enormemente da gravidade da doença (sem dúvida, é positiva a contribuição de oncologistas nos casos avançados — e curáveis — de câncer, ao passo que a de médicos pessoais intervencionistas é patentemente negativa). Precisamos levar em conta o lastimável fato de que a iatrogenia, portanto, a medicina, reduz a expectativa de vida em um número determinado — e facilmente mapeável — de casos, os côncavos. Temos informações de algumas greves em hospitais, durante as quais somente um pequeno número de operações é realizado (nos casos mais urgentes), e as cirurgias eletivas são adiadas. Dependendo de que lado do debate você esteja, a expectativa de vida nesses casos ou aumenta ou, pelo menos, não parece diminuir. Além disso, muitas cirurgias eletivas terminam sendo canceladas, quando o paciente evolui sozinho para um estado de normalidade — uma evidência de como o trabalho da Mãe Natureza é depreciado por *alguns* médicos.

Outro erro ao estilo "iludidos pelo acaso" é pensar que, uma vez que até o século passado a expectativa de vida ao nascimento costumava ser de trinta anos, as pessoas viviam *apenas* trinta anos. A distribuição sofria profundas distorções, pois a maioria das mortes ocorria no próprio nascimento ou como consequência da mortalidade infantil. A expectativa de vida condicional era alta — considere apenas que os homens ancestrais tendiam a morrer em decorrência de algum trauma.* Talvez a imposição das leis tenha contribuído mais

* Embora haja algumas controvérsias acerca da expectativa de vida condicional, os números são bastante reveladores. Por exemplo, em um extremo, Richard Lewontin estima que, "nos

do que os médicos para o aumento da longevidade — de modo que os ganhos na expectativa de vida são mais sociais do que resultado do avanço científico.

Como estudo de caso, vejamos as mamografias. Demonstrou-se que a realização do exame anual pelas mulheres com mais de quarenta anos não leva a um aumento da expectativa de vida (na melhor das hipóteses; pode até mesmo levar a uma diminuição). Enquanto a mortalidade feminina por câncer de mama diminui no grupo submetido a mamografias, a morte *por outras causas* aumenta acentuadamente. Podemos perceber aqui iatrogenias simples e mensuráveis. O médico, detectando o tumor, não pode evitar fazer algo prejudicial, por exemplo uma cirurgia seguida por radioterapia, quimioterapia, ou ambas — ou seja, mais danosas do que o próprio tumor. Há um ponto de equilíbrio que é facilmente ultrapassado por médicos e pacientes assustados: tratar o *tumor que não matará a pessoa* encurtará a vida dela — a quimioterapia é tóxica. Criamos tantas paranoias com relação ao câncer olhando retrospectivamente para a cadeia causal, um erro de lógica chamado de *afirmação do consequente*. Mesmo que todas as pessoas que estão morrendo prematuramente de câncer tenham um tumor maligno, isso não significa que todos os tumores malignos causam morte por câncer. A maior parte das pessoas de inteligência equivalente não infere, a partir do fato de que todos os cretenses são mentirosos, que todos os mentirosos são cretenses, ou, com base na condição de que todos os banqueiros são corruptos, que todas as pessoas corruptas são banqueiras. Somente em casos extremos a natureza nos permite cometer tamanhas violações da lógica (chamadas de *modus ponens*) a fim de nos ajudar a sobreviver. A reação exagerada é benéfica em um ambiente ancestral.*

A compreensão equivocada dos problemas com as mamografias já levou a reações extremadas por parte de políticos (outra razão para termos uma

---

últimos cinquenta anos, apenas quatro meses foram acrescentados à expectativa de vida de uma pessoa que já tem sessenta anos". Os dados dos Centros de Controle e Prevenção de Doenças (CDC, na sigla em inglês) mostram alguns anos a mais (porém, ainda não sabemos ao certo que fatia disso se deve à medicina, em comparação com as melhorias nas condições de vida e nos costumes sociais). Ainda assim, o CDC mostra que a expectativa de vida aos vinte anos apenas aumentou, dos 42,79 (anos extras) entre 1900-2, para 51,2 entre 1949-51, e para 58,2 em 2002.

* Um comentário técnico: na chamada análise bayesiana (ou probabilidade condicional), seria o equivalente a olhar para a condicional A de B, em vez de B condicional de A.

sociedade imune à estupidez de legisladores por meio da descentralização das decisões importantes). Hillary Clinton, uma política que se enquadra no tipo primitivo, chegou a ponto de alegar que as pessoas que questionam e criticam a utilidade da mamografia estavam matando mulheres.

Podemos generalizar o problema da mamografia aos testes laboratoriais incondicionais, encontrando desvios da norma e agindo para "curar" esses desvios.

A subtração é uma adição a sua vida

Especulo agora o seguinte, depois de ter analisado atentamente alguns dados com meu amigo Spyros Makridakis, estatístico e cientista da tomada de decisões, que apresentei alguns capítulos atrás como o primeiro a encontrar falhas nos métodos de previsões estatísticas: estimamos que a redução, em certa quantidade, dos gastos com assistência médica (limitando os cortes às cirurgias e aos tratamentos opcionais) prolongaria a vida das pessoas na maioria dos países ricos, em particular nos Estados Unidos. Por quê? Simples análise básica de convexidade; simples exame de iatrogenia condicional: o erro de tratar os indivíduos levemente doentes os coloca em uma posição côncava. E parece que entendemos muito bem como fazer isso. É só aumentar a barreira da intervenção médica para favorecer os casos mais graves, em que o efeito da iatrogenia é muito pequeno. Talvez seja até melhor aumentar os gastos nesses casos e reduzir as despesas com as cirurgias eletivas.

Em outras palavras, raciocine de maneira retrospectiva, da iatrogenia para a cura, e não no sentido inverso. Sempre que possível, substitua o médico pela antifragilidade humana. Por outro lado, contudo, não se deixe intimidar diante de tratamentos agressivos.

Outra aplicação da *via negativa*: gastar menos, viver mais tempo, é uma estratégia subtrativa. Vimos que a iatrogenia vem do viés de intervenção, a *via positiva*, a propensão a querer fazer alguma coisa, causando todos os problemas que já discutimos. Mas vamos colocar um pouco de *via negativa* aqui: eliminar as coisas pode ser uma ação bastante potente (e, empiricamente, mais rigorosa).

Por quê? A subtração de uma substância não amadurecida por nossa história evolutiva reduz a possibilidade de eventos Cisne Negro, e ao mesmo tempo deixa uma brecha para melhorias. Caso elas ocorram, podemos afirmar, com razoável grau de certeza, que as melhorias estarão isentas dos efeitos colaterais não visíveis, até onde é possível deduzir.

Assim, existem muitas preciosidades escondidas na *via negativa* aplicada à medicina. Por exemplo, instruir as pessoas a *não* fumar parece ser a maior contribuição médica dos últimos sessenta anos. Druin Burch, em *Taking the Medicine* [Tomando o remédio], escreve: "Os efeitos nocivos do tabagismo são mais ou menos equivalentes aos bons efeitos combinados de *todas* as intervenções médicas desenvolvidas desde a guerra. [...] Livrar-se do hábito de fumar propicia mais benefícios do que ser capaz de curar as pessoas de todos os tipos possíveis de câncer".

Mais uma vez, os antigos. Ênio escreveu: "O bem está, principalmente, na ausência do mal"; *Nimium boni est, cui nihil est mali.*

Da mesma forma, a melhor maneira de lidar com a felicidade é encará-la como um conceito negativo; o mesmo tipo de não linearidade é válido aqui. Os pesquisadores contemporâneos da felicidade (que em geral passam a impressão de ser pessoas muito tristes), o mais das vezes psicólogos que se converteram em economistas (ou vice-versa), não usam não linearidades e efeitos de convexidade quando nos dão lições sobre a felicidade, como se soubéssemos o que ela é e se deveríamos ou não sair no encalço dela. Em vez disso, deveriam nos instruir sobre a infelicidade (levanto a hipótese de que, assim como as pessoas que dão lições sobre felicidade parecem tristes, quem fala sobre infelicidade deveria parecer feliz); a "busca da felicidade" não é equivalente à "evitação da infelicidade". Cada um de nós, certamente, não apenas sabe o que nos deixa infelizes (por exemplo, editores de texto, deslocamento para o trabalho, odores malcheirosos, dor, a visão de determinada revista em uma sala de espera etc.), como também sabe o que precisa ser feito em relação a isso.

Vamos analisar a sabedoria secular. "Às vezes a escassez de alimento restaura o sistema", escreveu Plotino — e os antigos acreditavam em purgações (uma manifestação disso era a invariavelmente prejudicial, embora muitas vezes benéfica, prática regular da sangria). O regime da Escola de Medicina de Salerno: disposição alegre, descanso e dieta frugal. *Si tibi deficiant medici, medici tibi fiant haec tria: mens laeta, requies, moderata diaeta.*

Há uma história aparentemente apócrifa (que não deixa de ser interessante) sobre Pompônio Ático, famoso por ser parente de Cícero e destinatário das epístolas dele. Estando doente, acometido de uma moléstia incurável, ele tentou, por meio da abstinência, colocar um fim à sua vida e a seu sofrimento, mas só conseguiu dar cabo do último, pois, de acordo com Montaigne, sua saúde foi restaurada. Apesar da natureza apócrifa da história, eu a estou citando apenas porque, de uma perspectiva científica, parece que a única maneira de conseguirmos prolongar a vida das pessoas é pela restrição calórica — o que parece curar muitas enfermidades em seres humanos e prolongar a vida dos animais de laboratório. Porém, como veremos na próxima seção, essa restrição não precisa ser permanente — apenas jejuns ocasionais (embora dolorosos) talvez fossem suficientes.

Sabemos que é possível curar muitos casos de diabetes submetendo as pessoas a uma dieta bastante rigorosa, quase em inanição, provocando um choque em seu sistema — na verdade, o mecanismo deve ser conhecido heuristicamente há bastante tempo, considerando a existência na Sibéria de institutos e sanatórios que fazem uso da inanição curativa.

Já foi demonstrado que muitas pessoas se beneficiam com a eliminação de produtos que não existiam em seu hábitat ancestral: açúcares e outros carboidratos em formato artificial, produtos de trigo (as pessoas com doença celíaca, embora quase todos nós sejamos, de certa forma, intolerantes a esse elemento adicional na dieta humana), leite e outros laticínios (para os indivíduos que não têm origem no norte da Europa e que não desenvolveram tolerância à lactose), refrigerantes (tanto as versões dietéticas quanto as comuns), vinho (para as pessoas de origem asiática, sem histórico de exposição à bebida), comprimidos de vitaminas, suplementos alimentares, médicos de família, medicamentos para dor de cabeça e outros analgésicos. A dependência de analgésicos estimula as pessoas a evitar enfrentar, por meio de tentativa e erro, a causa da dor de cabeça, que pode ser falta de sono, tensão no pescoço ou estressores ruins — isso permite a elas continuar se autodestruindo em uma vida ao estilo cama de Procusto. Mas não é preciso ir muito longe, basta começar a excluir os medicamentos receitados a você pelo seu médico, ou, de preferência, eliminar o seu médico — como afirmou Oliver Wendell Holmes pai: "Se todos os medicamentos fossem jogados no mar, seria melhor para a humanidade, mas pior para os peixes". Meu pai, um oncologista (que também fez pesquisas em antropologia), me criou sob a influência dessa máxima (infelizmente, porém, na prática ele não a seguia completamente, embora a mencionasse com frequência).

Eu, de minha parte, resisto a comer frutas que não são encontradas no antigo Mediterrâneo oriental (uso "eu" aqui para mostrar que não estou me referindo de forma estritamente genérica ao restante da humanidade). Evito qualquer fruta que não tenha um nome em grego ou em hebraico antigos, como manga, mamão papaia e até mesmo laranja. As laranjas parecem ser o equivalente pós-medieval dos doces; não existiam no Mediterrâneo antigo. Aparentemente, os portugueses encontraram uma árvore cítrica doce em Goa ou em algum outro lugar e começaram a plantá-la para produzir frutas cada vez mais doces, como uma confeitaria moderna. Até mesmo as maçãs que encontramos nos supermercados devem ser encaradas com alguma desconfiança: as maçãs originais eram desprovidas de sabor doce, e as empresas de frutas as produzem de modo a obter o máximo de doçura — as maçãs das montanhas de minha infância eram ácidas, amargas, crocantes e muito menores do que a reluzente variedade encontrada nos supermercados norte-americanos, e que, supostamente, faz bem para a saúde e mantém o médico distante.

Com relação a líquidos, minha regra é não beber nenhum líquido que não tenha, pelo menos, mil anos de existência — de modo que sua aptidão já tenha sido posta à prova. Eu só bebo vinho, água e café. Nenhum refrigerante. Talvez a bebida mais enganosamente nociva seja o suco de laranja, que obrigamos os pobres inocentes a beber à mesa do café da manhã, enquanto, graças ao marketing, tentamos convencê-los de que é algo "saudável" (sem contar o fato de que as frutas cítricas que nossos antepassados ingeriam não eram doces; eles nunca ingeriam carboidratos sem enormes, imensas quantidades de fibras. Comer uma laranja ou uma maçã não é biologicamente equivalente a beber suco de laranja ou de maçã). A partir desses exemplos, extraí a regra de que aquilo que é tido como "saudável" é, geralmente, insalubre, assim como as redes "sociais" são antissociais e a economia baseada no "conhecimento" é, normalmente, ignorante.

Acrescento que, por experiência própria, houve um considerável salto em minha saúde pessoal com a eliminação de alguns repugnantes inconvenientes: os jornais matutinos (a mera menção dos nomes dos jornalistas fragilistas Thomas Friedman e Paul Krugman pode causar em mim ataques repentinos de fúria unilateral), o chefe, o deslocamento diário para o trabalho, o ar-condicionado (mas não o aquecimento), a televisão, os e-mails de documentaristas, as previsões econômicas, as notícias sobre o mercado de ações, os aparelhos de academia para "treinamento de força" e muitos mais.*

A iatrogenia do dinheiro

Para entender a negação ostensiva da antifragilidade no modo como buscamos a riqueza, tenha em mente que os operários da construção civil parecem mais felizes com uma baguete de presunto e queijo do que homens de negócios se contentam com uma refeição de três estrelas do *Guia Michelin*. A comida tem um sabor muito melhor depois do esforço intenso. Os romanos tinham uma estranha relação com a riqueza: qualquer coisa que "amolecesse" ou "suavizasse" era vista de forma negativa. Sua reputação de amantes da decadência é um pouco exagerada — a história gosta de sensacionalismo; eles eram avessos ao conforto e entendiam seus efeitos colaterais. O mesmo ocorria com os semitas, divididos entre as tribos do deserto e os habitantes da cidade, sendo que os moradores da cidade nutriam certa nostalgia intergeracional por suas raízes e pela cultura original das tribos; assim, existia a cultura do deserto, repleta de poesia, bravura cavalheiresca, contemplação, episódios conturbados e frugalidade, maquinados de caso pensado contra o conforto das cidades, que era associado a decadência física e moral, intrigas maldosas e degeneração. O morador da cidade ia para o deserto em busca de purificação, como fez Cristo por quarenta dias no deserto da Judeia, ou são Marcos, no deserto do Egito, iniciando a tradição do ascetismo. Em algum momento ocorreu no Levante uma epidemia de monasticismo, do qual o exemplo mais impressionante talvez tenha sido são Simeão, que passou quarenta anos no topo de uma coluna, no norte da Síria. Os árabes mantiveram a tradição, renunciando a seus bens materiais e retirando-se para lugares silenciosos, áridos e vazios. E, é claro, praticando o jejum obrigatório — mais sobre isso daqui a pouco.

* Um exemplo da falta de sabedoria empírica no uso do termo "evidências": em um artigo da *New York Times Magazine*, um médico que afirmava ter parado de comer açúcar por ser potencialmente nocivo à saúde mostrava pesar por fazer isso sem "ter evidências plenas". O melhor teste de sabedoria empírica para uma pessoa é saber onde ela coloca o ônus da prova.

Note que a iatrogenia médica é o resultado da riqueza e da sofisticação, e não da pobreza e da simplicidade, e, é claro, o produto de um conhecimento parcial, e não da ignorância. Assim, essa ideia de renunciar às próprias posses para se refugiar no deserto pode ser bastante potente como uma estratégia subtrativa ao estilo *via negativa*. Poucos atentaram para o fato de que o dinheiro tem sua própria iatrogenia, e que apartar algumas pessoas de sua fortuna simplificaria a vida delas e lhes traria grandes benefícios na forma de estressores mais saudáveis. Portanto, ser mais pobre talvez não esteja completamente desprovido de benefícios, se a pessoa fizer isso direito. Precisamos da civilização moderna para muitas coisas, por exemplo o sistema jurídico e as cirurgias de emergência. Mas simplesmente imagine o quanto poderíamos melhorar por meio da perspectiva subtrativa, *via negativa*, tornando-nos mais durões: nada de protetor solar, nada de óculos de sol se você tem olhos castanhos, nada de ar-condicionado, nada de suco de laranja (apenas água), chega de superfícies regulares, basta de refrigerante, nada de remédios complicados, chega de música alta, nada de elevador, nada de espremedor de frutas, nada de... paro por aqui.

Quando vejo fotos de meu amigo, defensor do estilo de vida ancestral paleolítico, Art De Vany, que está extremamente em forma e já passou dos setenta anos (encontra-se muito mais saudável do que a maioria das pessoas trinta anos mais novas do que ele), e as dos bilionários em formato de pera Rupert Murdoch ou Warren Buffett, ou outros na mesma faixa etária, quase sempre me ocorre a seguinte ideia: se a verdadeira riqueza consiste em sono tranquilo, consciência limpa, gratidão recíproca, ausência de inveja, bom apetite, força muscular, energia física, risadas frequentes, não fazer refeições sozinho, nenhum treino na academia, algum trabalho físico (ou passatempo), bom funcionamento intestinal, nada de sala de reuniões e surpresas periódicas, então ela é, em grande parte, subtrativa (eliminação da iatrogenia).

Religião e intervencionismo ingênuo

A religião tem propósitos invisíveis, além dos que os cientistas-cientificistas de mente literal identificam — um deles é proteger-nos do cientificismo. Podemos ver, no conjunto das inscrições (em lápides), relatos de pessoas que ergueram chafarizes ou até mesmo templos para seus deuses favoritos, depois que as divindades obtiveram sucesso nas situações em que médicos fracassaram. Na verdade, quase nunca damos atenção aos benefícios da religião no que se refere a limitar o viés de intervenção e de sua iatrogenia: *em um amplo conjunto de circunstâncias (doenças sem gravidade), qualquer coisa que livre você do médico e lhe permita não fazer nada (portanto, dando à natureza a chance de fazer seu trabalho) será benéfica.* Então, ir à igreja (ou ao templo de Apolo) em casos leves — por exemplo, aqueles desprovidos de trauma, como um ligeiro incômodo, e não ferimentos decorrentes de um acidente de carro, ou as situações em que o risco de iatrogenia excede o benefício da cura; repito mais uma vez, os casos com convexidade negativa — certamente ajudará. Nos templos temos inúmeras inscrições do tipo *Apolo me salvou, meus médicos tentaram me matar* — muitas vezes o paciente deixava sua herança para o templo.

E me parece que a natureza humana, no fundo, sabe quando recorrer ao consolo da religião e quando trocá-la pela ciência.*

SE É QUARTA-FEIRA, TENHO QUE SER VEGANO

Às vezes, quando há um jantar de confraternização por ocasião de uma conferência, os organizadores enviam-me um formulário perguntando se tenho restrições alimentícias. Alguns fazem isso com quase seis meses de antecedência. No passado, minha resposta habitual era que eu evitava comer gatos, cachorros, ratos e seres humanos (especialmente economistas). Hoje, após meu processo de evolução pessoal, realmente preciso saber qual será o dia da semana, para decidir se nesse dia serei vegano ou se poderei comer portentosos pedaços de bife. Como? É só consultar o calendário ortodoxo grego e seus jejuns obrigatórios. Isso confunde a costumeira versão moderna do sujeito ingênuo, do tipo homem-de-negócios-leitor-de-conferências-TED, que gosta de categorizar tudo mas não consegue me enquadrar nem no "campo dos paleolíticos" nem no "campo dos veganos" (os "paleolíticos" são pessoas carnívoras que tentam reproduzir a suposta dieta ancestral dos homens das cavernas caçadores-coletores, com grande consumo de carnes e gordura animal; veganos são pessoas que não comem nenhum produto de origem animal,

* Estou tentando evitar discutir o efeito placebo; meu negócio são as não linearidades, e isso não tem relação com o argumento das não linearidades.

nem mesmo manteiga). Veremos mais adiante por que é um erro racionalista ingênuo fazer parte de qualquer uma dessas categorias (exceto por motivos religiosos ou espirituais), a não ser episodicamente.

Acredito na heurística da religião e me ajusto cegamente a suas regras (como cristão ortodoxo, posso trapacear de vez em quando, já que isso faz parte do jogo). Entre outras coisas, o papel da religião é domesticar a iatrogenia da abundância — jejuar faz com que o indivíduo perca seu senso de merecimento e de direitos adquiridos. No entanto, há aspectos mais sutis.

Efeitos de convexidade e nutrição aleatória

Lembre-se, a partir da discussão sobre a ventilação pulmonar, dessa consequência prática da desigualdade de Jensen: a irregularidade traz benefícios para algumas áreas; a regularidade traz malefícios. Quando a desigualdade de Jensen for aplicada, a irregularidade pode tornar-se um remédio.

Talvez o mais imprescindível seja eliminar aleatoriamente algumas refeições, ou, pelo menos, evitar a estabilidade no consumo de alimentos. O erro de deixar passar despercebidas as não linearidades é encontrado em duas situações: na mescla e na frequência da ingestão de comida.

O problema com a mescla é o seguinte. Nós, seres humanos, somos tidos como onívoros, em comparação com mamíferos mais especializados, a exemplo de vacas e elefantes (que comem saladas) e leões (que comem suas presas, geralmente presas que se alimentam de saladas). Mas essa habilidade de ser onívoro teve de surgir como resposta aos mais diversificados ambientes, que tinham uma disponibilidade de fontes não planejada, fortuita e, o que é essencial, em série — a especialização é a resposta a um hábitat muito estável, livre de mudanças abruptas, e a redundância de caminhos é a resposta a um hábitat mais variado. A diversificação de funções teve de surgir como resposta à variedade. E uma variedade com uma estrutura específica.

Repare em uma sutileza na forma como somos construídos: a vaca e os outros herbívoros estão sujeitos a muito menos aleatoriedade do que o leão em sua ingestão de alimentos; comem sem parar, mas precisam trabalhar com afinco para metabolizar todos os nutrientes, gastando várias horas por dia apenas para comer. Sem contar o tédio de ficarem lá paradas comendo saladas. O leão, por outro lado, depende mais da sorte; ele tem êxito em uma pequena porcentagem dos ataques que desfere para matar as presas, menos de 20%, mas, quando come, obtém de modo rápido e fácil todos os nutrientes produzidos graças ao trabalho muito árduo e enfadonho feito pela presa. Assim, leve em conta os seguintes princípios derivados da estrutura aleatória do ambiente: quando somos herbívoros, comemos continuamente, mas, quando somos predadores, comemos de maneira mais aleatória. Logo, nossas proteínas devem ser consumidas aleatoriamente, por razões estatísticas.

Assim, se você concorda que precisamos de uma nutrição "balanceada", com certa combinação, é errado presumir, de imediato, que precisamos desse equilíbrio *em todas as refeições*, e não em série. Supondo que precisemos, em média, de determinadas quantidades de vários nutrientes que foram identificados, digamos, certa quantidade de carboidratos, proteínas e gorduras.* Há uma grande diferença entre ingeri-los juntos, em todas as refeições, com o clássico bife e salada seguidos por frutas frescas, ou consumi-los separadamente, em série.

Por quê? Porque a privação é um estressor — e sabemos o que os estressores fazem quando se permite que tenham uma recuperação adequada. Os efeitos da convexidade estão mais uma vez em ação aqui: certamente, consumir três vezes a dose diária de proteína em um dia e nada nos dois dias seguintes não é biologicamente equivalente ao consumo moderado "estável", se nossas reações metabólicas são não lineares. Deveria haver alguns benefícios — pelo menos é assim que fomos projetados.

Eu especulo; para ser honesto, mais do que especulo: estou convencido (um resultado inevitável da não linearidade) de que somos antifrágeis à aleatoriedade na distribuição e na composição dos alimentos — pelo menos dentro de determinado intervalo ou número de dias.

E uma escancarada negação do viés de convexidade é a teoria sobre os benefícios da chamada dieta de Creta (ou dieta mediterrânea), que desencadeou uma mudança nos hábitos alimentares da classe esclarecida dos Estados Unidos, que se afastou dos bifes e batatas em favor de peixes grelhados com salada

* Algumas pessoas alegam que precisamos mais de gorduras do que de carboidratos; outras afirmam o contrário (todas elas tendem a concordar com relação à proteína, embora poucas percebam que precisamos randomizar a ingestão de proteína). Ambos os lados ainda defendem a não aleatoriedade na mistura e ignoram as não linearidades de sequência e composição.

e queijo feta. Isso aconteceu da seguinte forma: alguém notou a longevidade dos cretenses, catalogou o que eles comiam e então inferiu, ingenuamente, que eles viviam mais tempo por causa dos tipos de alimento que consumiam. Talvez seja verdade, mas o efeito de segunda ordem (as variações na ingestão) pode ser dominante, algo que passou despercebido por pesquisadores mecanicistas. De fato, demorou um pouco para que percebessem o seguinte: a Igreja ortodoxa grega, dependendo da severidade da cultura local, preconiza quase duzentos dias de jejum por ano; e são jejuns excruciantes.

Sim, jejuns excruciantes, como a angústia que estou sentindo na pele neste exato momento. Pois escrevo estas linhas durante a quaresma ortodoxa, um período de quarenta dias em que não se pode consumir quase nenhum produto de origem animal, nenhum doce, e, para os mais certinhos, nada de azeite. Como há várias gradações, tento manter-me em um nível semirrígido, e não é nada fácil, como é o propósito. Acabo de passar um fim de semana prolongado em Amioun, meu vilarejo ancestral no norte do Líbano, na área grega ortodoxa chamada vale Koura. Lá, os tradicionais alimentos "ardilosos" são aperfeiçoados, com grande imaginação: quibe levantino feito com ervas e favas em vez de carne; almôndegas feitas de pequenas bolas amarronzadas, estilo matzá, com sopa de lentilhas. Por incrível que pareça, embora o peixe seja proibido, na maior parte dos dias é permitido comer mariscos, provavelmente por não serem considerados um item de luxo. A compensação pela ausência de alguns nutrientes da minha dieta diária será realizada em etapas. Equilibrarei minha privação daquilo que os pesquisadores (por enquanto) chamam de proteína comendo peixes nos dias em que for permitido e, é claro, devorarei carne de cordeiro no dia da Páscoa, e depois disso, por algum tempo consumirei, de modo descomedido, grandes quantidades de carne vermelha e gordurosa. Sonho com o bife malpassado servido nos restaurantes que Tony Gordo frequenta, em porções desavergonhadamente monstruosas.

E há a antifragilidade ao estressor do jejum, que faz com que a comida desejada tenha um sabor melhor e possa produzir euforia no sistema da pessoa que se alimenta. Quebrar um jejum parece ser o extremo oposto de uma ressaca.*

* A principal doença da abundância pode ser vista na habituação e extenuação (o que os biólogos atualmente chamam de entorpecimento dos receptores); Sêneca: "Para a pessoa que está doente, o mel tem sabor mais doce".

Tenho curiosidade de saber como as pessoas conseguem aceitar que os estressores dos exercícios físicos façam bem a elas, sem conseguir chegar à conclusão de que a privação de alimentos possa ter o mesmo efeito. Mas os cientistas estão prestes a descobrir os efeitos da privação episódica de alguns alimentos, se não de todos. De alguma forma, demonstram as evidências, ficamos mais atentos e mais aptos em resposta ao estresse da restrição alimentícia. Podemos examinar estudos biológicos não para fazer generalizações ou usá-los no sentido racionalista, mas a fim de verificar a existência de uma resposta humana à fome: os mecanismos biológicos são ativados pela privação de alimentos. E temos experiências com estudos de conjuntos de pessoas mostrando o efeito positivo da fome — ou a privação de um grupo de alimentos — no corpo humano. Agora os pesquisadores procuram compreender o mecanismo da *autofagia* (o ato de comer a si mesmo): dizem as teorias que, quando privadas de fontes externas, as células começam a nutrir-se de si mesmas, ou a quebrar proteínas e recombinar aminoácidos de modo a fornecer material para a construção de outras células. Alguns pesquisadores supõem (por enquanto) que o efeito "aspirador de pó" da autofagia é a chave da longevidade — embora minhas ideias acerca do natural sejam impermeáveis às teorias deles: como mostrarei mais adiante, a fome ocasional produz alguns benefícios para a saúde, e ponto-final.

A resposta para a fome, nossa antifragilidade, tem sido subestimada. Insistimos em dizer às pessoas que façam uma boa refeição no café da manhã, para que possam enfrentar as atribulações do dia. E essa não é uma teoria nova, criada por nutricionistas modernos empiricamente cegos — por exemplo, fiquei comovido com um diálogo no monumental romance *O vermelho e o negro*, de Stendhal, em que alguém diz ao protagonista, Julien Sorel, que "os trabalhos do dia serão longos e penosos, por isso, vamos nos *fortalecer* com um café da manhã" (que, no francês daquele período, era chamado de "primeiro almoço"). Com efeito, aos poucos já se demonstrou que a ideia do café da manhã como uma refeição principal, incluindo cereais e outros elementos parecidos, prejudica os seres humanos — pergunto-me por que demorou tanto tempo para que alguém percebesse que essa ideia tão inatural precisa ser posta à prova; ademais, testes comprovam que o café da manhã causa danos, ou pelo menos não gera benefício nenhum, a não ser que de antemão o indivíduo tenha trabalhado duro para obtê-lo.

Lembremos que não fomos projetados para pegar alimentos com entregadores de comida. Na natureza, tínhamos de gastar alguma energia para comer. Os leões caçam para comer; eles não fazem sua refeição e depois saem à caça por prazer. Dar comida às pessoas antes que elas gastem energia certamente confundiria seu processo de entendimento de sinais. E temos amplas evidências de que privar intermitentemente (e apenas intermitentemente) organismos de alimentos gera efeitos benéficos para várias funções — Valter Longo, por exemplo, observou que os prisioneiros dos campos de concentração ficavam menos doentes na primeira fase de restrição de comida, para, a partir daí, sucumbir. Ele testou o resultado de forma experimental e constatou que os ratos, na fase inicial de inanição, conseguem suportar altas doses de quimioterapia sem efeitos colaterais visíveis. Os cientistas usam a narrativa de que a fome causa a expressão de um gene codificador de uma proteína chamada SIRT, SIRT1 ou sirtuína, que é associada à vida longa e a outros efeitos. A antifragilidade dos seres humanos manifesta-se na resposta com sobrerregulação de alguns genes em resposta à fome.

Assim, uma vez mais, as religiões que preceituam jejuns rituais têm mais respostas do que é presumido por aqueles que as analisam de forma muito literal. Na verdade, o que esses jejuns rituais fazem é tentar trazer as não linearidades para o consumo a fim de que sejam compatíveis com propriedades biológicas. O apêndice mostra graficamente as respostas-padrão à dose em biologia: um pouco de qualquer coisa parece conter efeitos de convexidade positivos (sejam benéficos ou prejudiciais); aumente a dose e o efeito enfraquecerá. Claramente, na extremidade superior a dose não tem um efeito extra, uma vez que se atinge a saturação.

Incapaz de andar

Outra fonte de danos do racionalismo ingênuo. Assim como, durante muito tempo, muita gente tentou encurtar o sono, já que ele parecia inútil à nossa lógica terráquea, muitas pessoas acharam que caminhar é inútil, e, por isso, usam transportes mecânicos (carro, bicicleta etc.) e se exercitam suando a camisa em academias. E, quando elas andam, executam essa ignominiosa modalidade de "*power walking*", uma caminhada a passo acelerado, às vezes com pesos nos braços. Elas não percebem que, por razões que ainda lhes são opacas, andar sem esforço, em um ritmo abaixo do nível de estresse, pode trazer benefícios — ou, segundo eu especulo, é necessária para os seres humanos, talvez tão necessária quanto o sono, que em algum momento a modernidade não foi capaz de racionalizar e tentou reduzir. Ora, pode ou não ser verdade que a caminhada sem esforço seja tão necessária quanto o sono, mas uma vez que todos os meus antepassados — até o advento do automóvel — passavam a maior parte do tempo zanzando por aí (e dormindo), tento apenas seguir a lógica, antes inclusive que algum periódico médico seja influenciado pela ideia e apresente o que os pareceristas de periódicos médicos chamam de "evidências".

Quero viver para sempre

Ouço, o tempo todo, um incessante palavrório sobre como viver mais, como ser mais rico e, é claro, mais soterrado por geringonças eletrônicas. Não somos a primeira geração a acreditar que a morte é a pior coisa que pode nos acontecer. Porém, para os antigos, o pior resultado possível não era a morte, mas sim uma morte desonrosa, ou, até mesmo, apenas uma morte medíocre. Para um herói clássico, morrer em uma casa de repouso para idosos, aos cuidados de uma enfermeira rabugenta e de uma mixórdia de tubos entrando e saindo do nariz, não seria o *télos* atraente para a vida.

E, obviamente, temos a ilusão moderna de que deveríamos viver o máximo de tempo possível. Como se cada um de nós fosse o produto final. Pode-se remontar ao Iluminismo essa ideia do "eu" como uma unidade. E, com ela, a fragilidade.

Antes disso, éramos parte do coletivo presente e da prole futura. Tanto as tribos do presente quanto as do futuro tiravam proveito da fragilidade dos indivíduos para se fortalecer. As pessoas se sacrificavam, buscavam o martírio, morriam pelo grupo e sentiam orgulho de fazer isso; elas trabalhavam arduamente em prol das gerações futuras.

Tristemente, enquanto escrevo estas linhas, o sistema econômico está sobrecarregando as gerações futuras com a dívida pública governamental, o que causa o esgotamento dos recursos e a deterioração ambiental, para satisfazer as necessidades dos analistas de valores mobiliários e do establishment bancário (mais uma vez, não podemos separar a fragilidade da ética).

Como escrevi no capítulo 4, embora o gene seja antifrágil, uma vez que é informação, o portador do gene é frágil, e precisa ser, para que o gene se fortaleça. Vivemos para produzir informações, ou para nos aprimorar a partir delas. Nietzsche usava o jogo de palavras latino, *aut liberi, aut libri* — ou filhos ou livros, os dois sendo informações que percorrem os séculos.

Acabo de ler o maravilhoso *A busca pela imortalidade*, de John Gray, que discorre sobre as tentativas de usar a ciência, em um mundo pós-religioso, para alcançar a condição de imortal. Senti um profundo asco — como qualquer antigo sentiria — pelos esforços dos pensadores da "singularidade" (por exemplo, Ray Kurzweil), que acreditam no potencial dos seres humanos de viver para sempre. Note que, se eu tivesse de encontrar o antieu, a pessoa com ideias e estilo de vida diametralmente opostos aos meus no planeta, seria o tal Ray Kurzweil. Não é apenas neomania. Enquanto proponho que os elementos repugnantes sejam eliminados da dieta das pessoas (e da vida delas), ele trabalha por adição, a ingestão de cerca de duzentos comprimidos por dia. Além disso, essas tentativas de imortalidade me causam uma profunda repulsa moral.

É o mesmo tipo de profundo desprezo que se apodera de mim quando vejo um homem rico, de 82 anos, cercado de "gatas", amantes de vinte e poucos anos (quase sempre russas ou ucranianas). Não estou aqui para viver para sempre feito um animal doente. Lembre-se de que a antifragilidade de um sistema resulta da mortalidade de seus componentes — e faço parte dessa população maior chamada seres humanos. Estou aqui para ter uma morte heroica em nome do bem do coletivo, para gerar descendentes (e prepará-los para a vida e sustentá-los), ou, no fim das contas, produzir livros — minhas informações, isto é, meus genes, aquilo que é antifrágil em mim, é que devem buscar a imortalidade, não eu.

E por fim, dizer adeus, ter um belo funeral no cemitério de São Sérgio (Mar Sarkis), em Amioun, e, como dizem os franceses, *place aux autres* — abrir espaço para os outros.

Livro VII

A ética da fragilidade e da antifragilidade

Agora, a ética. Sob opacidade, e na recém-descoberta complexidade do mundo, as pessoas podem ocultar riscos e prejudicar as outras, e não serem punidas pela lei. A iatrogenia tem consequências tanto tardias quanto invisíveis. É difícil detectar relações causais, de modo a compreender plenamente o que está acontecendo.

Sob tais limitações epistemológicas, arriscar a própria pele é o único atenuador verdadeiro da fragilidade. O código de Hamurabi proporcionou uma solução simples — há cerca de 3800 anos. Essa solução vem sendo progressivamente deixada de lado nos tempos modernos, à medida que desenvolvemos certa predileção pela complexidade neomaníaca, que sobrepujou a simplicidade arcaica. Precisamos entender a perpétua solidez dessa solução.

23. Arriscando a própria pele: antifragilidade e opcionalidade à custa dos outros

Tornando o papo-furado menos furado — Dando atenção ao espólio — Empresas com atitudes aleatórias de compaixão? — Previsão e previsão inversa

Este capítulo investigará onde estamos nos metendo quando uma pessoa obtém vantagens e outra arca com as desvantagens.

O pior problema da modernidade está na maligna transferência de fragilidade e de antifragilidade de uma parte para a outra, uma delas recebendo os benefícios e a outra recebendo (involuntariamente) os danos, sendo essa transferência facilitada pela cisão cada vez maior entre o ético e o legal. Esse estado de coisas já existia antes, mas hoje tornou-se mais intenso — a modernidade é especialista em ocultá-lo.

É, claro, um problema de agência.

E o problema de agência é, evidentemente, uma assimetria.

Estamos testemunhando uma mudança fundamental. Pense nas sociedades mais antigas — aquelas que sobreviveram. A principal diferença entre nós e elas é o desaparecimento de um senso de heroísmo; um afastamento de certo respeito — e de poder — para aqueles que assumem riscos desvantajosos em nome dos outros. Pois o heroísmo é exatamente o oposto do problema de agência: alguém escolhe arcar com o peso das desvantagens (coloca em perigo sua própria vida, arrisca-se a sofrer um dano pessoal ou, em formas mais brandas, aceita privar-se de alguns benefícios) para o bem de outros. O que temos atualmente é o extremo oposto: o poder parece ir para aqueles que roubam as livres opções da sociedade, como banqueiros, executivos de corporações (não empreendedores) e políticos.

E o heroísmo não tem a ver apenas com conflitos e guerras. Um exemplo de problema de agência inverso: quando criança, fiquei muito impressionado com a história de uma babá que morreu para salvar uma criança de ser atropelada por um carro. Para mim, nada é mais honroso que aceitar a morte no lugar de outra pessoa.

Em outras palavras, o que se chama de sacrifício. E a palavra "sacrifício" está relacionada a *sacro*, *sagrado*, o domínio do santificado, que é distinto do profano.

Em sociedades tradicionais, o nível de respeitabilidade e dignidade de um indivíduo é medido de acordo com os prejuízos e desvantagens que ele (ou, muito mais do que se imagina, *ela*) está disposto a enfrentar pelo bem dos outros. As pessoas mais corajosas, ou mais valorosas, ocupam a mais alta posição social em sua sociedade: cavaleiros, generais, comandantes. Até mesmo os chefões da máfia aceitam o fato de que, por causa da posição na hierarquia, estão mais expostos, mais passíveis de ser eliminados pelos concorrentes e mais penalizados pelas autoridades. O mesmo se aplica aos santos, aqueles que abdicam, devotam a vida a servir aos outros — a ajudar os fracos, os desvalidos e os despossuídos.

Assim, a tabela 7 apresenta outra Tríade: há aqueles que não arriscam a própria pele, mas se beneficiam com os outros; aqueles que não se beneficiam com os outros e nem os prejudicam; e, por fim, a grande categoria daqueles que se sacrificam, assumem os danos em prol dos outros.

TABELA 7 • ÉTICA E A ASSIMETRIA FUNDAMENTAL

NÃO ARRISCAM A PRÓPRIA PELE	ARRISCAM A PRÓPRIA PELE	ARRISCAM A PRÓPRIA PELE PARA O BEM DOS OUTROS OU COLOCAM A ALMA NO JOGO
(Mantêm a vantagem, transferem a desvantagem para os outros, guardam uma carta na manga à custa dos outros)	*(Mantêm sua própria desvantagem, assumem seu próprio risco)*	*(Assumem sua própria desvantagem em prol dos outros, ou valores universais)*
Burocratas	Cidadãos	Santos, cavaleiros, guerreiros, soldados
Conversa fiada ("papo-furado", no dialeto de Tony Gordo)	Atitudes, em vez de papo-furado	Conversas onerosas
Consultores, sofistas	Comerciantes, empresários	Profetas, filósofos (no sentido pré-moderno)
Negócios	Artesãos	Artistas, alguns artesãos
Executivos corporativos (de terno e gravata)	Empreendedores	Empreendedores/ Inovadores
Teóricos, mineradores de dados, estudos observacionais	Experimentadores de laboratório e de campo	Cientistas independentes
Governo centralizado	Governo das cidades-estados	Governo municipal
Editores	Escritores	Grandes escritores
Jornalistas que "analisam" e preveem	Especuladores	Jornalistas que assumem riscos e *revelam* fraudes (regimes poderosos, corporações)
Políticos	Ativistas	Rebeldes, dissidentes, revolucionários
Banqueiros	*Traders*	(Não se envolvem com o comércio vulgar)
O fragilista prof. dr. Joseph Stiglitz	Tony Gordo	Nero Tulipa
Vendedores de riscos		Contribuintes (colocam a alma em jogo de forma meio involuntária, mas são vítimas)

Permita-me seguir minhas emoções e começar com a terceira coluna, a da extrema direita, aquela sobre heróis e pessoas corajosas. A robustez — inclusive a antifragilidade — da sociedade depende deles; se estamos aqui hoje é porque alguém, em algum momento, correu alguns riscos por nós. Mas coragem e heroísmo não significam assumir riscos às cegas — não são, necessariamente, imprudência. Existe uma pseudocoragem que se origina da cegueira a riscos, em que as pessoas subestimam as probabilidades de fracasso. Temos amplas evidências de que as mesmíssimas pessoas tornam-se covardes e reagem com exagero diante de riscos reais; exatamente o contrário. Para os estoicos, a prudência é da mesma natureza da coragem — a coragem de lutar contra seus próprios impulsos (em um aforismo de Públio Siro — quem mais? —, a prudência era considerada a coragem do general).

O heroísmo evoluiu ao longo da civilização, da arena marcial para a arena das ideias. De início, nos tempos pré-clássicos, o herói homérico era alguém essencialmente dotado de coragem física — numa época em que tudo era físico. Em tempos clássicos posteriores, para pessoas como o grande rei lacedemônio Agesilau, uma vida verdadeiramente feliz era aquela coroada pelo privilégio de morrer num campo de batalha, pouco mais do que isso, talvez nada além disso. Porém, na concepção de Agesilau, a coragem já evoluíra das proezas puramente marciais para algo maior. A coragem era muitas vezes vista em atos de renúncia — por exemplo, quando alguém estava disposto a se sacrificar em benefício dos outros, do coletivo, algo altruísta.

Por fim, surgiu uma nova forma de coragem, a do Platão socrático, que é a própria definição do homem moderno: a coragem de defender uma ideia, e de desfrutar da morte em um estado de empolgação emocional, simplesmente porque o privilégio de morrer pela verdade, ou de defender os próprios valores, tornara-se a mais elevada forma de honra. E ninguém gozou de mais prestígio na história do que dois pensadores que, de modo aberto e desafiador, sacrificaram a própria vida por suas ideias — dois mediterrâneos orientais, um grego e um semita.

Devemos fazer uma pequena pausa quando vemos *felicidade* definida como uma condição econômica materialista ou, antes, insignificante. Você pode imaginar a minha agonia quando ouço falar dos glorificados "valores de classe média", desprovidos de qualquer heroísmo, e que, graças à globalização e à internet, foram disseminados para todos os lugares facilmente acessíveis pela British Airways, santificando os habituais ópios das classes divinizadas: "trabalho árduo" em um banco ou em uma companhia de tabaco, leitura minuciosa dos jornais, obediência a quase todas, mas não todas, as leis de trânsito, cativeiro em alguma estrutura corporativa, dependência da opinião de um chefe (com os históricos de desempenho nos empregos anteriores armazenados no RH), zelosa submissão às leis, confiança em investimentos no mercado de ações, férias nos trópicos e uma vida suburbana (pagando hipoteca), com um belo cachorro e degustação de vinhos aos sábados à noite. Aqueles que alcançaram algum sucesso entram na galeria da lista anual de bilionários, onde esperam passar algum tempo antes que suas vendas de fertilizantes enfrentem a concorrência da China. Eles serão chamados de heróis — em vez de sortudos. Ademais, se o sucesso é aleatório, um ato consciente de heroísmo não é aleatório. E a classe média "ética" pode trabalhar para uma empresa de tabaco — e, graças à casuística, considerar-se ética.

Fico ainda mais aflito com relação ao futuro da raça humana quando vejo um nerd atrás da tela de um computador em um subúrbio de Washington, não muito longe de um Starbucks ou um shopping, capaz de explodir um batalhão inteiro em algum lugar remoto, digamos o Paquistão, e depois ir malhar na academia (compare a cultura dele com a dos cavaleiros ou a dos samurais). A covardia intensificada pela tecnologia está toda conectada: a sociedade está fragilizada por políticos covardes, gente que se esquiva do serviço militar obrigatório e tem medo de pesquisas eleitorais, jornalistas que inventam narrativas, criam déficits explosivos e multiplicam problemas de agência, porque querem causar boa impressão a curto prazo.

Uma ressalva. A tabela 7 não indica que quem coloca a alma em jogo está necessariamente certo, ou que morrer pelo que acredita faz com que alguém seja necessariamente bom para todo o restante das outras pessoas: muitas utopias messiânicas já causaram bastante estrago. A morte espetaculosa também não é uma necessidade: muitos combatem o mal na paciente labuta rotineira de sua vida diária sem que pareçam heróis; sofrem ainda mais com a ingratidão da sociedade, enquanto os pseudo-heróis simpáticos para a mídia aumentam seu próprio status. As gerações futuras não construirão uma estátua para essas pessoas.

Um homem pela metade (ou, melhor, uma pessoa pela metade) não é alguém que não tem opinião; é apenas alguém que não assume riscos em nome de sua opinião.

Recentemente, o formidável historiador Paul Veyne mostrou que se trata de uma grande lenda a ideia de que os gladiadores eram trabalhadores escravos. Eles eram na maioria voluntários que buscavam pela oportunidade de tornar-se heróis, arriscando a própria vida e alcançando a vitória, ou, caso fracassassem, de mostrar, diante da maior plateia do mundo, que eram capazes de morrer honrosamente, sem se acovardar — quando um gladiador perdia a luta, a multidão decidia se ele deveria ser poupado ou executado pelo adversário. E os espectadores não davam a mínima para os não voluntários, já que estes não colocavam sua alma na luta.

A maior lição de coragem que recebi na vida me foi dada por meu pai — quando criança, eu o admirava por sua erudição, mas isso não me entusiasmava tanto, já que a erudição por si só não faz o homem. Ele tinha um ego imenso e uma imensa dignidade, e exigia respeito. Certa vez, foi insultado por um miliciano em um posto de controle rodoviário, em plena Guerra do Líbano. Ele se recusou a obedecer e ficou irritado com o miliciano por sua atitude, que meu pai considerou desrespeitosa. Assim que ele deu partida no carro, o atirador o atingiu pelas costas. A bala ficou alojada em seu peito pelo resto de sua vida, motivo por que tinha de carregar consigo uma radiografia para poder passar pelos terminais dos aeroportos. Isso estabeleceu um padrão bastante elevado para mim: a dignidade não vale nada a menos que você a conquiste, a menos que você esteja disposto a pagar um preço por ela.

Uma lição que aprendi com essa cultura ancestral foi a noção de *megalopsiquia* (termo expresso na ética de Aristóteles), um senso de grandeza que foi suplantado pelo valor cristão da "humildade". Não há nenhuma palavra para esse tipo de magnanimidade nas línguas românicas; em árabe, é chamada de *shhm* — para a qual a melhor tradução é "não pequeno". Se o indivíduo assumir riscos e enfrentar seu destino com dignidade, nada do que ele possa fazer o tornará pequeno; se você não assumir riscos, não há nada que possa fazer para tornar-se grande, nada. E, quando você assume riscos, os insultos desferidos por homens pela metade (homens pequenos, aqueles que não arriscam nada) são semelhantes a latidos de animais não humanos: não dá para se sentir ofendido por um cão.

Agora, vamos trabalhar com os elementos da tabela 7 para trazer a assimetria fundamental unificadora (entre vantagens e desvantagens) para o nosso tema central, a ética. Assim como apenas os professores das faculdades de economia e administração de empresas e os fragilistas análogos separam robustez do crescimento, não podemos separar fragilidade da ética.

Algumas pessoas têm opções, ou opcionalidade, à custa de outras. E as outras não têm noção disso.

Os efeitos das transferências de fragilidade estão se tornando mais intensos à medida que a modernidade vem acumulando mais e mais pessoas na coluna da esquerda — heróis às avessas, por assim dizer. Desse modo, muitas profissões, a maioria delas oriunda da modernidade, são afetadas, tornando-se mais antifrágeis à custa de nossa fragilidade — funcionários do governo com estabilidade no emprego, pesquisadores acadêmicos, jornalistas (da espécie que não desmascara as lendas), o establishment médico, os gigantes da indústria farmacêutica e muitos mais. Ora, mas como se resolve o problema? Como sempre, com uma baita mãozinha dos antigos.

O código de Hamurabi — agora com cerca de 3800 anos de idade — identifica a necessidade de restabelecer uma simetria de fragilidade, explicada detalhadamente da seguinte forma:

> Se um construtor construiu uma casa e a casa desaba, causando a morte do proprietário — esse construtor deverá ser condenado à morte. Se causa a morte do filho do proprietário da casa, um dos filhos do construtor deverá ser condenado à morte. Se causa a morte de um escravo do proprietário da casa — ele deverá dar ao proprietário da casa um escravo de igual valor.

Parece que eles eram muito mais avançados 3800 anos atrás do que somos hoje. A ideia toda é a de que o construtor sabe mais (muito mais) do que qualquer inspetor de segurança, principalmente com relação àquilo que jaz oculto sob os alicerces — o que faz disso a melhor regra de gerenciamento de riscos de todos os tempos, já que o alicerce, com o desmoronamento protelado, é o melhor lugar para ocultar riscos. Hamurabi e seus conselheiros compreendiam as pequenas probabilidades.

Ora, claramente o objetivo aqui não é punir de forma retrospectiva, mas salvar vidas propiciando desincentivo direto e de antemão em caso de danos a terceiros durante o exercício de uma profissão.

Essas assimetrias são especialmente graves quando se trata de eventos extremos de pequenas probabilidades, isto é, Cisnes Negros — já que são os mais incompreendidos, e sua exposição é a mais fácil de ocultar.

Tony Gordo tem duas heurísticas.

A primeira: *nunca embarque em um avião se o piloto não estiver a bordo.*

A segunda: *certifique-se de que há também um copiloto.*

A primeira heurística diz respeito à assimetria entre recompensas e punições, ou a transferência de fragilidade entre indivíduos. Ralph Nader tem uma regra simples: as pessoas que votam a favor da guerra precisam ter, pelo menos, um descendente (filho ou neto) exposto ao combate. Para os romanos, os engenheiros precisavam passar algum tempo debaixo da ponte que construíram — algo que deveria ser exigido dos engenheiros financeiros de hoje. Os ingleses iam mais longe, obrigando as famílias dos engenheiros a viver por algum tempo com eles sob a ponte depois de concluídas as obras de construção.

Para mim, todo formador de opinião precisa "arriscar a própria pele", para o caso de haver danos causados pela confiança que se deposita em sua informação ou opinião (de modo que, por exemplo, as pessoas que ajudaram a concretizar a criminosa invasão do Iraque não saiam completamente incólumes). Além disso, qualquer um que faça uma previsão ou uma análise econômica precisa ter algo a perder com isso, pois as outras pessoas confiam nessas previsões (repetindo, as previsões induzem a exposição a riscos; são mais tóxicas para nós do que qualquer outra forma de poluição humana).

Podemos extrair das regras de Tony Gordo uma série de sub-heurísticas, principalmente para mitigar as fragilidades dos sistemas previsores. Fazer previsões — quaisquer que sejam — sem arriscar a própria pele pode ser tão perigoso para os outros quanto usinas nucleares com falta de pessoal e cujo engenheiro-chefe não dorme no local. Os pilotos precisam estar no avião.

A segunda heurística é que precisamos desenvolver redundância, uma margem de segurança, evitando a otimização, atenuando (e, até mesmo, eliminando) assimetrias em nossa sensibilidade aos riscos.

O restante deste capítulo apresentará algumas síndromes, acompanhadas, é claro, de alguns remédios da Antiguidade.

A LIVRE OPÇÃO DO FALASTRÃO

Encerramos o Livro I argumentando que é necessário colocar os empreendedores e as pessoas afeitas a riscos, "fracassadas" ou não, no topo da pirâmide, e, a menos que corram riscos pessoais ao expor os outros a risco, os acadêmicos academicistas, os falastrões e os políticos profissionais na base. O problema é que hoje em dia a sociedade está fazendo exatamente o oposto, concedendo a meros falastrões uma livre opção.

A ideia de que Tony Gordo esfolava o máximo que podia os otários enquanto eles corriam para a saída pareceu, a princípio, bastante deselegante para Nero. Beneficiar-se com a desgraça alheia — por mais hediondas que as outras pessoas sejam e possam ser — não é a maneira mais graciosa de encarar a vida. Mas Tony tinha algo em risco, e um resultado adverso significaria um prejuízo pessoal. Tony Gordo não tinha nenhum problema de agência. Isso torna tudo permissível. Pois há um problema ainda maior associado à situação oposta: as pessoas que sabem apenas *falar*, prognosticar, teorizar.

Na verdade, a exposição especulativa a riscos não é somente permissível; é obrigatória. Não há opinião sem riscos; e, é claro, não existe risco sem a esperança de lucro. Quando Tony Gordo tinha uma opinião, ele julgava que precisava, por razões éticas, sujeitar-se a uma exposição correspondente. Como se diz no bairro nova-iorquino de Bensonhurst, é preciso agir dessa forma quando se tem uma opinião. Caso contrário, a verdade é que você não tem opinião alguma. Você precisa ser visto como um indivíduo cuja opinião não contém nenhuma desvantagem, com um status especial na sociedade, talvez um pouco inferior ao do cidadão comum. Os comentaristas precisam ter um status *inferior* ao dos cidadãos comuns. Os cidadãos comuns, ao menos, enfrentam as desvantagens de suas próprias afirmações.

Então, na contracorrente da ideia do intelectual e do comentarista como membros desvinculados e protegidos da sociedade, afirmo aqui que considero profundamente antiético falar sem fazer, sem se expor a danos, sem arriscar a própria pele, sem ter algo a perder. Você expressa sua opinião; ela pode ferir os outros (que confiam nessa opinião), mas ainda assim você não está sujeito a nenhuma desvantagem, nenhuma responsabilidade. Isso é justo?

Mas vivemos na era da informação. Esse efeito de transferência de fragilidade pode ter estado presente ao longo da história, porém é muito mais intenso agora, sob a conectividade da modernidade e a recém-descoberta invisibilidade das cadeias causais. O intelectual é imensamente mais poderoso e perigoso do que outrora. O "mundo do conhecimento" causa a separação entre saber e fazer (dentro da mesma pessoa) e leva à fragilidade da sociedade. Como?

Antigamente, o privilégio vinha atrelado a obrigações — à exceção da pequena classe de intelectuais que serviam a um patrono ou, em alguns casos, ao Estado. Você quer ser um senhor feudal — será o primeiro a morrer. Você quer guerra? Seja o primeiro a entrar em ação. Não nos esqueçamos de algo que está embutido na Constituição norte-americana: o presidente é o comandante em chefe. César, Alexandre e Aníbal estiveram no campo de batalha — este último, de acordo com Lívio, era o primeiro a entrar e o último a sair das zonas de combate. George Washington também foi para a batalha, ao contrário de Ronald Reagan e George W. Bush, que jogavam video game enquanto ameaçavam a vida de outras pessoas. Até mesmo Napoleão estava pessoalmente exposto a riscos; suas aparições durante uma batalha equivaliam ao acréscimo de 25 mil soldados às tropas. Churchill demonstrava uma impressionante dose de coragem física. Eles se envolviam; acreditavam na coisa. O status envolvia a exposição a riscos físicos.

Observe que, nas sociedades tradicionais, até mesmo aquelas pessoas que fracassam — mas assumiram riscos — têm um status mais elevado do que as que não se expõem.

Aqui, mais uma vez, a idiotice dos sistemas preditivos, deixando-me exaltado. Talvez até tenhamos mais justiça social hoje do que antes do Iluminismo, mas também temos mais (muito mais) transferências de opcionalidade, mais do que nunca — um evidente retrocesso. Permita-me explicar. Esse conhecimento, conhecimento fajuto, significa, necessariamente, um deslocamento para o falatório. O falatório dos acadêmicos, consultores e jornalistas, no que diz respeito a previsões, pode ser apenas *tagarelice*, desprovida de sustentação e destituída de verdadeiras evidências. Como ocorre com qualquer coisa que tenha a ver com palavras, não é a vitória do mais correto, porém a do mais encantador — ou de quem consegue produzir o material acadêmico mais sedutor.

Já mencionamos como o filósofo político Raymond Aron parecia desinteressante, apesar de suas habilidades preditivas, enquanto aqueles que estavam errados a respeito do stalinismo sobreviveram lindamente. Beirava o impossível ser mais insosso do que Aron: apesar de seus proféticos lampejos, ele era quase um auditor fiscal, vivendo e escrevendo feito um, ao passo que seu inimigo, Jean-Paul Sartre, por exemplo, levava um estilo de vida extravagante e entendeu quase tudo ao contrário e, inclusive, tolerou de forma extremamente covarde a ocupação alemã. Sartre, o covarde, parecia radiante, impressionante, e, infelizmente, os livros dele sobreviveram (por favor, parem de associá-lo com Voltaire; de Voltaire ele não tinha nada).

Fiquei enojado em Davos ao travar contato visual com o jornalista Thomas Friedman, o fragilista que, graças aos influentes artigos de opinião que publicou nos jornais, ajudou a causar a Guerra do Iraque. Ele não pagou preço nenhum por seu erro. Talvez a verdadeira razão para meu mal-estar não tenha sido apenas ter visto alguém que considero vil e nocivo. Eu simplesmente fico transtornado quando presencio uma injustiça e não faço nada a respeito; é biológico. É culpa, em nome de Baal, e a culpa é algo que não tenho que aturar. Há outro elemento decisivo na antiga ética mediterrânea: *Factum tacendo, crimen facias acrius*: para Públio Siro, aquele que não impede um crime é cúmplice (já declarei minha própria versão disso no prólogo, mas é preciso reiterá-la: se você testemunhar uma fraude e não a denunciar, você é uma fraude).

Thomas Friedman teve uma parcela de responsabilidade pela invasão do Iraque em 2003, e não apenas não sofreu nenhuma penalidade por isso como continua a escrever artigos de opinião para o *New York Times*, confundindo pessoas inocentes. Ele obteve — e manteve — as vantagens, enquanto os outros arcaram com as desvantagens. Um escritor com argumentos pode prejudicar mais pessoas do que qualquer criminoso em série. Destaco o nome de Friedman aqui porque, em essência, o problema é ele promover a incompreensão da iatrogenia em sistemas complexos. Ele fomentou a ideia de globalização à la "a Terra é plana", sem perceber que a globalização traz fragilidades, provoca mais eventos extremos como efeitos colaterais e exige grande dose de redundância para funcionar corretamente. E o mesmíssimo erro aconteceu na invasão do Iraque: em sistemas com tamanho grau de complexidade, a previsibilidade das consequências é muito baixa, e, por conseguinte, invadir foi um ato epistemologicamente irresponsável.

Sistemas naturais e ancestrais trabalham com a noção de penalidade: ninguém recebe uma livre opção perpétua. O mesmo ocorre com a sociedade em muitas coisas com efeitos visíveis. Se alguém dirigir de olhos vendados um ônibus escolar e causar um acidente, ou dará adeus ao fundo genético à moda antiga, ou se, por algum motivo, não sofrer dano decorrente do acidente, ficará sujeito a penalidades suficientes para nunca mais voltar a dirigir um veículo transportando outras pessoas. O problema é que Thomas Friedman ainda está pilotando o ônibus. Os formadores de opinião que prejudicam a sociedade não recebem nenhum tipo de penalidade. E essa é uma prática péssima. Depois da crise de 2008, o governo Obama foi povoado por pessoas que dirigiam o ônibus com os olhos vendados. Os iatrogenistas foram promovidos.

Clarividência retroativa

As palavras são perigosas: os praticantes da clarividência retroativa ou retrodição — a pós-visão, a clareza interpretativa de quem explica as coisas após o acontecimento, porque o negócio deles é falar — sempre parecem mais inteligentes do que os previsores.

Por causa da distorção retrospectiva, as pessoas que, óbvio, não perceberam a aproximação de um evento se lembrarão de algum pensamento que tiveram a esse respeito, e conseguirão convencer a si mesmas de que o previram, antes de seguir adiante para convencer as outras pessoas. Vão aparecer, depois de cada evento, muito mais clarividentes retroativos do que previsores reais, pessoas que tiveram uma ideia no chuveiro sem levá-la à sua conclusão lógica; e, considerando-se que muitas pessoas tomam muitos banhos de chuveiro, às vezes dois por dia (se incluirmos a academia ou o encontro com a amante), elas terão um vasto repertório como fonte de inspiração. Elas não se lembrarão das inúmeras ideias que tiveram em banhos passados e que ou eram ruído ou contradiziam aquilo que elas observam no presente — contudo, uma vez que os seres humanos anseiam pela autocoerência, essas pessoas conservarão na memória aqueles elementos dos pensamentos que tiveram no passado que correspondem à sua percepção do presente.

Assim, os formadores de opinião, que, cheios de orgulho e profissionalismo, proporcionaram seu falatório inútil, no fim das contas darão a impressão de ter ganhado a discussão, pois são os únicos que escrevem, e os otários, que se encrencaram por tê-los lido, futuramente voltarão a consultá-los em busca de orientação, e mais uma vez vão se dar mal.

O passado é fluido, maculado por vieses de seleção e memórias constantemente revistas. Uma característica fundamental dos idiotas é que eles jamais saberão que fizeram papel de otários, porque é assim que nossa mente funciona (contudo, o fato seguinte é de impressionar: a crise fragilista que começou em 2007-8 teve um número muitíssimo menor de *quase previsores* do que de aleatórios.)

A assimetria (antifragilidade dos clarividentes retroativos): os praticantes da retrodição podem fazer escolhas a dedo e produzir situações em que suas opiniões completamente inconsistentes se exaurem, jogando nas entranhas da história as previsões equivocadas. É como uma livre opção — para eles; nós pagamos por isso.

Uma vez que eles têm a opção, os fragilistas são, pessoalmente, antifrágeis; a volatilidade tende a beneficiá-los: quanto mais volatilidade, maior a ilusão de inteligência.

No entanto, trazer à tona evidências para demonstrar se alguém foi otário ou não é fácil, consultando-se registros e as ações efetivas. Ações são simétricas, não permitem a escolha seletiva, eliminam a livre opção. Quando examinamos a história concreta das atividades de uma pessoa, e não os pensamentos que ela expressará após os fatos, as coisas se tornam cristalinas. A opção desaparece. A realidade elimina a incerteza, a imprecisão, a ambiguidade, os interesseiros vieses mentais que nos fazem parecer mais inteligentes. Os erros custam caro, deixam de ser gratuitos, mas estar certo traz recompensas reais. É claro que existem outras verificações que o indivíduo pode fazer para avaliar o componente de merda que faz parte da vida: investigar as decisões das pessoas, expressas pelos investimentos que elas fazem. Você descobriria que muitos que alegam ter previsto o colapso do sistema financeiro tinham companhias financeiras em seus portfólios de investimento. Na verdade, não havia necessidade de "lucrar" com os eventos, como Tony e Nero, para demonstrar a qualidade de não otário: apenas evitar ser prejudicado por eles teria sido suficiente.

Quero previsores que tenham no corpo cicatrizes visíveis, decorrentes de seus erros de previsão, e não que distribuam esses erros para a sociedade.

Não dá para ficar apenas se lamentando a respeito do mundo. É preciso levar a melhor e vencer. Portanto, Tony estava certo ao insistir que Nero examinasse a encarnação física do patrimônio, como um extrato bancário – conforme dissemos, não tinha nada a ver com o valor financeiro, nem com o poder de compra, apenas com o valor simbólico. Vimos, no capítulo 9, como Júlio César precisou arcar com os custos de levar Vercingetorix até Roma e obrigá-lo a desfilar. Uma vitória intangível não tem valor algum.

Verba volent, as palavras voam. Em nenhum outro momento da história as pessoas que falam muito e não fazem nada foram tão visíveis e desempenharam um papel tão importante quanto nos tempos modernos. Isso é o produto do modernismo e da divisão de tarefas.

Lembre-se da minha afirmação de que a força dos Estados Unidos estava na exposição a riscos e no amparo aos que assumem riscos (o tipo certo, o tipo de rei talesiano com alto índice de fracasso e alta opcionalidade). É uma pena, mas estamos nos afastando desse modelo.

A síndrome de Stiglitz

Há algo ainda mais grave do que o problema com Thomas Friedman, que pode ser generalizado para representar alguém que causa uma ação, ao mesmo tempo que não é responsabilizado por suas palavras.

O fenômeno a que chamarei de síndrome de Stiglitz, em referência a um economista acadêmico supostamente "inteligente" cujo nome é Joseph Stiglitz, é o seguinte:

Lembre-se da detecção de fragilidade no capítulo 19 e da minha obsessão pela Fannie Mae. Por sorte, arrisquei um pouco da minha própria pele em nome das minhas opiniões, ainda que exposto a uma campanha difamatória.

E, em 2008 a Fannie Mae foi previsivelmente à falência, repito, custando aos contribuintes norte-americanos centenas de bilhões de dólares (e a conta ainda não fechou) — de modo geral, o sistema financeiro, com riscos similares, explodiu. O sistema bancário inteiro passou por exposições semelhantes.

Todavia, mais ou menos no mesmo período, Joseph Stiglitz, com dois colegas, os irmãos Orszag (Peter e Jonathan), analisou a mesma Fannie Mae. Em seu relatório, eles avaliaram que, "com base na experiência histórica, o risco para o governo de uma potencial inadimplência da dívida das agências de financiamento hipotecário patrocinadas pelo governo (as GSEs, na sigla em inglês), é, efetivamente, zero".* Em teoria, eles realizaram simulações — mas não deixaram passar o óbvio. Disseram também ter concluído acerca da probabilidade de inadimplência que "de tão pequena, é difícil de detectar". São declarações como estas e, para mim, apenas declarações como estas (a arrogância intelectual e a ilusão de compreensão dos eventos raros) que causaram o acúmulo dessas exposições a eventos raros na economia. Esse é o problema Cisne Negro contra o qual eu estava lutando. Isso é Fukushima.

Porém, o ponto mais alto é que Stiglitz escreveu, em 2010, em seu livro *Bem que eu avisei*, que ele elega ter "previsto" a crise deflagrada em 2007-8.

Pense nesse aberrante caso de antifragilidade oferecido a Stiglitz e a seus colegas pela sociedade. No fim ficou claro que Stiglitz não era apenas um não previsor (segundo meus critérios), como também fazia parte do problema que causou os eventos, essas acumulações de exposições a pequenas probabilidades. Mas ele não percebeu isso! Um acadêmico não tem a tendência de se lembrar de suas opiniões porque elas não lhe acarretam risco algum.

Em essência, as pessoas são perigosas quando têm aquela estranha habilidade que permite que seus artigos sejam publicados em periódicos científicos, mas que diminui a compreensão que elas têm dos riscos. Assim, o mesmo economista que causou o problema teve, em seguida, a clarividência retroativa da crise, e depois tornou-se um teórico retrospectivo sobre o que aconteceu. Não é de espantar que passaremos por crises maiores.

A questão central: se Stiglitz fosse um homem de negócios com o seu próprio dinheiro em risco, teria ido à falência, liquidado. Ou, se estivesse na natureza, seus genes teriam sido extintos — e, assim, as pessoas com tal

* A Fannie Mae e Freddie Mac são GSEs — ambas foram à bancarrota.

incompreensão das probabilidades acabariam por desaparecer do nosso DNA. O que achei repugnante foi o governo ter contratado um dos coautores dele.*

Com relutância, estou chamando a síndrome pelo nome de Stiglitz porque o considero o mais inteligente dos economistas, dono do intelecto mais desenvolvido para as coisas *escritas em artigos* — mas ele não tem a menor ideia do que seja a fragilidade dos sistemas. E Stiglitz simboliza a danosa incompreensão, por parte do establishment econômico, acerca das pequenas probabilidades. É uma doença grave, que explica por que os economistas vão nos ferrar novamente.

A síndrome de Stiglitz corresponde a uma forma de escolha bastante seletiva, a do tipo mais perverso, porque seu autor não tem consciência do que está fazendo. É uma situação em que a pessoa não apenas é incapaz de detectar um perigo, mas também contribui para sua causa, ao mesmo tempo que acaba convencendo a si mesma — e, às vezes, os outros — do contrário, isto é, de que previu aquilo e fez alertas. Isso corresponde a uma combinação de extraordinárias habilidades analíticas, cegueira à fragilidade, memória seletiva e ausência de arriscar a própria pele.

Síndrome de Stiglitz = fragilista (com boas intenções) + escolha seletiva posterior ao fato

Existem outras lições aqui, relacionadas à ausência de punição. Esta é uma ilustração da síndrome dos acadêmicos-que-escrevem-artigos-e-falam, com toda a sua dignidade (a menos que, conforme veremos, eles coloquem sua alma em jogo). Assim, muitos acadêmicos propõem algo em um artigo, e, em seguida, o oposto em outro artigo, sem sofrer qualquer punição por terem errado no primeiro artigo, uma vez que a necessidade de coerência existe somente *no âmbito de um único artigo*, e não *ao longo* de uma carreira. Até aí tudo bem, uma vez que a pessoa tem a chance de evoluir e refutar crenças

* Acho realmente repugnante o fato de que, após a crise, um dos irmãos Orszag, Peter, tenha arranjado um emprego na administração Obama — mais uma recontratação de motoristas que dirigiam o ônibus vendados. Em seguida, ele tornou-se vice-presidente do Citibank, o que explica por que o Citibank vai se esfacelar novamente (e nós, contribuintes, vamos acabar subsidiando o polpudo salário dele).

anteriores, mas então o "resultado" anterior deveria ser retirado de circulação e suplantado por um novo — no caso dos livros, a nova edição substitui a anterior. Por causa dessa ausência de punição, eles tornam-se antifrágeis à custa da sociedade, que aceita o "rigor" de seus resultados. Além disso, não duvido da sinceridade de Stiglitz, ou de alguma forma frágil de sinceridade: acredito que ele pensa sinceramente ter previsto a crise financeira, portanto permita-me reformular o argumento: o problema com as pessoas que não arcam com danos é que elas podem fazer uma seleção a dedo dentre as afirmações que fizeram no passado, muitas delas contraditórias, e acabar convencendo a si mesmas de sua lucidez intelectual enquanto estão a caminho do Fórum Econômico Mundial de Davos.

Há a iatrogenia do médico charlatão e do vendedor vigarista que causam danos, mas eles meio que sabem disso e ficam na surdina depois que são pegos em flagrante. E existe uma forma muito mais perversa de iatrogenia, levada a cabo por especialistas que usam seu elevado status de respeitabilidade para, mais tarde, reivindicar que haviam alertado sobre os danos. Como não sabiam que estavam provocando iatrogenia, curam a iatrogenia com a iatrogenia. E aí as coisas vão pelos ares.

Por fim, a cura para muitos problemas éticos vincula-se à cura exata para o efeito Stiglitz, que resumo agora.

Nunca pergunte, a quem quer que seja, qual é sua opinião, previsão ou recomendação. Simplesmente pergunte o que a pessoa tem — ou não — em seu portfólio de investimentos.

Sabemos agora que muitos aposentados inocentes foram prejudicados pela incompetência das agências de classificação de risco — foi um pouco mais do que incompetência. Muitos empréstimos hipotecários de alto risco eram lixo tóxico travestidos de pessoas de nível "AAA", o que significa um altíssimo grau de segurança de investimento, próximo ao do governo. As pessoas foram inocentemente levadas a colocar suas economias nesses empréstimos — além disso, os reguladores estavam forçando os gestores de portfólios a usar a avaliação das agências de classificação de risco. Mas as agências estão protegidas: elas se apresentam como imprensa, sem a nobre missão da imprensa de desmascarar as fraudes. E se beneficiam com a proteção da liberdade de expressão, a "Primeira Emenda" tão enraizada nos hábitos norte-americanos. Minha humilde proposta: a pessoa pode falar o que quiser, mas seu portfólio de investimentos precisa estar alinhado com seu discurso. E, obviamente, os reguladores não deveriam ser fragilistas, dando seu carimbo de aprovação a estratégias preditivas – portanto, uma porcaria de ciência.

O psicólogo Gerd Gigerenzer tem uma heurística simples. Nunca pergunte ao médico o que você deveria fazer. Pergunte a ele o que *ele* faria se estivesse em seu lugar. Você ficaria surpreso com a diferença que isso faz.

O problema da frequência, ou como perder as discussões

Lembre-se de que Tony Gordo era a favor de "ganhar uma graninha" em vez de "provar que estava certo". A questão tem uma dimensão estatística. Voltemos por um minuto à distinção entre talesiano e aristotélico a fim de analisar a evolução a partir do seguinte ponto de vista: a frequência, isto é, *com que regularidade* alguém está certo, é algo em grande medida irrelevante no mundo real, mas, infelizmente, é preciso ser um profissional, e não apenas um falastrão, para entender isso. No papel, a frequência com que a pessoa está certa é relevante, mas apenas no papel – normalmente, compensações frágeis têm poucas vantagens (algumas vezes, vantagem nenhuma) e lucros antifrágeis têm poucas desvantagens. Isso significa que alguém ganha centavos para perder dólares no caso frágil; ganha dólares para perder centavos no caso antifrágil. Dessa forma, o antifrágil pode passar um longo tempo perdendo e sair impune, contanto que tenha acertado uma única vez; para o frágil, uma única perda pode ser fatal.

Nesse sentido, se um indivíduo apostasse na queda, digamos, de um portfólio de investimentos de instituições financeiras por causa das suas fragilidades, isso lhe teria custado alguns centavos ao longo dos anos que antecederam a falência final dessas instituições em 2008, como Nero e Tony fizeram (note, mais uma vez, que estar do outro lado da fragilidade torna o indivíduo antifrágil). Durante anos o indivíduo esteve errado, certo por um momento, perdendo pouco, ganhando muito, muitíssimo mais bem-sucedido do que da outra maneira (na verdade, a outra maneira seria a falência). Então, ele teria amealhado alguns *thekels*, como Tales, pois apostar contra o frágil é antifrágil. Mas alguém que tivesse meramente "previsto" o evento apenas com palavras teria sido rotulado pelos jornalistas como "errado durante anos", "errado na maior parte do tempo" etc.

Se tivéssemos de fazer o cálculo de quantos formadores de opinião estão "certos" e "errados", a proporção seria indiferente, pois precisaríamos incluir as consequências. E, uma vez que isso é impossível, estamos, agora, diante de um dilema.

Analise novamente o caso, da mesma forma como analisamos os empreendedores. De modo geral, eles estão errados e cometem "erros" — uma porção de erros. Eles são convexos. Então, o que conta é a compensação em função do êxito.

Permita-me reformular mais uma vez. A tomada de decisão no mundo real — isto é, as ações — é talesiana, enquanto a previsão *em forma de palavras* é aristotélica. Como vimos na discussão no capítulo 12, um dos lados de uma decisão tem consequências mais severas do que o outro — não temos evidências de que as pessoas são terroristas, mas as submetemos a vigilância e inspeção em busca de armas; não acreditamos que a água é venenosa, mas evitamos bebê-la; algo que seria absurdo para alguém que aplicasse estritamente a lógica aristotélica. Para sintetizar na linguagem de Tony Gordo: os otários tentam estar certos, os não otários tentam ganhar dinheiro, ou:

Os otários tentam vencer as discussões, os não otários tentam vencer.

Em outras palavras: é uma coisa realmente boa perder as discussões.

A decisão certa pelo motivo errado

De maneira mais geral, para a Mãe Natureza, opiniões e previsões não contam; o que importa é sobreviver.

Há um argumento evolutivo aqui. Parece ser o mais subestimado dos argumentos a favor da livre-iniciativa e de uma sociedade impulsionada por fazedores individuais, o que Adam Smith chamou de "aventureiros", e não de planejadores centrais e aparatos burocráticos. Vimos que os burocratas (seja no governo ou em grandes corporações) vivem em um sistema de recompensas baseadas em narrativas, em "papo-furado" e na opinião alheia, com avaliações de desempenho e avaliações por pares — em outras palavras, o que chamamos de marketing. Ou seja, aristotélico. Contudo, o mundo biológico evolui pela sobrevivência, não por opiniões do tipo "eu previ" e "eu bem que avisei". A evolução tem aversão pela falácia de confirmação, endêmica na sociedade.

O mundo econômico também deveria fazer isso, mas as instituições bagunçam as coisas, já que os otários podem ficar maiores — as instituições bloqueiam a evolução com socorro financeiro e estatismo. Note que, a longo prazo, a evolução social e econômica acontece, asquerosamente, por meio de imprevistos, descontinuidades e saltos.*

Já mencionamos as ideias de Karl Popper sobre a epistemologia evolutiva; não sendo um tomador de decisões, ele estava sob a ilusão de que as ideias competem entre si — e de que a menos errada delas sobreviveria em algum momento ao longo do tempo. Ele não entendeu o aspecto fundamental de que quem sobrevive não são as ideias, mas as pessoas que têm as ideias certas, ou as sociedades que têm as heurísticas corretas, ou aquelas que, certas ou erradas, levaram pessoas e sociedades a fazer a coisa certa. Ele deixou passar despercebido o efeito talesiano, o fato de que uma ideia errada que é inofensiva pode sobreviver. Aqueles que têm heurísticas erradas, mas com um dano pequeno em caso de erro, sobreviverão. O comportamento chamado de "irracional" pode ser bom se for inofensivo.

Permita-me dar um exemplo de um tipo de falsa crença que é útil para a sobrevivência. Em sua opinião, o que é mais perigoso: confundir um urso com uma pedra, ou confundir uma pedra com um urso? É improvável que um ser humano cometa o primeiro erro; nossas intuições nos levam a reagir com exagero à menor probabilidade de perigo e a nos deixar ludibriar por determinada classe de padrões falsos — aqueles que reagiram de forma exagerada ao ver algo que pudesse se parecer com um urso tinham uma vantagem de sobrevivência; aqueles que cometeram o erro oposto deram adeus ao fundo genético.

Nossa missão é tornar a conversa menos fiada.

* Minha sugestão para deter a lógica do "grande demais para quebrar" e impedir os empregadores de tirar proveito do público é a seguinte: uma empresa que for classificada como *passível de merecer socorro financeiro* caso vá à falência não deve poder oferecer a ninguém um salário maior do que aquele de um funcionário público de função equivalente. Do contrário, as pessoas deveriam ser livres para pagar umas às outras o que bem quisessem, contanto que isso não afetasse o contribuinte. Essa limitação forçaria as empresas a permanecer suficientemente pequenas, de modo que não fossem consideradas passíveis de socorro financeiro na hipótese de fiasco.

OS ANTIGOS E A SÍNDROME DE STIGLITZ

Vimos como os antigos compreendiam — muito bem — a síndrome de Stiglitz e síndromes correlatas. Na verdade, eles tinham mecanismos bastante sofisticados para resistir à maioria dos aspectos dos problemas de agência, fossem individuais ou coletivos (o efeito circular de se esconder por trás do coletivo). Já mencionei que os romanos obrigavam os engenheiros a passar um tempo debaixo da ponte que construíram. Teriam feito com que Stiglitz e Orszag dormissem sob a ponte da Fannie Mae e se despedissem do fundo genético (para que não nos prejudicassem novamente).

Os romanos tinham uma heurística ainda mais poderosa para situações nas quais poucos pensam hoje em dia, a solução de potentes problemas da teoria dos jogos. Os soldados romanos eram forçados a assinar um *sacramentum*, aceitando um castigo em caso de fracasso — um pacto entre o soldado e o exército, explicando detalhadamente o comprometimento diante das vantagens e das desvantagens.

Suponha que você e eu estejamos frente a frente com um pequeno leopardo ou alguma fera selvagem na selva. É possível que, unindo forças, nós dois possamos vencê-la — embora sejamos fracos individualmente. Mas, se você fugir, precisa apenas ser mais rápido do que eu, e não mais rápido do que o animal. Portanto, a solução ideal, para aquele que é capaz de sair correndo com mais rapidez, isto é, o mais covarde, é simplesmente ser um covarde e deixar o outro perecer.

Os romanos eliminavam os incentivos que os soldados poderiam ter para ser covardes e prejudicar os outros graças a um processo chamado de *dizimação*. Se uma legião perdesse uma batalha e houvesse suspeita de covardia, 10% dos soldados e comandantes seriam condenados à morte, geralmente por sorteio. A dizimação — palavra que significa provocar a morte de um em cada grupo de dez — foi deturpada pela linguagem moderna. O número mágico é um em dez (ou algo equivalente): condenar à morte mais de 10% levaria ao enfraquecimento do exército; menos que isso e a covardia se transformaria em uma estratégia dominante.

E o mecanismo deve ter funcionado bem como forma de dissuasão contra a covardia, já que sua aplicação não era frequente.

Os ingleses utilizaram uma versão desse método. O almirante John Byng foi submetido à corte marcial e condenado à morte, tendo sido declarado culpado por não "ter feito todo o máximo possível" para evitar que Minorca caísse nas mãos dos franceses após a Batalha de Minorca, em 1757.

Queimar os próprios navios

Tirar proveito do problema de agência interno de alguém pode ir além da simetria: basta não oferecer nenhuma opção aos soldados e ver o quanto eles se tornarão antifrágeis.

Em 29 de abril de 711, os exércitos do comandante árabe Tārik cruzaram o estreito de Gibraltar, do Marrocos até a Espanha, com uma tropa pequena (o nome Gibraltar é derivado do árabe *Jabal Tārik*, que significa "monte de Tārik"). Após o desembarque, Tārik mandou atear fogo a seus próprios navios. Em seguida, fez um discurso célebre, que em meus tempos de escola era memorizado por todos os alunos, e que traduzo livremente: "Atrás de vós está o mar; diante de vós, o inimigo, cujo exército é inumerável. Vosso único recurso são as próprias espadas e a coragem".

Com seu pequeno exército, Tārik dominou a Espanha. A mesma heurística parece ter sido colocada em prática ao longo da história, desde Cortés, no México, oitocentos anos depois, até Agátocles de Siracusa, oitocentos anos antes — ironicamente, Agátocles rumava para o sul, na direção oposta à de Tārik, lutando contra os cartagineses, e chegou à África.

Nunca encurrale seu inimigo.

Como a poesia pode matar você

Pergunte a um poliglota que saiba falar árabe quem é o melhor poeta de todos os tempos — em qualquer idioma —, e é muito provável que ele responda Al-Mutanabbi, que viveu há cerca de mil anos; sua poesia, no original, tem um efeito hipnótico sobre o leitor (ouvinte), rivalizado apenas pelo domínio que Púchkin exercia sobre os falantes de russo. O problema é que Al-Mutanabbi sabia disso; seu nome significava, literalmente, "aquele que vê a si mesmo como um profeta", por causa de seu ego terrivelmente inflado. Para se ter uma ideia do estilo bombástico de Al-Mutanabbi, um de seus poemas informa-nos que sua poesia é tão potente que "até os cegos são capazes de ler as palavras" e "os surdos podem ouvi-las". Bem, Al-Mutanabbi era aquele caso raro de um poeta que arriscava a própria pele, que daria a vida pelo que escrevia.

Pois bem; nesse mesmo poema ególatra, Al-Mutanabbi se gaba, em uma esplendorosa exibição de magia linguística, de colocar em ação suas próprias palavras, além de ser o poeta mais potente que se poderia imaginar — e insisto que ele era —, aquele que conhecia "o cavalo, a noite, o deserto, a pena, o livro" — e que, graças à sua coragem, era respeitado até pelo leão.

Bem, a poesia de Al-Mutanabbi custou-lhe a vida. Pois — como era de seu feitio —, em um de seus poemas ele havia difamado uma tribo do deserto, cujos membros estavam agora em seu encalço. Em uma de suas viagens, Al-Mutanabbi foi encurralado pelos inimigos. Como estava em desvantagem numérica, o poeta agiu de modo racional e começou a bater em fuga, sem vergonha alguma, mas uma das pessoas de sua comitiva começou a recitar na direção dele "o cavalo, a noite...". Al-Mutanabbi deu meia-volta e enfrentou a tribo, encontrando a morte certa. Assim, Al-Mutanabbi permanece, mil anos depois, como o poeta que morreu para evitar a desonra de fugir; quando declamamos seus versos, sabemos que são genuínos.

Na minha infância, meu modelo de inspiração era o aventureiro e escritor francês André Malraux. Em seus textos, ele incutiu sua própria exposição a riscos: Malraux abandonou os estudos — embora fosse extremamente culto — e aos vinte e poucos anos de idade tornou-se um aventureiro na Ásia. Atuou como piloto na Guerra Civil Espanhola e, mais tarde, foi um ativo membro da resistência francesa clandestina durante a Segunda Guerra Mundial. No fim ficou claro que Maulraux era um pouco mitômano, glorificando desnecessariamente suas reuniões com grandes homens e estadistas. Ele simplesmente não era capaz de suportar a ideia de que um escritor tinha de ser um intelectual. Mas, ao contrário de Hemingway, que grosso modo dedicava-se à construção da própria imagem, Maulraux era original. E nunca se prendeu a futilidades — seu biógrafo relata que, enquanto outros escritores discutiam direitos autorais e royalties, ele desviava a conversa para a teologia. (Supostamente, teria afirmado que *o século XXI será religioso ou pura e simplesmente não existirá*.) Um dos dias mais tristes da minha vida foi quando ele morreu.

O problema do isolamento

O sistema não oferece a pesquisadores o incentivo para que se tornem um Malraux. Dizem que Hume, o grande cético, deixava seu profundo mal-estar cético entre as paredes do gabinete filosófico para ir farrear com os amigos em Edimburgo (embora sua ideia de farra fosse bastante... Edimburgo). O filósofo Myles Burnyeat chamou isso de "o problema do isolamento", particularmente com céticos que são céticos em um domínio mas não em outro. Como exemplo, ele menciona um filósofo que se empenha em reflexões sobre a intrigante realidade do tempo, mas ainda assim candidata-se a uma bolsa de pesquisa para estudar o problema filosófico do tempo durante seu próximo ano sabático — sem colocar em dúvida a realidade da chegada do ano seguinte. Para Burnyeat, o filósofo "isola seus ordinários juízos de primeira ordem dos efeitos de seu ato de filosofar". Desculpe-me, prof. dr. Burnyeat, concordo que a filosofia é o único campo (juntamente com sua irmã, a matemática pura) que não precisa conectar-se à realidade. Mas daí a transformá-la em um jogo de salão e dar-lhe outro nome...

Da mesma forma, Gerd Gigerenzer relata uma violação mais grave, por parte de Harry Markowitz, que iniciou um método chamado "seleção de portfólios de investimento", pelo qual recebeu o mesmo iatrogênico prêmio sueco Riskbank (chamado de "Nobel" em economia), assim como outros fragilistas, como o Fragilista Merton e o Fragilista Stiglitz. Passei parte da minha vida adulta chamando isso de charlatanismo, uma vez que não tem validade alguma fora do endosso acadêmico e, além disso, causa explosões (conforme explicado no apêndice). Bem, o prof. dr. Fragilista Markowitz não utiliza seu próprio método em seu portfólio pessoal de investimentos; ele tem condições de recorrer a metodologias dos taxistas, mais sofisticadas (e mais simples de implementar), mais parecidas com as que Mandelbrot e eu propusemos.

Acredito que forçar os pesquisadores a, sempre que possível, comer de sua própria comida resolve um grave problema nas ciências. Reflita sobre esta heurística simples — o pesquisador científico cujas ideias são aplicáveis ao mundo real aplica as próprias ideias a sua vida cotidiana? Se sim, leve-o a sério. Caso contrário, ignore-o (se o sujeito estiver fazendo matemática pura ou teologia, ou ensinando poesia, não há problema. Mas, se estiver fazendo algo aplicável, então: sinal de alerta).

Isso nos leva às falsificações tipo professor Triffat, em comparação com Sêneca, isto é, o falastrão versus o fazedor. Apliquei o método de ignorar o que um acadêmico escreve e concentrar-me no que ele faz quando conheci um pesquisador que estudava a felicidade e defendia o argumento de que *nada do que uma pessoa ganha além de 50 mil dólares traz qualquer felicidade adicional* — à época, o salário que ele recebia na universidade era quase o dobro desse valor; portanto, de acordo com sua métrica, ele estava a salvo. O argumento entrevisto através de seus "experimentos", publicados em "artigos muito citados" (isto é, por outros acadêmicos), parecia convincente no papel — embora eu não seja particularmente apreciador da noção de "felicidade" ou da vulgaridade da interpretação moderna da "busca da felicidade". Então, feito um babaca, acreditei nele. Porém, um ano depois, soube que ele era muito apegado ao dinheiro e passava seu tempo em turnês, dando palestras em troca de cachês. Isso, para mim, foi uma evidência mais contundente do que milhares de citações.

O socialismo do champanhe

Outro caso evidente de isolamento. Às vezes, o divórcio entre o "papo-furado" de uma pessoa e a vida que ela leva pode ser visível de maneira escancarada e convincente: pense, por exemplo, em pessoas que querem que outras vivam de determinada maneira, mas que, na verdade, não gostariam de sentir na pele o que desejam para as outras.

Nunca dê ouvidos a um esquerdista que não doa sua fortuna ou que não leva exatamente o estilo de vida que ele quer que os outros sigam. O que os franceses chamam de "esquerda caviar", *la gauche caviar*, ou o que os anglo-saxões chamam de socialistas do champanhe, são pessoas que defendem o socialismo — e, às vezes, até mesmo o comunismo — ou algum sistema político que imponha limitações ao luxo, enquanto levam, ostensivamente, um estilo de vida suntuoso, muitas vezes financiado por uma herança — sem perceber a contradição de que desejam que os outros evitem justamente esse estilo de vida. Não é muito diferente dos papas mulherengos, como João XII, ou os Bórgia. A contradição pode ultrapassar o nível do ridículo, como é o caso do presidente francês François Mitterrand, que, vindo de uma base socialista, emulava a pompa dos monarcas franceses. Fato ainda mais irônico, seu tradicional arqui-inimigo, o conservador general De Gaulle, levava uma vida de austeridade à moda antiga, tendo suas meias remendadas pela esposa.

Testemunhei coisas ainda piores. Um ex-cliente meu, um sujeito ricaço que parecia devotado a uma missão social, tentou pressionar-me a assinar um cheque para um candidato cuja plataforma eleitoral consistia no aumento dos impostos. Resisti, alegando razões éticas. Mas, a meu ver, a postura daquele sujeito era heroica, pois, se o candidato vencesse, seus próprios impostos aumentariam consideravelmente. Um ano depois, descobri que o tal cliente estava sendo investigado pelo envolvimento em um gigantesco esquema de sonegação. Ele queria ter certeza de que *os outros* pagariam mais impostos.

Cultivei, ao longo dos últimos anos, uma relação de amizade com o ativista Ralph Nader, em quem vi atributos contrastantes. Além de uma impressionante dose de coragem pessoal e de total indiferença em relação a campanhas difamatórias, ele não demonstra absolutamente nenhum divórcio entre o que apregoa e seu estilo de vida, nenhum. Assim como os santos, que colocam a alma em jogo. O homem é um santo secular.

Alma em jogo

Existe uma classe de pessoas que escapam do "papo-furado" burocrático--jornalístico: aquelas que arriscam mais do que a própria pele. *Elas colocam a alma em jogo.*

Pense nos profetas. A profecia é uma promessa de crença, nada mais. Um profeta não é alguém que foi o primeiro a ter uma ideia; ele é o primeiro a acreditar nela — e levá-la até o fim.

O capítulo 20 definiu que a profecia, quando realizada com sucesso, é uma subtração e uma detecção de fragilidade. Mas, se arriscar a própria pele (e aceitar as desvantagens) é o que distingue o pensador genuíno do "papo--furado" posterior ao fato, é necessário dar um passo além do necessário para alcançar a categoria de profeta. É uma questão de comprometimento, ou o que os filósofos chamam de "comprometimento doxástico", uma espécie de crença-promessa que, no caso de Tony Gordo e Nero, precisava ser traduzido em atitudes (o Stiglitz às avessas). *Doxa*, em grego, costumava significar "crença", mas diferente de "conhecimento" (*episteme*); para entender como isso envolve algum empenho que vai além das meras palavras, tenha em mente que, na Igreja grega, a palavra adquiriu o significado de *glorificação*.

A propósito, esse conceito também aplica-se a todos os tipos de ideias e teorias: a principal pessoa por trás da origem de uma teoria, a pessoa a ser chamada de criadora, é alguém que acreditou nela de forma doxástica, com o custoso comprometimento de levá-la à sua conclusão natural, e não necessariamente a primeira pessoa a mencioná-la em uma nota de rodapé ou enquanto toma vinho de sobremesa.

Ao fim e ao cabo, somente aquele que tem crenças verdadeiras evitará a autocontradição e os equívocos da clarividência retroativa.

OPÇÕES, ANTIFRAGILIDADE E JUSTIÇA SOCIAL

O mercado de ações: a maior transferência de antifragilidade, em escala industrial, da história — devido a uma perniciosa e assimétrica forma de arriscar a própria pele. Não estou falando aqui de investimentos — mas do atual sistema de amontoar investimentos em ações de empresas de capital aberto, permitindo que os gestores manipulem o sistema e, é claro, adquiram cada vez mais prestígio do que os verdadeiros indivíduos que assumem riscos, os empreendedores.

Uma patente manifestação do problema de agência é a seguinte: existe uma diferença entre um gestor que administra uma empresa da qual ele não é o dono e um negócio que é administrado pelo proprietário, em que o gestor não precisa informar os números a ninguém a não ser a si mesmo e no qual ele tem desvantagens. Gestores corporativos recebem incentivos sem desestímulos — algo que o público em geral não entende direito, pois cultiva a ilusão de que os gestores são devidamente "incentivados". De algum modo, esses gestores recebem, das mãos de inocentes poupadores e investidores, livres opções. Aqui onde residem minhas preocupações são os gestores de negócios que *não* são administrados pelos proprietários.

Enquanto escrevo estas linhas, o mercado de ações dos Estados Unidos já custou aos aposentados mais de 3 trilhões de dólares em perdas ao longo dos últimos doze anos, tendo-se como parâmetro de comparação o quanto o dinheiro renderia se tivesse sido deixado em fundos do mercado monetário do governo (estou sendo generoso, a diferença é ainda maior), ao mesmo tempo que os gestores das empresas que compõem o mercado de ações, graças à assimetria das opções de compra de ações, estão mais ricos em cerca de 400 bilhões de dólares. Eles deram uma de Tales diante desses infelizes poupadores. Mais ultrajante ainda é o destino do setor bancário: as perdas dos bancos foram maiores do que a soma de tudo que eles já lucraram ao longo de toda a sua história, e seus gestores ganharam bilhões em indenizações — os contribuintes receberam as desvantagens; os banqueiros ficaram com as vantagens. E as políticas elaboradas com o propósito de corrigir o problema estão prejudicando pessoas inocentes, enquanto os banqueiros, a bordo de seus iates em St. Tropez, curtem o verão bebericando vinho rosé da Provença.

A presença da assimetria é visível: a volatilidade beneficia os gestores, uma vez que eles só ficam com um dos lados das compensações. O ponto principal (infelizmente, negligenciado por quase todo mundo) é que eles têm a chance de ganhar com a volatilidade — quanto mais variações, maior o valor dessa assimetria. Logo, são antifrágeis.

Para entender como funciona a transferência de antifragilidade, tenha em mente dois cenários, em que o mercado faz, na média, a mesma coisa, mas seguindo diferentes trajetos.

Trajeto 1: o mercado sobe 50% e depois cai até apagar todos os ganhos.

Trajeto 2: o mercado permanece absolutamente imóvel.

Visivelmente o trajeto 1, o mais volátil, é mais rentável para os gestores, que podem vender suas opções de compra de ações. Assim, quanto mais irregular o percurso, melhor para eles.

E é claro que a sociedade — no caso, os aposentados — recebe a compensação exatamente oposta, uma vez que são eles quem financiam os banqueiros e os diretores executivos. Os aposentados recebem menos vantagens do que desvantagens. A sociedade paga pelos prejuízos dos banqueiros, mas não recebe deles bônus nenhum. Se você não considera que essa transferência de antifragilidade é um roubo, tem alguma coisa de errado com você.

O que é pior: esse sistema é chamado de "baseado em incentivos", e supostamente corresponde ao capitalismo. Em tese, interesses dos gestores estão alinhados aos dos acionistas. Que incentivos? Há vantagens e nenhuma desvantagem, absolutamente nenhum tipo de desestímulo.

A livre opção de Robert Rubin

Robert Rubin, ex-secretário do Tesouro, recebeu do Citibank 120 milhões de dólares em bonificações, ao longo de cerca de uma década. Os riscos assumidos pela instituição estavam ocultos, mas os números pareciam bons... até não parecerem mais tão bons assim (após a surpresa do peru). O Citibank entrou em colapso, mas Rubin não perdeu seu dinheiro – nós, contribuintes, tivemos de compensá-lo retroativamente, pois o governo assumiu os prejuízos dos bancos e os ajudou a manter-se de pé. Esse tipo de compensação é muito comum, milhares de outros executivos já o receberam.

Essa história é idêntica à do arquiteto que oculta os riscos no porão, à espera do desabamento tardio, enquanto desconta cheques graúdos e se mantém protegido pelas complexidades do sistema jurídico.

Algumas pessoas sugerem, como remédio, a imposição de uma "cláusula de restituição", que consistiria em fazer com que as pessoas devolvessem bonificações recebidas no passado em caso de fracassos subsequentes. Isso seria feito da seguinte maneira: os gestores não podem resgatar de imediato seus bônus; só poderiam fazer isso três ou cinco anos depois, contanto que não houvesse prejuízos. Mas isso não resolve o problema: ainda assim os gestores ficam com uma vantagem líquida, e nenhuma desvantagem líquida. Em momento algum seu próprio patrimônio é colocado em perigo. Assim, o sistema ainda contém um elevado grau de opcionalidade e de transferência de fragilidade.

O mesmo aplica-se ao gestor responsável pela administração de um fundo de pensão – ele também não sofre desvantagem alguma.

No entanto, os banqueiros costumavam estar sujeitos ao código de Hamurabi. Na Catalunha, a tradição era decapitar banqueiros defronte a seus próprios bancos (os banqueiros tendiam a fugir da cidade antes que seu fracasso viesse a público, mas esse foi o destino de pelo menos um banqueiro, Francesco Castello, em 1360). Nos tempos modernos, apenas a máfia ainda recorre a esse tipo de estratégia, de modo a eliminar a livre opção. Em 1980, Roberto Calvi, diretor executivo do Banco Ambrosiano, que faliu, refugiou-se em Londres. Lá, supostamente, o "banqueiro do Vaticano" suicidou-se – como se a Itália não fosse mais um lugar propício para atos dramáticos como tirar a própria vida. Recentemente, descobriu-se que não foi exatamente um suicídio; ele foi morto por mafiosos, porque havia perdido dinheiro da máfia. O mesmo destino do pioneiro de Las Vegas, Bugsy Siegel, que administrava um cassino pouco rentável no qual a máfia tinha investimentos.

E, em alguns países, a exemplo do Brasil, ainda hoje os maiores banqueiros tornam-se incondicionalmente responsáveis, até o limite de seus próprios ativos.

Que Adam Smith?

Muitos direitistas apaixonados por grandes corporações insistem em continuar citando Adam Smith, o famoso santo padroeiro do "capitalismo", palavra que ele nunca proferiu, sem jamais tê-lo lido, usando suas ideias de forma seletiva e interesseira — ideias que, certamente, ele não endossou da maneira como são apresentadas.*

No livro IV de *A riqueza das nações*, Smith foi extremamente cauteloso com relação à ideia de dar a alguém vantagens sem as desvantagens, e expressou dúvidas quanto à responsabilidade limitada das companhias de capital acionário (as ancestrais da moderna sociedade de responsabilidade limitada). Ele não chegou a definir a noção de transferência de antifragilidade, mas chegou bem perto. E detectou — mais ou menos — o problema decorrente de gerir os negócios de outras pessoas, a falta de um piloto no avião:

> Dos diretores de tais companhias, contudo, sendo os administradores do dinheiro alheio, mais do que do próprio, não se pode esperar que o vigiem com a mesma extrema diligência com que os parceiros de uma sociedade privada muitas vezes zelam pelo próprio dinheiro.

Mais adiante, Smith suspeita até mesmo do desempenho econômico desses diretores e escreve: "Raras vezes as sociedades anônimas de capital acionário para o comércio exterior têm sido capazes de fazer frente à concorrência de aventureiros privados".

* Tive a mesma experiência com jornalistas que se citavam uns aos outros acerca de meus livros sem o menor esforço para ler em primeira mão o que eu havia escrito — a julgar pela minha experiência, quase todos os jornalistas, acadêmicos profissionais e outros que atuam em profissões igualmente fajutas não leem as fontes originais, mas uns aos outros, em grande medida porque precisam descobrir qual é o consenso antes de manifestar sua opinião.

Permita-me deixar bem claro um ponto: a versão do "capitalismo", ou qualquer que seja o sistema econômico que é necessário manter, é a do menor número possível de pessoas na coluna da esquerda da Tríade. Ninguém percebe que o problema decisivo do sistema soviético foi ter colocado todos no comando da vida econômica, naquela sórdida e fragilizante coluna da esquerda.

A ANTIFRAGILIDADE E A ÉTICA DAS (GRANDES) CORPORAÇÕES

Você já percebeu que, enquanto as corporações vendem bebidas de péssima qualidade para as pessoas, os artesãos lhes vendem queijo e vinho? E há uma transferência de antifragilidade da pequena empresa em favor da grande — até que a grande vai à falência.

O problema do mundo comercial é que ele só funciona por meio da adição (*via positiva*), não pela subtração (*via negativa*): as empresas farmacêuticas não ganham nada quando você evita o açúcar; o fabricante de aparelhos de academias não se beneficia com a sua decisão de levantar pedras e caminhar sobre as rochas (sem celular); o seu corretor de valores não ganha com a sua decisão de limitar seus investimentos àquilo que você é capaz de ver com seus próprios olhos — o restaurante do seu primo ou um prédio de apartamentos no seu bairro, por exemplo; todas essas empresas têm de produzir um "aumento da receita" a fim de satisfazer a métrica de algum pensamento vagaroso ou, na melhor das hipóteses, do pensamento semivagaroso do analista com MBA, alocado em Nova York. É claro que, mais cedo ou mais tarde, elas se autodestruirão, mas essa é outra história.

Considere, agora, empresas como a Coca-Cola ou a Pepsi, que, suponho, ainda existem enquanto o leitor se debruça sobre estas linhas — o que é lamentável. Em que ramo de negócios elas atuam? Venda de água açucarada ou de substitutos do açúcar, injetando no corpo das pessoas substâncias que confundem o sistema de sinalização biológica, *causando* diabetes e enriquecendo os fabricantes e vendedores de remédios para diabetes, graças a seus medicamentos compensatórios. Certamente as grandes corporações não conseguem ganhar dinheiro vendendo água da torneira, e são incapazes de produzir vinho (o vinho parece ser o melhor argumento a favor da economia artesanal). Mas elas revestem seus produtos com um colossal aparato de marketing, com imagens que ludibriam o consumidor e slogans como "125 anos proporcionando felicidade" ou algo do tipo. Está além do meu alcance compreender por que razão os argumentos que usamos contra as empresas de tabaco não se apliquem — até certo ponto — a todas as outras grandes empresas que tentam nos vender coisas que podem nos deixar doentes.

O historiador Niall Ferguson e eu participamos, certa vez, de um debate com a presidente da Pepsi, como parte de um evento na Biblioteca Pública de Nova York. Foi uma tremenda lição de antifragilidade, já que nem Niall nem eu dávamos a mínima para quem ela era (nem sequer me preocupei em descobrir o seu nome). Escritores são antifrágeis. Ambos chegamos lá totalmente despreparados (sem levar nem mesmo um único pedaço de papel), ao passo que ela apareceu com uma equipe de assessores que, a julgar pelas grossas pastas que carregavam, provavelmente haviam nos estudado dos pés à cabeça, e sabiam até mesmo a numeração de nossos sapatos (na sala dos palestrantes, vi um dos assessores folheando um documento com uma fotografia horrorosa deste que vos escreve, dos meus tempos pré-obsessão por ossos, pré-levantamento de pesos). Eu e Niall podíamos dizer o que bem quiséssemos com total impunidade, mas ela precisava seguir sua linha partidária, temendo que os analistas de valores mobiliários emitissem um relatório desfavorável que causaria uma queda de 2,30 dólares no preço das ações antes da bonificação de fim de ano. Além disso, minha experiência com executivos corporativos, evidenciada por seu apetite para desperdiçar milhares de horas de reuniões enfadonhas ou lendo memorandos de quinta categoria, é que não tem como eles serem nem remotamente inteligentes. Eles não são empreendedores — apenas atores, atores astuciosos (para mim, as faculdades de economia e administração de empresas estão mais para escolas de teatro). Alguém inteligente — ou livre — provavelmente implodiria sob esse regime. Então, Niall não demorou a detectar o ponto fraco da presidente e foi direto na jugular: o slogan dela era que sua corporação contribuía para a geração de empregos, por ter 600 mil pessoas em sua equipe. Ele imediatamente desmascarou a propaganda dela lançando mão do contra-argumento — na verdade, desenvolvido por Marx e Engels — de que as grandes corporações burocráticas se apoderavam do Estado apenas por ser "grandes empregadoras", o que lhes permitia, em seguida, extrair benefícios à custa das pequenas empresas. Assim, uma corporação que emprega 600 mil pessoas tem autorização para aniquilar impunemente a saúde dos cidadãos, e beneficiar-se com a implícita proteção dos socorros financeiros (caso das empresas automobilísticas norte-americanas), embora os artesãos, como cabeleireiros e sapateiros, não contem com essa imunidade.

Uma regra, então, ocorreu-me: à exceção, digamos, dos traficantes de drogas, as pequenas empresas e os artesãos tendem a nos vender produtos saudáveis, produtos que parecem necessários de uma forma natural e espontânea; as empresas maiores — incluindo as gigantes farmacêuticas — estão propensas a atuar produzindo iatrogenia no atacado, tomando nosso dinheiro, e, então, para piorar ainda mais as coisas, tomando posse do Estado, graças ao trabalho de seu exército de lobistas. Além disso, qualquer coisa que deva fazer uso de marketing parece trazer a reboque efeitos colaterais desse tipo. Sem dúvida, é preciso dispor de um aparato de propaganda para convencer as pessoas de que a coca-cola lhes traz "felicidade" — e isso funciona.

Há, é claro, exceções: corporações com alma de artesão e algumas inclusive com alma de artista. Certa vez, Rohan Silva comentou que Steve Jobs queria que a parte interna dos produtos da Apple fosse esteticamente atraente, embora concebida para permanecer invisível aos olhos dos clientes. Isso é algo que somente um verdadeiro artesão faria — carpinteiros dotados de orgulho pessoal têm a sensação de que são impostores se o tratamento final que derem à parte interna dos armários não for idêntico ao acabamento da parte externa. Mais uma vez, essa é uma forma de redundância, com compensação estética e ética. Mas Steve Jobs era uma das raras exceções da Economia Global Corporativa Extremamente Comentada, Completamente Incompreendida e Supostamente Eficiente.

Artesãos, marketing e o que há de mais barato a oferecer

Outro atributo do artesanal. Não existe nenhum produto de que eu goste particularmente e que eu tenha descoberto por meio de publicidade e marketing: queijos, vinhos, carnes, ovos, tomates, folhas de manjericão, maçãs, restaurantes, barbeiros, artes, livros, hotéis, sapatos, camisas, óculos, calças (meu pai e eu usávamos os serviços de três gerações de alfaiates armênios em Beirute), azeitonas, azeites etc. O mesmo aplica-se a cidades, museus, romances, música, pintura, escultura (tive, em algum momento, obsessão por artefatos antigos e bustos romanos). Todas essas coisas podem ter sido "comercializadas" em certo sentido, de modo a tornar as pessoas conscientes de sua existência, mas não foi assim que passei a usar esses artigos — o boca a boca é um potente filtro naturalista. Na verdade, o único filtro.

O mecanismo de *o que há de mais barato a oferecer para determinada especificação* permeia tudo que encontramos nas prateleiras. As corporações, quando nos vendem o que elas chamam de queijo, recebem um incentivo para nos fornecer o pedaço de borracha mais barato de produzir, contendo os ingredientes apropriados que ainda possam ser chamados de queijo — e elas fazem o dever de casa estudando maneiras de enganar nossas papilas gustativas. Na verdade, é mais do que apenas um incentivo: as corporações têm um propósito estruturado e são extremamente exímias em oferecer o produto mais barato possível que atenda às suas especificações. Isso também vale para, digamos, os livros sobre negócios: editores e autores querem chamar a nossa atenção e colocar em nossas mãos o mais perecível item jornalístico disponível que ainda possa ser chamado de livro. Essa é a otimização em ação, tanto na maximização (imagem e embalagem) quanto na minimização (custos e esforços).

A respeito do marketing das empresas fabricantes de refrigerantes, afirmei que visa confundir os consumidores no máximo grau possível. Qualquer coisa que exija pesados investimentos em marketing tem que ser necessariamente um produto inferior ou um produto nocivo. E é extremamente antiético apresentar algo sob uma luz mais favorável do que ele de fato é. Não há problema em informar as pessoas sobre a existência de um produto, digamos, um novo penduricalho para a prática de dança do ventre, mas me pergunto por que as pessoas não percebem que, por definição, o que está sendo comercializado é, necessariamente, inferior; caso contrário, não precisaria de tamanha publicidade.

Marketing equivale a maus modos — e confio em meus instintos naturalistas e ecológicos. Digamos que você encontra uma pessoa durante um passeio de barco. O que você faria se ela começasse a se vangloriar de seus próprios feitos, alardeando o quanto é um indivíduo sensacional, rico, alto, impressionante, talentoso, famoso, musculoso, bem-educado, eficiente e bom de cama, além de outros atributos? Você certamente fugiria (ou colocaria esse exibido em contato com outro falastrão enfadonho, de modo a livrar-se de ambos). Claro que seria muito melhor que outras pessoas (de preferência, alguém que não fosse a mãe dele) falassem boas coisas a respeito dele, e seria agradável se ele tivesse algum tipo de humildade pessoal.

Na verdade, isso não é nem um pouco absurdo. Enquanto eu escrevia este livro, ouvi por acaso, em um voo da British Airways, um cavalheiro explicar à comissária de bordo, menos de dois segundos depois de iniciada a conversa (que deveria ser sobre se ele gostava ou não de creme e açúcar no café), que ele ganhara o Nobel de medicina "e fisiologia", além de ser o presidente de uma famosa instituição acadêmica monarquista. A comissária de bordo não sabia o que era o Nobel, mas foi cortês, e, depois disso, ele continuou repetindo "o prêmio Nobel", na esperança de que ela despertasse de sua ignorância. Eu me virei e o reconheci, e o personagem de súbito murchou. Como diz o ditado, é mais difícil ser um grande homem diante do próprio valete. E o marketing que vai além de transmitir informações é insegurança.

Admitimos que as pessoas que se vangloriam são arrogantes e desagradáveis. E quanto às empresas? Por que não nos frustramos com as empresas que anunciam o quanto são maravilhosas? Existem três camadas de infrações.

Primeira camada, a infração leve: as empresas são, desavergonhadamente, devotadas à autopromoção, a exemplo do homem no voo da British Airways, e isso só prejudica a elas mesmas. Segunda camada, a infração mais grave: as empresas tentam apresentar-se sob a luz mais favorável possível, escondendo os defeitos de seus produtos — o que ainda é inofensivo, pois já esperamos por isso e confiamos na opinião dos usuários dos produtos. Terceira camada, a infração ainda mais grave: as empresas tentam deturpar o produto que vendem, manipulando nossos vieses cognitivos, brincando com nossas associações inconscientes, e isso é ardiloso. Esta última infração é cometida, por exemplo, quando se mostra a poética imagem de um pôr do sol com um caubói fumando, o que impõe à força uma associação entre lindos momentos românticos e determinado produto que, logicamente, não tem nenhuma conexão possível com aquilo. Você vai atrás de um momento romântico e ganha um câncer.

Ao que parece, o sistema corporativo empurra as empresas, progressivamente, para a terceira camada. No cerne do problema do capitalismo — mais uma vez, por favor, não invoquem Adam Smith — está o problema das unidades que são diferentes dos indivíduos. Uma corporação não tem uma ética natural; ela simplesmente obedece ao balancete. O problema é que sua única missão é corresponder a alguma métrica imposta por analistas de valores mobiliários, eles próprios (muito) propensos ao charlatanismo.

Uma corporação (de capital aberto) não sente vergonha. Nós, seres humanos, somos refreados por alguma inibição física, natural.

Uma corporação não sente compaixão.

Uma corporação não tem senso de honra — ao mesmo tempo, infelizmente, os documentos de marketing mencionam "orgulho".

Uma corporação não tem generosidade. Somente ações interesseiras são aceitáveis. Tente imaginar o que aconteceria com uma corporação que decidisse cancelar, de forma unilateral, seus pagamentos a receber — apenas para ser boazinha. No entanto, as sociedades funcionam graças a atos aleatórios de generosidade entre as pessoas; às vezes, até mesmo entre desconhecidos.

Todos esses defeitos são resultado da ausência de arriscar a própria pele, em termos culturais ou biológicos — uma assimetria que prejudica os outros para o benefício deles próprios.

Ora, esses sistemas estão fadados a implodir. E implodem. Como se diz, ninguém consegue enganar todas as pessoas o tempo todo. Mas o problema da implosão é que isso não tem importância para os gestores — por causa do problema de agência, eles são leais apenas com seu próprio fluxo de caixa pessoal. Eles não serão prejudicados por fracassos subsequentes; continuarão recebendo suas bonificações, porque atualmente não existe indenização por gestão negativa.

Em suma, as corporações são tão frágeis, a longo prazo, que mais dia menos dia desmoronam sob o peso do problema de agência, enquanto os gestores as esfolam ao máximo a fim de amealhar bonificações, e jogam o que sobra para os contribuintes. Elas desabariam antes, não fossem as máquinas de lobby: elas começam a tomar de assalto o Estado para que ele as ajude a injetar bebidas açucaradas no nosso esôfago. Nos Estados Unidos, as grandes corporações controlam alguns membros do Congresso. E isso tudo adia o funeral da empresa, à nossa custa.*

* As pequenas e médias empresas, geridas por famílias ou pelos próprios donos, parecem ter uma vantagem de sobrevivência.

Lawrence da Arábia ou Meyer Lansky

Por fim, se algum dia você tiver de escolher entre a promessa de um mafioso e a de um funcionário público, escolha a do mafioso. Sempre. Instituições não têm senso de honra; indivíduos, sim.

Durante a Grande Guerra, T. E. Lawrence, apelidado de Lawrence da Arábia, firmou um acordo com as tribos árabes do deserto para que ajudassem os britânicos na luta contra o Império Otomano. Sua promessa: em troca, daria a elas um Estado árabe. As tribos árabes tinham juízo e cumpriram bem sua parte da negociação. Mas no fim ficou evidente que os governos francês e britânico haviam fechado um acordo secreto, o Sykes-Picot, para dividir entre si a área em questão. Depois da guerra, Lawrence voltou a viver no Reino Unido, supostamente em estado de frustração, mas, é claro, não por muito tempo. Porém ele nos deixou uma boa lição: nunca confiar nas palavras de um homem que não é livre.

Ora, por outro lado, o maior ativo de um mafioso é que "sua palavra vale ouro". Dizia-se que "um aperto de mão do famoso mafioso Meyer Lansky valia mais do que qualquer tipo de contrato poderoso que poderia ser arquitetado por um batalhão de advogados". Na verdade, ele guardava em sua própria mente os ativos e os passivos da máfia siciliana, e era a conta bancária dos mafiosos, sem um único registro por escrito. Apenas sua honra.

Atuando como *trader*, jamais confiei em transações com "representantes" das instituições; os *traders* de pregão unem-se por seus vínculos, e, ao longo de mais de duas décadas de carreira, nunca conheci um único *trader* autônomo que não cumprisse seu aperto de mão.

Somente o senso de honra pode ensejar o comércio. Qualquer comércio.

A seguir

Vimos como, graças à incompreensão da antifragilidade (e da assimetria ou da convexidade), algumas classes de pessoas usam opções ocultas e prejudicam o coletivo, sem que ninguém perceba. Vimos também a solução: forçar as pessoas a arriscar a própria pele. A seguir, vamos examinar outra forma de opcionalidade: como as pessoas são capazes de escolher a dedo as regras éticas para fazer com que se ajustem a suas ações. Ou a maneira com que os cargos públicos são usados como um meio para satisfazer a ganância pessoal.

24. Ajustando a ética a uma profissão

Como os escravos podem tomar posse do controle — Dando uma prensa nos frouxos — A classe submetida ao suplício, permanentemente tantalizada

Em nenhum momento na história da humanidade uma situação parecida foi vista de forma tão intensa: digamos que o sr. dr. John Smith Jr. trabalha como lobista da indústria do tabaco em Washington, que, como todos bem sabemos, atua com empenho no ramo de matar pessoas em nome do lucro (vimos, com os poderes de subtração, que se interrompêssemos a existência dessa indústria, por exemplo banindo os cigarros, então tudo o mais que é feito pela medicina se tornaria uma nota de rodapé). Pergunte a qualquer um dos parentes (ou amigos) do sr. John por que motivo eles conseguem tolerar isso em vez de, simplesmente, relegarem o sujeito ao ostracismo ou o hostilizarem até levá-lo às lágrimas, evitando-o no próximo funeral de um conhecido. Provavelmente a resposta será "todo mundo precisa ter um ganha-pão" — é uma maneira de se precaverem diante da possibilidade de, um dia, se verem na mesma situação.

Precisamos analisar a direção do vetor (usando a mesma lógica empregada em nossa discussão sobre ensinar os pássaros a voar):

Ética (e crenças) → profissão

ou

Profissão → ética (e crenças)

Antes do debate entre Tony Gordo e Sócrates, Nero estava curioso com relação ao primeiro minuto do encontro, pois entre os dois existia uma lacuna de cerca de 25 séculos. Não é uma questão trivial identificar os elementos de nosso ambiente físico que mais surpreenderiam Sócrates. Questionado acerca desse ponto por Tony Gordo, que sentia um relutante respeito pelos conhecimentos históricos de Nero, a resposta especulativa de Nero foi: "Sem dúvida, seria a ausência de escravos".

"Essas pessoas nunca realizavam por conta própria pequenas tarefas domésticas. Então, imagine a lastimável figura de Sócrates, com sua barriga protuberante, pernas finas e compridas, perguntando-se: '*Opou oi douloi?*'."*

"Mas, Nérroh Túlipa, ainda há escravos por aí", argumentou Tony Gordo. "Muitas vezes eles se diferenciam das demais pessoas usando um intrincado dispositivo chamado gravata."

Nero: "*Signore* Ingeniere Tony, alguns desses usuários de gravatas são muito ricos, ainda mais do que você".

Tony: "Nero, seu otário. Não se deixe iludir pelo dinheiro. São apenas números. Ser dono do próprio nariz é um estado de espírito".

Riqueza sem independência

Existe um fenômeno chamado *efeito da monotonia da esteira*, semelhante ao que vimos na neomania: você precisa ganhar mais e mais dinheiro para permanecer no mesmo lugar. A ganância é antifrágil — mas as vítimas dela não são.

Voltamos ao problema do otário, por acreditar que a riqueza torna as pessoas mais independentes. Para comprovar isso, não precisamos de mais evidências além do que está acontecendo agora: lembre-se de que em nenhum momento na história fomos tão ricos quanto somos hoje. E nunca estivemos tão endividados

* A tradução do grego é "Onde estão os escravos?". (N. T.)

(para os antigos, uma pessoa endividada não estava livre, mas sim vivendo em um cativeiro). O mesmo acontece com o "crescimento econômico".

Em nível local, parece que somos socializados em determinado meio e, portanto, ficamos expostos a uma esteira. Você melhora de vida, muda-se para Greenwich, Connecticut, para em seguida constatar que é um pobretão, morando ao lado de uma mansão de 20 milhões de dólares e festas de aniversário de 1 milhão de dólares. E você se torna mais e mais dependente de seus empregos, especialmente à medida que seus vizinhos vão conquistando polpudas bonificações de Wall Street, sob os auspícios da arrecadação de impostos.

Essa classe de pessoas é como Tântalo, que foi submetido a uma punição eterna: de pé em uma poça d'água debaixo de uma árvore frutífera, sempre que tentava agarrar o fruto, os ramos se afastavam, e quando tentava saciar a sede, a água escoava para longe.

E essa classe permanentemente submetida ao suplício é uma condição moderna. Os romanos driblavam esses efeitos da monotonia da esteira social: grande parte da vida social ocorria entre o patrono, um patrício de posses, e seus clientes menos afortunados, que se beneficiavam da generosidade desse benfeitor e comiam à sua mesa, além de contar com seu apadrinhamento em momentos de dificuldade. Naquela época não havia assistência social e nenhuma igreja para distribuir ou incentivar a caridade: tudo se passava no domínio do privado (o livro *Sobre os benefícios*, de Sêneca, que já mencionei, tratava exatamente das obrigações de cada pessoa em tais situações). Havia pouca exposição a outras pessoas abastadas e poderosas, da mesma forma como os chefões da máfia não se socializam com outros *capos*, mas sim com seus próprios comandados. Em grande medida, foi assim que meu avô e meu bisavô viveram, já que eram proprietários de terras e políticos locais; o poder trazia a reboque uma comitiva de dependentes. Dos donos de terras provinciais exigia-se que mantivessem, de tempos em tempos, uma hospitaleira "casa de portas abertas a todos", com uma mesa farta disponível para as pessoas que quisessem servir-se dos frutos da riqueza. A vida cortesã, por outro lado, leva à corrupção — o nobre vem das províncias onde, agora, teve sua importância e poder reduzidos; ele dá de cara com pessoas mais extravagantes, mais astutas, e se sente pressionado a fortalecer sua autoestima. Pessoas que, nas cidades, teriam perdido seu status conservam-no nas províncias.

Não se pode confiar em alguém que esteja sobre uma esteira.

OS PROFISSIONAIS E O COLETIVO

É fato que, após uma fase de doutrinação, uma pessoa pode rapidamente tornar-se escrava de uma profissão, a tal ponto que toda opinião que essa pessoa tenha sobre qualquer assunto passa a ser interesseira e, portanto, não passível de crédito para a coletividade. Era esse o conflito que os gregos tinham com os profissionais.

Um de meus primeiros empregos foi em uma firma de Wall Street. Depois de alguns meses trabalhando lá, o diretor administrativo nos chamou e nos disse que precisávamos contribuir para as campanhas eleitorais de alguns políticos, com a "recomendação" de que pagássemos determinada fração de nosso salário. Aqueles políticos eram tidos como "bons". Por "bons" o sujeito queria dizer que eram bons para os negócios deles no ramo de bancos de investimentos, já que os políticos em questão ajudariam a aprovar a legislação engendrada para proteger seus negócios. Se eu tivesse feito isso, já não estaria mais habilitado, eticamente, a expressar uma opinião política "para o bem do público".

Em uma história muito debatida ao longo dos séculos, Dêmades, o ateniense, condenou um homem que comercializava serviços funerários, sob a alegação de que só conseguiria lucrar com a morte de muitíssimas pessoas. Montaigne, reformulando o argumento apresentado por Sêneca em *Sobre os benefícios*, alegou que então seria obrigado a condenar cada um dos profissionais. Segundo ele, o comerciante só prospera com a libertinagem da juventude; o agricultor, com o encarecimento dos grãos; o arquiteto, com a ruína dos edifícios; os advogados e oficiais de justiça, com os processos judiciais e litígios entre os homens. Um médico não obtém prazer com a saúde dos outros, nem mesmo a de seus amigos; um soldado não deseja a paz de seu país etc. E, pior ainda, se penetrássemos os pensamentos e as motivações íntimos e particulares das pessoas, veríamos que seus desejos e esperanças existem, invariavelmente, à custa dos outros.

Mas Montaigne e Sêneca foram um pouco indulgentes demais com relação ao interesse pessoal e deixaram passar despercebido algo decisivo. É nítido que ambos compreenderam o fato de que a vida econômica não depende, necessariamente, de motivações altruístas, e de que o agregado funciona de forma diferente do individual. Extraordinariamente, Sêneca nasceu cerca de dezoito séculos antes de Adam Smith, e Montaigne, mais ou menos três; assim, podemos considerar louvável o raciocínio dos dois, ao mesmo tempo que devemos manter certa repulsa à desonestidade fundamental dos homens. Sabemos, desde Adam Smith, que o coletivo não exige a benevolência dos indivíduos, pois o interesse pessoal pode ser a força motriz do crescimento. Mas isso não torna as pessoas menos inconfiáveis em relação às suas opiniões pessoais sobre o coletivo. Pois elas estão arriscando a pele alheia, por assim dizer.

O que Montaigne e Sêneca não perceberam, além da noção de arriscar a própria pele, é que somos capazes de traçar o limite no que diz respeito aos assuntos públicos. Escapou-lhes o problema de agência — embora o problema fosse conhecido heuristicamente (Hamurabi, regras de ouro); isso não norteava sua consciência.

A questão é a seguinte: não é que ganhar a vida em uma profissão seja inerentemente ruim; antes, essa pessoa torna-se automaticamente suspeita quando lida com assuntos públicos, questões que envolvem outras pessoas. A definição do *homem livre*, segundo Aristóteles, é aquele que é livre com suas próprias opiniões — como um efeito colateral de ser livre para fazer o que bem quiser com seu próprio tempo.

A liberdade, nesse sentido, é apenas uma questão de sinceridade nas opiniões políticas.

Os gregos discerniam o mundo em três profissões. A *banausikai technai*, os artesãos; a perícia com armas de guerra, *polemike tekhné*; e a agricultura, *georgia*. As duas últimas, a guerra e a agricultura, eram profissões dignas de um cavalheiro — principalmente porque não eram egoístas e estavam isentas de conflitos de interesse com o coletivo. Mas os atenienses desprezavam os *banausoi*, os artesãos que ganhavam a vida trabalhando em quartos escuros — geralmente, sentados —, fazendo objetos. Para Xenofonte, esses ofícios degradavam a força física dos artesãos, amoleciam seu espírito e os privavam do tempo de convívio com os amigos e dedicação à comunidade. As artes mesquinhas confinam o indivíduo à oficina de trabalho e estreitam seus interesses *ao seu próprio bem-estar*; a perícia com armas de guerra e a prática agrícola propiciam um escopo mais amplo, permitindo que o indivíduo conviva com seus amigos e se dedique a sua comunidade. Para Xenofonte, a agricultura é a mãe e a provedora das outros *technai* (os antigos não tinham empresas;

se vivesse hoje, Xenofonte transferiria sua desconfiança dos artesãos para os funcionários de corporações).

Existem ditados em árabe e em hebraico a respeito, *Yad el hurr mizan / Yad ben horin moznayim* — "a mão do livre é uma balança". É justo que a definição de "livre" não seja bem compreendida: livre é aquele que possui a própria opinião.

Para Metternich, a humanidade começou na posição social do baronato; para Aristóteles, bem como, ainda que de forma distinta, para os ingleses até o século XX, a humanidade se iniciou na condição de homem livre e ocioso, despreocupado com o trabalho. Isso jamais significou *não* trabalhar; significava apenas não definir a partir do trabalho a identidade pessoal e emocional do indivíduo, e ver o trabalho como algo opcional, mais parecido com um passatempo. Em certo sentido, a profissão não identifica a pessoa tanto quanto os outros atributos dela, como sua genealogia (mas poderia ser alguma outra coisa). Este é o *dinheiro suficiente para mandar todo mundo à merda* que permitiu a Tales de Mileto medir com precisão sua própria sinceridade. Para os espartanos, tudo se resumia a uma questão de coragem. Para Tony Gordo, a humanidade começava no nível da "propriedade de si mesmo".

Ora, para nosso amigo horizontal a propriedade de si mesmo era imensamente mais democrática do que para os pensadores que existiram antes dele. Significava simplesmente ser dono e senhor de sua própria opinião. E isso nada tem a ver com riqueza, genealogia, inteligência, aparência física, número do sapato, e sim com coragem pessoal.

Em outras palavras, para Tony Gordo, era uma definição muitíssimo específica de uma pessoa livre: alguém que não pode ser forçado a fazer algo que, de outra maneira, jamais faria.

Leve em conta esse salto de sofisticação de Atenas para o Brooklyn: se, para os gregos, apenas quem pode fazer o que bem quiser com seu tempo é livre para ter a própria opinião, para nosso amigo e conselheiro horizontal somente aquele que tem coragem é livre para ter sua própria opinião. *Os frouxos nascem, não são criados. Eles continuam sendo frouxos, por mais independência que se dê a eles, por mais que fiquem ricos.*

Outra faceta da diferença entre os abstratos Estados-nações modernos e o governo local. Em uma cidade-estado da Antiguidade, ou em um município moderno, a vergonha é a penalidade para a violação da ética — tornando as coisas mais simétricas. O banimento e o exílio, ou, pior ainda, o ostracismo, eram penalidades severas — as pessoas não se mudavam voluntariamente de um lugar para o outro, e o desenraizamento era considerado uma calamidade. Em organismos maiores, a exemplo do megassagrado Estado-nação, em que os encontros presenciais e os vínculos sociais têm um papel menor e secundário, a vergonha deixa de cumprir seu dever de disciplinadora. Precisamos restabelecê-lo.

E, além da vergonha, existem a amizade, a socialização em certo ambiente, o pertencimento a um grupo de pessoas cujos interesses divergem do coletivo. Clêon, o herói da Guerra do Peloponeso, defendeu que as pessoas que assumissem as responsabilidades de assuntos públicos deveriam renunciar publicamente aos amigos — ele pagou por isso sendo alvo de deboche de historiadores.

Uma solução simples, mas até certo ponto drástica: qualquer um que ingressa no serviço público não deve ter autorização para, *subsequentemente*, ganhar mais em qualquer atividade comercial do que a renda do funcionário público mais bem remunerado. É como se fosse um teto voluntário (isso impediria as pessoas de usar o cargo público como uma acomodação temporária para a construção de credibilidade e, em seguida, ir até Wall Street para faturar vários milhões de dólares). Isso levaria para os cargos públicos um número considerável de pessoas virtuosas.

Assim como Clêon foi injuriado, os que agem corretamente parecem enfrentar um problema de agência inversa no mundo moderno: o preço por prestar serviços ao público é ser alvo de campanhas difamatórias e persecutórias. O ativista e advogado Ralph Nader sofreu inúmeras campanhas de difamação quando a indústria automobilística passou a persegui-lo.

O ÉTICO E O LEGAL

Senti vergonha por não ter denunciado o seguinte esquema fraudulento, mesmo tendo conhecimento dele por um longo tempo (como eu disse, *se você testemunhar uma fraude...*). Vamos chamá-lo de o problema de Alan Blinder.

A história é a seguinte. Em Davos, durante um bate-papo reservado regado a café — conversa que, pensava eu, visava salvar o mundo de, entre outras coisas, riscos morais e problemas de agência –, fui interrompido por Alan Blinder, ex--vice-presidente do Banco Central dos Estados Unidos, que tentou me vender um produto de investimento atípico, cujo objetivo era tapear legalmente os contribuintes. O esquema permitia que investidores com altíssimo patrimônio líquido e elevado poder de investimento burlassem as normas vigentes que limitam o seguro de depósito (na época, 100 mil dólares) e se beneficiassem com a cobertura em quantidades quase ilimitadas. O investidor depositaria fundos em qualquer quantidade, e a empresa do professor Blinder dividiria o montante em contas menores e investiria em bancos, dessa maneira escapando do limite; no fim, pareceria uma única conta, mas com o valor integralmente coberto pelo seguro. Em outras palavras, isso permitiria aos super-ricos fraudar os contribuintes, obtendo seguros gratuitos patrocinados pelo governo. Sim, *fraudar* os contribuintes. Legalmente. Com a ajuda de ex-funcionários públicos que têm acesso a informações privilegiadas.

"Isso não é antiético?", falei sem pensar. A resposta dada foi: "É perfeitamente legal", com um adendo ainda mais incriminador: "Temos vários ex-reguladores na equipe", (a) sugerindo que o que era legal era ético, e (b) afirmando que os ex-reguladores levam uma ligeira vantagem sobre os cidadãos.

Demorei bastante tempo, alguns anos, para reagir ao acontecimento e fazer meu *J'accuse* público. Decerto Alan Blinder não é a pessoa que mais viola meu senso de ética; provavelmente, o que me irritou foi a notoriedade de seu cargo público anterior, enquanto a conversa de Davos deveria ter como objetivo salvar o mundo das mazelas (eu estava apresentando a ele a minha ideia de como os banqueiros assumem riscos à custa dos contribuintes). Mas o que temos aqui é um exemplo de como as pessoas usam suas funções públicas para, em algum momento, lucrar legalmente à custa do povo.

Veja se você entende o problema em toda a sua simplicidade: ex-reguladores e ex-funcionários públicos, que foram empregados pelos cidadãos para representar seus interesses, passam a usar seu conhecimento especializado e os contatos adquiridos no exercício de sua função para se beneficiar com as falhas no sistema, tão logo ingressam em um emprego privado – escritórios de advocacia etc.

Pense um pouco mais a fundo: quanto mais complexa a regulamentação, mais burocrática a rede, e mais um regulador que conhece o sistema de brechas e falhas se beneficiaria com isso mais tarde, uma vez que sua vantagem como regulador seria uma função convexa de seu conhecimento diferencial. Isso é uma regalia, uma assimetria que um indivíduo consegue à custa dos outros (note que essa regalia está disseminada em toda a economia; a fabricante de automóveis Toyota contratou ex-reguladores norte-americanos e usou o "conhecimento especializado" deles para lidar com as investigações sobre os defeitos de seus carros).

Agora, a segunda etapa — as coisas pioram. Blinder e o reitor da Faculdade de Economia da Universidade Columbia escreveram um artigo de opinião em um jornal opondo-se à iniciativa do governo de elevar o limite de seguro de depósitos para pessoas físicas. O artigo argumentava que o público não merecia o seguro ilimitado, com o qual os clientes de Blinder se beneficiavam.

Algumas observações.

Em primeiro lugar, quanto mais complicada a regulamentação, mais propensa ela está a ser arbitrada por pessoas que têm informações privilegiadas. Esse é mais um argumento a favor das heurísticas. Uma regulamentação com 2300 páginas — algo que pode ser substituído pelo código de Hamurabi — será uma mina de ouro para ex-reguladores. O incentivo para um regulador é contar com uma legislação intrincada. Mais uma vez, aqueles que detêm informações confidenciais são inimigos da regra do *menos é mais*.

Em segundo lugar, é mais difícil detectar em um sistema complexo a diferença entre a letra e o espírito da regulamentação. Trata-se de uma questão técnica, mas ambientes complexos com não linearidades são mais fáceis de manipular desonestamente do que ambientes lineares com um pequeno número de variáveis. Isso também vale para a lacuna existente entre o legal e o ético.

Em terceiro lugar, em países africanos, altos funcionários do governo recebem subornos às claras. Nos Estados Unidos, existe a promessa implícita, nunca verbalizada, de que mais tarde a pessoa conseguirá um cargo em um banco, uma sinecura qualquer que exija pouco ou nenhum trabalho e que ofereça, digamos, 5 milhões de dólares por ano, caso essa pessoa seja vista com bons olhos pelo setor em que ela atua. E as "regulamentações" dessas atividades são facilmente contornadas.

O que mais me incomodou em relação ao problema de Alan Blinder foram as reações daqueles com quem falei a respeito: as pessoas achavam natural que um ex-servidor público tentasse "ganhar dinheiro" valendo-se de sua ocupação anterior — à nossa custa. *As pessoas não gostam de ganhar dinheiro?*, é o argumento que se repete à exaustão.

Sempre é possível encontrar um argumento ou uma razão ética para defender uma opinião após o fato. Trata-se de um terreno incerto, mas, assim como a escolha seletiva, o indivíduo deve propor uma regra ética antes de praticar uma ação, e não depois. O que se pretende evitar é encaixar uma narrativa àquilo que a pessoa estiver fazendo — e, por muito tempo, a "casuística", a arte de discutir as nuances de decisões, foi apenas isso, um ajuste de narrativas.

Permita-me, primeiro, definir o que é uma opinião fraudulenta. É simplesmente uma opinião cujos interesses pessoais costumam ser generalizados para o bem comum — em que, digamos, um cabeleireiro recomenda cortes de cabelo "em prol da saúde das pessoas", ou em que um lobista da indústria armamentista alega que a posse de armas é "boa para os Estados Unidos", fazendo afirmações que o beneficiam pessoalmente, mas que são mascaradas para dar a impressão de que visam ao benefício do coletivo. Em outras palavras, ele está na coluna da esquerda da tabela 7? Da mesma forma, Alan Blinder escreveu que se opunha à generalização dos seguros de depósitos não porque sua empresa perderia negócios, mas *por causa do bem comum.*

Mas a heurística é fácil de implementar, com uma pergunta simples. Fui ao Chipre para uma convenção, e, durante o jantar de confraternização, um dos outros palestrantes, um professor cipriota de engenharia petroquímica de uma universidade norte-americana, começou a vociferar contra o lorde Nicholas Stern, ativista climático. Stern fazia parte da convenção, mas não compareceu ao jantar. O cipriota estava extremamente exaltado. Eu não fazia ideia de quais eram as questões em jogo, mas percebi a noção de "ausência de evidências" misturada com "evidência de ausência", e me lancei para cima dele a fim de defender Stern, a quem eu nunca havia encontrado pessoalmente. O engenheiro petroquímico estava dizendo que não tínhamos *nenhuma evidência* de que os combustíveis fósseis causam danos ao planeta, convertendo semanticamente sua argumentação em algo equivalente, na tomada de decisões, à afirmação de que temos *evidências de que os combustíveis fósseis não causam danos.* Ele cometeu o equívoco de dizer que Stern estava recomendando um seguro inútil, o que me fez perguntar, de chofre, se ele tinha seguro de carro, de saúde e de outros tipos para eventos que não ocorriam, esse tipo de argumento. Comecei trazendo à tona a ideia de que estamos fazendo algo novo com o planeta, de que o ônus da evidência recai sobre aqueles que desarranjam os sistemas naturais, de que a Mãe Natureza sabe mais do que jamais saberemos, e não o contrário. Mas foi como falar com um advogado de defesa — sofisma, e falta de convergência com a verdade.

Então, ocorreu-me uma heurística. Sub-repticiamente, perguntei a um anfitrião sentado a meu lado se o professor tinha algo a ganhar com aquela argumentação: no fim ficou evidente que ele estava profundamente mancomunado com as empresas petrolíferas, como conselheiro, investidor e consultor. No mesmo instante perdi o interesse no que ele tinha a dizer e a energia necessária para debater na frente dos outros — suas palavras eram insignificantes, mero papo-furado.

Note como isso se ajusta à ideia de arriscar a própria pele. Se alguém tem uma opinião como, digamos, que o sistema bancário é frágil e vai desmoronar, quero que essa pessoa esteja comprometida com a questão, de modo que seja prejudicada caso o público que dá ouvidos a sua opinião venha a ser prejudicado — como uma indicação de que ele não é um zero à esquerda metido a besta. Mas quando são feitas afirmações genéricas sobre o bem-estar coletivo, o que se exige é a *ausência* de comprometimento. *Via negativa.*

Acabo de apresentar o mecanismo da opcionalidade ética por meio do qual *as pessoas adaptam suas convicções às ações, em vez de adaptar suas ações às suas convicções*. A tabela 8 compara as profissões com relação a esse reajuste ético retroativo.

TABELA 8 • COMPARANDO PROFISSÕES E ATIVIDADES

CONVIDADO A SER OPORTUNISTA (ADAPTA A ÉTICA À PROFISSÃO)	PROTEGIDO DO JOGO DA PSEUDOÉTICA
Interesseiro	Prostituta
Networker	Pessoa social
Compromete-se e se arrisca	Não se compromete e não se arrisca
Alguém "pronto para ajudar"	Erudito, diletante, amador
Comerciante, profissional (período clássico)	Proprietário de terras (período clássico)
Empregado	Artesão
Acadêmico em uma universidade devotada à pesquisa, pesquisador que depende de "subsídios"	Fabricante de lentes, professor de filosofia de uma faculdade ou de um liceu, estudioso independente

Há um problema inverso ao de Alan Blinder, chamado de "evidência contra os interesses de alguém". Deve-se dar mais peso aos testemunhos e às opiniões quando apresentam o oposto de um conflito de interesses. Um farmacêutico ou um executivo das gigantes da indústria farmacêutica que defende a fome planejada e os métodos da *via negativa* para curar o diabetes seria mais crível do que outro que é a favor da ingestão de medicamentos.

BIG DATA E A OPÇÃO DO PESQUISADOR

O que vem a seguir é um pouco técnico, por isso o leitor pode pular esta seção, sem perder muito. Mas a opcionalidade está em toda parte, e temos aqui uma oportunidade para discutir uma versão da escolha seletiva que destrói integralmente o espírito de pesquisa e faz com que a abundância de dados seja extremamente prejudicial ao conhecimento. Uma quantidade maior de dados significa mais informações, talvez, mas também significa mais informações falsas. Estamos constatando que um número cada vez menor de artigos é reproduzido — os livros didáticos de psicologia, por exemplo, precisam ser revisados. Quanto à economia, deixa para lá. É bem difícil confiar em muitas das ciências orientadas por estatísticas — especialmente quando o pesquisador sofre pressão para publicar a fim de salvar sua carreira. No entanto, a alegação será "fomentar o avanço do conhecimento".

Lembre-se da noção de epifenômeno como uma distinção entre a vida real e as bibliotecas. Alguém que examine a história a partir da posição estratégica de uma biblioteca encontrará, necessariamente, muito mais relações espúrias do que aquele que vê as coisas ainda em processo de formação, nas habituais sequências que um indivíduo observa na vida real. Ele se deixará ludibriar por mais epifenômenos, um dos quais é resultado direto do excesso de dados em comparação com os sinais da vida real.

Discutimos no capítulo 7 o surgimento do ruído. Aqui, ele se torna um problema mais grave, porque há uma opcionalidade por parte do pesquisador, não muito diferente daquela de um banqueiro. O pesquisador fica com as vantagens, a verdade arca com as desvantagens. A livre opção do pesquisador está em sua capacidade de escolher quais estatísticas podem confirmar a sua crença — ou mostrar um bom resultado — e de descartar o resto. Ele tem a *opção* de parar tão logo alcance um bom resultado. Mas, além disso, pode encontrar relações estatísticas — e o espúrio vem à tona. Há certa propriedade dos dados: em grandes conjuntos de dados, desvios significativos são muito mais atribuíveis ao ruído (ou à variância) do que à informação (ou ao sinal).*

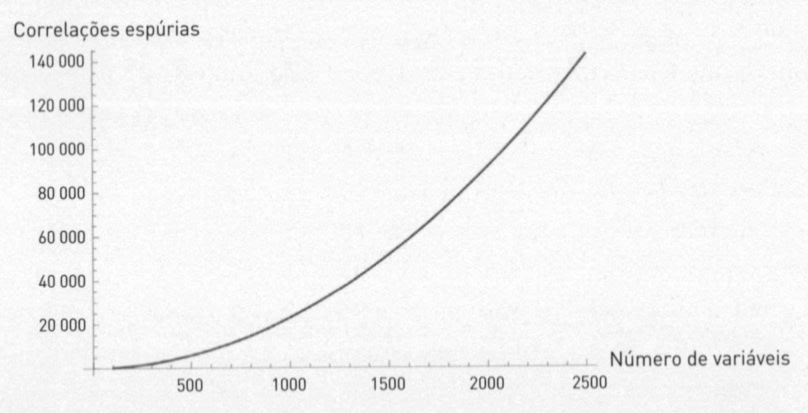

FIGURA 18. A tragédia do big data. Quanto mais variáveis, mais correlações que podem mostrar significância nas mãos de um pesquisador "especializado". A falsidade cresce mais rapidamente do que a informação; ela é não linear (convexa) em relação aos dados.

Existe uma diferença nas pesquisas médicas entre (a) estudos observacionais, em que o pesquisador examina relações estatísticas em seu computador, e (b) experimentos com grupos duplo-cegos, que extraem informações de uma maneira realista, imitando a vida real.

Os primeiros, isto é, as observações a partir de um computador, produzem todos os tipos de resultados que agora tendem a ser, conforme o mais recente cálculo de John Ioannides, em mais de oito a cada dez vezes, espúrios — mesmo assim, esses estudos observacionais são citados nos jornais e em *alguns* periódicos científicos. Felizmente, esses estudos observacionais não são aceitos pela Food and Drug Administration (FDA), a agência do governo norte-americano que regula alimentos e medicamentos, cujos cientistas sabem o que estão fazendo. Eu e o formidável Stan Young, ativista que combate as

* É uma propriedade da amostragem. Na vida real, se observamos as coisas em tempo real, os desvios significativos têm muita relevância. Mas quando um pesquisador os procura, eles tendem a ser espúrios — na vida real, não existe escolha a dedo, mas no computador do pesquisador existe.

estatísticas espúrias, encontramos em *The New England Journal of Medicine* um estudo baseado em genética corroborando a importância dos dados estatísticos — embora os resultados, a nosso ver, não fossem nada além de aleatórios. Escrevemos para a publicação, em vão.

A figura 18 mostra o elevado número de potenciais relações espúrias. A ideia é a seguinte: se tenho um conjunto de duzentas variáveis aleatórias, completamente desvinculadas entre si, seria quase impossível não encontrar entre elas alguma alta correlação, digamos, de cerca de 30%, mas isso é inteiramente espúrio. Existem técnicas para controlar a escolha seletiva (uma delas é conhecida como o ajuste de Bonferroni), mas, mesmo assim, elas não pegam os culpados — quase do mesmo modo como a regulamentação não impede que pessoas munidas de informações privilegiadas manipulem o sistema. Isso explica por que, nos últimos doze anos desde que decodificamos o genoma humano, nada muito significativo foi descoberto. Não estou dizendo que não há informação nos dados: o problema é que a agulha está em um palheiro.

Até mesmo os experimentos podem ser desfigurados por vieses: o pesquisador tem o incentivo de selecionar o experimento que corresponda àquilo que ele está procurando, ocultando as tentativas infrutíferas. Ele também pode formular uma hipótese depois de obtidos os resultados do experimento — ajustando a hipótese ao experimento. O viés é menor, contudo, do que no caso anterior.

O efeito "iludidos pelos dados" está se acelerando. Existe um fenômeno indigesto chamado "big data", em que os pesquisadores levaram a escolha seletiva a um nível industrial. A modernidade proporciona variáveis em excesso (mas pouquíssimos dados por variável), e as relações espúrias crescem muito mais rapidamente do que a informação real, pois o ruído é convexo, ao passo que a informação é côncava.

Cada vez mais, os dados só podem oferecer de fato um conhecimento ao estilo *via negativa* — podem ser usados com eficácia para desmascarar, não para confirmar.

A tragédia é que é dificílimo conseguir financiamento para reproduzir — e rejeitar — estudos existentes. E, mesmo que houvesse dinheiro para isso, seria difícil encontrar gente disposta a aceitar a empreitada: tentar reproduzir estudos não transformará ninguém em herói. Assim, estamos incapacitados por causa de uma desconfiança em relação aos resultados empíricos, exceto aqueles que são negativos. Retornando à minha ideia romântica do clérigo inglês amante de chá: o pesquisador profissional compete para "encontrar" relações. A ciência não deve ser uma competição; não deve ter rankings dos melhores — podemos perceber como um sistema acabará indo pelos ares. O conhecimento não deve incluir um problema de agência.

A TIRANIA DO COLETIVO

Os erros cometidos coletivamente, e não individualmente, são a marca registrada do conhecimento organizado — e o melhor argumento contra ele. Argumentos do tipo "todo mundo faz o mesmo" ou "é assim que os outros fazem" são recorrentes. Não é trivial: pessoas que por conta própria não fariam algo por considerá-lo uma tolice empenham-se, agora, para fazer exatamente a mesma coisa, porém em grupos. E é aí que o mundo acadêmico, em sua estrutura institucional, tende a violentar a ciência.

Certa vez, um aluno de doutorado da Universidade de Massachusetts chamado Chris S. procurou-me para dizer que acreditava em minhas ideias de "caudas grossas" e em meu ceticismo em relação aos atuais métodos de gerenciamento de riscos, mas que isso não o ajudaria a conseguir uma posição acadêmica. "É o que todo mundo ensina e usa nos artigos", disse ele. Outro estudante explicou que desejava um cargo em uma boa universidade, para que pudesse ganhar dinheiro dando seu testemunho técnico — eles não engoliam minhas ideias sobre gerenciamento de riscos robusto porque "todo mundo usa livros didáticos". Da mesma forma, fui convidado por uma universidade para ensinar métodos de risco padronizados, que a meu juízo são puro charlatanismo (recusei o convite). É meu dever como professor fazer com que os alunos consigam um emprego à custa da sociedade ou cumprir meus deveres cívicos? Bem, se a primeira alternativa for a resposta certa, as faculdades de economia e administração de empresas têm nas mãos um sério problema ético. Pois a questão é generalizada, razão pela qual a economia ainda não entrou em colapso, apesar do óbvio absurdo — e do disparate *cientificamente comprovado* — que há nela (no meu artigo sobre o "Quarto Quadrante" — veja a discussão no apêndice —, mostro como esses métodos são empiricamente inválidos, além de serem gravemente inconsistentes em termos matemáticos — em outras palavras, uma fraude científica). Lembre-se de que os professores não são penalizados quando ensinam algo que faz o sistema financeiro explodir, o que perpetua a fraude. Os departamentos precisam ensinar *alguma coisa* para que os alunos consigam empregos, mesmo que estejam ensinando um embuste — isso nos coloca na arapuca de um círculo vicioso, em que todos sabem que o material está errado, mas ninguém é suficientemente livre, ou não tem a coragem suficiente, para fazer algo a respeito.

O problema é que o último lugar no planeta em que o argumento "as outras pessoas pensam assim" pode ser usado é a ciência: a ciência gira em torno, precisamente, de argumentos que se sustentam sobre as próprias pernas, e algo que se provou estar errado do ponto de vista empírico ou matemático é apenas e totalmente errado, mesmo que uma centena ou 3 trilhões de "especialistas" discordem da afirmação. E o próprio uso de "outras pessoas" para respaldar as afirmações de um indivíduo é um indicativo de que essa pessoa — ou todo o coletivo que compõe os "outros" — é um frouxo. O apêndice mostra o que já foi desmascarado na economia, e que as pessoas continuam usando porque não são prejudicadas pelo erro, e essa é a estratégia ideal para manter um emprego ou conseguir uma promoção.

Mas a boa notícia é que estou convencido de que uma única pessoa corajosa pode derrotar um coletivo composto de frouxos.

E aqui, mais uma vez, precisamos voltar à história em busca da cura. As Escrituras tinham plena consciência do problema da difusão de responsabilidade e estabeleceram como pecado seguir a multidão na prática do mal — assim como prestar falso testemunho apenas para agir em conformidade com a multidão.

Encerro o Livro VII com um pensamento. Fico tenso sempre que ouço alguém proferir a frase "eu sou ético". Quando ouço falar sobre aulas de ética, fico ainda mais tenso. Tudo que quero é eliminar a opcionalidade, reduzir a antifragilidade de alguns à custa de outros. É a simples *via negativa*. O resto se resolve sozinho.

25. Conclusão

Como sempre, no fim da jornada, enquanto eu fitava o manuscrito completo sobre uma mesa de restaurante, alguém de cultura semita pediu-me que eu me apoiasse em uma perna só e explicasse meu livro. Dessa vez, foi Shaiy Pilpel, probabilista com quem por duas décadas mantive um longo e calmo diálogo, sem um único episódio de conversa fiada. É difícil encontrar pessoas suficientemente inteligentes e confiantes, que gostem de extrair a essência das coisas, em vez de fazer questão de ater-se a ninharias.

No meu livro anterior, um dos compatriotas dele me fez a mesma pergunta, mas tive de pensar a respeito. Dessa vez, nem sequer precisei fazer esforço.

Era tão óbvio que o próprio Shaiy sintetizou tudo em um fôlego só. Ele realmente acredita que todas as ideias genuínas podem ser reduzidas a um tema central, o que a grande maioria das pessoas em determinados campos, por força da especialização e em virtude de sua incompetência metida a besta, deixa passar completamente despercebido. Tudo, na lei religiosa, pode ser reduzido aos aperfeiçoamentos, às aplicações e às interpretações da Regra de Ouro: "Não faça aos outros o que você não quer que façam a você". Essa regra da reciprocidade, como vimos, era a lógica por trás do código de Hamurabi. E a Regra de Ouro era uma verdadeira destilação, e não uma cama de Procusto. Um argumento decisivo nunca é um resumo — está mais para um gerador.

O que Shaiy sintetizou foi: *Todas as coisas ganham ou perdem com a volatilidade. Fragilidade é aquilo que perde com a volatilidade e a incerteza.* O vidro sobre a mesa tem baixa volatilidade.

No romance *A peste*, de Albert Camus, um personagem passa parte da vida à procura da frase perfeita para começar um romance. Assim que encontra essa frase, ele escreve o livro inteiro como uma derivação da abertura. Mas o leitor, para compreender e apreciar a primeira frase, terá de ler o livro na íntegra.

Olhei de relance para o manuscrito com uma sensação de calma euforia. Cada frase do livro foi uma derivação, uma aplicação ou uma interpretação da breve máxima. Alguns detalhes e ampliações podem ser contraintuitivos e minuciosos, particularmente no que diz respeito à tomada de decisões sob a opacidade, mas, no fim, tudo flui a partir dela.

O leitor é convidado a fazer o mesmo. Olhe ao seu redor, para a sua vida, para os objetos, para os relacionamentos, para as empresas e instituições. Em prol da clareza, você pode *substituir* a volatilidade por outros membros do aglomerado da desordem aqui e ali, mas isso nem sequer é necessário — quando formalmente expresso, tudo é o mesmo símbolo. Tempo é volatilidade. A educação, no sentido de formação de caráter, de personalidade e de aquisição de conhecimento verdadeiro, gosta da desordem; a educação e os educadores norteados por rótulos abominam a desordem. Algumas coisas se quebram por causa do erro, outras não. Algumas teorias se esfacelam, outras não. A inovação é, precisamente, algo que ganha com a incerteza: e algumas pessoas ficam paradas de braços cruzados à espera da incerteza e usam a incerteza como matéria-prima, exatamente como fizeram nossos ancestrais caçadores.

Prometeu é desordem alta; Epimeteu é desordem baixa. Podemos dividir as pessoas e a qualidade de suas experiências com base na exposição à desordem e ao seu apetite por ela: hoplitas espartanos contra blogueiros, aventureiros contra editores de texto, comerciantes fenícios contra gramáticos latinos e piratas contra instrutores de tango.

Acontece que tudo que é não linear é convexo ou côncavo, ou ambos, dependendo da intensidade do estressor. Vimos a ligação entre a convexidade e a predileção pela volatilidade. Então, todas as coisas amam ou odeiam a volatilidade até certo ponto. Todas.

Podemos detectar o que gosta da volatilidade graças à convexidade ou à aceleração e ordens mais elevadas, uma vez que a convexidade é a resposta por parte daquilo que gosta da desordem. Podemos construir sistemas protegidos contra os eventos Cisne Negro graças à detecção de concavidade. Podemos tomar decisões na área médica compreendendo a convexidade dos danos e da lógica das experimentações da Mãe Natureza, de que lado encontraremos opacidade e qual erro deveríamos correr o risco de cometer. Em grande medida, a ética gira em torno de convexidades e opcionalidade roubadas.

Em uma linguagem mais técnica, pode ser que nunca cheguemos a conhecer x, mas podemos brincar com a exposição a x, submeter as coisas à estratégia *barbell* até torná-las inofensivas; podemos controlar uma função de x, $f(x)$, mesmo que x permaneça vastamente além da nossa compreensão. Podemos continuar alterando $f(x)$ até nos sentirmos confortáveis por meio de um mecanismo chamado *transformação convexa*, o nome mais pomposo para *barbell*.

Essa breve máxima também diz onde a fragilidade suplanta a verdade, por que mentimos para as crianças e por que nós, seres humanos, colocamos o carro na frente dos bois nesse grande empreendimento chamado modernidade.

A aleatoriedade distribuída (em oposição à do tipo concentrado) é uma necessidade, não uma opção: tudo que é grande tem baixa volatilidade. E tudo que é rápido também. Grande e rápido são abominações. Os tempos modernos não gostam da volatilidade.

E a Tríade nos dá alguma pista do que deveria ser feito para vivermos em um mundo que não quer que o compreendamos, um mundo cujo encanto vem de nossa incapacidade de compreendê-lo verdadeiramente.

O vidro está morto; as coisas vivas têm alta volatilidade. A melhor maneira de você comprovar se está vivo é verificar se gosta de variações. Lembre-se de que a comida não teria sabor se não fosse pela fome; resultados não têm sentido sem o esforço, a alegria sem a tristeza, as convicções sem a incerteza; e uma vida ética deixa de ser ética quando desprovida de riscos pessoais.

E, mais uma vez, leitor, obrigado por ler meu livro.

Epílogo
De ressurreição em ressurreição

Foi um aneurisma na aorta.

Nero estava no Levante para a celebração anual da morte e do renascimento de Adônis. Era um período de luto, com mulheres aos prantos, seguido por uma celebração da ressurreição. Ele observava o despertar da natureza no ameno inverno mediterrâneo, quando os rios estão cobertos por águas avermelhadas, o sangue do deus fenício ferido pelo javali, enquanto a neve do degelo das montanhas inundava rios e riachos.

Na natureza, as coisas seguem adiante, de ressurreição em ressurreição.

Foi nesse momento que o motorista de Tony ligou. O nome dele também era Tony, e, embora se identificasse como Tony, o Motorista, ele fingia ser guarda-costas (na verdade, comparando-se o tamanho de um e de outro, tinha-se a impressão de que Tony Gordo é que era o guarda-costas dele). Nero nunca gostou dele, sempre teve aquela esquisita sensação de desconfiança, de modo que o momento de receber a notícia foi estranho. Durante o silêncio do outro lado da linha, ele sentiu pena de Tony, o Motorista.

Nero foi nomeado executor testamentário de Tony, o que de início o deixou nervoso. De alguma forma ele temia que a sabedoria de Tony revelasse em algum lugar um gigantesco calcanhar de aquiles. Mas, no fim ficou claro, não havia nada grave, um patrimônio impecável, obviamente livre de dívidas, conservador, muito bem distribuído. Havia alguns fundos a serem disponibilizados, com toda discrição, a uma mulher que, provavelmente, era uma prostituta, por quem Tony tinha certo amor obsessivo e antifrágil, decerto ajudado pelo fato de que ela era mais velha e muito menos sedutora do que a esposa de Tony, esse tipo de coisa. Então, nada sério.

Exceto pela pegadinha póstuma. Tony deixou como herança para Nero a soma de 20 milhões de dólares para que ele gastasse, a seu critério, em... era para ser uma missão secreta; nobre, é claro, mas secreta. E, obviamente, vaga. E perigosa. Foi o maior elogio que Nero jamais tinha recebido de Tony: a confiança de que ele seria capaz de ler a sua mente.

O que ele fez.

Agradecimentos

Peter Bevelin, Jazi Zilber e Peter Tanous leram detalhadamente o manuscrito na íntegra diversas vezes em diferentes versões e ofereceram generosos comentários ou sugestões sobre pesquisas relevantes. Recebi excepcionais e entusiásticas contribuições de Will Murphy, Evan Camfield, Alexis Kirshbaum, Cynthia Taleb, Will Goodlad, Stefan McGrath e Asim Samiuddin, que testemunharam o andamento do livro e contribuíram para seu desenvolvimento.

Comentários e ajuda generosos: Peter Nielsen, Rory Sutherland, Saifedean Ammous, Michael Kraland, Ron Kennett (por, entre outras coisas, as impressões côncavas/convexas do Metropolitan Museum), Max Brockman, John Brockman, Marcos Carreira, Nathan Myhrvold, Aaron Brown, Terry Burnham, Peter Boettke, Russ Roberts, Kevin Horgan, Farid Karkaby, Michael Schrague, Dan Goldstein, Marie-Christine Riachi, Ed Frankel, Mika Kasuga, Eric Weinstein, Emanuel Derman, Alberto Mingardi, Constantine Sandis, Guy Deutscher, Bruno Dupire, George Martin, Joelle Weiss, Rohan Silva, Janan Ganesh, Dan Ariely, Gur Huberman, Cameron Williams, Jacques Merab, Lorenzo Savorelli, Andres Velasco, Eleni Panagiotarakou, Conrad Young, Melik Keylan, Seth Roberts, John McDonald, Yaneer Bar-Yam, David Shay Witz, Nouriel Roubini, Philippe Asseily, Ghassan Bejjani, Alexis Grégoire Saint-Marie, Charles Tapiero, Barry Blecherman, Art De Vany, Guy Riviere, Bernard Oppetit, Brendon Yarkin e Mark Spitznagel; e meus colaboradores on-line Jean-Louis Reault, Ben Lambert, Marko Costa, Satiyaki Den, Kenneth

Lamont, Vergil Den, Karen Brennan, Ban Kanj, Lea McKay, Ricardo Medina, Marco Alves, Pierre Madani, Greg Linster, Oliver Mayor, Satyaki Roy, Daniel Hogendoorn, Phillip Crenshaw, Walter Marsh, John Aziz, Graeme Blake, Greg Linster, Sujit Kapadia, Alvaro De La Paz, Apoorv Bajpai, Louis Shickle, Ben Brady, Alfonso Payno de las Cuevas, "Guru Anaeróbico", Alexander Boland, David Boxenhorn, Dru Stevenson e Michal Kolano. Tenho certeza de que me esqueci de muitos outros.

Glossário

Tríade: o trio Antifragilidade, Robustez, Fragilidade.

Assimetria fundamental (também **Assimetria de Sêneca**): Quando alguém tem *mais vantagens do que desvantagens* em determinada situação, ele é antifrágil e tende a ganhar com (a) volatilidade, (b) aleatoriedade, (c) erros, (d) incerteza, (e) estressores, (f) tempo. E o inverso.

Cama de Procusto: Procusto fazia com que as pessoas se ajustassem perfeitamente à sua cama, cortando ou esticando seus braços e pernas. Corresponde às situações em que simplificações não são simplificações.

Fragilista: alguém que causa fragilidade por acreditar que entende o que está acontecendo. Em geral também é desprovido de senso de humor. Ver **Iatrogenia**. Invariavelmente, os fragilistas fragilizam privando de variabilidade os sistemas encantados pela variabilidade e destituindo de erros os sistemas que adoram erros. Os fragilistas tendem a confundir organismos com máquinas e projetos da engenharia.

Efeito de ensinar os pássaros a voar: inverter o vetor do conhecimento para a leitura academia → prática ou educação → riqueza, de modo a fazer parecer que a tecnologia deve mais à ciência institucional do que realmente deve.

Turistificação: a tentativa de matar a aleatoriedade da vida. Aplica-se a mãe-helicóptero, funcionários públicos de Washington, planejadores estratégicos, engenheiros sociais, manipuladores que dão "*nudge*" etc. Oposto: **flanador racional**.

Flanador racional (ou apenas **flanador**): alguém que, ao contrário de um turista, toma uma decisão oportunista a cada etapa para rever sua programação (ou seu destino), de modo que possa impregnar-se das coisas com base em novas informações obtidas. Na área de pesquisa e no empreendedorismo, ser um flanador é chamado de "procurar a opcionalidade". Um enfoque não narrativo da vida.

Estratégia *barbell*: uma estratégia dupla, uma combinação de dois extremos, um seguro e um especulativo, tida como mais robusta do que uma estratégia "monomodal"; muitas vezes, uma condição necessária para a antifragilidade. Por exemplo, em sistemas biológicos é o equivalente a casar-se com um contador e ter um caso com um astro do rock; para um escritor, conseguir um cargo estável, que exige pouco ou nenhum trabalho, e usar seu tempo livre para escrever sem as pressões do mercado. Até mesmo a tentativa e erro é uma forma de *barbell*.

Iatrogenia: dano causado por aquele que cura; por exemplo, quando as intervenções do médico fazem mais mal do que bem.

Iatrogenia generalizada: por extensão, aplica-se aos efeitos colaterais danosos das ações dos formuladores de políticas públicas e das atividades dos acadêmicos.

Classe submetida ao suplício: condição econômica de quem ganha mais do que o salário mínimo e deseja mais riqueza. Trabalhadores, monges, hippies, alguns artistas e aristocratas ingleses escapam dela. A classe média tende a se enquadrar nessa categoria; da mesma forma que os bilionários russos, os lobistas, a maioria dos banqueiros e os burocratas. Seus membros são subornáveis, contanto que providos da narrativa adequada, principalmente com a utilização da casuística.

Erros do Cisne Negro

> **Enfoque não preditivo:** construir as coisas de uma forma imune a perturbações — portanto, robusta a mudanças em resultados futuros.
>
> **Talesiano versus aristotélico:** o talesiano concentra-se na exposição, na compensação obtida com as decisões; o aristotélico põe em foco a lógica, a distinção verdadeiro-falso. Para Tony Gordo, o problema gira em torno da dicotomia otário-não otário, ou riscos e recompensas. (Ver também **não linearidades**, **efeitos de convexidade**.)
>
> **Fusão de eventos e exposição:** confundir uma função de uma variável com a própria variável.

Gerenciamento de riscos naturalista: a crença de que, quando se trata de gerenciamento de riscos, a Mãe Natureza tem um histórico de desempenho extremamente mais significativo do que os seres humanos racionais. É imperfeito, mas muito melhor.

Ônus da evidência: o ônus da evidência recai sobre aqueles que desarranjam o natural, ou aqueles que propõem políticas de *via positiva*.

Falácia lúdica: confundir os problemas de matemática e experimentos de laboratório, bem formulados e consistentes, com o ecologicamente complexo mundo real. Inclui confundir a aleatoriedade dos cassinos com a da vida real.

Experimentações e bricolagem antifrágeis: certa classe de tentativa e erro, com os pequenos erros sendo o tipo "certo" de erros. Tudo equivalente a **flanador racional**.

Hormese: uma pequena quantidade de uma substância nociva, ou estressor, na dose certa ou com a intensidade correta, estimula o organismo e torna-o melhor, mais forte, mais saudável e preparado para uma dose mais forte na próxima exposição (pense em ossos e em caratê).

Intervencionismo ingênuo: intervenção com desprezo pela **iatrogenia**. A preferência, até mesmo a obrigação, de "fazer algo" em vez de não fazer nada. Embora possa ser benéfico em prontos-socorros ou em ambientes ancestrais, esse instinto é prejudicial em outros, nos quais haja um "problema para especialistas".

Racionalismo ingênuo: pensar que as razões para as coisas são, por padrão, acessíveis nos prédios universitários. Também chamado de **Delírio soviético de Harvard**.

Peru e peru às avessas: o peru é alimentado durante mil dias por um açougueiro, e a cada dia o peru afirma, com uma confiança estatística cada vez maior, que o açougueiro "nunca lhe fará mal" — até que chega o Dia de Ação de Graças, que obriga o peru a fazer uma revisão Cisne Negro de suas convicções. O erro do **peru às avessas** é a confusão espelhada, não ver oportunidades — declarar que há evidências de que alguém que escava à procura de ouro ou que está em busca de curas "nunca encontrará" coisa alguma.

Comprometimento doxástico ou "alma em jogo": você só deve acreditar em previsões e opiniões proferidas por aqueles que estão comprometidos com certa crença e têm algo a perder, de modo que tenham de pagar um preço caso estejam errados.

Heurística: regras gerais simples, práticas e fáceis de aplicar, que tornam a vida mais fácil. Elas são necessárias (não temos o poder mental de absorver todas as informações, e tendemos a ficar confusos com os detalhes), mas podem nos meter em encrencas, já que não sabemos que as estamos utilizando quando formamos nossos juízos.

Heurística opaca: hábitos rotineiros colocados em prática pelas sociedades e que parecem não fazer sentido, embora vigorem há muito tempo e perdurem por razões desconhecidas.

Dionisíaco: heurística opaca, aparentemente irracional, cujo nome homenageia Dionísio (ou Baco para os romanos), o deus do vinho, da celebração e do deleite. Opõe-se ao apolíneo, que representa a ordem.

Problema de agência: situação em que o gestor de um negócio não é o verdadeiro dono, portanto segue uma estratégia que do ponto de vista cosmético parece sensata, mas que de forma oculta o beneficia e faz com que ele se torne antifrágil à custa (da fragilidade) dos verdadeiros donos ou da sociedade. Quando ele está certo, colhe grandes benefícios; quando está errado, outros pagam o preço. Esse problema muitas vezes leva à fragilidade, já que torna fácil ocultar os riscos. Afeta também políticos e acadêmicos. É uma das maiores fontes de fragilidade.

Gerenciamento de riscos de Hamurabi: a ideia de que um construtor tem mais conhecimentos do que um analista, podendo ocultar os riscos nos alicerces, onde eles podem ser mais invisíveis; o remédio é eliminar o incentivo e privilegiar o risco protelado.

Falácia da madeira verde: confundir a fonte de conhecimento importante ou até mesmo necessário — a cor da madeira — com outra, menos visível do exterior, menos maleável e manejável. Como os teóricos atribuem pesos errôneos ao que é preciso saber em determinado ramo de atividade ou, em termos mais genéricos, quantas coisas a que chamamos "conhecimentos relevantes" não são tão relevantes assim.

Arriscar a própria pele/regra do capitão e do navio: todo capitão afunda com seu navio. Isso elimina o **problema de agência** e a falta de **comprometimento doxástico**.

Ladrilho de Empédocles: um cachorro dorme no mesmo ladrilho por causa de uma correspondência natural, biológica, explicável ou não explicável, confirmada por uma longa série de frequentações recorrentes. Talvez jamais saibamos o motivo, mas a correspondência está lá. Exemplo: por que lemos livros.

Escolha seletiva: selecionar a dedo, a partir dos dados, aquilo que serve para comprovar o próprio argumento, e ignorar elementos desconfirmatórios.

Problemas éticos como transferências de assimetria (fragilidade): alguém rouba de outros a antifragilidade e a opcionalidade, ficando com as vantagens e deixando as desvantagens. "Arriscar a pele alheia."

> **A violação de Robert Rubin:** roubo de opcionalidade. Obter vantagens a partir de uma estratégia sem desvantagem para si mesmo, deixando os danos para a sociedade. Rubin recebeu 120 milhões de dólares em compensação do Citibank; os contribuintes estão pagando retroativamente pelos erros dele.
>
> **O problema de Alan Blinder:** (1) usar retrospectivamente os privilégios do cargo à custa dos cidadãos. (2) violar regras morais, no fiel cumprimento da lei; confusão entre o ético e o legal. (3) o incentivo do regulador para a formulação de legislações complexas, a fim de, posteriormente, vender seu "conhecimento especializado" para o setor privado.
>
> **O problema de Joseph Stiglitz:** ausência de penalidades por recomendações ruins que causam danos a outras pessoas. **Escolha seletiva** mental, que acaba contribuindo para as causas de uma crise, ao mesmo tempo que o indivíduo se convence do contrário — e acredita ter previsto a crise. Aplica-se a pessoas com opiniões sem arriscar a própria pele.

Opcionalidade racional: não ficar estagnado em determinado programa, de modo que possa mudar de opinião enquanto segue adiante, com base em descobertas ou novas informações. Também pode ser aplicado ao **flanador racional**.

Inversão ética: adaptar a própria ética às ações (ou à profissão), e não o contrário.

Falácia narrativa: nossa necessidade de ajustar uma história, ou padrão, a uma série de fatos conectados ou desconectados. A aplicação estatística é mineração de dados.

Disciplina narrativa: disciplina que consiste em adaptar uma história convincente e agradável ao passado. Opõe-se à disciplina experimental. Uma excelente maneira de ludibriar as pessoas é usar as estatísticas como parte da narrativa, trazendo à tona "boas histórias" a partir dos dados graças à seleção a dedo; na medicina, estudos epidemiológicos tendem a ser maculados pela falácia narrativa, o que ocorre menos com experimentos controlados. Experimentos controlados são mais rigorosos, menos sujeitos à **escolha seletiva**.

Ação não narrativa: não depende de uma narrativa para que a ação esteja correta — a narrativa está presente apenas para motivar, entreter ou suscitar uma ação. Ver **flanador**.

Narrativa robusta: quando a narrativa não produz conclusões nem recomendações de ações opostas sob a mudança de premissa ou de ambiente. De outra maneira, a narrativa é frágil. Da mesma forma, um modelo ou ferramenta matemáticos robustos não levam a diretrizes diferentes quando algumas partes do modelo são alteradas.

Conhecimento subtrativo: você sabe o que está errado com mais certeza do que sabe qualquer outra coisa. Uma aplicação da ***via negativa***.

Via negativa: em teologia e filosofia, o foco naquilo que algo não é, uma definição indireta. Na ação, é uma receita para o que evitar, o que não fazer — a subtração, e não a adição, como na medicina.

Profecia subtrativa: prever o futuro por meio da eliminação do que é frágil, em vez de ingenuamente adicionar coisas. Uma aplicação da ***via negativa***.

Efeito Lindy: uma tecnologia, ou qualquer coisa não perecível, aumenta a expectativa de vida a cada dia vivido — ao contrário dos itens perecíveis (por exemplo, seres humanos, gatos, cães e tomates). Assim, um livro que vem sendo publicado há cem anos tem mais probabilidade de continuar sendo impresso por mais cem anos.

Neomania: amor pela mudança em si mesma, uma forma de filisteísmo que não se põe em conformidade com o **efeito Lindy** e compreende a fragilidade. Prevê o futuro pela adição, e não pela subtração.

Opacidade: você não vê o cano do revólver quando alguém está jogando roleta-russa. Em termos mais gerais, algumas coisas permanecem opacas para nós, levando a ilusões de compreensão.

Mediocristão: um processo dominado pela mediocridade, com poucos sucessos ou fracassos extremos (digamos, por exemplo, a renda de um dentista). Nenhuma observação única é capaz de afetar significativamente o agregado. Também chamado de "cauda fina", ou membro da família gaussiana de distribuições.

Extremistão: um processo em que o total pode ser compreensivelmente impactado por uma única observação (digamos, por exemplo, a renda de um escritor). Também chamado de "cauda grossa". Inclui a família de distribuições fractais, ou da lei de potência.

Não linearidades, efeitos de convexidade (sorriso e cara fechada): as não linearidades podem ser côncavas ou convexas, ou uma mistura de ambas. O termo **efeitos de convexidade** é uma extensão e uma generalização da assimetria fundamental. O nome técnico da fragilidade é efeitos de convexidade negativos, e o da antifragilidade é efeitos de convexidade positivos. O convexo é bom (um sorriso); o côncavo é ruim (uma cara fechada).

Pedra filosofal, também chamada de **viés de convexidade** (muito técnico): a medida exata dos benefícios derivados da não linearidade ou da opcionalidade (ou, em termos ainda mais técnicos, a diferença entre *x* e uma função convexa de *x*). Por exemplo, esse viés pode quantificar os benefícios para a saúde da intensidade variável da ventilação pulmonar em função da pressão constante, ou calcular os ganhos com a alimentação esporádica. A **cama de Procusto** a partir da negligência da não linearidade (para "simplificar") está em presumir que esse viés de convexidade não existe.

Apêndice I

Um passeio gráfico pelo livro

Para as pessoas não literatas, que gostam de ver as coisas em forma de gráficos, em vez de palavras, e apenas para elas.

NÃO LINEARIDADE E MENOS É MAIS (+ CAMA DE PROCUSTO)

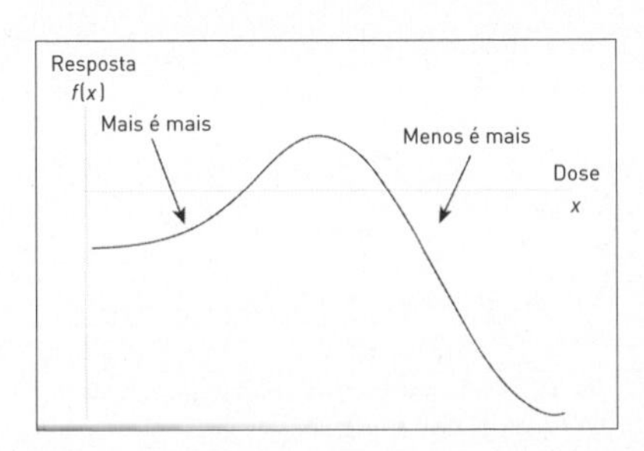

FIGURA 19. *Este gráfico explica tanto a resposta não linear quanto a ideia de "menos é mais". À medida que a dose aumenta para além de determinado ponto, os benefícios se invertem. Vimos que tudo que é não linear é ou convexo, ou côncavo ou, como neste gráfico, misto. O gráfico mostra também como, sob não linearidades, as reduções fracassam: a cama de Procusto das frases "bom para você" ou "ruim para você" é gravemente distorcida.*

O gráfico mostra também por que as heurísticas derivadas de experimentações e improvisos são importantes, pois não nos levam à zona de perigo — palavras e narrativas fazem isso. Constate como a zona do "mais é mais" é convexa, significando benefícios iniciais acelerados (em árabe levantino, a zona além da saturação tem um nome: كترا متل قلتا *"mais disso é o mesmo que menos disso").*

Por fim, o gráfico mostra por que a "sofisticação" competitiva (ou melhor, a complexidade mascarada de sofisticação) é prejudicial, comparada ao anseio que o profissional com atuação prática sente pela simplicidade total.

Teorema da transferência de fragilidade:
Note que, pelo teorema de transferência de fragilidade,

EXPOSIÇÃO CONVEXA [AO LONGO DE ALGUMA VARIAÇÃO]
↔ GOSTA DA VOLATILIDADE [ATÉ CERTO PONTO]

(volatilidade e outros membros do aglomerado da desordem), e

EXPOSIÇÃO CÔNCAVA ↔ NÃO GOSTA DA VOLATILIDADE

MAPEAMENTO DE FRAGILIDADES

No espaço de séries temporais

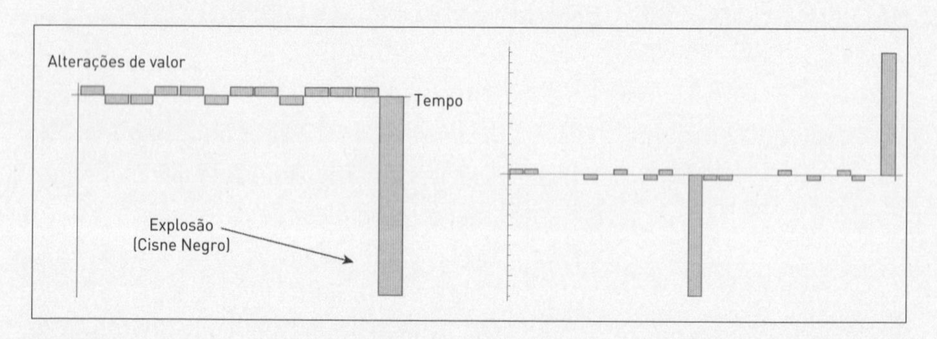

FIGURA 20. ***Variações frágeis no decorrer do tempo, dois tipos de fragilidade***. *Uma série representativa. O eixo horizontal mostra o tempo; o vertical mostra as variações. Isso pode ser aplicado a qualquer coisa: um indicador de saúde, alterações na riqueza, a felicidade do indivíduo etc. Podemos ver pequenos benefícios (ou nenhum benefício) e variações na maior parte do tempo, e, vez por outra, significativos resultados adversos. Pode ser que a incerteza afete as coisas de modo muito agressivo. Note que o prejuízo pode ocorrer a qualquer momento, excedendo os ganhos cumulativos prévios. O tipo 2 (à esquerda) e o*

tipo 1 (à direita) diferem no sentido de que o tipo 2 não sofre consideráveis efeitos positivos ocasionados pela incerteza, ao passo que o tipo 1 sente esses efeitos.

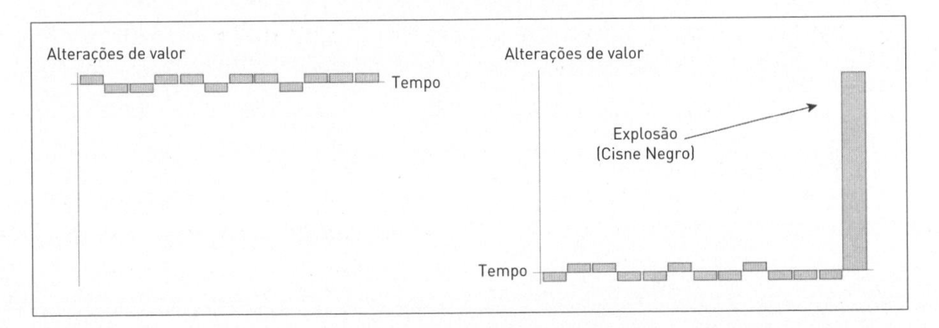

FIGURA 21. *O* ***apenas robusto*** *(mas não antifrágil) (à esquerda): passa por pouca ou nenhuma variação ao longo do tempo. Nunca grandes variações. O sistema* ***antifrágil*** *(à direita): a incerteza beneficia muito mais do que prejudica — exatamente o oposto do primeiro gráfico na figura 20.*

Observado em probabilidades

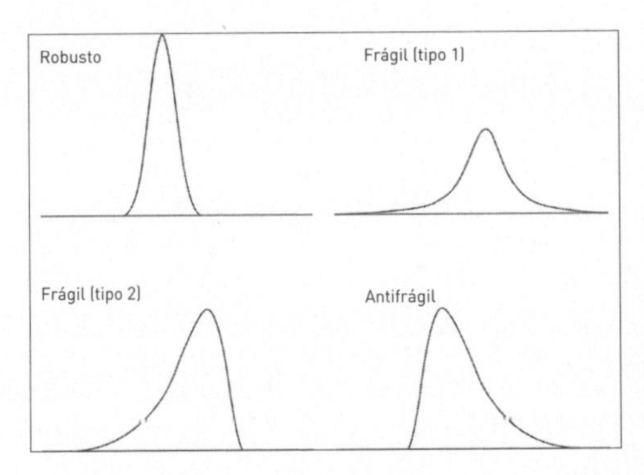

FIGURA 22. *O eixo horizontal representa os resultados; o vertical, suas probabilidades (isto é, sua frequência).* ***O robusto:*** *pequenos resultados positivos e negativos.* ***O frágil (tipo 1****, muito raro): pode ensejar tanto amplos resultados positivos quanto consideráveis resultados negativos. E por que é raro? A simetria é muitíssimo rara empiricamente, embora todas as distribuições estatísticas tendam a simplificar por meio do uso dela.* ***O frágil (tipo 2)****: vemos enormes e improváveis desvantagens (muitas vezes, ocultas e ignoradas) e vantagens pequenas. Há a possibilidade de um resultado duramente desfavorável (à esquerda), muito mais do que um extremamente favorável, pois o lado esquerdo é mais grosso do que o lado direito.* ***O antifrágil****: vantagens significativas, desvantagens pequenas. Resultados favoráveis expressivos são possíveis, resultados*

desfavoráveis abundantes são menos prováveis (se não impossíveis). A "cauda" direita, para resultados favoráveis, é maior do que a esquerda.

TABELA 9 • OS QUATRO DIFERENTES TIPOS DE COMPENSAÇÕES

Cauda esquerda da distribuição	*Cauda direita da distribuição*	*Condição*
Fina	Grossa	Antifrágil
Grossa	Grossa	Frágil (tipo 1) [muito rara]
Grossa	Fina	Frágil (tipo 2)
Fina	Fina	Robusta

A fragilidade tem uma cauda esquerda e, o que é decisivo, é, portanto, sensível a perturbações no lado esquerdo da distribuição de probabilidade.

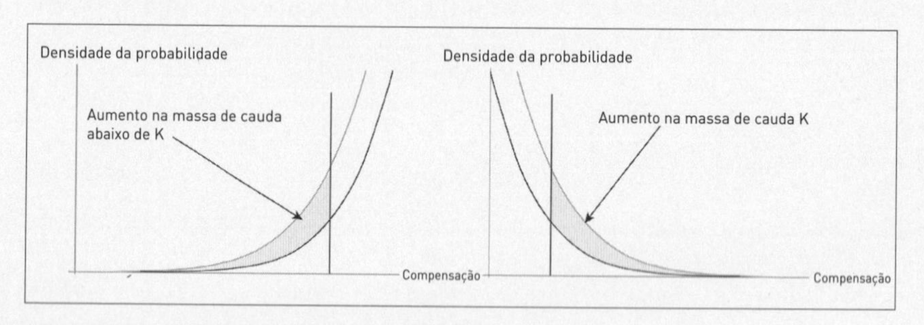

FIGURA 23. ***Definição de fragilidade*** *(gráfico à esquerda): a fragilidade é a área sombreada, o aumento na massa da cauda esquerda abaixo de certo nível K da variável alvo, em resposta a qualquer alteração no parâmetro da variável original — principalmente, a "volatilidade", ou algo que seja um pouco mais ajustado. Incluímos todas essas alterações em s^-, sobre a qual falarei mais adiante, na seção de notas (onde consegui jogar as equações).*

Para uma ***definição de antifragilidade*** *(gráfico à direita), que não é exatamente simétrica, a mesma imagem espelhada da cauda direita, mais a robustez na cauda esquerda. O parâmetro afetado é s^+.*

É fundamental que, embora não sejamos capazes de especificar com precisão a distribuição de probabilidade, podemos investigar a resposta por meio de heurísticas graças ao "teorema de transferência", em Taleb e Douady (2012). Em outras palavras, não precisamos entender a futura probabilidade dos eventos, mas podemos calcular a fragilidade desses eventos.

TRANSFORMAÇÃO DE *BARBELL* EM SÉRIES TEMPORAIS

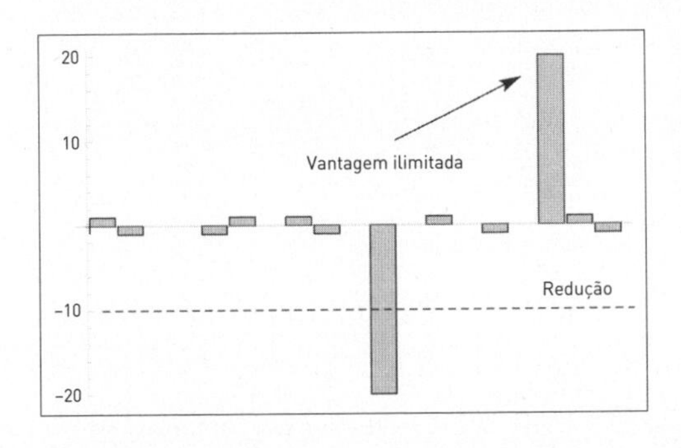

FIGURA 24. *A estratégia* barbell, *observada no espaço de séries temporais. Reduzindo as compensações, mas mantendo as vantagens.*

BARRAS DE HALTERE (TRANSFORMAÇÕES CONVEXAS) E SUAS PROPRIEDADES NO ESPAÇO DA PROBABILIDADE

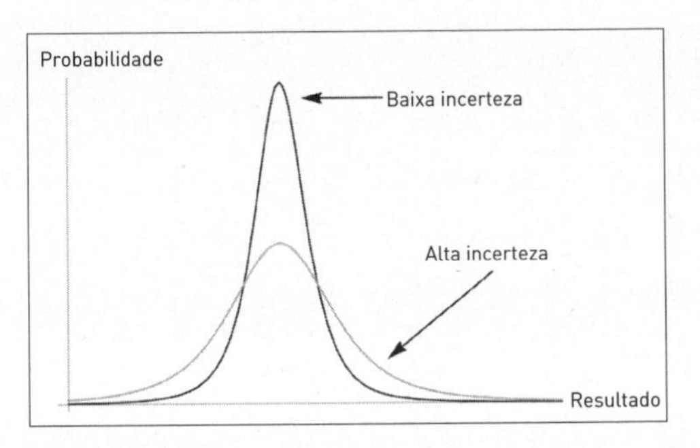

Uma expressão gráfica da ideia da estratégia *barbell*.

FIGURA 25. *Caso 1,* o ***caso simétrico***. *Injetar incerteza no sistema faz com que passemos de uma curva em forma de sino — a primeira, com uma fileira restrita de resultados possíveis — para a segunda, de menor pico, porém mais distribuída. Assim, causa um aumento de surpresas tanto positivas quanto negativas, de Cisnes Negros tanto positivos quanto negativos.*

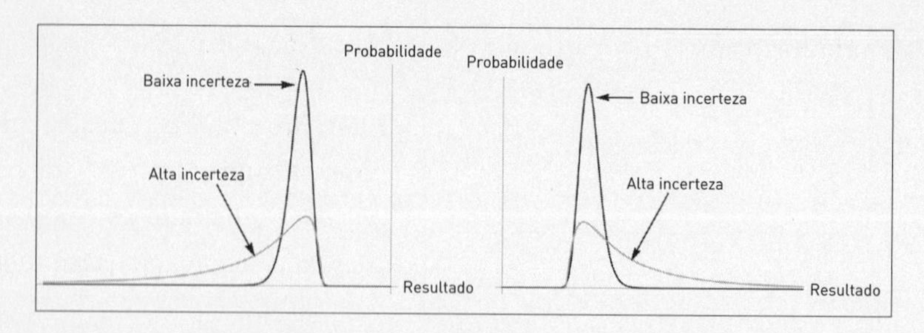

FIGURA 26. *Caso 2 (à esquerda):* ***Frágil.*** *Ganhos limitados, perdas mais significativas. O aumento da incerteza no sistema causa um acréscimo, principalmente (e, algumas vezes, apenas) dos resultados negativos, somente Cisnes Negros negativos. Caso 3 (à direita):* ***Antifrágil.*** *Aumentar a aleatoriedade e a incerteza no sistema aumenta a probabilidade de resultados muito favoráveis e, consequentemente, aumenta a compensação esperada. O gráfico mostra como a descoberta é, matematicamente, idêntica a um antiatraso de avião.*

VERSÃO TÉCNICA DO "NÃO É A MESMA COISA", DE TONY GORDO, OU A FUSÃO DE EVENTOS E EXPOSIÇÃO A EVENTOS

Esta nota explicará também a "transformação convexa".

$F(x)$ é a *exposição* à variável x. De forma equivalente, $f(x)$ pode ser chamada de "compensação de x", "exposição a x", e, até mesmo, "utilidade da compensação de x", em que introduzimos em f uma função de utilidade. x pode ser qualquer coisa.

Exemplo: x é a intensidade de um terremoto em determinada escala em alguma área específica, $f(x)$ é o número de pessoas que morrem em decorrência disso. Podemos facilmente ver que $f(x)$ pode vir a ser mais previsível do que x (se forçarmos as pessoas a se manterem longe de uma área específica ou a seguirem alguns padrões etc.).

Exemplo: x é o número de metros da minha queda até o chão quando alguém me empurra da altura x, $f(x)$ é uma medida da minha condição física resultante dos efeitos da queda. Claramente não posso prever x (quem vai me empurrar, sem dúvida $f(x)$).

Exemplo: x é o número de carros em Nova York ao meio-dia de amanhã, $f(x)$ é o tempo de viagem do ponto A ao ponto B para determinado agente. Pode se tornar $f(x)$ mais previsível do que x (usar o metrô, ou, melhor ainda, ir a pé).

Algumas pessoas falam sobre $f(x)$ pensando que estão falando sobre x. Esse é o problema da **fusão do evento** e da **exposição ao evento**. Esse erro, presente em Aristóteles, é praticamente onipresente na filosofia da probabilidade (digamos, em Hacking).

Um indivíduo pode tornar-se antifrágil a x sem compreender x, por meio da convexidade de $f(x)$.

A resposta para a pergunta "o que fazer em um mundo que não compreendemos?" é, simplesmente, esforçar-se para aprimorar os estados indesejáveis de $f(x)$.

Quase sempre, é mais fácil modificar $f(x)$ do que buscar um melhor conhecimento de x (em outras palavras, robustificação, em vez de previsão Cisnes Negros).

Exemplo: se eu comprar um seguro no mercado — aqui, x — e ele cair mais de 20%, $f(x)$ será independente da parte de distribuição de probabilidade de x que está abaixo de 20% e é impermeável às mudanças em seu parâmetro de escala (esse é um exemplo de *barbell*).

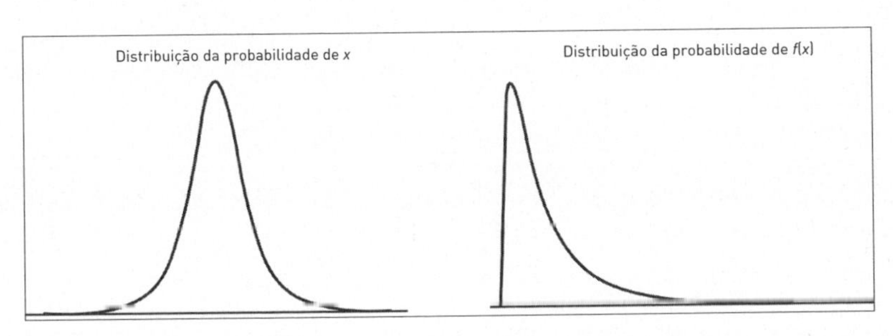

FIGURA 27. ***Transformação convexa (f(x) é uma função convexa de (x)).*** A diferença entre x e a exposição a x. Não há risco de desvantagem no segundo gráfico. O fundamental é modificar $f(x)$, a fim de fazer com que o conhecimento das propriedades de x no lado esquerdo da distribuição seja o mais irrelevante possível. Essa operação é chamada de transformação convexa, apelidada aqui de "*barbell*".

Falácia da madeira verde: quando se confunde $f(x)$ com outra função $g(x)$, que tem diferentes não linearidades.

Em termos mais técnicos: se algo ou alguém é antifrágil a x, então a variância (ou a volatilidade, ou outras medidas de variação) de x beneficiam $f(x)$, uma vez que a média das distribuições que são enviesadas depende da variância, e quando elas estão inclinadas para a direita, sua expectativa aumenta com a variância (a lognormal, por exemplo, tem por média um termo que inclui $+\frac{1}{2}\,\sigma^2$).

Ademais, a distribuição de probabilidade de $f(x)$ é acentuadamente diferente da de x, em especial na presença de não linearidades.

Quando $f(x)$ é convexa (côncava) monotonicamente, $f(x)$ inclina-se para a direita (ou esquerda).

Quando $f(x)$ está aumentando e é convexa do lado esquerdo, e depois côncava do lado direito, a distribuição de probabilidade de $f(x)$ apresenta uma cauda mais curta do que a cauda de x. Por exemplo, na teoria da perspectiva de Kahneman-Tversky, a chamada utilidade das alterações na riqueza é mais "robusta" do que a riqueza em si.

Por que a compensação é mais importante do que a probabilidade (técnico): em que $p(x)$ é a densidade, a expectativa, ou seja, $\int f(x)p(x)dx$, dependerá cada vez mais de f do que de p, e quanto mais não linear for f, mais ela dependerá de f, e não de p.

O QUARTO QUADRANTE (TALEB, 2009)

A ideia é que eventos de cauda não são calculáveis (em domínios de cauda grossa), mas podemos avaliar nossa exposição ao problema. Supondo que $f(x)$ é uma função crescente, a tabela 10 conecta a ideia à noção do Quarto Quadrante.

TABELA 10

	DISTRIBUIÇÃO DE CAUDA FINA PARA x	DISTRIBUIÇÃO DE CAUDA GROSSA PARA x
"atenuação" de $f(x)$, eliminando os resultados extremos, isto é, convexos-côncavos	Resultado muito robusto	Resultado consideravelmente robusto
$f(x)$ côncavo-convexo, exacerba resultados remotos	Resultado robusto (mais ou menos)	QUARTO QUADRANTE frágil (se $f(x)$ é côncavo) ou antifrágil

CONVEXIDADES LOCAIS E GLOBAIS (TÉCNICO)

Nada é ilimitado na natureza — a morte é um resultado máximo para uma unidade. Assim, as coisas acabam sendo convexas de um lado e côncavas do outro.

Com efeito, em algum momento ocorre um dano máximo em tudo que é biológico. Vamos revisitar a figura côncava da pedra e das pedrinhas do capítulo 18: expandindo a amplitude, vemos que a limitação dos danos traz convexidades em algum lugar. A concavidade era dominante, mas local. A figura 28 examina a continuação da história da pedra e das pedrinhas.

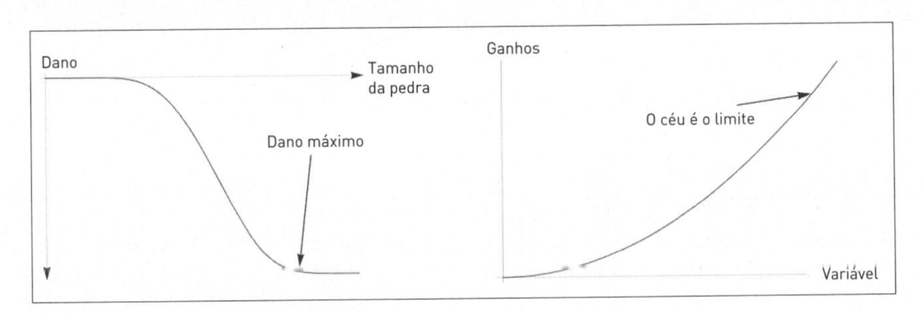

FIGURA 28. *O gráfico à esquerda mostra uma amplitude maior na história da pedra e das pedrinhas do capítulo 18. Em algum momento, o côncavo torna-se convexo quando atingimos o dano máximo. O gráfico à direita mostra forte antifragilidade, sem nenhum limite superior conhecido (levando ao Extremistão). Essas compensações estão disponíveis somente em variáveis econômicas, digamos, nas vendas de livros, ou em assuntos irrestritos ou praticamente irrestritos. Sou incapaz de encontrar esse efeito na natureza.*

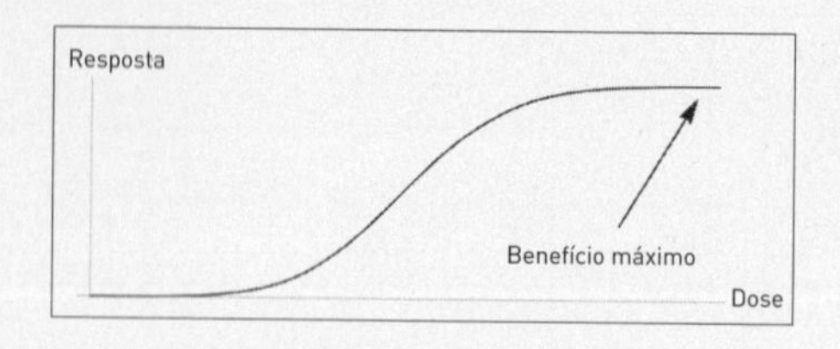

FIGURA 29. ***Antifragilidade fraca (Mediocristão), com um máximo limitado.*** *Típica na natureza.*

NÃO LINEARIDADES ANÔMALAS (BASTANTE TÉCNICO)

Os dois tipos de não linearidades seguintes raramente são observados fora das variáveis econômicas; eles estão especificamente limitados àquelas causadas por derivativos.

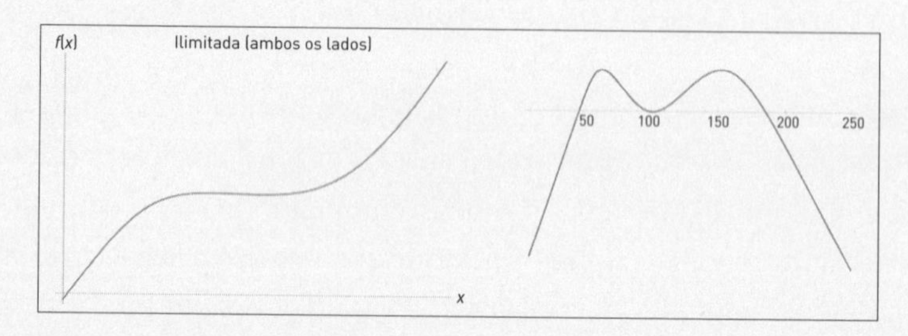

FIGURA 30. *O gráfico à esquerda mostra uma função convexo-côncava crescente, o oposto das limitadas funções de resposta à dose que observamos na natureza. Isso leva ao tipo 2, frágil (caudas muito, muito grossas). O gráfico à direita mostra a mais perigosa de todas: a pseudoconvexidade. Antifragilidade local, fragilidade global.*

NÃO LINEARIDADES MÉDICAS E SUA CORRESPONDÊNCIA EM PROBABILIDADE (CAPÍTULOS 21 + 22)

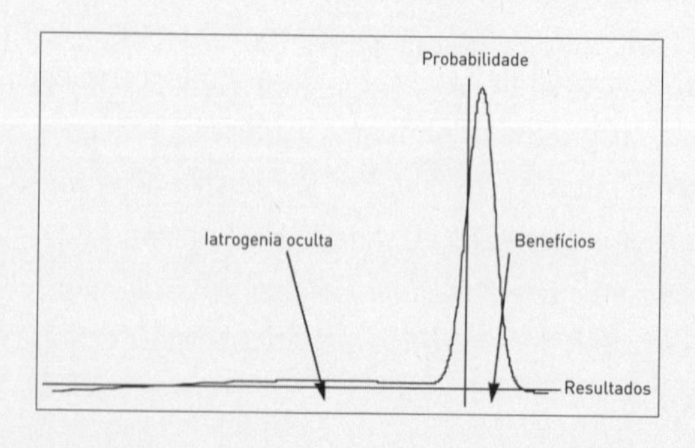

FIGURA 31. ***Iatrogenia médica:*** *caso de pequenos benefícios e prejuízos consideráveis, ao estilo Cisne Negro, observados no espaço da probabilidade. A iatrogenia ocorre quando temos pequenos ganhos identificáveis (por exemplo, acabar com um desconforto*

leve ou uma infecção de pequena gravidade) e a exposição a Cisnes Negros, com vastos efeitos colaterais invisíveis e protelados (digamos, a morte). Esses benefícios côncavos na medicina são como vender uma opção financeira (muitos riscos) em contraste com minúsculos ganhos imediatos, enquanto se alega a "evidência de nenhum dano".

Em suma, para uma pessoa saudável, há uma pequena probabilidade de resultados desastrosos (descartados por serem invisíveis e não serem levados em conta) e uma alta probabilidade de benefícios modestos.

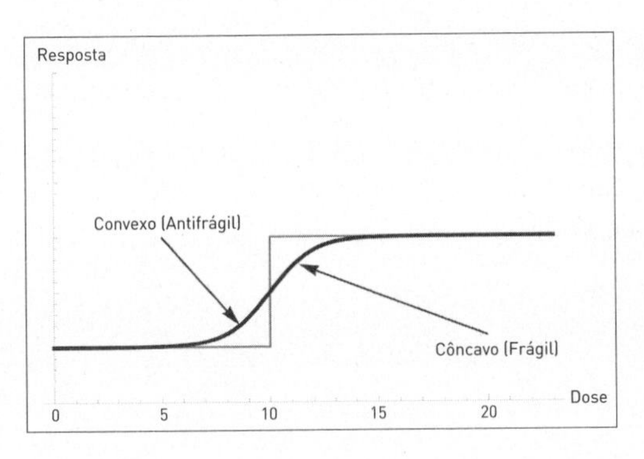

FIGURA 32. *Não linearidades na biologia.* *A forma convexa-côncava surge necessariamente de qualquer coisa em progressão (invariável, ou seja, que nunca decresce) e limitada, com valores máximos e mínimos, isto é, que não alcança o infinito em nenhum dos lados. Em níveis baixos, a resposta à dose é convexa (gradualmente mais e mais eficaz). Doses extras tendem a tornar-se cada vez mais ineficazes ou podem levar a causar danos. O mesmo pode ser aplicado a qualquer coisa consumida com excessiva regularidade. Esse tipo de gráfico necessariamente aplica-se a qualquer situação restrita em ambos os lados, com um mínimo e um máximo conhecidos (saturação), o que inclui a felicidade.*

Por exemplo, quando se leva em conta que existe um nível máximo de felicidade e de infelicidade, então a forma geral dessa curva com convexidade à esquerda e concavidade à direita tem de ser válida para a felicidade (substitua "dose" por "riqueza" e "resposta" por "felicidade"). A teoria da perspectiva de Kahneman-Tversky simula uma forma semelhante para a "utilidade" de alterações na riqueza, que eles descobriram empiricamente.

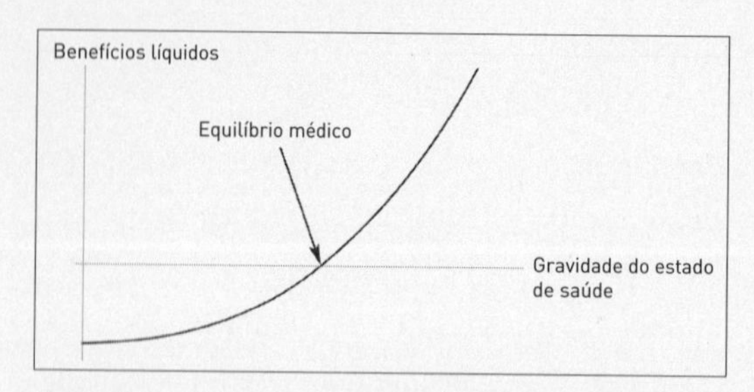

FIGURA 33. *Lembre-se do exemplo da hipertensão. No eixo vertical, temos os benefícios de um tratamento; no horizontal, a gravidade do estado de saúde. A seta aponta para o nível no qual os ganhos probabilísticos equivalem ao dano probabilístico. A iatrogenia desaparece de modo não linear, como uma função da gravidade da doença. Isso implica que, quando o paciente está muito debilitado, a distribuição desloca-se para o antifrágil (cauda mais longa à direita), os benefícios consideráveis do tratamento sobrepujando a possível iatrogenia, pouco a perder.*

Note que, se aumentarmos o tratamento, atingiremos a concavidade do máximo de benefícios, uma zona que este gráfico não cobre — em termos gerais, ele ficaria parecido com o gráfico anterior.

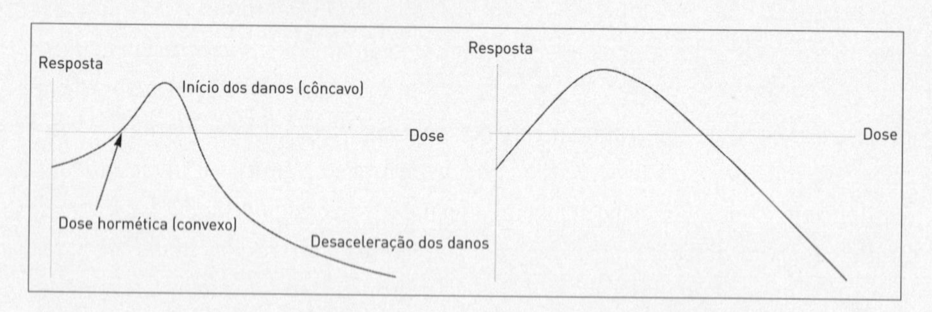

FIGURA 34. *O gráfico à esquerda mostra a hormese para um organismo (similar à figura 19): podemos ver um estágio de benefícios à medida que a dose aumenta (inicialmente convexo), desacelerando e passando para um estágio de danos, conforme aumentamos um pouco mais a dose (inicialmente côncavo); depois, vemos as coisas diminuindo até se estabilizarem no nível de danos máximos (além de certo ponto, o organismo morre, de modo que, na biologia, existe o pior cenário possível, restrito e conhecido). À direita, um gráfico incorreto de hormese em livros didáticos de medicina, mostrando concavidade inicial, com um início que parece linear ou ligeiramente côncavo.*

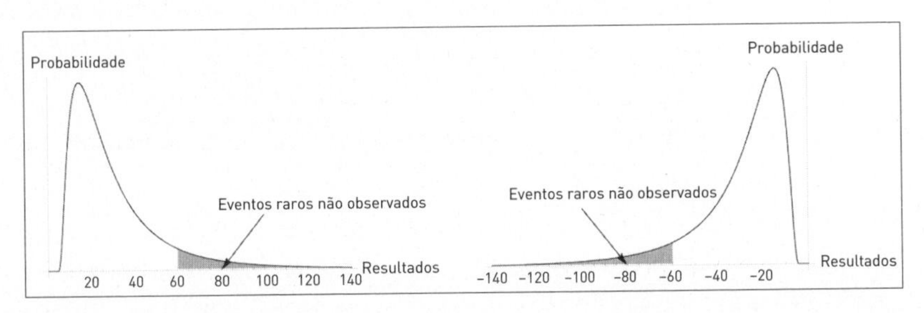

FIGURA 35. ***Antifrágil, Problema do peru às avessas:*** *o evento raro não observado é positivo. Quando analisamos uma série temporal positivamente enviesada (antifrágil) e fazemos inferências sobre o não observado, deixamos de perceber as coisas boas e subestimamos os benefícios (o erro de Pisano, 2006a, 2006b). À direita, o outro problema de Harvard, o de Froot (2001). A área preenchida corresponde ao que tendemos a não observar em amostras pequenas, devido à insuficiência de indícios. Curiosamente, a área sombreada aumenta com o erro do modelo. As seções mais técnicas chamam esta zona de ω_B (peru) e de ω_C (peru às avessas).*

DIFERENÇA ENTRE ESTIMATIVAS PONTUAIS E DISTRIBUIÇÕES

Vamos aplicar essa análise ao modo como os planejadores cometem os erros que cometem, e por que os déficits tendem a ser piores do que o previsto:

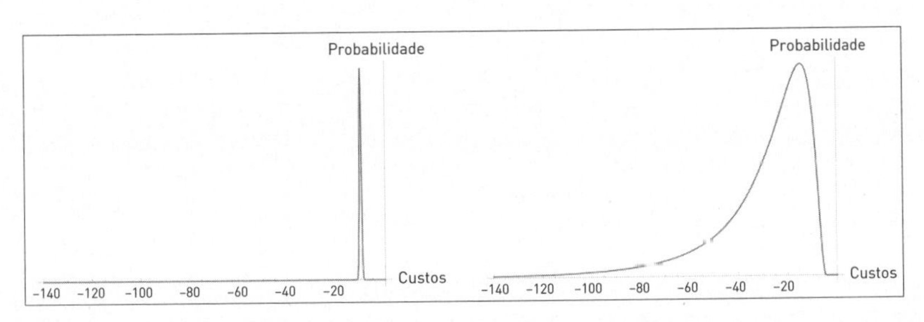

FIGURA 36. ***A disparidade entre previsões e realidade:*** *a distribuição de probabilidade de resultados dos custos de projetos na mente dos planejadores (à esquerda) e na realidade (à direita). No primeiro gráfico, eles presumem que os custos serão ao mesmo tempo baixos e indubitáveis. O gráfico à direita mostra que os resultados são piores e mais distribuídos, particularmente com possibilidade*

mais alta de resultados desfavoráveis. Note que a fragilidade se avoluma devido ao aumento da cauda esquerda.

Essa incompreensão do efeito da incerteza aplica-se aos déficits governamentais, planejamentos que tenham componentes de tecnologia da informação, tempo de viagem (em menor grau) e muitos mais. Usaremos o mesmo gráfico para mostrar o erro do modelo a partir da subestimação da fragilidade, presumindo que um parâmetro é constante quando é aleatório. É isso que fustiga a economia norteada pela burocracia (discussão seguinte).

Apêndice II (muito técnico)

Onde a maioria dos modelos econômicos fragiliza e destrói as pessoas

Quando eu disse "técnico" no texto principal, talvez estivesse blefando. Aqui, não estou.

A incoerência de Markowitz: Suponha que alguém lhe diga que a probabilidade de um evento é exatamente zero. Você pergunta onde ele obteve essa informação. "Foi Baal quem me disse", é a resposta. Nesse caso, a pessoa é coerente, mas seria considerada fora da realidade pelos não baalistas. Mas se, por outro lado, a pessoa lhe disser "eu *estimei* que é igual a zero", temos um problema. Essa pessoa é, ao mesmo tempo, fora da realidade e incoerente. Algo que é estimado precisa ter um erro de estimativa. Então, a probabilidade não pode ser zero se for estimada, pois seu limite inferior está vinculado ao erro de estimativa; quanto maior o erro de estimativa, maior é a probabilidade, até certo ponto. Assim como no argumento da ignorância total formulado por Laplace, um erro de estimativa infinito empurra a probabilidade para ½.

Voltaremos à implicação do erro; por ora, tenha em mente que estimar um parâmetro e, em seguida, colocá-lo na forma de uma equação é diferente de estimar a equação por meio de parâmetros (a mesma história da saúde da avó, a temperatura média: aqui, "estimada" é irrelevante, precisamos é da saúde média entre as temperaturas medidas). E Markowitz demonstrou sua incoerência ao iniciar seu artigo "seminal" com "Suponha que você conheça *E* e *V*" (isto é, a expectativa e a variância). Ao fim do artigo, ele aceita que

E e *V* precisam ser estimadas, e, o que é pior, com uma combinação entre as técnicas estatísticas e o "parecer de homens práticos". Bem, se esses parâmetros precisam ser estimados, com um erro, então as derivações precisam ser escritas de forma diferente e, é claro, não teríamos artigo nenhum — e nenhum artigo de Markowitz, nenhuma explosão, nada de finanças modernas, nenhum fragilista ensinando bobagens aos estudantes... Modelos econômicos são extremamente frágeis a pressupostos, no sentido de que uma ligeira alteração nessas premissas pode, como veremos, levar a diferenças extremamente relevantes nos resultados. E, para piorar a situação, muitos desses modelos são "reajustados retroativamente" às premissas, no sentido de que as hipóteses são selecionadas para fazer a matemática funcionar, o que as torna ultrafrágeis e ultrafragilizadoras.

Exemplo simples: os déficits governamentais.

Usamos o seguinte exemplo de déficit, devido ao modo como os cálculos feitos atualmente pelos governos e agências governamentais negligenciam os termos da convexidade (e têm dificuldade para aceitá-los). A bem da verdade, eles não os levam em conta. O exemplo ilustra que:

(a) se omite o caráter estocástico de uma variável que, sabidamente, afeta o modelo, mas é considerada determinada (e fixa), e

(b) *F*, a função dessa variável, é convexa ou côncava com relação à variável.

Digamos que um governo estima a taxa de desemprego para os três anos seguintes a uma média de 9%; ele usa seus modelos econométricos para divulgar um balanço previsional *B* com um déficit de 200 bilhões na moeda local. Mas omite (como quase tudo na economia) que o desemprego é uma variável estocástica. O emprego, ao longo de um período de três anos, teve uma flutuação de 1% em média. Podemos calcular o efeito do erro nos seguintes termos:

Taxa de desemprego a 8%, Balanço B(8%) = –75 bi (melhoria de 125 bi)
Taxa de desemprego a 9%, Balanço B(9%) = –200 bi
Taxa de desemprego a 10%, Balanço B(10%) = –550 bi (piora de 350 bi)

O viés de concavidade, ou viés de convexidade negativo, resultante da subestimação do déficit é de –112,5 bi, uma vez que ½ {B(8%) + B(10%)} = –312 bi, e não –200 bi. Esse é exatamente o caso da **pedra filosofal às avessas**.

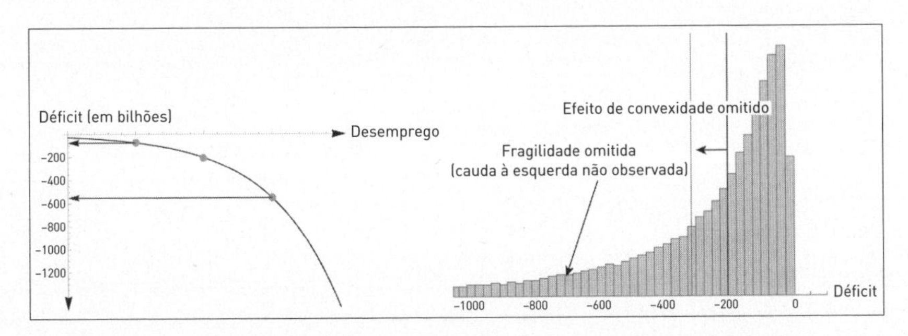

FIGURA 37. ***As transformações não lineares permitem a detecção tanto do viés de convexidade do modelo quanto da fragilidade.*** *Ilustração do exemplo: histograma da simulação do déficit governamental de Monte Carlo como uma variável aleatória, com cauda à esquerda, simplesmente como resultado da randomização do desemprego, do qual ele é uma função côncava. O método de estimativa por pontos presumiria uma medida de Dirac em –200, assim subestimando tanto o déficit esperado (–312) quanto a fragilidade de cauda (fonte: Taleb e Douady, 2012).*

Aplicação: Modelo ricardiano e cauda à esquerda — acontece que o preço do vinho varia

Por quase duzentos anos, temos falado sobre uma ideia do economista David Ricardo chamada "vantagem comparativa". Em suma, ela diz que um país deveria implementar certas políticas com base em sua vantagem comparativa em vinho ou em tecidos. Digamos que um país tenha uma boa produção tanto de vinho quanto de tecidos, superior à de seus vizinhos, com quem ele pode negociar livremente. Então, a estratégia visível *mais favorável* seria especializar-se ou em vinho ou em tecidos, o que tivesse melhor adaptação e pudesse minimizar os custos de oportunidade. Dessa maneira, todos ficariam felizes. A analogia feita pelo economista Paul Samuelson é a de que, se acontecer de alguém ser o melhor médico da cidade e, ao mesmo tempo, o melhor secretário, então seria preferível ser o médico de mais alta renda – já que isso minimizaria as perdas de oportunidade – e deixar que outra pessoa desempenhasse a função de secretário, contratando os serviços de secretariado dela.

Concordo que há benefícios em *alguma* forma de especialização, mas não a partir dos modelos usados para se provar isso. A falha desse raciocínio é a seguinte: na verdade, seria inconcebível que um médico se tornasse secretário em meio período só porque ele exerce bem as funções de secretariado. Ao mesmo tempo, contudo, podemos presumir, sem medo de errar, que ser médico garante alguma estabilidade profissional: as pessoas não deixarão de adoecer, e a profissão de médico tem maior status social do que a de secretário, o que a torna mais desejável. Mas suponha, agora, que, em um mundo em que existem apenas dois países, um deles, especializado em vinho, tem esperanças de vender sua especialidade no mercado do outro país, e, *de súbito, o preço do vinho desaba vertiginosamente*. Alguma alteração no sabor causou uma mudança no preço. A análise de Ricardo presume que tanto o preço de mercado do vinho quanto os custos de produção permanecem constantes e que não há nenhum elemento "de segunda ordem" nesta história.

TABELA 11 • EXEMPLO ORIGINAL DE RICARDO (CUSTOS DE PRODUÇÃO POR UNIDADE)

	Tecidos	*Vinho*
Inglaterra	100	110
Portugal	90	80

A lógica: a tabela 11 mostra os custos de produção, normalizados para o preço de venda de uma unidade de cada, isto é, partindo do pressuposto de que esses produtos são comercializados a um preço idêntico (uma unidade de tecido para uma unidade de vinho). O que parece um paradoxo é o seguinte: Portugal produz roupas a um custo mais baixo do que a Inglaterra, mas compra roupas daquele país usando os lucros das vendas de vinho. Na ausência de custos de transação e de transporte, para a Inglaterra é mais eficiente produzir apenas tecidos, e, para Portugal, produzir apenas vinho.

A ideia sempre atraiu os economistas, por causa de seu aspecto paradoxal e contraintuitivo. Por exemplo, em um artigo intitulado "Why Intellectuals Don't Understand Comparative Advantage" [Por que os intelectuais não compreendem a vantagem comparativa] (Krugman, 1998), Paul Krugman, ele próprio incapaz de entender o conceito, uma vez que seu ensaio e seu trabalho técnico demonstram que ele é completamente ignorante acerca de eventos de cauda e gerenciamento de riscos, ridiculariza outros intelectuais, como S. J. Gould, que compreendem os eventos de cauda, embora de maneira intuitiva e não analítica (é claro que não se pode falar de retornos e ganhos sem descontar esses benefícios, pela compensação de riscos). O artigo mostra Krugman caindo na grave e perigosa falácia de confundir a função da média com a média da função (a análise ricardiana tradicional presume que as variáveis são endógenas, mas não acrescenta uma camada de estocasticidade).

Agora considere a *variável* do preço do vinho e dos tecidos — o que Ricardo não levou em conta —, com números acima do valor médio a longo prazo, sem viés nenhum. Suponha, ainda, que eles seguem uma distribuição de cauda grossa. Ou considere que seus custos de produção variam de acordo com uma distribuição de cauda grossa.

Se o preço do vinho nos mercados internacionais subir, digamos, em 40%, então haverá benefícios claros. Mas se o preço cair em uma porcentagem idêntica, em -40%, então a consequência seria um dano gigantesco, de magnitude maior que os benefícios, caso houvesse uma alta equivalente. Há concavidades na exposição — concavidades graves.

E, como fica evidente, se o preço caísse 90%, o efeito seria desastroso. Apenas imagine o que aconteceria com sua família se seu salário sofresse um instantâneo e imprevisto corte de 40%. De fato, ao longo da história tivemos problemas com países que se especializaram em alguns produtos, commodities e culturas agrícolas que não eram apenas voláteis, mas extremamente voláteis. E o desastre não é causado necessariamente pela variação de preços, mas resulta de problemas de produção: de repente, é impossível cultivar o que quer que seja por causa de um germe, do mau tempo ou de algum outro impedimento.

Uma safra ruim, como a que causou a fome da batata na Irlanda, na década em 1850, resultou na morte de 1 milhão de pessoas e na emigração de mais outro milhão (no momento em que escrevo este texto, a população total da Irlanda é de apenas cerca de 6 milhões de pessoas, se incluirmos a parte norte). É muito difícil reconverter os recursos — ao contrário do caso do médico-secretário, países não têm a capacidade de mudar. Na verdade, a monocultura (sistema de cultivo agrícola com foco em um só produto) mostrou-se letal na história — uma safra ruim ocasiona fomes devastadoras.

A outra parte que foi omitida na analogia médico-secretário é que países não têm família nem amigos. Um médico conta com uma rede de apoio, um círculo de amigos, uma coletividade que cuida dele, um sogro a quem pedir dinheiro emprestado caso ele tenha de mudar de profissão, um Estado acima dele para ajudá-lo. Os países, não. Além disso, um médico guarda suas economias; países tendem a ser devedores.

Então, aqui, temos mais uma vez a fragilidade aos efeitos de segunda ordem.

Combinação de probabilidades: a ideia da vantagem comparativa tem um análogo na probabilidade: se você pegar amostras de dentro de uma urna (com reposição) e retirar uma bola preta em 60% das vezes e uma bola branca em 40% das vezes restantes, a estratégia ideal, de acordo com os livros didáticos, é apostar 100% do tempo nas bolas pretas. A estratégia de apostar 60% do tempo nas bolas pretas e 40% nas bolas brancas é chamada de "combinação de probabilidades", o que a literatura científica sobre tomada de decisões considera um erro (lembro ao leitor que foi a estratégia usada por Triffat no capítulo 10). O instinto das pessoas de decidir-se pela combinação de probabilidades parece ser uma opção sensata, não um erro. Na natureza, as probabilidades são instáveis (ou desconhecidas), e a combinação de probabilidades é semelhante à redundância, como um amortecedor de segurança. Portanto, se as probabilidades mudarem, ou, em outras palavras, se houver outra camada de aleatoriedade, então a estratégia mais favorável é a combinação de probabilidades.

Como funciona a especialização: o leitor não deve interpretar o que estou dizendo como uma afirmação de que a especialização não é uma coisa boa — apenas que o indíviduo deveria instaurar essa especialização depois de lidar com a fragilidade e os efeitos de segunda ordem. Ora, acredito que em última análise Ricardo está certo, mas não a partir dos modelos apresentados. Organicamente, os sistemas sem controles estruturados de cima para baixo se especializariam de forma progressiva, lenta e, ao longo de um extenso período de tempo, chegariam à quantidade certa de especialização via tentativa e erro — e não por meio de algum burocrata munido de um modelo. Repetindo: sistemas cometem pequenos erros, o planejamento comete erros maiores.

Assim, a imposição da brilhante noção de Ricardo, convertida em modelo por algum planejador social, levaria a explosões; deixar que experimentações e improvisos funcionem lentamente resultaria em eficiência — a verdadeira eficiência. O papel dos formuladores de políticas deveria ser, ao estilo *via negativa*, permitir o surgimento da especialização, impedindo o que dificulta o processo.

Uma metodologia mais geral para detectar o erro do modelo

Efeitos de segunda ordem e fragilidade do modelo: suponha que temos o modelo correto (o que é uma hipótese muito generosa), mas estamos incertos quanto aos parâmetros. À guisa de uma generalização do exemplo do déficit/emprego usado na seção anterior, digamos que estamos usando f, uma função simples: $f(x|\bar{\alpha})$, na qual se supõe que $\bar{\alpha}$ seja a variável inicial média esperada, e na qual consideramos φ a distribuição de α ao longo de seu domínio $\wp_{\alpha}, \bar{\alpha} = \int_{\wp_{\alpha}} \alpha\varphi(\alpha)d\alpha$.

A pedra filosofal: o mero fato de que α é incerta (uma vez que é estimada) pode levar a um viés se causarmos um distúrbio a partir do *interior* (da integral), isto é, estocastizar o parâmetro considerado fixo. Consequentemente, o viés de convexidade é facilmente mensurado como a diferença entre (a) a função f integrada com os valores da α potencial, e (b) f estimada para um único valor de α, tido como a sua média. O viés de convexidade (pedra filosofal) ω_A torna-se:*

$$\omega_A \equiv \int_{\wp_x} \int_{\wp_\alpha} f(x|\alpha)\varphi(\alpha)d\alpha dx - \int_{\wp_x} f\left(x \middle| \left(\int_{\wp_\alpha} \alpha\,\varphi(\alpha)d\alpha\right)\right)dx$$

A equação principal: a fragilidade é uma pedra filosofal parcial abaixo de K, daí que a fragilidade omitida ω_B é calculada comparando-se as duas integrais abaixo de K, a fim de descrever o efeito sobre a cauda à esquerda:

$$\omega_B(K) \equiv \int_{-\infty}^{K} \int_{\wp_\alpha} f(x|\alpha)\varphi(\alpha)d\alpha dx - \int_{-\infty}^{K} f\left(x \middle| \left(\int_{\wp_\alpha} \alpha\,\varphi(\alpha)d\alpha\right)\right)dx$$

* A diferença entre os dois lados da desigualdade de Jensen corresponde a uma noção da teoria da informação, a divergência de Bregman. Briys, Magdalou e Nock, 2012.

que pode ser simulada por uma estimativa interpolada, obtida com dois valores de α separados a partir de um ponto central por $\Delta\alpha$, seu desvio médio de α, e estimando

$$\omega_B(K) \equiv \int_{-\infty}^{K} \frac{1}{2}(f(x|\bar{\alpha}+\Delta\alpha)+f(x|\bar{\alpha}-\Delta\alpha))dx - \int_{-\infty}^{K} f(x|\bar{\alpha})dx$$

Note que a antifragilidade ω_C integra-se desde K até o infinito. Podemos analisar ω_B por estimativas pontuais de f em um nível de $X \leq K$

$$\omega'_B(K) = \frac{1}{2}(f(X|\bar{\alpha}+\Delta\alpha)+f(X|\bar{\alpha}-\Delta\alpha)) - f(X|\bar{\alpha})$$

de modo que

$$\omega_B(K) = \int_{-\infty}^{K} \omega'_B(x)dx$$

o que nos leva à heurística de detecção de fragilidade (Taleb, Canetti et al., 2012). Especificamente, se assumirmos que $\acute{\omega}_B(X)$ tem um sinal constante para $X \leq K$, então $\omega_B(K)$ terá o mesmo sinal. A heurística de detecção é um distúrbio nas caudas para esquadrinhar a fragilidade, por meio da verificação da função $\acute{\omega}_B(X)$ em qualquer nível de X.

TABELA 12

MODELO	FONTE DE FRAGILIDADE	MEDIDA CORRETIVA
Teoria do portfólio, média variância etc.	Pressupor o conhecimento dos parâmetros, não integrar modelos entre parâmetros, confiar em correlações (muito instáveis). Presume ω_A (viés) e ω_B (fragilidade) = 0	1/*n* (disseminar o maior número possível de exposições manejáveis), estratégia *barbell*, construção progressiva e orgânica etc.)
Vantagem comparativa ricardiana	Negligenciar a camada de aleatoriedade no preço do vinho pode implicar a inversão total de alocação. Admite que ω_A (viés) e ω_B (fragilidade) = 0	Sistemas naturais encontram sua própria alocação por meio de experimentações e improvisos
Otimização de Samuelson	Concentração de fontes de aleatoriedade sob a concavidade da função de perda. Supõe ω_A (viés) e ω_B (fragilidade) = 0	Aleatoriedade distribuída
Modelo de estado-espaço de Arrow-Debreu	Falácia lúdica: pressupõe o conhecimento exaustivo de resultados e o conhecimento de probabilidades. Supõe ω_A (viés), ω_B (fragilidade) e ω_C (antifragilidade) = 0	O uso de metaprobabilidades muda todo o modelo de implicações
Modelos de fluxo de caixa de dividendos	Omite a estocasticidade, causando efeitos de convexidade. Considera, basicamente, ω_C (antifragilidade) = 0	Heurísticas

Falácias dos portfólios de investimento: atente para uma falácia fomentada pelos adeptos de Markowitz: *a teoria do portfólio estimula as pessoas a diversificar, portanto isso é melhor do que nada*. Errado, seus idiotas das finanças: isso empurra as pessoas para a otimização, consequentemente para a superalocação. Diversificar não leva as pessoas a correrem menos riscos; pelo contrário, faz com que assumam posições mais expostas, devido à percepção das propriedades estatísticas de compensação — tornando-as vulneráveis a erros do modelo, e especialmente vulneráveis à subestimação dos eventos de cauda. Para entender como, considere dois investidores encarando a tarefa de escolher onde alocar recursos dentre três itens: dinheiro em espécie e nos títulos *A* e *B*. O investidor que não conhece as propriedades estatísticas de *A* e *B*, e sabe que não conhece, alocará, digamos, a porção que ele não quer perder em dinheiro, o restante em *A* e *B* — seja qual for a heurística sendo usada tradicionalmente. O investidor que julga conhecer as propriedades estatísticas, com parâmetros σ_a, σ_b, $\rho_{a,b}$, alocará em ω_A, ω_B, de modo a colocar o risco total em algum nível de referência pretendido (vamos ignorar o lucro esperado para isso). Quanto menor sua percepção da correlação $\rho_{A,B}$, pior sua exposição ao erro do modelo. Supondo que ele pense que a correlação $\rho_{A,B}$, é igual a 0, ele fará uma superalocação de ⅓ em eventos extremos. Mas se o pobre investidor tiver a ilusão de que a correlação é de –1, ele fará uma superalocação máxima em seus investimentos *A* e *B*. Se o investidor usar a alavancagem, em última instância teremos a história do fundo de investimentos Long-Term Capital Management, que, como se viu, deixou-se iludir pelos parâmetros (na vida real, ao contrário do que vemos em artigos acadêmicos de economia, as coisas tendem a mudar; e, em nome de Baal, elas mudam!). Podemos repetir a ideia para cada parâmetro σ e ver de que modo a percepção menor de σ leva à superalocação.

Atuando como *trader*, notei — e fiquei obcecado pela ideia — que as correlações jamais eram as mesmas em diferentes mensurações. "Instável" seria uma palavra gentil para elas: 0,8 durante um longo período de tempo torna-se –0,2 no decorrer de outro longo intervalo de tempo. Um puro jogo de otário. Em períodos de estresse, as correlações sofrem mudanças ainda mais bruscas, sem regularidade confiável, apesar das tentativas de simular "correlações de estresse". Taleb (1997) lida com os efeitos das correlações estocásticas: só está seguro quem reduz uma correlação para 1 e a compra a –1, o que parece corresponder à heurística $1/n$.

Critério de Kelly versus Markowitz: para implementar uma completa otimização ao estilo de Markowitz, é preciso conhecer toda a distribuição de probabilidade conjunta de todos os ativos no futuro todo, mais a exata função utilitária da riqueza em todos os tempos futuros. E sem erros! (Vimos que os erros de estimativa fazem o sistema explodir.) O método de Kelly, desenvolvido mais ou menos no mesmo período, não requer distribuição conjunta nem função utilitária. Na prática, a pessoa precisa da proporção entre o lucro esperado e o pior retorno possível — dinamicamente ajustados para evitar o fracasso. No caso de transformações estilo *barbell*, o pior cenário possível já está garantido. E o erro do modelo é muitíssimo mais brando sob o critério de Kelly. Thorp (1971, 1998), Haigh (2000).

O formidável Aaron Brown aponta que as ideias de Kelly foram rejeitadas pelos economistas — apesar do fascínio prático que despertam — por causa da adoração desses economistas pelas teorias gerais que determinam todos os preços dos ativos.

Note que a tentativa e erro restrita é compatível com o critério de Kelly quando o indivíduo tem uma noção do retorno potencial — mesmo quando ignora os retornos, se os prejuízos forem limitados, a compensação será robusta e o método deverá apresentar um desempenho superior ao do fragilista Markowitz.

Finanças corporativas: em suma, as finanças corporativas parecem basear-se em projeções pontuais, não em projeções distributivas; assim, se alguém causar alterações nas projeções de fluxo de caixa, digamos, no modelo de avaliação de Gordon, substituindo o crescimento fixo — e conhecido — (e outros parâmetros) por meio de saltos continuamente variáveis (em especial, distribuições de caudas grossas), as empresas consideradas "caras" ou aquelas com alto índice de crescimento mas lucros modestos poderiam aumentar acentuadamente seu valor esperado, algo que o mercado precifica heuristicamente, mas sem nenhuma razão explícita.

Conclusão e resumo: algo que o establishment econômico vem omitindo é o fato de que ter à disposição o modelo correto (o que é uma hipótese muito generosa), mas estar inseguro quanto aos seus parâmetros, levará invariavelmente a um aumento da fragilidade na presença da convexidade e das não linearidades.

DEIXA PARA LÁ AS PEQUENAS PROBABILIDADES

Agora, o ponto crucial, além da economia, o problema mais genérico da probabilidade e de sua mensuração equivocada.

Como as caudas grossas (Extremistão) surgem de respostas não lineares aos parâmetros do modelo

Eventos raros têm determinada propriedade — negligenciada até o momento da redação deste livro. Lidamos com eles usando um modelo, uma geringonça matemática que se alimenta de informações dos parâmetros e produz probabilidades como resposta. Quanto mais incerteza sobre os parâmetros houver em um modelo projetado para calcular probabilidades, mais as pequenas probabilidades tenderão a ser subestimadas. Em termos simples, as pequenas probabilidades são convexas a erros de cômputo, assim como uma viagem de avião é côncava a erros e distúrbios (lembre-se, ela fica mais longa, e não mais curta). Quanto mais fontes de distúrbio a pessoa se esquecer de levar em conta, mais longa será a viagem de avião em comparação com a estimativa ingênua.

Todos sabemos que, para calcular a probabilidade usando uma distribuição estatística normal padrão, é necessário um parâmetro chamado *desvio-padrão* — ou algo semelhante que caracterize a escala ou a dispersão dos resultados. Mas a incerteza sobre esse desvio-padrão tem um efeito de elevar as pequenas probabilidades. Por exemplo, para um desvio que é chamado de "três sigma", eventos que não deveriam ocorrer mais do que uma vez a cada 740 observações, a probabilidade aumenta em 60% se o desvio-padrão subir 5%, e cai em 40% se reduzirmos o desvio-padrão em 5%. Assim, se o erro for, em média, de meros 5%, a subestimação originada de um modelo ingênuo é de cerca de 20%. É uma grande assimetria, mas ainda não representa muito. Piora à medida que observamos outros desvios, os "seis sigma" (infelizmente frequentíssimos na economia): um aumento cinco vezes maior. Quanto mais raro o evento (isto é, quanto maior o "sigma"), pior o efeito resultante da pequena incerteza com relação ao que colocar na equação. Em eventos como os do dez sigma, a diferença é de mais de 1 bilhão de vezes. Podemos usar esse argumento para mostrar de que modo as probabilidades cada vez menores exigem maior precisão de cálculo. Quanto menor a probabilidade, mais um diminuto arredondamento de cálculo torna a assimetria substancialmente insignificante. Para probabilidades pequeníssimas, é necessário contar com uma precisão quase infinita nos parâmetros; neste caso, a menor das incertezas provoca o caos. Elas são bastante convexas a perturbações. Este é, em certo sentido, o argumento que usei para mostrar que as pequenas probabilidades são incalculáveis, mesmo quando temos o modelo certo — o qual, é claro, não temos.

O mesmo argumento é válido para a derivação de probabilidades usando modelos não paramétricos, com base em frequências anteriores. Se a probabilidade aproximar-se de 1/tamanho da amostra, o erro explode.

Isso, logicamente, explica o erro de Fukushima. Semelhante ao da Fannie Mae. Resumindo: as pequenas probabilidades aumentam de modo acelerado, à proporção que se altera o parâmetro utilizado para seu cálculo.

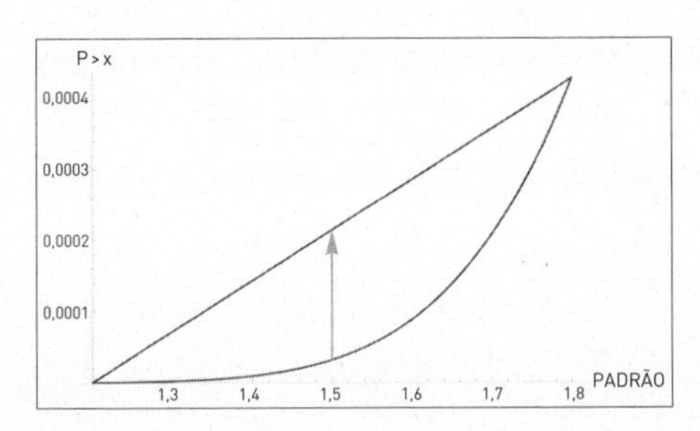

FIGURA 38. *A probabilidade é convexa ao desvio-padrão em um modelo gaussiano. O gráfico mostra o efeito PADRÃO em P>x, e compara P>6 com um PADRÃO de 1,5 comparado a P>6, presumindo uma combinação linear de 1,2 e 1,8 (aqui, $\alpha(1) = 1/5$).*

O fato preocupante é que um distúrbio em σ se estenderia até a cauda da distribuição de forma convexa; os riscos de um portfólio de investimentos que é sensível às caudas explodiriam. Ou seja, ainda estamos aqui no mundo gaussiano! Essa incerteza explosiva não é o resultado de caudas grossas naturais na distribuição, somente uma pequena imprecisão sobre um parâmetro futuro. É apenas epistêmica! Portanto, aqueles que usam esses modelos, embora admitam a incerteza dos parâmetros, estão, necessariamente, cometendo uma grave incoerência.*

Evidente, a incerteza explode ainda mais quando reproduzimos as condições do mundo real não gaussiano após eventos de cauda perturbadores. Mesmo com uma distribuição de lei de potência, os resultados são muito intensos, particularmente sob as variações do expoente de cauda, já que esses eventos têm consequências gigantescas. Na realidade, as caudas grossas significam a incalculabilidade dos eventos de cauda, pouco mais do que isso.

* Isso revela ainda mais as deficiências da noção da "incerteza knightiana", uma vez que *todas as caudas* são incertas sob a mais ínfima perturbação, e seus efeitos são graves em domínios com caudas grossas, isto é, na vida econômica.

Incerteza composta (Fukushima)

Usando a afirmação anterior de que a *estimativa implica erro*, vamos estender a lógica: os erros contêm erros; estes, por sua vez, contêm erros. Levar em conta o efeito faz com que todas as pequenas probabilidades venham à tona, independentemente do modelo — até mesmo o gaussiano —, a ponto de alcançar as caudas grossas e os efeitos da lei de potência (até mesmo a chamada variância infinita) quando ordens mais altas de incerteza são significativas. Mesmo considerando uma distribuição gaussiana σ em que o desvio-padrão tem um erro proporcional $\alpha(1)$; $\alpha(1)$ apresenta uma taxa de erro $\alpha(2)$ etc. Ora, tudo depende da taxa de erro de ordem superior $\alpha(n)$, em relação a $\alpha(n-1)$; se elas estiverem em proporção constante, então convergiremos para uma distribuição de cauda bastante longa. Se os erros proporcionais diminuírem, ainda teremos caudas grossas. Em todos os casos, o mero erro não é uma coisa boa para as pequenas probabilidades.

O mais triste é que fazer as pessoas aceitarem que todas as medições contêm um erro tem sido uma tarefa quase impossível — o evento em Fukushima, que de acordo com as previsões aconteceria uma vez a cada 1 milhão de anos, se transformaria em um em cada trinta se filtrássemos e distribuíssemos da maneira adequada as diferentes camadas de incerteza.

Notas adicionais, adendos e recomendação de leituras complementares

Esta seção contém leituras e ideias adicionais que me ocorreram após escrever o livro – por exemplo, se os teólogos consideram Deus como robusto ou antifrágil, ou a história da mensuração como um problema de otários no domínio da probabilidade. No que diz respeito às leituras complementares, evito a repetição daquelas que já foram mencionadas em livros anteriores, especialmente quanto ao problema filosófico da indução, os problemas Cisne Negro e a psicologia da incerteza. Consegui imiscuir no texto algum material matemático, sem sofrer restrições de Alexis K., o editor londrino que tem fobia pela matemática (especificamente em minha definição de fragilidade nas notas do Livro V e em minha sucinta derivação do adágio "a beleza está nas pequenas coisas"). Note que há mais discussões técnicas afins à disposição na internet.

Isolamento: desde *A lógica do Cisne Negro*, passei 1150 dias em isolamento físico, uma reconfortante condição de mais de trezentos dias por ano, com o mínimo de contato com o mundo exterior – além de vinte anos pensando sobre o problema das não linearidades e das exposições não lineares. Dessa maneira, meio que perdi a paciência com o conhecimento institucional e cosmético. Ciência e conhecimento são argumentos rigorosos, convincentes e aprofundados, levados a termo, e não a trivialidade ou empirismo ingênuo (*via positiva*), e é por isso que refuto a ideia jornalística comoditizada (e extremamente manipulada) de "referência" — ou melhor, "leitura complementar recomendada". Meus resultados não deveriam depender, e não dependem, de um único artigo ou resultado, exceto para a desmistificação pela *via negativa* — os exemplos seguintes são ilustrativos.

Charlatães: no artigo sobre o "Quarto Quadrante", publicado no *International Journal of Forecasting* (um dos documentos que serviram de base para *A lógica do Cisne Negro* que tinha sido disponibilizado on-line), mostrei, *empiricamente*, utilizando todos os dados econômicos disponíveis, que as caudas grossas são, ao mesmo tempo, severas e impossíveis de manejar — razão pela qual todos os métodos com "padrões simplificados" não funcionam com as variáveis socioeconômicas: regressão, desvio-padrão, correlação etc. (tecnicamente, 80% da curtose em 10 mil unidades de dados pode surgir a partir de *uma única* observação, significando que todas as mensurações das caudas grossas são meros erros de amostragem). Essa é uma rigorosa declaração de *via negativa*: significa que não podemos usar matrizes de covariância — elas não são confiáveis e não são informativas. Na verdade, a simples aceitação das caudas grossas nos teria levado a tal resultado — não há necessidade de empirismo; processei os dados mesmo assim. Ora, qualquer profissão científica honesta diria: "O que vamos fazer com essas evidências?" — o establishment econômico e financeiro simplesmente ignorou. Um bando de charlatães, a julgar por quaisquer normas científicas e métricas éticas. Muitos "Nobels" (Engle, Merton, Scholes, Markowitz, Miller, Samuelson, Sharpe e alguns mais) atrelaram seus resultados a essas premissas centrais — de outra forma, todas as suas obras evaporariam. Charlatães (e fragilistas) se dão bem em instituições. É uma questão de ética; ver as notas no Livro VII.

Para nosso propósito aqui, ignoro qualquer artigo científico da área da economia que use regressão em domínios de caudas grossas — como mero papo-furado —, exceto em alguns casos, como Pritchet (2001), em que o resultado não é impactado por caudas grossas.

O vento energiza o fogo: lembra o comentário de La Rochefoucauld sobre o amor.

Antifragilidade e complexidade: Bar-Yam e Epstein (2004) definem a sensibilidade, a possibilidade de respostas de grande envergadura a pequenos estímulos, e robustez, a possibilidade de respostas pequenas a estímulos consideráveis. Com efeito, essa sensibilidade, quando a resposta é positiva, assemelha-se à antifragilidade.

Correspondência privada com Bar-Yam: em seus comentários, Yaneer Bar-Yam escreveu, generosamente: "Se dermos um passo atrás e refletirmos de modo mais genérico acerca da questão dos sistemas particionados versus conectados, os sistemas particionados são mais estáveis, ao passo que os sistemas conectados são mais vulneráveis e oferecem mais oportunidades para a ação coletiva. A vulnerabilidade (fragilidade) é a conectividade sem a responsividade. A capacidade de resposta permite que a conectividade leve à oportunidade. Se a ação coletiva puder ser empregada para lidar com ameaças, ou para tirar proveito das oportunidades, então a vulnerabilidade poderá ser amenizada e sobrepujada pelos benefícios. Essa é a relação básica entre a ideia da sensibilidade, conforme a descrevemos, e o seu conceito de antifragilidade". (Com permissão.)

Dâmocles e complexificação: Tainter (1988) argumenta que a sofisticação leva à fragilidade — mas seguindo uma linha de raciocínio bastante diferente.

Crescimento pós-traumático: Bonanno (2004), Tedeschi e Calhoun (1996), Calhoun e Tedeschi (2006), Alter et al. (2007), Shah et al. (2007), Pat-Horenczyk e Brom (2007).

***Pilots Abdicate Responsibility to the System* [Pilotos abdicam da responsabilidade para o sistema]:** relatório da Administração Federal de Aviação dos Estados Unidos [Federal Aviation Administration, FAA]: John Lowy, Associated Press, 29 ago. 2011.

Efeito de Lucrécio: discussão sobre o Quarto Quadrante no pós-escrito de *A lógica do Cisne Negro* e evidências empíricas em artigos correlatos.

Marca do nível mais alto da água: Kahneman (2011), respaldando-se em obras do muito sagaz Howard Kunreuther, afirma que "ações protetivas, sejam por parte de indivíduos ou de governos, são geralmente concebidas para se ajustarem ao pior desastre que já tenha acontecido [...] imagens de desastres ainda piores não vêm facilmente à mente".

Psicólogos e "resiliência": Seery (2011), cortesia de Peter Bevelin. "Entretanto, algumas teorias e evidências empíricas sugerem que a experiência de enfrentar dificuldades pode também promover benefícios na forma de maior propensão à resiliência quando o indivíduo lida com situações estressantes subsequentes." Eles usam "resiliência"! Mais uma vez, *nãoéresiliência*.

Artigo de Danchin: Danchin et al. (2011).

Erros de engenharia e efeito sequencial em segurança: Petroski (2006).

Ruído e esforço: Mehta et al. (2012).

Esforço e fluência: Shah e Oppenheimer (2007), Alter et al. (2007).

Barricadas: ideia comunicada por Saifedean Ammous.

Buzzati: *Una felice sintesi di quell'ultimo capitolo della vita di Buzzati è contenuto nel libro di Lucia Bellaspiga "Dio che non esisti, ti prego. Dino Buzzati, la fatica di credere".*

Autoconhecimento: a ilusão da vontade consciente, de Daniel Wegner, em *Iludidos pelo acaso*.

Vendas de livros e críticas negativas: para Ayn Rand: Michael Shermer, "The Unlikeliest Cult in History", *Skeptic*, v. 2, n. 2, 1993, pp. 74-81. Trata-se de um exemplo; por favor, não confunda esse autor com um fã de Ayn Rand.

Campanhas difamatórias: observe que o filósofo alemão Brentano desferiu um ataque anônimo contra Marx. De início, foi a acusação de encobrir algum fato menos que desimportante, totalmente irrelevante para as ideias de *O capital*; Brentano desviou-se por completo da discussão do tema central, até mesmo postumamente, e Engels deu continuidade ao debate, numa vigorosa defesa de Marx no prefácio do terceiro volume do tratado.

Como realizar uma campanha difamatória, de Luís XIV a Napoleão: Darnton (2010).

A lei de Wolff e os ossos, o exercício, a densidade mineral óssea em nadadores: Wolff (1892), Carbuhn (2010), Guadaluppe-Grau (2009), Hallström et al. (2010), Mudd (2007), Velez (2008).

Estética da desordem: Arnheim (1971).

Nanocompósitos: Carey et al. (2011).

Karsenty e os ossos: agradeço a Jacques Merabe pela discussão e pela apresentação a Karsenty; Karsenty (2003, 2012a), Fukumoto e Martin (2009); para a fertilidade e os ossos masculinos, Karsenty (2011, 2012b).

Confundindo a economia com um relógio: um erro típico e irritante em Grant (2001): "A sociedade é concebida como um imenso e intrincado mecanismo de relógio, que funciona de modo automático e previsível depois de ter sido colocado em movimento. Todo o sistema é regido por leis mecânicas que organizam as relações de cada um dos componentes. Assim como Newton descobriu as leis da gravidade, que regem o movimento no mundo natural, Adam Smith descobriu as leis da oferta e da demanda, que determinam o movimento da economia. Smith usou a metáfora do relógio e da máquina para descrever os sistemas sociais".

Gene egoísta: o "gene egoísta" é (convincentemente) uma ideia de Robert Trivers, muitas vezes atribuída a Richard Dawkins — comunicação privada com Robert Trivers. Triste história.

Antifragilidade sistêmica de Danchin e redefinição de hormese: Danchin e eu escrevemos nossos artigos no modo de feedback. Danchin et al. (2011): "A ideia por trás disso é que no destino de um conjunto de entidades, expostas a grandes dificuldades, talvez seja possível obter um resultado geral positivo. No âmbito do conjunto, uma das entidades se sairia muito bem, compensando o colapso de todas as outras e até mesmo tendo um desempenho muito melhor do que a maioria, caso não houvesse empecilhos. Sob essa perspectiva, a hormese é apenas uma descrição holística de cenários subjacentes atuando no nível de uma miríade de processos, estruturas ou moléculas, simplesmente notando o resultado positivo para o conjunto. Para os organismos vivos, isso poderia atuar no nível da população de organismos, da população de células ou da população de moléculas intracelulares. Aqui exploramos o modo como a antifragilidade poderia operar no último nível, observando que sua implementação tem características que lembram bastante o que chamamos de seleção natural. De maneira específica, se a antifragilidade é um processo inerente que permite que algumas entidades individuais sobressaiam em relação à maioria em uma situação desafiadora, assim melhorando o destino do todo, ela ilustraria a implementação de um processo que reúne e utiliza informações".

Steve Jobs: "A morte é a invenção mais maravilhosa da vida. Ela expurga dos sistemas os modelos antigos e obsoletos". Beahm (2011).

Relógio cuco suíço: Orson Welles, *O terceiro homem*.

Bruno Leoni: agradeço a Alberto Mingardi por alertar-me sobre a ideia de robustez jurídica — e pelo privilégio de ser convidado para participar da palestra de Leoni em Milão, em 2009. Leoni (1957, 1991).

Grande moderação: um problema do peru. Antes da turbulência deflagrada em 2008, um senhor chamado Benjamin Bernanke, então professor de Princeton e que mais tarde seria presidente do Banco Central dos Estados Unidos e a pessoa mais poderosa do mundo em economia e finanças, apelidou de "a grande moderação" o período pelo qual passamos — colocando-me em uma posição muito difícil, a de defender o aumento de fragilidade. Isso é o mesmo que afirmar que alguém que acaba de passar uma década em um quarto esterilizado está em "ótima saúde" – quando na verdade essa pessoa é a mais vulnerável de todas.

Note que o problema do peru é uma evolução da galinha de Russell (*A lógica do Cisne Negro*).

Rousseau: em *O contrato social*. Ver, também, Joseph de Maistre, *Oeuvres*, Éditions Robert Laffont.

LIVRO II: MODERNIDADE E A NEGAÇÃO DA ANTIFRAGILIDADE
[pp. 97-163]

Cidades-estados: ótimos argumentos em apoio ao movimento a favor de cidades semiautônomas. Benjamin Barber, palestra na Fundação Long Now (2012), Khanna (2010), Glaeser (2011). Os prefeitos são melhores do que os presidentes para lidar com a coleta de lixo — e menos propensos a nos arrastar para a guerra. Também Mansel (2012), a respeito do Levante.

Império Austro-Húngaro: Fejtö (1989). História contrafactual: Fejtö afirma que a Primeira Guerra Mundial poderia ter sido evitada.

Busca aleatória e exploração de petróleo: Menard e Sharman (1976), a controvérsia White et al. (1976), Singer et al. (1981).

Aleatorizando os políticos: Pluchino et al. (2011).

Suíça: exposição em Fossedal e Berkeley (2005).

Estado moderno: Scott (1998) faz uma crítica ao grande Estado moderno.

Economias levantinas: Mansel (2012) sobre cidades-estados. História econômica, Pamuk (2006), Issawi (1966, 1988), Von Heyd (1886). Insights em Edmond About (About, 1855).

Cidades-estados na história: Stasavage (2012) é crítico da cidade-estado oligárquica como um motor de crescimento a longo prazo (embora, de início, com taxa de crescimento elevada). Entretanto, o artigo é totalmente inconvincente do ponto de vista econométrico, porque negligencia as caudas grossas. A questão é a fragilidade e o gerenciamento de riscos, e não o crescimento cosmético. Além de Weber e Pirenne, defensores do modelo, Delong e Schleifer (1993). Ver Ogilvie (2011).

Tonsilectomias: Bakwin (1945), citado por Bornstein e Emler (2001), discussão em Freidson (1970). Refeita por Avanian e Berwick (1991).

Orlov: Orlov (2011).

Intervencionismo ingênuo em desenvolvimento: Easterly (2006) relata um problema de madeira verde: "A falácia é presumir que, porque estudo e vivo em uma sociedade que, de alguma forma, acabou amealhando prosperidade e paz, sei o suficiente para formular planos de modo que outras sociedades obtenham prosperidade e paz. Como disse certa vez minha amiga April, isso é o mesmo que pensar que cavalos de corrida podem ser incumbidos de construir as pistas do hipódromo".

Também, sorte em desenvolvimento, Easterly et al. (1993), Easterly e Levine (2003), Easterly (2001).

Fome na China: Meng et al. (2010).

A morte de Washington: Morens (1999); Wallenborn (1997).

Alcorão e iatrogenia:

واذا قيل لهم لا تفسدوا في الأرض قالوا انما نحن مصلحون. الا انهم هم المفسدون ولكن لا يعلمون
وإذا قيل لهم امنوا كما امن الناس قالوا أنؤمن كما امن السفهاء ألا إنهم هم السفهاء ولكن لا يعلمون

Semmelweis: das referências mais improváveis, ver a tese de doutorado de Louis-Ferdinand Céline, reproduzida em Gallimard (1999), cortesia de Gloria Origgi.

Pseudoestabilização: alguns argumentos do capítulo 7 foram desenvolvidos em colaboração com Mark Blyth em *Foreign Affairs*, Taleb e Blyth (2011).

Suécia: "As elites econômicas tinham mais autonomia do que em qualquer democracia bem-sucedida", Steinmo (2011).

Trânsito e eliminação de sinalização: Vanderbilt (2008).

História da China: Eberhard (reimpressão, 2006).

***Nudge*:** chamam de viés do statu quo, e algumas pessoas querem que o governo manipule as pessoas para que elas se livrem desse viés. Boa ideia, exceto quando o "especialista" que dá o empurrão não é um especialista.

Procrastinação e heurística da prioridade: Brandstetter e Gigerenzer (2006).

A diversidade da França: Robb (2007). Protestos como o esporte nacional francês. Nicolas (2008). Estado-nação na França, entre 1680 e 1800, Bell (2001).

Complexidade: aqui estamos mais interessados no efeito sobre as caudas grossas do que em outros atributos. Ver Kaufman (1995), Hilland (1995), Bar-Yam (2001), Miller e Page (2007), Sornette (2004).

Complexidade e caudas grossas: não há necessidade, aqui, de uma sobrecarga de conceitos matemáticos (deixemos isso para o manual técnico); simples argumentos rigorosos podem provar, com o mínimo de palavras, como as caudas grossas emergem de alguns atributos dos sistemas complexos. O efeito matemático importante resulta da falta de independência das variáveis aleatórias, o que impede a convergência para a bacia gaussiana.

Vamos examinar o efeito de hedge dinâmico e da revisão do portfólio de investimentos.

A – por que as caudas grossas emergem dos ciclos de alavancagem de operação e de feedback, caso simplificado de agente único.

A1 [alavancagem] – se um agente com alguma alavancagem financeira comprar títulos mobiliários em resposta ao aumento de sua riqueza (devido ao aumento do valor desses títulos), e vendê-los em resposta à diminuição de seu valor, numa tentativa de manter certo nível de alavancagem A (ele é côncavo quanto à exposição), e

A2 [efeitos de feedback] – se os títulos subirem de valor de modo não linear em resposta às vendas, e, em seguida, pela violação da independência entre as variações dos títulos, o teorema do limite central (TLC) não se sustenta mais (não há mais convergência para a bacia gaussiana). Assim, as caudas grossas são um resultado imediato de feedback e alavancagem, exacerbados pela concavidade do nível de alavancagem A.

A3 – se os efeitos de feedback forem côncavos ao tamanho (custa mais caro, por unidade, vender dez do que vender uma), então, a assimetria negativa do título e do processo de riqueza virá à tona (em termos simples, assim como o "gama negativo" do seguro do portfólio de investimentos, o agente tem uma opção de compra, mas nenhuma opção de venda, portanto assimetria negativa. A venda forçada é exatamente como o hedge de uma opção a curto prazo.)

Nota sobre a dependência do trajeto exacerbando a assimetria: mais especificamente, se a riqueza aumentar primeiro, isso gera mais risco e mais assimetria. Situação de aperto financeiro e venda forçada na descida: o mercado cai mais (porém com menos frequência) do que aumenta na subida.

B – Multiagentes: se, ademais, houver mais de um agente envolvido, o efeito é intensificado pelo ajuste dinâmico (cobertura do risco) de um agente que causa o ajuste de outro, algo geralmente chamado de "contágio".

C – Pode-se generalizar para qualquer coisa, por exemplo o aumento nos preços das casas em resposta à compra de casas pelo excesso de liquidez etc.

A mesma ideia geral de execução forçada mais a concavidade de custos leva à superioridade de sistemas com aleatoriedade distribuída.

Aumento de risco, depois de providenciados os números: ver a literatura sobre ancoragem (revisada em *A lógica do Cisne Negro*). E também a tese de doutorado de Mary Kate Stimmler em Berkeley (2012), cortesia de Phil Tetlock.

O experimento de Stimmler é o seguinte. Na condição simples, os sujeitos da pesquisa foram assim informados:

Para sua referência, você recebeu a seguinte fórmula para calcular a quantidade total de dinheiro (*T*) que o investimento renderá três meses após o investimento inicial (*I*), considerando-se a taxa de retorno (*R*):

$$T = I * R$$

Na condição complexa, os sujeitos da pesquisa foram informados da seguinte maneira:

Para sua referência, você foi munido da fórmula seguinte a fim de calcular a quantidade total de dinheiro A_n que o investimento renderá três meses após o investimento inicial A_{n-1}, dada a taxa de retorno *r*.

$$A_n = A_{n-1} + (n+1) \sum_{j=1}^{n-1} [A_j r_j \frac{j}{n^2 - n + j} - j A_{j-1} r_{j-1} \frac{1}{j + (n-1)^2 + n - 2} + A_j r_{j-1} \frac{1}{j + (n-1)^2 + n - 2}]$$

É desnecessário mencionar que a condição simples e a complexa produziram o mesmo resultado. Mas aqueles que tinham nas mãos a condição complexa assumiram mais riscos.

O delírio da mensuração probabilística: algo que é óbvio para os taxistas e as avós desaparece dentro dos corredores das universidades. Em seu livro *A mensuração da realidade* (Crosby, 1997), o historiador Alfred Crosby apresentou a seguinte tese: o que distingue a Europa Ocidental do restante do mundo é a obsessão com a mensuração, a transformação do qualitativo em quantitativo (isso não é estritamente verdadeiro; os antigos também eram obcecados por medições, mas não dispunham dos algarismos arábicos para fazer cálculos adequados). A ideia de Crosby era a de que nós aprendemos a ser precisos acerca das coisas — e de que isso foi o precursor da Revolução

Científica. Ele cita o primeiro relógio mecânico (que quantificou o tempo), as cartas náuticas e a pintura de perspectiva (que quantificaram o espaço) e a contabilidade das partidas dobradas (que quantificaram a contabilidade financeira). A obsessão pela mensuração começou nos lugares certos, e, progressivamente, invadiu os errados.

Agora o nosso problema é que essas mensurações começaram a ser aplicadas a elementos que têm alto erro de medição — em alguns casos, infinitamente altos (lembre-se de Fukushima, na seção anterior). Os erros do Mediocristão são irrelevantes, os do Extremistão são agudos. Quando os erros de mensuração são proibitivamente numerosos, não se deve usar a palavra "medida". É claro que posso "medir" a mesa sobre a qual escrevo estas linhas. Posso "medir" a temperatura. Mas não sou capaz de "medir" riscos futuros. Tampouco posso "medir" a probabilidade — ao contrário da mesa, ela não se presta à nossa investigação. Trata-se, na melhor das hipóteses, de uma estimativa especulativa de algo que *pode* acontecer.

Note que Hacking (2006) não leva em conta as caudas grossas, nem por um único segundo! O mesmo acontece com Hald (1998, 2003), Von Plato (1994), Salsburg (2001) e alguém que deveria saber mais do que cometer esse erro, Stigler (1990). Um livro que promoveu péssimos modelos de risco, Bernstein (1996). Daston (1988) vincula a mensuração probabilística ao Iluminismo.

A ideia de probabilidade como um construto quantitativo e não qualitativo tem sido, de fato, um flagelo. E a noção de que a ciência *equivale* à livre mensuração isenta de erro — em grande medida ela equivale, mas não em tudo — pode nos levar a todo tipo de fantasias, ilusões e sonhos.

Uma excelente compreensão da probabilidade vinculada ao ceticismo: Franklin (2001). Poucos outros filósofos debruçaram-se sobre o verdadeiro problema da probabilidade.

Quarto Quadrante: Ver a discussão em *A lógica do Cisne Negro*, ou no artigo de Taleb (1999).

Nuclear, novo gerenciamento de riscos: Comunicação privada, Atlanta, Instituto de Operações de Energia Nuclear (Inpo), nov. 2011.

Conhecimento não científico e poder da evidência: Um leitor, Karl Schluze, escreveu: "Um velho professor e colega me disse (entre goles de uísque): 'Se cortarmos a cabeça de um cachorro e ela latir, não será necessário repetir a experiência'". É fácil obter exemplos: nenhum advogado invocaria um argumento do tipo "N=1" em defesa de uma pessoa, dizendo que "ela só matou uma vez"; ninguém considera que um acidente de avião seja "empírico".

Eu iria mais longe e mapearia a desconfirmação exatamente na situação em que N=1 for suficiente.

Às vezes os pesquisadores, em uma reação instintiva, chamam um resultado de "empírico" quando ele é diametralmente oposto ao esperado. Steven Pinker considerou "empírica" a observação de John Gray de que as duas guerras mundiais eram a contraprova de sua tese de grande moderação. A julgar pela minha experiência, as pessoas que atuam nas ciências sociais raramente sabem o que querem dizer quando falam em "evidências".

LIVRO III: UMA VISÃO DE MUNDO NÃO PREDITIVA [pp. 165-96]

Teóricos da decisão ensinando profissionais com atuação prática: para tornar ainda pior a nossa situação, os cientistas da decisão usam a noção de "prática", uma designação às avessas. Ver Hammond, Keeney e Raiffa (1999) tentando nos ensinar a tomar decisões. Para um livro que descreve exatamente como os profissionais com atuação prática não agem, mas como os acadêmicos pensam que eles agem, ver Schon (1983).

A assimetria entre o bem e o mal: *Segnius homines bona quam mala sentiunt*, nos Anais de Tito Lívio (XXX, 21).

Estoicos e emoções: contradiz crenças do senso comum segundo as quais o estoicismo diz respeito a ser um vegetal, Graver (2007).

O crescimento econômico não foi tão rápido: Crafts (1985), Crafts e Harley (1992).

Traição com astros do rock: Arnavist e Kirkpatrick (2005), Griffith et al. (2002), Townsend et al. (2010).

Simenon: "Georges Simenon, profession: rentier" . Nicole de Jassy. *Le Soir illustré*, n. 1333, 9 jan. 1958. pp. 8-9, 12.

Dalio: Princípios de Ray-Dalio -Bridgewater-Associates.*

LIVRO IV: OPCIONALIDADE, TECNOLOGIA E A INTELIGÊNCIA DA ANTIFRAGILIDADE [pp. 197-303]

O teleológico

Aristóteles e sua influência: Rashed (2007), ao mesmo tempo arabista e helenista.

A nobreza do fracasso: Morris (1975).

Opcionalidade

Bricolagem: Jacob (1977a, 1977b), Esnault (2001).

Ricos cada vez mais ricos: sobre a riqueza total do aumento de IAPL (Indivíduos com Altíssimo Patrimônio Líquido), ver os dados da Merrill Lynch em "World's Wealthiest People Now Richer Than Before the Credit Crunch", Jill Treanor, *The Guardian*, jun. 2012. O gráfico a seguir mostra por que isso nada tem a ver com crescimento e formação de riqueza total.

* Fundada por Ray Dalio em 1975, a Bridgewater-Associates é tida como a maior gestora de fundos especulativos do mundo. Os preceitos de Dalio foram compilados no livro *Principles: Life and Work* [Ed. bras.: *Princípios: Vida e trabalho*. Rio de Janeiro: Intrínseca, 2018]. (N. T.)

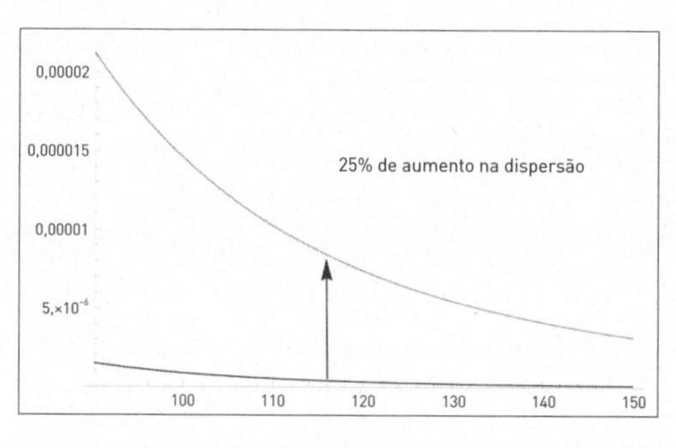

FIGURA 39. *Artigos de luxo e opcionalidade. Na vertical, a probabilidade; na horizontal, a integral de riqueza. Cidade da antifragilidade: o efeito da mudança de desigualdade no conjunto dos muito ricos aumenta de modo não linear nas caudas: o dinheiro dos milionários reage à desigualdade, mais do que à riqueza total do mundo. Sua parcela de riqueza é multiplicada em cerca de cinquenta vezes em resposta a uma alteração de 25% na dispersão da riqueza. Uma pequena alteração de 0,01 no coeficiente de Gini (0 quando há desigualdade perfeita, 1,00 quando uma pessoa tem tudo) é equivalente a um aumento de 8% no Produto Interno Bruto – o efeito é contundente, apesar da distribuição de probabilidade.*

Camelo na Arábia: Lindsay (2005).

Obliquidade: Kay (2010).

Literatura sobre opções reais: Trigeorgis (1993), resenhado em Dixit e Pindyck (1994), Trigeorgis (1996), Luehrman (1998), McGrath (1999) – o foco é nos investimentos reversíveis e irreversíveis.

Lacuna translacional: Wooton (2007); Arikha (2008b); Contopoulos-Ioannidis moderno et al. (2003, 2008), comentários em Brosco e Watts (2007).

Crítica de Wootton: Brosco e Watts (2007).

Epifenômenos e causalidade de Granger: ver Granger (1999) para um resumo.

Ensinar os pássaros a voar: há antecedentes em Erasmo, "ensinar os peixes a nadar". Adágios, 2519, III, VI, 19. "*Piscem nature doces Iʼχθύν νήχεσθαι διδάσκειϚ, id est piscem nature doces. Perinde est ac si dicas: doctum doces. Confine illi, quod alibi retulimus:* Δελφίνα νήχεσθαι διδάσκειϚ, *id est*

Delphinum natare doces." A expressão foi cunhada, pela primeira vez, em Haug e Taleb (2010), publicada em 2006, levando a um livro, Triana (2009). Não tínhamos conhecimento da imagem usada por Erasmo; caso contrário, a teríamos escolhido.

Educação e seus efeitos sobre o crescimento e a riqueza: Pritchett (2001), Wolf (2002), Chang (2011).

As ideias de Schumpeter sobre destruir para progredir: Schumpeter (1942). Críticas de economistas de Harvard sobre a falta de um enfoque técnico, em McCraw (2007).

Amadores: Bryson (2010), Kealey (1996).

Atribuição científica incorreta das obras de Bachelier, Thorpe e outros: Haug e Taleb (2010). Discussão em Triana (2009, 2011).

Ex cura theoria nascitur: em Coulter (2000), atribuída a Paracelso.

Motor a jato: Scranton (2006, 2007, 2009), Gibbert e Scranton (2009).

Destruindo a teoria epistêmica da cibernética: Mindell, 2002. Agradeço a David Edgerton por apresentar-me às obras dele.

Catedrais e geometria teórica e axiomática: Beaujouan (1973, 1991), Portet (2002). Ball (2008) para a história da construção da catedral de Chartres.

Base epistêmica e fusão: a base epistêmica é uma espécie de x, não $f(x)$. Uma excelente maneira de ver a diferença entre x e $f(x)$ na tecnologia, proposta por Michael Polanyi: pode-se patentear $f(x)$, uma técnica, mas não x, o conhecimento científico. Em Mokyr (2005).

Base epistêmica: Mokyr (1999, 2002, 2005, 2009). o maior problema de Mokyr: não compreender ω_C. Além disso, a noção de que o Oriente negligencia a tentativa e erro (consultar, também, o argumento sobre a China):

ver Tetlock, em Tetlock et al. (2009). Mokyr e Meisenzahl percebem outro aspecto, com as microinvenções alimentando as macroinvenções. Ainda inconsistente do ponto de vista intelectual.

Techné-Episteme na economia: Marglin (1996), mas a tradição não foi muito longe.

Trabalhos de Needham sobre a China: Winchester (2008).

Estabilidade no emprego: Kealey (1996): "Adam Smith atribuiu a decadência dos professores ingleses aos salários garantidos e aos empregos estáveis (em comparação com as universidades escocesas)".

Fideísmo: Popkin (2003).

Modelo linear: Edgerton (1996a, 1996b, 2004). Edgerton mostrou que era uma ideia retroajustada, isto é, adaptada ao passado. Edgerton escreve ainda: "Esse modelo de ciência do século XX, profundamente norteado pela pesquisa acadêmica, é ainda mais surpreendente, em face da longa tradição de *ressaltar as origens não acadêmicas da ciência moderna* [grifo meu], especialmente as tradições de ofícios, e a insistência, em boa parte da história da ciência, reforçada nos últimos vinte anos, na importância dos contextos industriais para a ciência, desde o tingimento de tecidos até fabricação de cerveja e de motores".

Viés de convexidade: foi descoberto, primeiro, no ramo de commodities e títulos financeiros futuros; Burghardt e Hoskins (1994), Taleb (1997), Burghardt e Liu (2002), Burghardt e Panos (2001), Kirikos e Novak (1997), Pieterbarg e Renedo (2004). Muitas pessoas se perderam na tentativa de compreender o efeito.

Exemplo de detecção e mapeamento de viés de convexidade (ω_A), a partir da tese de doutorado do autor: o método é encontrar aquilo que necessita de cobertura dinâmica e de revisões dinâmicas. Entre os membros da classe de instrumentos considerados que não são ações stricto sensu, mas exigem cobertura dinâmica, podem ser rapidamente mencionados muitos instrumentos convexos: (1) obrigações de longo prazo com baixos cupons de juros. Suponha um intervalo distinto de tempo. Considere $B(r,T,C)$ o título com vencimento no período T, pagando um cupom C, em que $rt = \int rs\, ds$. Temos a convexidade $\partial^2 B/\partial r^2$ aumentando com T, e diminuindo com C; (2) contratos em que o financiamento está em estreita correlação com o preço do Futuro; (3) cestas de investimento com características geométricas em seu cálculo; (4) uma classe de ativos bastante negligenciada é a de contratos "quanto" (em que o retorno não é na moeda nativa do contrato), como o de futuros Nikkei japonês, cujo retorno é na moeda norte-americana. Em suma, enquanto um contrato Nikkei denominado em iene japonês é linear, um contrato em dólares norte-americanos é não linear e requer hedge dinâmico.

Considere como tempo inicial t_0, a condição final sendo $V(S,T) = S_T$, em que T é a data de vencimento. De forma mais simplificada, o título que acabamos de descrever é do tipo futuro simples, supostamente linear. Parece não haver ainda nenhum termo do lema de Itô. No entanto, se houver um retorno intermediário tal que, depois de um período contábil i/T, a margem de variação é paga em desembolso de caixa, é possível que venha à tona alguma complexidade. Suponha $\Delta(t_i)$ como as mudanças no valor do portfólio de investimentos durante o período (t_i,t_{i-1}), $\Delta(t_i)=(V(S,t_i)-V(S,t_{i-1}))$. Se a variação tiver de ser paga no período t_i, então o operador teria de tomar o valor emprestado à taxa futura entre os períodos t_i e T, aqui $r(t_i,T)$. Esse financiamento é necessário para tornar $V(S,T)$ e S_T comparáveis em valores atuais. Para obter o resultado esperado, teremos de descontar a variação utilizando o método de fluxo de caixa futuro para o período contábil entre t_{i-1} e t_i. Observado a partir do período T, o valor da variação torna-se $E_t\, exp[-r(t_i,T)(T-t_i)]\Delta(t_i)]$, em que E_t é o operador esperado no tempo t (sob, digamos, a mensuração da probabilidade de risco neutro). Portanto, no período T, a expectativa é a de produzirmos, conforme visto a partir do período t_0, o valor esperado de um fluxo de variação futuro $E_{t0}[\Sigma\, exp[-r(t_i,T)(T-t_i)]\Delta(t_i)]$. No entanto, precisamos descontar o presente, utilizando o prazo $r(T)$. A equação anterior torna-se $V(S,T)|_{t=t0}=V[S,t_0]+exp[r(T)]E_{to}[\Sigma\, exp[-r(t_i,T)(T-t_i)]\Delta(t_i)]$, que será diferente de S_T quando qualquer taxa futura de juros for estocástica. Resultado (uma maneira polida de dizer "teorema"): *Quando as variações da taxa de desconto futura $r(t_i,T)$ e do título subjacente S_T forem estritamente* *positivas e a correlação entre as duas for menor do que 1,* $V(S,T)|_{t=t0} \neq S_T$. Comprovação: examinando as propriedades do operador esperado. Portanto, $F(S,t_0) = F(S, t_0+\Delta t)$, enquanto um instrumento não linear será satisfatório: $E[V(S,t_0)]=E[V(S,t_0+\Delta t)]$.

Críticas a Kealey: Posner (1996).

História geral da tecnologia: omissão de vieses de convexidade, Basalla (1988), Stokes (1997), Geison (1995).

Ideias de inovação: Berkun (2007), Latour e Woolfar (1996), Khosla (2009), Johnson (2010).

Descobertas médicas e ausência de conhecimento causal: Morton (2007), Li (2006), Le Fanu (2002), Bohuon e Monneret (2009). Le Fanu (2002): "Talvez seja previsível que os médicos e os cientistas queiram reivindicar para si o crédito pela supremacia da medicina moderna, sem admitir, ou, até mesmo, reconhecer, os mistérios da natureza, que desempenharam um papel tão importante. Não surpreende que tenham passado a acreditar que sua contribuição intelectual foi maior do que realmente foi e que sua compreensão era mais ampla do que de fato era. Eles foram incapazes de reconhecer a natureza esmagadoramente empírica da inovação tecnológica e dos medicamentos, que possibilitou avanços espetaculares no tratamento das doenças, sem a exigência de qualquer entendimento profundo das causas ou da história natural das enfermidades".

Comércio como algo convexo: Ridley (2010) faz comentários sobre os fenícios; Aubet (2001).

Informantes da indústria farmacêutica: La Matina (2009).

Efeitos colaterais multiplicativos: subestimação de interações, em Tatonetti et al. (2012): eles simplesmente revelaram os efeitos colaterais em pessoas que ingerem coquetéis de drogas, o que, de modo efetivo, potencializa os efeitos colaterais (eles mostram que o efeito pode ser multiplicado em até quatro vezes).

Planejamento estratégico: Starbuck et al. (1992, 2008), Abrahamson e Freedman (2007). O último é uma bela ode à desordem e à "bagunça".

Empreendedorismo: Elkington e Hartigan (2008).

A incompreensão patológica dos professores da Harvard Business School: Esta não é uma afirmação empírica, mas só por diversão: para um exemplo ilustrativo de um otário que não consegue perceber ω_B e ω_C, sempre comece procurando em Harvard. Froot (2001), Pisano (2006a, 2006b). Froot: "Uma vez que os gestores de empresas de seguro compram resseguros pagando um valor muito acima do preço justo, devem acreditar que o gerenciamento de riscos adiciona um valor considerável". Ele acredita *saber* qual é o preço justo.

Le Goff: Le Goff (1985): "*L'un est un professeur, saisi dans son enseignement, entouré d'élèves, assiégé par les bans, où se presse l'auditoire. L'autre est um savant solitaire, dans son cabinet tranquille, à l'aise au milieu de la pièce où se meuvent librement ses pensées. Ici c'est le tumulte des écoles, la poussière des salles, l'indifférence au décor du labeur collectif*", "*Là tout n'est qu'ordre et beauté / Luxe, calme, et volupté*".

Martignon: *Geschlechtsspezifische Unterschiede im Gehirn und mögliche Auswirkungen auf den Mathematikunterricht.* Wissenschaftliche Hausarbeit zur Ersten Staatsprüfung für das Lehramt an Realschulen nach der RPO I, v. 16.12.1999. Vorgelegt von: Ulmer, Birgit. Erste Staatsprüfung im Anschluss na das Wintersemester 2004/05, Pädagogische Hochschule Ludwigsburg. Studienfach: Mathematik. Dozenten: profa. dra. Laura Martignon, prof. dr. Otto Ungerer.

Renan: *Averroès et l'averroïsme*, p. 323 (1852).

Sócrates: Conversa com Mark Vernon (Vernon, 2009), que acredita que Sócrates era mais parecido com Tony Gordo. Wakefield (2009) fornece um contexto mais amplo. Calder et al. (2002) apresentam retratos mais ou menos hagiográficos.

Falácia socrática: Geach (1966).

Episteme-Techné: Alexandre de Afrodísia, *Comentário à Metafísica de Aristóteles, sobre os primeiros analíticos de Aristóteles* 1,1-7, *Tópicos de Aristóteles* 1, *Quaestiones* 2,16-3,15.

O conhecimento tácito-explícito: Colins (2010), Polanyi (1958), Mitchell (2006).

TABELA 13 • SAIBA COMO VS. SAIBA O QUÊ E SEUS CORRELATOS

Tipo 1	Tipo 2
Saber **o quê** (conhecimento teórico)	Saber **como** (conhecimento prático)
Explícito	Implícito, tácito
Conhecimento demonstrativo	Conhecimento não demonstrativo
Episteme	Techné
Base epistêmica	Conhecimento experiencial
Conhecimento proposicional	**Heurística**
Literal	Figurativo
Atividade direcionada	Bricolagem
Racionalismo	**Empirismo**
Erudição acadêmica	Prática
Matemática	Engenharia
Conhecimento indutivo, utilizando os princípios teleológicos de Aristóteles	Epilogismo (Menódoto de Nicomédia e a escola de medicina empírica)
Historiografia causal	*Historia a sensate cognitio*
Diagnóstico	*Autopsia*
Letra da lei	Espírito da lei
Ideias	Costumes
Probabilidade lúdica, livros didáticos de estatística	Incerteza ecológica, não manejável em livros didáticos
Logos	Mythos
Kerygma (a parte explicável e ensinável da religião)	Dogma (no sentido religioso, o inexplicável).
Teologia exotérica (Averróis e Espinosa)	Teologia esotérica (Averróis e Espinosa)

Todos os termos do lado esquerdo parecem estar conectados. Podemos explicar facilmente como *racionalismo*, *explícito* e *literal* se combinam. Mas os termos da direita parecem não estabelecer entre si uma relação lógica. Qual é a conexão entre *costumes*, *bricolagem*, *mitos*, *saber como* e *figurativo*? O que conecta o dogma religioso a experimentações e improvisos? Existe *algo*, mas não sou capaz de explicar em um formato comprimido, embora haja a semelhança de família wittgensteiniana.

Lévi-Strauss: Lévi-Strauss (1962), sobre as diferentes formas de inteligência. No entanto, em Charbonnier (2010), em entrevistas concedidas na década de 1980, ele parece acreditar que algum dia, no futuro, a ciência nos permitirá fazer previsões com um aceitável grau de precisão, "tão logo compreendamos a teoria das coisas". Wilken (2010), para uma biografia. Ver também Bourdieu (1972), para um problema semelhante, sob o prisma de um sociólogo.

Heurísticas evolutivas: trata-se de um aspecto central, mas eu o escondi aqui. Para resumir o ponto de vista — uma fusão do que ele significa na literatura e as ideias deste livro: uma heurística evolutiva em determinada atividade tem os seguintes atributos: (a) não sabemos que a estamos utilizando, (b) ela vem sendo usada há muito tempo no mesmo ambiente, ou em um ambiente bastante parecido, por gerações e gerações de praticantes, e reflete algo da sabedoria evolutiva coletiva, (c), é isenta do problema de agência, e aqueles que a utilizam sobreviveram (isso exclui a heurística médica usada pelos profissionais da medicina, já que o paciente poderia não ter sobrevivido, e favorece as heurísticas coletivas, utilizadas pela sociedade), (d) ela substitui problemas complexos, que exigem uma solução matemática, (e) só é possível aprendê-la por meio da prática e da observação de outras pessoas, (f), ela sempre pode funcionar "melhor" em um computador, uma vez que o desempenho desse tipo de heurística é melhor em um computador do que na vida real. Por alguma razão, essas heurísticas, que são as segundas melhores, funcionam melhor do que aquelas que parecem ser as melhores, (g) o campo em que ela foi desenvolvida permite um feedback rápido, no sentido de que aqueles que cometem erros são penalizados e não perduram muito tempo. Por fim, como demonstraram os psicólogos

Kahneman e Tversky, fora dos domínios em que foram formadas, elas podem dar terrivelmente errado.

Argumentação e o problema da madeira verde: em Mercier e Sperber (2011). A ideia pós-socrática de raciocínio como instrumento de busca da verdade passou, recentemente, por uma desvalorização ainda maior, embora aparentemente o método socrático de discussão possa ser benéfico, mas apenas na forma de diálogo. Mercier e Sperber desmistificaram a noção de que usamos o raciocínio a fim de buscar a verdade. Eles mostraram, em um estudo extraordinário, que o propósito dos argumentos não é tomar decisões, mas convencer os outros — pois as decisões a que chegamos via raciocínio estão carregadas de imensas distorções. Eles demonstraram isso experimentalmente, apresentando evidências de que os indivíduos são mais eficazes forjando argumentos em um ambiente social (quando há outras pessoas a convencer) do que quando estão sozinhos.

Anti-Iluminismo: para uma revisão, Sternhell (2010), McMahon (2001), Delon (1997). Horkheimer e Adorno apresentam uma crítica veemente à cosmética e às armadilhas nas ideias da modernidade. E, claro, as obras de John Gray, especificamente Gray (1998) e *Straw Dogs*, Gray (2002).

Wittgenstein e o conhecimento tácito: Pears (2006).

Sobre Joseph de Maistre: Companion (2005).

Economia ecológica, sem nada de economia protecionista do tipo super-mamãe-helicóptero: Smith (2008), e também a palestra do Nobel, feita juntamente com a de Kahneman. Mais adiante em Gigerenzer.

A sabedoria dos séculos: Oakeshott (1962, 1975, 1991). Note que o conservadorismo de Oakeshott significa aceitar a necessidade de determinada cota de mudança. Parece-me que o que ele queria era uma mudança orgânica, não racionalista.

Mais formalmente, para complementar a exposição gráfica, de Taleb e Douady (2012), a **fragilidade local** de uma variável aleatória X_λ, dependendo do parâmetro λ, no nível de estresse K e nível de semidesvio $s^-(\lambda)$, com pdf f_λ, é a sua **sensibilidade semivega K com cauda à esquerda** ("vega" sendo a sensibilidade para alguma medida de volatilidade), $V(X, f\lambda, K, s^-)$ para s^-, o semidesvio médio absoluto abaixo de Ω, aqui $s^-(\lambda)=\int_{-\infty}^{\Omega}(\Omega-x)f_\lambda(x)dx$, $\xi(K,s^-)=\int_{-\infty}^{K}(\Omega-x)f_{\lambda(s^-)}(x)dx$, $V(X,f_\lambda,K,s^-)=\frac{\partial\xi}{\partial s^-}(K,s^-)$. A **fragilidade herdada** de Y em relação a X, no nível de estresse $L = \varphi(K)$, e semidesvio à esquerda no nível $s^-(\lambda)$ de X, é a derivada parcial $V_x(Y,g_A,L,s^-(\lambda))=\frac{\partial\zeta}{\partial s}(L,u^-(\lambda))$. Note que o nível de estresse e o pdf são definidos para a variável Y, mas o parâmetro utilizado para a diferenciação é o desvio semiabsoluto à esquerda de X. Para a antifragilidade, a oscilação acima de Ω, em adição à robustez abaixo do mesmo nível de estresse K. Os **teoremas de transferência** relacionam a fragilidade de Y com a segunda derivada $\varphi(K)$ e mostram o efeito das transformações convexas (côncavas ou não lineares mistas) nas caudas via a **função de transferência** H^K. Para o antifrágil, use s^+, a integral acima de K.

A fragilidade não é psicológica: começamos pela definição de fragilidade como a cauda da sensibilidade *vega* e terminamos com a não linearidade como um atributo necessário da fonte dessa fragilidade no caso hereditário — uma causa da doença, em vez da doença propriamente dita. Contudo, existe uma longa tradição de literatura, escrita por economistas e cientistas da decisão, incorporando o risco às preferências psicológicas — historicamente, o risco vem sendo descrito como uma derivação da aversão ao risco, como resultado da estrutura de escolhas sob incerteza, com uma concavidade do confuso conceito de "utilidade" do retorno; ver Pratt (1964), Arrow (1965), Rothschild e Stiglitz (1970, 1971). Mas esse papo de "utilidade" nunca levou a lugar nenhum, a não ser à circularidade, expressa por Machina e Rothschild (2008), "o risco é o que os avessos ao risco odeiam". De fato, limitar o risco à aversão à concavidade de escolhas é um resultado extremamente infeliz.

A xícara de porcelana e sua concavidade: nitidamente, uma xícara de café, uma casa ou uma ponte não têm preferências psicológicas, utilidade subjetiva etc. No entanto, cada uma delas é côncava em sua reação ao dano: de forma simples, considerando-se z como nível de estresse e $\Pi(z)$ a função de dano, é suficiente para ver que, com $n>1$, $\Pi(n\,z) < n\,\Pi(z)$ para todo $0< n\,z<Z^*$, em que Z^* é o nível (não necessariamente especificado) em que o item se quebra. Essa desigualdade leva a $\Pi(z)$, tendo uma segunda derivada negativa no valor z inicial. Então, se uma xícara de café é menos danificada n vezes por um estressor de intensidade Z do que uma única vez por um estressor $n\,Z$, então o dano (como uma função negativa) precisa ser côncavo a estressores até o ponto de rompimento; essa restrição é imposta pela estrutura de probabilidades de sobrevivência e a distribuição de eventos prejudiciais, nada a ver com a utilidade subjetiva nem com alguns outros produtos da imaginação.

Aumento de escala positivo, convexidade das cidades: Bettencourt e West (2010, 2011), West (2011). Cidades são itens 3-D, assim como os animais, e essas não linearidades benéficas correspondem a eficácias. Mas leve em conta o trânsito!

"Mais é diferente": Anderson (1972).

Fragilidade comparativa dos animais: Diamond (1988).

Flyvbjerg e colaboradores, sobre atrasos: Flyvbjerg (2009), Flyvbjerg e Buzier (2011).

A beleza está nas pequenas coisas, pontos de vista românticos: Dahl e Tufte (1973), Schumacher (1973), para a frase de efeito. Kohr (1957), para o primeiro manifesto contra o tamanho da unidade governamental.

Tamanho do governo: não consigo encontrar pessoas que pensem nos efeitos de convexidade, nem mesmo os libertários — ver Kahn (2011).

Estados pequenos têm melhor desempenho: uma longa tradição em pesquisas sobre a governança das cidades-estados. Parece que o que interpretamos como sistemas políticos pode advir do tamanho. Evidências em Easterly e Kraay (2000).

A era da fragilidade crescente: Zajdenwebber, ver a discussão em *A lógica do Cisne Negro*. Números revistos recentemente em "Counting the Cost of Calamities", *The Economist*, 14 jan. 2012.

Efeito de convexidade sobre a média: Jensen (1906), Van Zwet (1966). Enquanto Jensen lida com funções monótonas, Van Zwet lida com combinações côncavo-convexas e outras mesclas — mas elas continuam sendo simples não linearidades. Taleb e Douady (2012) aplicam isso a todas as formas de não linearidades locais.

Registro empírico das maiores: fusões e hipótese do húbris: em Roll (1986); desde então, Cartwright e Schoenberg (2006).

Dívida na história antiga: jubileus babilônicos, Hudson et al. (2002). Atenas, Harrison (1998), Finley (1953). História da dívida, Barty-King (1997), Muldrew (1993), Glaeser (2001). Este último tem uma perspectiva anarquista. Ele realmente acredita que o endividamento precede o escambo.

Redes alimentícias: Dunne et al. (2002), Perchey e Dunne (2012), Valdovinos e Ramos-Jiliberto (2010). Fragilidade e recursos, Nasr (2008, 2009).

Fannie Mae: eles eram côncavos de uma ponta à outra, em todas as variáveis significativas. Algum sujeito, incapaz de entender probabilidades e não linearidades e integrante da comissão Obama incumbida de investigar a causa da crise, espalhou o rumor de que apenas eu detectei o risco da taxa de juros da Fannie Mae: isso não é verdade.

Custos de execução: o "impacto do preço", isto é, os custos de execução, aumenta com o tamanho; tende a seguir a raiz quadrada, ou seja, o preço total é convexo e cresce ao expoente de 3/2 (o que significa que os custos são côncavos). Mas o problema é que, em casos de grandes desvios, como o da Société Générale, é muito pior; os custos de transação se aceleram, e de forma cada vez menos precisa — todos os artigos sobre o impacto dos preços, obra da nova tradição de pesquisadores, são insignificantes quando precisamos deles. Vale destacar que Bent Flyvbjerg constatou um efeito semelhante, mas um pouco menos côncavo em sua totalidade, em pontes e túneis, com custos proporcionais aumentando de tamanho em 10 $Log[x]$.

A beleza está nas pequenas coisas, um enfoque técnico: para explicar como as cidades-estados, as pequenas empresas etc. são mais robustas a eventos prejudiciais, considere que X, uma variável aleatória para a "exposição involuntária", é a fonte de incerteza (para a Société Générale, foi a posição que ela não viu; para uma corporação, pode ser uma necessidade emergencial de algum inventário etc.). Suponha que o tamanho desse dano contingencial seja proporcional à dimensão da unidade — uma vez que as entidades menores realizam operações de menor envergadura do que as maiores. Usamos, para a distribuição de probabilidade, a variável de todas as exposições involuntárias ΣX_i, em que X_i são variáveis aleatórias independentes, simplesmente dimensionadas como $X_i = X/N$. Sendo k a amplitude da cauda e α o expoente da cauda, $\pi(k, \alpha, X) = \alpha\, k^{\alpha} x^{-1-\alpha}$. A distribuição convoluta de Pareto de N– para a posição total involuntária $N \Sigma X_i$: $\pi(k/N, \alpha, X)_N$, em que N é o número de convoluções para a distribuição. A média da distribuição, invariante no que diz respeito a N, é $\alpha\, k/\alpha{-}1)$.

Perdas com os apertos financeiros e a sobrecarga de custos: para a função de perda, considere $C[X] = -b\, X^{\beta}$, em que os custos dos danos são uma função côncava de X. Note que, para pequenos desvios, $\beta = 3/2$, na microestrutura e na literatura sobre execuções.

Distribuição de probabilidade resultante de danos: como estamos interessados na distribuição de y, fazemos uma transformação da variável estocástica. O dano y=$C[X]$ tem como distribuição: $\pi[C^{-1}[x]]/C'[C^{-1}[x]]$. Considere que ele acompanha uma distribuição de Pareto com amplitude de cauda k^{β} e expoente de cauda $2/\beta$, $L_1(Y) = \frac{\alpha}{\beta} K^{\alpha} Y^{-1-\alpha/\beta}$, que tem por média $\frac{k^{\beta}\alpha}{\alpha-\beta}$. Agora a soma: para a soma convoluta de entidades N, a distribuição assintótica torna-se: $L_N(Y)=N\frac{\alpha}{\beta}\left(\frac{K}{N}\right)^{\alpha} Y^{-1-\alpha/\beta}$, com a média (devido à aditividade) como uma função das variáveis, que incluem N: $M(\alpha,\beta,k,N)=\frac{N\left(\frac{k}{N}\right)^{\beta}\alpha}{\alpha-\beta}$. Se verificarmos a proporção de perdas esperadas nas caudas para N = *1* a N = *10*, a diferentes valores da proporção de β sobre α, a razão entre o esperado para uma unidade sobre dez unidades $\frac{M(\alpha=3,\beta/\alpha,k,N=1)}{M(\alpha=3,\beta/\alpha,k,N=10)}$ revela o efeito "a beleza está nas pequenas coisas" entre diferentes níveis de concavidade.

LIVRO VI: *VIA NEGATIVA* [pp. 347-429]

Conhecimento subtrativo

Mapas: Um leitor, Jean-Louis, cartógrafo, me escreveu: "Como cartógrafo, aprendi, muito tempo atrás, que o segredo para uma boa elaboração de mapas é, precisamente, a informação que você opta por deixar de fora. Fiz inúmeros clientes perceberem que se um mapa é por demais literal e exato, confunde as pessoas".

Imã Ali: Nahj-el-Balagha, Carta. 31.

O deus mosaico não é antifrágil: pois Deus — o Deus de Abraão e de Moisés (dos judeus, dos cristãos e dos muçulmanos) — é a representação da robustez e infalibilidade totais. Note que, ao contrário das impressões iniciais, a essência da perfeição é a robustez, não a antifragilidade. Recebi muitas mensagens sugerindo que o Deus (levantino) deveria ser colocado na categoria antifrágil. Isso seria um grave erro, segundo as religiões mediterrâneas orientais. A antifragilidade para uma divindade pode ser aplicada às mitologias babilônica, grega, síria e egípcia. Mas a teologia monoteísta levantina, desde o antigo El (ou Al) semita até o moderno Alá, ou, em menor medida, o que as pessoas chamam de "Senhor" no Cinturão Bíblico dos Estados Unidos, do Gênesis ao Alcorão, evoluiu para uma definição de um Deus cada vez mais abstrato — portanto, mais próximo da definição de pura robustez. O Deus monoteísta certamente não é frágil; mas não é antifrágil. Por definição, graças à sua qualidade abstrata no máximo grau possível, ele é aquilo que não pode ser aprimorado, o que é a verdadeira propriedade da perfeição – somente os mortais imperfeitos podem ser aprimorados – consequentemente, precisam da antifragilidade para tentar evoluir. No Alcorão, uma das propriedades de Deus é *Smd*, palavra que não tem sinônimo nem mesmo em árabe, e por isso não pode ser traduzida; o seu significado só pode ser transmitido pela repetição de descrições parciais. *Smd* é o que chegou a tamanho grau de perfeição que não depende das circunstâncias externas, de nada nem de ninguém; um baluarte contra todos os tipos de ataque; Ele transcende a noção de tempo. A ideia também está presente em outros sistemas levantinos. A teologia ortodoxa, por meio da *theosis* (teose), procura a fusão com Deus, a aspiração a um nível de completude, por conseguinte a independência em relação a qualquer outra coisa.

Interditos na religião: Fourest e Venner (2010) apresentam uma lista em todas as crenças religiosas.

Steve Jobs: Beahm (2011).

Gladwell: "Se você somasse todas as contas de hospital durante os dez anos em que ele tinha estado nas ruas – assim como os custos de tratamento por abuso de substâncias, honorários médicos e outras despesas –, Murray Barr, provavelmente, teria acumulado despesas médicas tão altas quanto a de qualquer outra pessoa no estado de Nevada. 'Custou-nos 1 milhão de dólares não fazer nada a respeito de Murray', disse O'Bryan". Gladwell (2009).

Falsificação e problemas de indução: Ver referências em *A lógica do Cisne Negro*.

Tabagismo e efeito médico global: Burch (2009).

Fractalidade: Mandelbrot (1983).

O impacto do antigo, segundo Edgerton: Edgerton (2007).

Simplicidade e Steve Jobs: "Esse tem sido um dos meus mantras – foco e simplicidade. O simples pode ser mais difícil do que o complexo: você tem que trabalhar com afinco para clarear seu pensamento e torná-lo simples. Mas no fim vale a pena, porque, quando você chega lá, consegue mover montanhas." *BusinessWeek*, 25 maio 1998.

Heurísticas como poderosos – e necessários – atalhos: Gigerenzer e Brighton (2009) destruíram a seguinte lenda, tal como apresentado em *O gene egoísta*, de Richard Dawkins, no qual encontramos um trecho, sobre como um jogador de beisebol pega a bola: "[H] se comporta como se tivesse solucionado um conjunto de equações diferenciais para prever a trajetória da bola [...]. Em algum nível subconsciente, algo funcionalmente equivalente a cálculos matemáticos está acontecendo".

Não é bem assim, professor Dawkins. Gerd Gigerenzer et al. apresentam um contra-argumento, afirmando que nada disso acontece. Eles escrevem o seguinte:

> Em vez disso, experimentos demonstraram que os jogadores se fiam em várias heurísticas. A heurística do olhar fixo é a mais simples e funciona se a bola já estiver em pleno ar: fixe seu olhar na bola, comece a correr e ajuste sua velocidade de corrida de modo que o ângulo do olhar permaneça constante. Um jogador que se fia na heurística do olhar pode ignorar todas as variáveis causais necessárias para calcular a trajetória da bola – a distância inicial, a velocidade, o ângulo, a resistência do ar, a velocidade e a direção do vento, a rotação, entre outras. Ao prestar atenção em uma única variável, o jogador acabará no mesmo local que a bola, sem computar o ponto exato.
>
> A mesma heurística é utilizada também por espécies animais para capturar presas e interceptar potenciais parceiros de acasalamento. Na perseguição e na predação, morcegos, pássaros e libélulas mantêm um ângulo ótico constante entre si e suas presas, assim como fazem os cães quando agarram um *frisbee*.

Exemplos adicionais:

> Para escolher um parceiro de acasalamento, a pavoa usa uma heurística: em vez de analisar todos os pavões machos que desfilam exibindo a cauda, ávidos para

chamar a atenção da fêmea, ou de avaliar e analisar as características de todos os machos para calcular aquele com a maior utilidade esperada, ela examina apenas três ou quatro e escolhe aquele com o maior número de penas adornadas.

Assim como acontece com seres humanos. Outro exemplo:

Para medir a área da cavidade de um ninho, uma fenda estreita na rocha, a formiga não usa nenhum instrumento de avaliação, mas uma regra geral: percorre uma trilha irregular por um período fixo de tempo, despejando um rastro de feromônio, depois vai embora. Retorna, percorre uma rota irregular diferente e faz uma estimativa do tamanho da cavidade pela frequência com que encontra a trilha anterior. Essa heurística é extraordinariamente precisa.

Outros: Czerlinski e Gigerenzer et al. (1999), Goldstein e Gigerenzer (1999), Gigerenzer (2008).

Makridakis, prognóstico e menos é mais: Makridakis et al. (1982, 1993), Makridakis e Hibon (2000), e Makridakis e Taleb (2009).

Heurística para mensuração de riscos: Taleb, Canetti et al. (2012) – com a equipe do FMI.

Efeitos Lindy e tópicos associados

O efeito Lindy foi demonstrado em Mandelbrot (1997). De início, ele o usou para a produção artística, limitada pela vida de seu produtor. Em nossas conversas mais para o fim de sua vida, sugeri a fronteira perecível/não perecível, e ele concordou que o não perecível seria a lei de potência distribuída, ao passo que o perecível (a hipótese inicial de Lindy) funcionaria como uma simples metáfora. Dependendo das condições estabelecidas para o conhecimento da idade inicial, o tempo de vida restante exponencial permanece constante, independentemente da condição futura, pois a lei de potência aumenta com o tempo desde a origem, por um fator de $(\alpha/1-\alpha)$, em que α é o expoente da cauda; no caso de distribuição gaussiana ou semigaussiana, o tempo de vida diminui.

Gott: Gott (1993, 1994) apresentou a ideia de Copérnico, mas não estipulou corretamente a probabilidade; corrigida em Caves (2000). Ver a discussão em Rees (2003), e um tratamento do paradoxo em Bostrom (2002).

Artigos sobre sobrevivência e propriedades distributivas: invariavelmente as leis de potência são confundidas com distribuições exponenciais, devido à falta de dados nas caudas. Assim, a priori, presumo que uma exponencial, provavelmente, será uma lei de potência, mas não o contrário, uma vez que o erro na direção oposta é muito menos provável. Pigolotti et al. (2005). Para impérios, Arbesman (2011), Khmaladze et al. (2007, 2010), Taagepera (1978, 1979). Para empresas: Fujiwara. Ver também Turchin (2003, 2009).

Tempo de sobrevivência esperado condicional ao longo das distribuições: Sornette e Knopoff (1997). Eles mostram como, paradoxalmente, quanto mais tempo se espera por um terremoto, mais tempo será necessário esperar.

Outras neomanias

Le Corbusier: Christopher Caldwell, "Revolting High Rises", *The New York Times*, 27 nov. 2005.

Cairns e as mensurações antigas: Cairns (2007). Quem chamou minha atenção para sua obra foi Yoav Brand, que, gentilmente, me ofereceu seu livro após uma palestra.

Projeto arquitetônico não teleológico: como os edifícios passam por transformações e mudanças, Brand (1995).

O cachorro: *Magna moralia*, ii. 11, 1208 b 11. "E diz ele que um cachorro estava acostumado a dormir sempre no mesmo ladrilho, e, quando perguntaram a Empédocles por que o cachorro dormia sempre no mesmo ladrilho, respondeu ele que o cão tinha alguma semelhança com o ladrilho, de modo que a semelhança era a razão para que o animal ali dormisse com frequência".

Medicina soror philosophiae: para histórias reflexivas sobre medicina, Mudry (2006), Pigeaud (2006); para discussão sobre iatrogenia, Camguillem (1995). Para o espírito, Pager (1996), Bates (1995).

Medicina islâmica: Porman e Savage-Smith (2007), Djebbar (2001).

***De motu animali* e tentativas de matematizar a medicina:** Em Wear (1995). Permita-me reiterar: a matemática é uma coisa boa, a matemática errada não é uma coisa boa.

Medicina antiga: Edelstein (1987), Lonrig (1998). *Ancient Medicine*, de Vivian Nutton (Nutton [2004]) é um livro informativo, mas quase não menciona os empiristas e não é muito detalhado sobre as práticas antigas, exceto por alguns tratados padronizados. Mais sobre medicina (céticos e metodistas) no monumental Zeller (1905), ou, ainda melhor, no soberbo *Les Sceptiques Grecs*, de Brochard.

Laranjas: como são chamadas no grego moderno, *portokali*, uma corruptela de "português" – modificado ainda mais no árabe levantino para *burduqan*, e presente, com esse nome, no dialeto siciliano.

Heurísticas médicas: Palmieri (2003).

Idade Média e Renascimento: French (2003).

História geral: Conrad et al. (1995), Porter (2002, 2003), Meslin et al. (2006), Kennedy (2004).

Iatrogenia: Sharpe e Faden (1998), mais completo; Illich (1995), o primeiro movimento; Hadler (2009) para o respaldo; Duffin (1999), Welsh et al. (2011) sobre a superestimação diagnóstica (embora sem nenhum argumento sobre o ruído/sinal e a filtragem), Lebrun (1995).

Agência e iatrogenia: apenas um exemplo aleatório: "Surgeons Do More Operations If They're On Board of Surgery Centers", "The Daily Stat", *Harvard Business Review*, 22 jun. 2012.

Perspectiva histórica mais divertida sobre a iatrogenia: Gustave Jules A. Witkowski, 1889, *Le mal qu'on a dit des médecins.*

Racionalismo/Galenismo: Garicia-Ballester (1995).

Montaigne: "*Mais ils ont cet heur, selon Nicocles, que le soleil esclaire leur succez, et la terre cache leur faute; et, outre-cela, ils ont une façon bien avantageuse de se servir de toutes sortes d'evenemens, car ce que la fortune, ce que la nature, ou quelque autre cause estrangere (desquelles le nombre est infini) produit en nous de bon et de salutaire, c'est le privilege de la medecine de se l'attribuer. Tous les heureux succez qui arrivent au patient qui est soubs son regime, c'est d'elle qu'il les tient. Les occasions qui m'ont guery, moy, et qui guerissent mille autres qui n'appellent point les medecins à leurs secours, ils les usurpent en leurs subjects; et, quant aux mauvais accidents, ou ils les desavouent tout à fait, en attribuant la coulpe au patient par des raisons si vaines qu'ils n'ont garde de faillir d'en trouver tousjours assez bon nombre de telles...*" [Note a detecção do problema de atribuição.]
On demandoit à un Lacedemonien qui l'avoit fait vivre sain si long temps: L'ignorance de la medecine, respondit il.
Et Adrian l'Empereur crioit sans cesse, en mourant, que la presse des medecins l'avoit tué.

Medicina alternativa moderna: Singh e Edzard (2008) – eles ariscaram a própria pele, pois sofreram um processo judicial por isso.

Homeopatia e evidências empíricas: Goldacre (2007). Ver também o altamente recomendável *Bad Science*, Goldacre (2009).

Medicina moderna baseada em evidências: manual em Sacket et al. (1998). Falhas dos métodos racionalistas, Silverman (1999), Gauch (2009), Sestini e Irving (2009).

Aplicação de gelo: Collins (2008): "São insuficientes as evidências a sugerir que a crioterapia resulte em melhores resultados clínicos no tratamento de lesões de tecidos moles". Não consegui encontrar artigos afirmando o oposto. Os benefícios oferecidos parecem ser tão insignificantes que nem sequer têm graça.

Convexidade da pressão arterial: números de Welch et al. (2011).

A desigualdade de Jensen e os ventiladores pulmonares: Brewster et al. (2005), Graham et al. (2005), Mutch et al. (2007).

Paracelso: personagem interessante como figura rebelde; infelizmente, parece ter sido usurpado pelos defensores da homeopatia, como Coulter (2000). Biografias em Ball (2006), Bechtel (1970), Alendy (1937).

Imortalização: Gray (2011).

Stendhal: *Le rouge et le noir*: "*La besogne de cette journée sera longue et rude, fortifions-nous par un premier déjeuner; le second viendra à dix heures pendant la grand'messe.*" Chapitre XXVIII.

Tópicos médicos específicos

Note que a preocupação deste autor não são as evidências, mas sim a ausência delas, e como os pesquisadores lidam com esse problema. O foco está na detecção de convexidades negligenciadas.

Eficácia dos adoçantes de baixa caloria: é possível obter informações examinando estudos realizados por defensores com interesses pessoais envolvidos. De la Hunty et al. (2006) mostram, com uma *meta-análise*, as "vantagens" do aspartame, mas tendo como foco o método de entrada e saída de calorias, e não os ganhos de peso global. No entanto, uma leitura atenta revela que a questão central é negligenciada: "Ocorre algum nível de compensação pela energia substituída, mas isso equivale a, no máximo, um terço da energia reposta, e *provavelmente* [grifo meu] é menor do que quando há consumo de refrigerantes adoçados com aspartame. Todavia, esses valores de compensação são resultado de estudos de curto prazo". O artigo foi obviamente financiado por um fabricante de aspartame. Um estudo melhor, Anderson et al. (2012), apesar de maculado por um conflito de interesses (o apoio financeiro que os autores receberam de empresas alimentícias), conclui: "Não há evidências que permitam afirmar que os adoçantes de baixa caloria [LCS, na sigla em inglês] sejam causadores de maior peso corporal em adultos. Da mesma forma, faltam evidências que comprovem um papel significativo no controle de peso". A última frase é a única que me chama a atenção, pelo fato de ser uma evidência "contrária aos próprios interesses". Se houvesse benefícios, já teríamos conhecimento deles. Em outras palavras, estamos incorrendo, desde 2012, na iatrogenia desses doces sem calorias, e nem sequer temos evidências de que eles funcionem!

Mitridatização e hormese: em Pliny, Kaiser (2003), Rattan (2008), Calabrese e Baldwin (2002, 2003a, 2003b). Note que eles deixam passar despercebidos o argumento da convexidade e a noção sobre o desvio da norma — a hormese pode ser apenas o restabelecimento da normalidade.

Jejum e hormese: Martin, Mattson et al. (2006). O tratamento do câncer e o jejum, Longo et al. (2008), Safdie et al. (2009), Raffaghelo et al. (2010); sobre a levedura e a longevidade sob restrição, Fabrizio et al. (2001); SIRT1, Longo et al. (2006), Michan et al. (2010); trabalho de revisão em Blagosklonny et al. (2010).

Definição de hormese: Mattson (2008) para definição local, Danchin et al. (2011) para um enfoque mais complexo e sistêmico.

Envelhecimento, longevidade e hormese: uma pesquisa extremamente valiosa; Radak et al. (2005), Rattan (2008), Cypster e Johnson (2002) para os *C. elegans*; Gems e Partridge (2008), Haylick (2001), Masoro (1998), Parsons (2000); para a inflamação e a doença de Alzheimer, Finch et al. (2001).

Densidade óssea e carga: Dook (1997) para o sexo feminino, Andreoli et al. (2001) para atletas de modo geral; Scott, Khan et al. (2008) para exercícios de modo geral. Envelhecimento nas mulheres: Solomon (1997), Rautava et al. (2007); Conroy et al. (1993) para mulheres jovens.

Densidade óssea e andar de bicicleta: Nichols et al. (2003), Barry et al. (2008).

Densidade óssea e levantamento de pesos ao estilo olímpico: alguns estudos sobre "levantamento de pesos" confundem o exercício de resistência em aparelhos de academias de musculação com o verdadeiro halterofilismo naturalista, que exerce pressão sobre o esqueleto. O estudo de Conroy et al. (1993) é mais ecologicamente robusto, porque os autores concentram-se no peso.

Tireoide: Earle (1975).

Colesterol: uma perspectiva sem ingenuidade, Scanu e Edelstein (2008).

Lewontin e a expectativa de vida: Lewontin (1993). Tive a ideia de inconfiabilidade potencial a partir da estimativa de Lewontin e fui direcionado aos dados do Centro de Controle e Prevenção de Doenças [CDC, na sigla em inglês] a partir de algum artigo on-line, de cujo endereço não me recordo.

Vida ao ar livre, não prática de esportes: Rose et al. (2008). Períodos mais longos de tempo total ao ar livre, em vez da prática de esportes propriamente dita, foram associados a menos miopia e a uma média de refração mais hipermetrópica, após ajustes para o trabalho próximo, a miopia parental e a etnia.

Estudos sobre "neuropalavrório", "pornografia cerebral": Weisberg (2008), McCabe (2008), e também "a neurociência e a lei", relatório da Real Society inglesa. Note que o escritor Jonah Lehrer usou a pornografia cerebral de forma bastante eficaz, construindo uma narrativa por meio do uso de uma história cerebral desconexa, levando ao máximo a falácia discursiva — até ser flagrado criando tanto a narrativa quanto os dados para corroborá-la.

A pressão sobre os dentistas para gerar receitas: Sydney P. Freedberg , "Dental Abuse Driven by Private Equity Investments", *Bloomberg News*, 17 maio 2012.

Significância: para dizer de forma simples e sem rodeios: as pessoas que atuam nas ciências sociais não deveriam usar estatísticas, da mesma forma que um contador não deveria manejar um bisturi cirúrgico. O problema da incompreensão da significância afeta os profissionais. Ver McCloskey e Ziliak (1996), Ziliak e McCloskey (2008), Soyer e Hogarth (2011), Kahneman e Tversky (1971), Taleb e Goldstein (2012).

Profissionais com atuação prática e teóricos de matemática financeira que não conseguem compreender uma noção elementar de estatística, apesar de toda a badalação: Evidências em Taleb e Goldstein (2007).

Negligenciando as não linearidades da resposta à dose: O caso da radiação é bastante ostensivo, Neumaier et al. (2012). "O modelo-padrão atualmente em uso aplica uma escala linear, extrapolando o risco de câncer das altas doses às baixas doses de radiação ionizante. Contudo, a nossa descoberta de aglomerados de DSBs (quebras duplas na cadeia de DNA) em regiões tão distantes lança consideráveis dúvidas sobre o pressuposto geral de que o risco da radiação ionizante é proporcional à dose e, em vez disso, propicia um mecanismo que poderia examinar de forma mais precisa o risco da dependência da dose da radiação ionizante." A hormese da radiação é a ideia de que baixas doses de radiação provocam uma reação hormética desmedida com efeitos protetivos. Ver também Aurengo (2005).

Estatinas e convexidade: por exemplo, no caso de medicamentos com estatinas rotineiramente prescritos para reduzir os lipídios do sangue, embora o resultado seja estatisticamente significativo para determinada classe de pessoas, o efeito é pequeno. "Os homens de alto risco, com idades entre trinta e 69 anos, deveriam ser alertados de que cerca de cinquenta pacientes precisam ser tratados ao longo de cinco anos para evitar um evento [cardiovascular]" (Abramson e Wright, 2007).

Efeitos colaterais das estatinas e riscos (mais ou menos) ocultos: efeitos colaterais na forma de danos musculoesqueléticos ou apenas dores, Women, Speed et al. (2012). Avaliação geral, Hilton-Jones (2009), Hu Chung et al. (2012). Roberts (2012) mostra outro aspecto da convexidade de benefícios, daí danos em casos pouco relevantes. Fernandez et al. (2011) mostram em que pontos os testes clínicos não refletem riscos de miopatia. Blaha et al. (2012) apresentam "riscos aumentados para pacientes saudáveis". Além disso, Reedberg e Katz (2012); Hamazaki et al.: "O efeito absoluto das estatinas nas taxas de mortalidade por todas as causas é bastante pequeno, se não inexistente". Harlan Krumholz, *Forbes*, 29 abr. 2011:

O problema é que os fármacos que melhoram os resultados dos exames de sangue podem não diminuir os riscos. Por exemplo, contrariando todas as expectativas, muitos medicamentos que reduzem o LDL, ou elevam o HDL, ou reduzem o açúcar no sangue ou a pressão arterial, não diminuem os riscos — em alguns casos, até chegando a elevá-los.

Isso se mostra ainda mais verdadeiro quando se levam em conta as opções de tratamento para prevenir um evento futuro, por exemplo um ataque cardíaco. Infelizmente, com relação a muitos fármacos que afetam os fatores de risco, estudos que investigam a existência de benefícios para os pacientes não são realizados, ou são protelados. É o caso do ezetimibe, um agente da farmacêutica Merck que reduz o LDL. Uma vez que o estudo que incluirá informações sobre os efeitos nos pacientes só será concluído quando o ezetimibe perder a patente, ainda passaremos alguns anos sem saber de que maneira ele afeta efetivamente os riscos. A aprovação e as vendas desse fármaco de bilhões de dólares basearam-se exclusivamente em seus efeitos sobre um exame de sangue.

Quanto aos fibratos, contudo, temos mais sorte. Existem estudos sobre os efeitos causados nos pacientes, e o fenofibrato, um medicamento do laboratório Abbott, foi testado duas vezes em estudos de grande porte. Em ambos, o fármaco não foi capaz de reduzir os riscos dos pacientes que o ingeriram, embora tenha sido bastante eficaz na diminuição dos níveis de triglicerídios. Mais recentemente, um teste realizado pelo Instituto Nacional de Saúde, ao custo de de 300 milhões de dólares, não comprovou nenhum benefício do fármaco do Abbott quando combinado com uma estatina — isso somado a um dano sugerido para as mulheres. A primeira preocupação foi suficientemente alta para convencer a FDA a convocar uma comissão consultiva incumbida de rever os resultados.

Costas: McGill (2007); cirurgia iatrogênica ou epidural, Hadler (2009), Sayre (2010).

Greves de médicos: houve alguns episódios de greves de hospitais que levaram ao cancelamento de cirurgias eletivas, mas não de serviços relacionados à emergência. Os dados não são amplos, mas podem nos propiciar um perspicaz descortino se interpretados pelo modo da *via negativa*. Extraindo resultados da cirurgia eletiva, Argeseanu et al. (2008). Ver também Allebeck (1985), Gruber and Kleiner (2010), Siegel-Itzkovich (2000).

Diabetes e tratamentos farmacológicos (estudo Accord): O estudo Accord [sigla em inglês para Ação para Controlar o Risco Cardiovascular em Diabetes] não encontrou benefício algum com a redução de glicose no sangue, ou outras métricas — talvez seja mais opaca do que um simples problema de glicose sanado por meios farmacológicos. Síntese, Skyler et al. (2009); métodos antigos, Westman e Vernon (2008).

Discussões sobre diabetes e dieta: Taylor (2008), reversão da doença em Lim et al. (2011), Boucher et al. (2004), Shimakuru et al. (2010); controle do diabetes apenas por meio da dieta, primeiros dados relevadores em Wilson et al. (1980). Couzin, "Deaths in Diabetes Trial Challenge a Long-held Theory", *Science*, n. 15, fev. 2008, pp. 884-5. Reversão do diabetes e cirurgia bariátrica (ou outras): Pories (1995), Guidone et al. (2006), Rubino et al. 2006.

Autofagia para o câncer: Kondo et al. (2005).

Autofagia (geral): Danchin et al. (2011), Congcong et al. (2012).

Desigualdade de Jensen na medicina e nos exercícios físicos: muitos, a exemplo de Schnohr e Marott (2011), chegaram perto de lidar com o fato de que a prática intensa de corridas de grande velocidade em combinação com não fazer nada (como um *barbell*) superam em relação ao desempenho o exercício constante, mas a parte do viés de convexidade foi negligenciada.

Art De Vany e a desigualdade de Jensen: Art De Vany, correspondência privada: "Os ganhos de tecido são crescentes, mas são convexos à ingestão de nutrientes (a curva é ascendente, mas a uma taxa decrescente). Isso deve explicar o fato de que o ponto de origem é a solução em estado estacionário. Isso implica que o ganho de peso, incluindo a gordura, é maior na ingestão média do que em uma ingestão variável das mesmas calorias e nutrientes. Músculo e gordura competem por substratos, de modo que uma pessoa mais gorda desviará para o músculo a divisão de nutrientes, porque a gordura corporal induz a resistência à insulina no interior do músculo. A insulina opera em uma liberação pulsátil e é muito mais eficaz com esse padrão do que com a elevação crônica induzida por seis refeições ao dia. No aspecto negativo, quando a pessoa perde gordura e músculo, a curva apresenta inclinação negativa, mas diminui a uma taxa cada vez menor (côncava). Isso significa que a pessoa perde mais gordura alimentando-se de modo intermitente do que de modo contínuo. A perda na ingestão média (com seis refeições ao dia, mantém-se baixa a variação da média) é menor do que a perda com a mesma ingestão, oscilante entre uma ingestão pequena e uma ingestão alta. Um ponto mais sutil: a pessoa perde mais peso quando come na média do que quando se alimenta de maneira intermitente, mas isso porque perde mais músculos na privação crônica do que na privação intermitente. Alimentar-se de modo intermitente resulta em uma composição corporal superior".

Inanição, jejum intermitente e envelhecimento: para a resistência neuronal e envelhecimento do cérebro, Anson, Guo et al. (2003), Mattson et al. (2005), Martin, Mattson et al. (2006), Halagappa, Guo et al. (2007), Stranahan e Mattson (2012).

Restrição calórica: Harrison (1984), Wiendruch (1996), Pischon (2008).

Exercícios intensos: síntese da literatura sobre o efeito do desequilíbrio energético episódico, em De Vany (2011), que também examina, como bônus, os efeitos da lei de potência.

Negligenciando o fato de que comprimidos são mais especulativos: Stip (2010) se debruça sobre os métodos de *via positiva* para prolongar a vida, com complicadas histórias da indústria farmacêutica.

Glicose e força de vontade: note o efeito da glicose tornando as pessoas mais atentas e aumentando a força de vontade, a partir dos experimentos de Baumeister, ver Kahneman (2011); talvez só seja aplicável a pessoas com problemas metabólicos. Ver Kurzban (2011) para uma análise das ferramentas estatísticas.

Agrupamento de doenças causadas pela falta de aleatoriedade, conforme apresentado no Prólogo: Yaffe e Blackwell (2004), Razay e Wilcock (1994); Alzheimer e hiperinsulinemia, Luchsinger, Tang et al. (2004), Janson, Laedtke et al. (2004).

A fome e o cérebro: Stranahan e Mattson (2012). Longeva crença de que o cérebro precisava de glicose, e não de cetonas, e de que o cérebro não passa pela autofagia, progressivamente corrigida.

O Ramadã e o efeito do jejum: o Ramadã não é interessante porque as pessoas jejuam por cerca de apenas doze horas, dependendo da estação do ano (alguém que jejua do jantar até o almoço pode ficar dezessete horas sem comida, hábito que este autor pratica). Além disso, elas se empanturram de madrugada e abusam dos carboidratos — na minha experiência, com os doces de Trípoli (Líbano). Trabelsi et al. (2012), Akanji et al. (2012).

Benefícios do estresse: para os diferentes efeitos dos dois tipos de estressores, agudos e crônicos, Dhabar (2009); para os benefícios do estresse no aumento da imunidade e de resistência ao câncer, Dhabhar et al. (2010), Dhabhar et al. (2012).

Iatrogenia da higiene e eliminação sistemática de germes: Rook (2011), Garner et al. (2006), e Mégraud e Lamouliatte (1992) para a bactéria *Helicobacter pylori* (*H. pylori*).

A turma paleolítica, De Vany, Gary Taubes e amigos: Taubes (2008, 2011), De Vany (2011); antropologia evolutiva, Carrera-Bastos et al. (2011), Kaplan et al. (2000).

LIVRO VII: A ÉTICA DA FRAGILIDADE E DA ANTIFRAGILIDADE
[pp. 431-88]

Discussões filosóficas modernas sobre o capitalismo: nenhum interesse em uma heurística tão simples quanto arriscar a própria pele, nem mesmo em discursos perspicazes como os de Cuillerai (2009).

Coragem na história: Berns et al. (2010).

Gladiadores: Veyne (1999).

Esteira: Lucrécio, *Nimirum quia non bene norat quae esset habendi/Finis, et omnino quoad crescat vera voluptas.*

Grupo e coletivo: Haidt (2012).

Adam Smith sobre o capitalismo: "Uma palavra que ele nunca proferiu": Simon Schama, comunicação privada.

O perigoso relatório de Stiglitz et al.: Joseph E. Stiglitz, Jonathan M. Orszag, e Peter R. Orszag, "Implications of the New Fannie Mae and Fredie Mac Risk-based Capital Standard", *Fannie Mae Papers*, 2 ed. v. 1, mar. 2002.

Meyer Lansky: atribuído a Ralph Salerno, investigador da máfia, aposentado pelo Departamento de Polícia de Nova York (NYPD), em Ferrante (2011).

Atividades inescrupulosas da indústria farmacêutica, que procura pacientes em vez de tratamentos: histórias de corrupção direta e indireta, em particular na área psiquiátrica. Um professor de psiquiatria da Harvard Medical School [Faculdade de Medicina da Universidade Harvard] recebeu

1,6 milhão de dólares da indústria farmacêutica. "Graças a ele, agora crianças a partir de dois anos de idade estão sendo diagnosticadas com transtorno bipolar..." Marcia Angell, *The New York Review of Books*. Ex-editora do periódico *New England Journal of Medicine*, Angell tem desconfiança de um grande número de estudos clínicos. Além disso, sobre como o dinheiro não é gasto em pesquisa especulativa, mas em apostas "seguras", com medicamentos regulares, Light e Lexchin (2012).

Estudos contraditórios: Kahneman chamou minha atenção para estudos como os de Malmendier e Tate (2008, 2009), mostrando gestores que investem mais do que o necessário em suas empresas, daí que arriscam a própria pele em excesso como resultado do excesso de confiança. Myron Scholes e Robert Merton tinham dinheiro investido no [*fundo de investimentos*] Long-Term Capital Management (LTCM). De fato — mas de modo geral a livre opção domina (é só mensurar o salário total dos gestores em comparação com os rendimentos dos acionistas). Há "iludidos pelo acaso" e "trapaceiros do acaso"; não raro, observamos combinações dos dois (Crédito: Nicolas Tabardel).

Assimetrias e ações extrativas: Acemoglu e Robinson (2012) discutem uma assimetria com sua noção de instituições econômicas extrativas e ambiente, em que alguém fica rico à custa de outra pessoa, o oposto da estrutura colaborativa convexa, em que a riqueza de alguém leva a um todo complementar. Papel das instituições, North (1990).

Esquerda caviar e o problema de Burnyeat: Riffard (2004), Burnyeat (1984), Wai-Hung (2002).

Cegueira coletiva e difusão de responsabilidades: no domínio dos animais (formigas), Deneubourg, Goss et al. (1983), Deneubourg, Pasteels et al. (1983).

Vida e socialização em Roma: Veyne (2001).

Elefante na sala: coisas que todo mundo sabe, mas ninguém discute. Zerubavel (2006).

Mortalidade das grandes empresas: mais alta do que o esperado, Greenwood e Suddaby (2006), comentários em Stubbart e Knight (2006). O melhor teste é pegar os índices S&P 100 e o S&P 500* e observar a sua composição ao longo do tempo. O outro, é claro, está na literatura sobre fusões.

Cascatas de informação: o mecanismo pelo qual a multidão exacerba falácias, ilusões e boatos; para uma síntese, Sunstein (2009).

O problema de Alan Blinder: artigo do *Wall Street Journal* com um conflito de interesses não revelado: "Blanket Deposit Insurance Is a Bad Idea", 15 out. 2008, em coautoria com R. Glenn Hubbard, decano da Columbia University Business School [Faculdade de Economia da Universidade Columbia].

Desempenho comparativo das empresas familiares: McConaughy e Fialco (2001), Le Breton-Miller e Miller (2006), Mackie (2001).

Arriscar a própria pele: Taleb e Martin (2012a).

Mineração de dados, o big data *e a opção do pesquisador etc.*

Incompreensão na literatura das ciências sociais: erro típico, a julgar pelo fato de que o problema é ignorado pelos divulgadores hiperativos da ideia, como Ayres (2007): "Quer ter um hedge sobre uma grande compra de euros? Você deve vender um portfólio de investimentos cuidadosamente equilibrado, com outras 26 ações e commodities, o que pode incluir ações do Wal-Mart", p. 11.

Cruzada de Stan Young: Young e Carr (2011). Também Ioannides (2005, 2007).

Comprometimento doxástico: Levi (1980).

* Mantidos pela agência de riscos Standard & Poor's, os índices S&P 100 e S&P 500 medem o desempenho das empresas de maior capitalização no mercado de ações norte-americano. (N. T.)

Sal: estudo muito convincente de Freedman e Petitti (2001) baseia-se na visualização de dados, mais do que em métricas. Note que "nenhum dos autores presta consultoria para a indústria do sal", algo que li *primeiro*.

Gráficos com o *big data*: pela simulação de Monte Carlo; usando >0,1 ou além das correlações que são adoradas pelas ciências sociais (analiticamente, é difícil fazer a análise, por causa da necessidade de que as grandes matrizes permanecessem positivas-definidas). A convexidade é invariável ao limite da correlação.

Solução para o viés do pesquisador em experimentos clínicos: Goldacre (2009) sugere a implantação de um banco de dados de experimentos, obrigando os pesquisadores a registrar suas falhas. Qualquer coisa é melhor do que o que temos.

O coletivo e a fragilidade: o poder do coletivo assenta-se sobre os benefícios da eficiência, daí a fragilidade: as pessoas começam a substituir o julgamento coletivo pelo julgamento individual. Isso funciona bem — é mais rápido e mais barato (portanto, mais *eficiente*) do que ter de reinventar a roda individualmente. Mas, como todo atalho, acaba explodindo na nossa cara. No mundo em que vivemos, os efeitos são compostos. A escala é cada vez maior; o coletivo é planetário.

Jobs e a ética dos artesãos: isto me preocupa. "*Playboy*: 'O senhor está dizendo que as pessoas que criaram o PCjr não têm tanto orgulho do produto?'. Jobs: 'Se tivessem, não teriam criado o PCjr.'" *Playboy* [sic], 1º fev. 1985.

Refutando a hipótese do desconto hiperbólico: Read e Airoldi (2012).

Outras discussões sobre o *big data* e pesquisadores que manipulam o sistema: Baumeister et al. (2007) sobre os autorrelatos em psicologia. Kerr (1998) sobre a hipótese de acompanhar os resultados, e post hoc [*falácia lógica da correlação coincidente*], em Yauan e Maxwell; Yarkoni, sobre o problema do alto *M* (dimensão) e do baixo *N* (dados).

Referências bibliográficas

ABOUT, Edmond. *La Grèce contemporaine*, 1855.

ABRAHAMSON, Eric; FREEDMAN, David H. *A Perfect Mess: The Hidden Benefits of Disorder How Crammed Closets, Cluttered Offices, and On-the-Fly Plannig Make the World a Better Place*. Little Brown, 2007. [Ed. bras.: *Uma bagunça perfeita: Como aproveitar as vantagens da desordem*. Rio de Janeiro: Rocco, 2008.]

ABRAMSON, J.; WRIGHT, J. "Are Lipid-Lowering Guidelines Evidence-Based?" *Lancet*, v. 369, n. 9557, pp. 168-9, 2007.

ACCORD, Grupo de Estudos. "Action to Control Cardiovascular Risk in Diabetes (Accord) Trial: Design and methods". *American Journal of Cardiology*, v. 99 (suplemento), pp. 21i-33i, 2007.

ACEMOGLU, Daron; ROBINSON, James A. *Why Nations Fail: The Origins of Power, Prosperity and Poverty*. Nova York: Crown Books, 2012. [Ed. bras.: *Por que as nações fracassam: As origens do poder, da prosperidade e da pobreza*. Rio de Janeiro: Elsevier, 2012.]

AKANJI, A. O.; MOJIMINIYI, O. A.; ABDELLA, N. "Beneficial Changes in Serum Apo A-1 and Its Ratio to Apo B and HDL in Stable Hyperlipidaemic Subjects After Ramadan Fasting in Kuwait". *European Journal of Clinical Nutrition*, v. 54, n. 6, pp. 508-13, 2000

ALLENDY, René. *Paracelse; le médecin maudit*. Paris: Gallimard, 1937.

ALTER, A. L. et al. "Overcoming Intuition: Metacognitive Difficulty Activates Analytic Reasoning". *Journal of Experimental Psychology: General*, v. 136, n. 4, p. 569, 2007.

ANDERSON, G. J. Foreyt; SIGMAN-GRANT, M.; ALLISON, D. "The Use of Low-Calorie Sweeteners by Adults: Impact on Weight Management." *Journal of Nutrition*, v. 142, n. 6, pp. 1163s-9s, 2012.

ANDERSON, P. W. *Science*, nova série, v. 177, n. 4047 , pp. 393-6, 4 ago. 1972.

ANDERSON, R. C.; REEB, D. M. "Board Composition: Balancing Family Influence in S&P 500 Firms". *Administrative Science Quarterly*, pp. 209-37, 2004.

ANDREOLI, A. et al. "Effects of Different Sports on Bone Density and Muscle Mass in Highly Trained Sthletes". *Medicine & Science in Sports & Exercise*, v. 33, n. 4, pp. 507-11, 2001.

ANSON, R. M. et al. "Intermittent Fasting Dissociates Beneficial Effects of Dietary Restriction on Glucose Metabolism and Neuronal Resistance to Injury From Calorie Intake". *Proceedings of the National Academy of Sciences of the United States of America*, v. 100, n. 10, p. 6216, 2003.

ARBESMAN, S., "The Life-Spans of Empires". *Historical Methods: A Journal of Quantitative and Interdisciplinary History*, v. 44, n. 3, pp. 127-9, 2011.

ARIKHA, Noga. *Passions and Tempers: A History of the Humours*. Nova York: Harper Perennial, 2008a.

________. "Just Life in a Nutshell: Humours as Common Sense", *Philosophical Forum Quarterly* XXXIX: 3, 2008b.

ARNHEIM, Rudolf. *Entropy and Art: An Essay on Disorder and Order*. Berkeley: University of California Press, 1971.

ARNQVIST, G.; KIRKPATRICK, M. "The Evolution of Infidelity in Socially Monogamous Passerines: The Strength of Direct and Indirect Selection on Extrapair Copulation Behavior in Females". *American Naturalist*, v. 165 (s5), 2005.

ARON, Raymond. *Dimensions de la conscience historique*. Paris: Agora/Librairie Plon, 1964.

ARROW, Kenneth. "Aspects of the Theory of Risk-Bearing", Yrjö Jahnsson Lectures (1965), reimpresso in: *Essays in the Theory of Risk Bearing*, ed. Kenneth Arrow. Chicago: Markum, 1971.

ATAMAS, S. P.; BELL, J. "Degeneracy-Driven Self-Structuring Dynamics in Selective Repertoires". *Bulletin of Mathematical Biology*, v. 71, n. 6, pp. 1349-65, 2009.

ATHAVALE, Y. et al., 2009, "Identifying the Potential for Failure of Businesses in the Technology, Pharmaceutical, and Banking Sectors Using Kernel-Based Machine Learning Methods." IEEE.

AUBET, Maria Eugenia. *The Phoenicians and the West: Politics, Colonies and Trade*. Cambridge: Cambridge University Press, 2001.

AUDARD, Catherine (Ed.) *Le respect: De l'estime à la déférence: une question de limite*. Paris: Éditions Autrement, 1993.

AURENGO, André. "Dose-Effect Relationships and Estimation of the Carcinogenic Effects of Low Doses of Ionizing Radiation". Académie des Sciences et Académie Nationale de Médecine, 2005.

AYANIAN, J. Z.; BERWICK, D. M. "Do Physicans Have a Bias Toward Action?" *Medical Decision Making*, v. 11, n. 3, pp. 154-8, 1991.

AYRES, Ian. *Super Crunchers*. Nova York: Bantam, 2007. [Ed. bras.: *Super Crunchers: Por que pensar com números é a nova maneira de ser inteligente*. Rio de Janeiro: Ediouro, 2007.]

BAKWIN, H. "Pseudodoxia Pediatrica". *New England Journal of Medicine*, v. 232, n. 24, p. 692, 1945.

BALL, Philip. *The Devil's Doctor: Paracelsus and the World of Renaissance Magic and Science*. Nova York: Farrar, Straus and Girouss, 2006. [Ed. bras.: *O médico do demônio. Paracelso e o mundo da magia e da ciência renascentista*. Rio de Janeiro: Imago, 2009.]

________. *Universe of Stone: A Biography of Chartres Cathedral*. Nova York: Harper, 2008.

BAR-YAM, Yaneer; EPSTEIN, I. "Response of Complex Networks to Stimuli". *Proceedings of the National Academy of Sciences of the United States of America*, v. 101, n. 13, p. 4341, 2004.

________. *Introducing Complex Systems*. Cambridge: New England Complex Systems Institute, p. 57, 2001.

BARKAN, I. "Imprisonment as a Penalty in Ancient Athens". *Classical Philology*, v. 31, n. 4, pp. 338-41, 1936.

BARRY, D. W.; KOHRT, W. M. "BMD Decreases Over the Course of a Year in Competitive Male Cyclists". *Journal of Bone and Mineral Research*, v. 23, n. 4, pp. 484-91, 2008.

BARTY-KING, H. *The Worst Poverty: A History of Debt and Debtors*. Budding Books, 1997.

BASALLA, George. *The Evolution of Technology*. Cambridge: Cambridge University Press, 1988. [Ed. port. *A evolução da tecnologia*. Porto: Porto Editora, 2001.]

BATES, Don (Org.) *Knowledge and the Scholarly Medical Traditions*. Cambridge: Cambridge University Press, 1995.

BAUMEISTER, R. F.; VOHS, K. D.; FUNDER, D. C. "Psychology as the Science of Self-Reports and Finger Movements: Whatever Happened to Actual Behavior?" *Perspectives on Psychological Science*, v. 2, pp. 396-403, 2007.

BEAHM, George. *I, Steve: Steve Jobs in His Own Words*. Perseus Books Group, 2011. [Ed. bras.: *O mundo segundo Steve Jobs: As frases mais inspiradoras do visionário líder da Apple*. Rio de Janeiro: Campus Elsevier, 2011.]

BEAUJOUAN, G. *Par raison de nombres: L'art du calcul et les savoirs scientifiques médiévaux*. Variorum Publishing, 1991.

________. *Réflexions sur les rapports entre théorie et pratique au moyen age*. D. Reidel Publ. Co., 1973.

BECHTEL, Guy. *Paracelse et la naissance de la médecine alchimique*. Culture, Art, Loisirs, 1970.

BELL, David A. *The Cult of the Nation in France: Inventing Nationalism 1680-1800*. Boston: Harvard University Press, 2001.

BENNETT, G. et al., 2009, "From Synthetic Biology to Biohacking: Are We Prepared?" *Nature Biotechnology*, v. 27, n. 12, pp. 1109-11.

BERKUN, Scott. *The Myths of Innovation*. Sebastol: O'Reilly, 2007. [Ed. bras.: *Mitos da inovação*. Rio de Janeiro: Alta Books, 2007.]

BERLIN, Isaiah. *The Crooked Timber of Humanity*. Nova Jersey: Princeton University Press, 1990.

BERNS, Thomas; BLÉSIN, Laurence; JEANMART, Gaelle. *Du courage: une histoire philosophique*. Encre Marine, 2010.

BERNSTEIN, Peter L. *Against the Gods: The Remarkable Story of Risk*. Nova York: Wiley, 1996. [Ed. bras.: *Desafio aos deuses: A fascinante história do risco*. Rio de Janeiro: Alta Books, 2018.]

BETTENCOURT, L.; WEST, G. "A Unified Theory of Urban Living". *Nature*, v. 467, n. 7318, pp. 912-3, 2010.

________. "Bigger Cities Do More With Less". *Scientific American*, v. 305, n. 3, pp. 52-3, 2011.

BEUNZA, D.; STARK, D. "Models, Reflexivity, and Systemic Risk: a Critique of Behavioral Finance". Pré-publicação, 2010.

BIEZUNSKI, Michel (Org.) *La recherche en histoire des sciences*. Paris. Éditions du Seuil, 1983.

BLAGOSKLONNY, M. et al. "Impact Papers on Aging in 2009". *Aging* (Albany), v. 2, n. 3, p. 111, 2010.

BLAHA, M. J.; NASIR, K.; BLUMENTHAL, R. S. "Statin Therapy for Healthy Men Identified as 'Increased Risk'". *JAMA*, v. 307, n. 14, pp. 1489-90, 2012.

BLISS, Michael. *The Discovery of Insulin*. Chicago: University of Chicago Press, 2007.

BLUNDELL-WIGNALL, A. et al. "The Elephant in the Room: the Need to Deal with What Banks Do". *OECD Journal: Financial Market Trends* v. 2, 2009.

BOEHLJE, M. "Structural Changes in the Agricultural Industries: How do We Measure, Analyze and Understand Them?" *American Journal of Agricultural Economics*, v. 81, n. 5, pp. 1028-41, 1999.

BOHUON, Claude; MONNERET, Claude. *Fabuleux hasards: histoire de la découverte des médicaments*. EDP Sciences, 2009.

BONANNO, G. A. "Loss, Trauma, and Human Resilience: Have We Underestimated the Human Capacity to Thrive After Extremely Aversive Events?" *American Psychologist*, v. 59, pp. 20-8, 2004.

BORKOWSKI, M. et al., "Epidemic Modeling with Discrete-Space Scheduled Walkers: Extensions and Research Opportunities". *BMC Public Health*, v. 9, suplemento 1, p. S14, 2009.

BOSTROM, Nick. *Anthropic Bias: Observation Selection Effects in Science and Philosophy*. Londres: Routledge, 2002.

BOUCHER, A. et al. "Biochemical Mechanism of Lipid-Induced Impairment of Glucose-Stimulated Insulin Secretion and Reversal with a Malate Analogue". *Journal of Biological Chemistry*, v. 279, pp. 27263-71, 2004.

BOURDIEU, Pierre. *Esquisse d'une théorie de la pratique*. Paris: Éditions du Seuil, 1972. [Ed. port. *Esboço de uma teoria da prática*. São Paulo: Celta Editora, 2006.]

BRAND, Stewart. *How Buildings Learn: What Happens After They're Built*. Londes: Penguin, 1995.

BRANDSTÄTTER, E. et al. "The Priority Heuristic: Making Choices Without Trade-offs". *Psychological Review*, v. 113, n. 2, p. 409, 2006.

BREWSTER, J. F. et al. "Convexity, Jensen's Inequality and Benefits of Noisy Mechanical Ventilation". *Journal of the Royal Society*, v. 2, n. 4, pp. 393-6, 2005.

BROSCO, J.; WATTS, S. "Two Views: 'Bad Medicine: Doctors Doing Harm Since Hippocrates'. By David Wootton". *Journal of Social History*, v. 41, n. 2, p. 481, 2007.

BRYSON, Bill. *At Home: A Short History of Private Life*: Nova York: Doubleday, 2010 [Ed. bras.: *Em casa; uma breve história da vida doméstica*. São Paulo: Companhia das Letras, 2011.]

BURCH, Druin. *Taking the Medicine: A Short History of Medicine's Beautiful Idea, and Our Difficulty Swallowing It*. Chatto and Windus, 2009.

BURGHARDT, G.; HOSKINS, W. "The Convexity Bias in Eurodollar Futures". *Carr Futures Research Note*, set. 1994.

________; PANOS, G. "Hedging Convexity Bias". *Carr Futures Research Note*, ago. 2001.

BURNYEAT, F. "The Sceptic in His Place and Time". In: RORTY, R.; SCHNEEWIND, J. B.; SKINNER, Q. (Orgs.). *Philosophy in History*. Cambridge: Cambridge University Press, 1984, p. 225.

CAIRNS, Warwick. *About the Size of It: The Common Sense Approach to Measuring Things*. Londres: Pan Books, 2007.

CALABRESE, E. J. "Paradigm Lost, Paradigm Found: The Re-emergence of Hormese as a Fundamental Dose-Response Model in the Toxicological Sciences". *Environmental Pollution*, v. 138, n. 3, pp. 378-411, 2005.

________.; BALDWIN, L. "Defining Hormese". *Human & Experimental Toxicology*, v. 21, n. 2, p. 91, 2002.

________. "Toxicology Rthinks Its Central Belief". *Nature*, v. 421, n. 6924, pp. 691-2, 2003a.

________. "Hormese: The Dose-Response Revolution". *Annual Review of Pharmacology and Toxicology*, v. 43, n. 1, pp. 175-97, 2003b.

CALDER, William M. III et al. *The Unknown Socrates*. Wauconda, Ill: Bolchazy -Carducci Publishers, 2002.

CALHOUN, L. G.; TEDESCHI, R. G. *Expert Companions: Post-Traumatic Growth in Clinical Practice*. Lawrence Erlbaum Associates Publishers, 2006.

CANGUILHEM, Georges. *Les normal et le pathologique*. Presses Universitaires de France, 1996. [Ed. bras.: *O normal e o patológico*. Rio de Janeiro: Forense Universitária, 2009.]

CANGUILHEM, Georges. *Études d'histoire et de philosophie des sciences*. Libraire Philosophique J. Vrin, 1995. [Ed. bras.: *Estudos de história e de filosofia das ciências: Concernentes aos vivos e à vida*. Rio de Janeiro: Forense Universitária, 2012.]

CARBUHN, A. et al. "Sport and Training Influence Bone and Body Composition in Women Collegiate Athletes". *Journal of Strength and Conditioning Research*, v. 24, n. 7, pp. 1710-7, 2010.

CAREY, B. et al. "Observation of Dynamic Strain Hardening in Polymer Nanocomposites". *ACS Nano*, v. 5, n. 4, pp. 2715-22, 2011.

CARRERA-BASTOS, P. et al. "The Western Diet and Lifestyle and Diseases of Civilization". *Research Reports in Clinical Cardiology*, v. 2, pp. 215-35, 2001.

CARTWRIGHT, S.; SCHOENBERG, R. "Thirty Years of Mergers and Acquisitions Research: Recent Advances and Future Opportunities". *British Journal of Management*, v. 17, pp. S1-s5, 2006.

CAVES, Carlton M. "Predicting Future Duration from Present Age: A Critical Assessment". *Contemporary Physics*, v. 41, pp. 143-53, 2000.

CHANG, H. J. *23 Things They Don't Tell You About Capitalism*. Londres: Bloomsbury Press, 2011. [Ed. bras.: *23 coisas que não nos contaram sobre o capitalismo: Os maiores mitos do mundo em que vivemos – como reconstruir a economia mundial*. São Paulo: Cultrix, 2015.]

CHARBONNIER, Georges. *Entretiens avec Claude Lévi-Strauss*. Les Belles Lettres, 2010.

COLLINS, Harry. *Tacit and Explicit Knowledge*. Chicago: University of Chicago Press, 2010.

COLLINS, N. C. "Is Ice Right? Does Cryotherapy Improve Outcome For Acute Soft Tissue Injury?" *Emergency Medicine Journal*, v. 25, pp. 65-8, 2008.

COMPAGNON, Antoine. *Les antimodernes de Joseph de Maistre à Roland Barthes*. Paris: Gallimard, 2005.

CONGCONG, He et al. "Exercise-induced BCL2-Regulated Autophagy is Required for Muscle Glucose Homeostasis". *Nature*, 2012.

CONRAD, Lawrence I. et al. *The Western Medical Tradition: 800 BC to AD 1800*. Cambridge: Cambridge University Press, 1995.

CONROY, B. P. et al. "Bone Mineral Density in Elite Junior Olympic Weightlifters". *Medicine and Science in Sports and Exercise*, v. 25, n. 10, p. 1103, 1993.

CONTOPOULOS-IOANNIDIS, D. G. et al. "Translation of Highly Promising Basic Science Research into Clinical Applications". *American Journal of Medicine*, v. 114, n. 6, pp. 477-84, 2003.

CONTOPOULOS-IOANNIDIS, D. G. et al. "Life Cycle of Translational Research for Medical Interventions". *Science*, v. 321, n. 5894, pp. 1298-9, 2008.

CONVERY, F. J. et al. "ESRI discussion paper series n. 230", 2010.

COULTER, Harris L., *Divided Legacy: A History of the Schism in Medical Thought*, v. I. Center for Empirical Medicine, 1994.

________. *Divided Legacy: A History of Schism in Medical Thought*, v. II. North Atlantic Books, 2000.

COWAN, R. et al. "The Explicit Economics of Knowledge Codification and Tacitness". *Industrial and Corporate Change*, v. 9, n. 2, p. 211, 2000.

COY, P. "What Good Are Economists Anyway?" *BusinessWeek*, v. 27, pp. 26-9, 2009.

CRAFTS, Nicholas F. R. *British Economic Growth During the Industrial Revolution*. Nova York: Oxford University Press, 1985.

________. HARLEY, C. Knick. "Output Growth and the British Industrial Revolution: A Restatement of the Crafts-Harley view". *Economic History Review*, v. 45, pp. 703-30, 1992.

CRETU, O. et al. *Risk Management for Design and Construction*, 2011.

CROSBY, Alfred W. *The Measure of Reality: Quantification and Western Society, 1250-1600*. Cambridge: Cambridge University Press, 1997. [Ed. bras.: *A mensuração da realidade: A quantificação e a sociedade ocidental 1250-1600*. São Paulo: Editora da Unesp, 2001.]

CUILLERAI, Marie. *Spéculation, éthique, confiance: Essai sur le capitalisme vertueux*. Éditions Payots--Rivages, 2009.

CUNNINGHAM, Solveig Argeseanu et al. "Doctors' Strikes and Mortality: A Review". *Social Science & Medicine*, v. 67, n. 11, pp. 1784-8, 2008.

CYPSER, J. R.; JOHNSON, T. E. "Multiple Stressors in *Caenorhabditis Elegans* Induce Stress Hormese and Extended Longevity". *Journals of Gerontology: Série A: Biological Sciences and Medical Sciences*, v. 57, n. 3, p. B109, 2002.

CZERLINSKI, J. et al. "How Good Are Simple Heuristics?", 1999.

DAHL, Robert A.; TUFTE, Edward R. *Size and Democracy*. Stanford: Stanford University Press, 1973.

DANCHIN, A. et al. "Antifragility and Tinkering in Biology (and in Business) Flexibility Provides an Efficient Epigenetic Way to Manage Risk". *Genes*, n. 2 (4), pp. 998-1016, 2011.

DARNTON, Robert. *The Devil in the Holy Water, or the Art of Slander from Louis XIV to Napoleon*. University of Pennsylvania Press, 2010. [Ed. bras.: *O diabo na água benta. Ou a arte da calúnia e da difamação de Luís XIV a Napoleão*. São Paulo: Companhia das Letras, 2012.]

DASTON, Lorraine. *Classical Probability in the Enlightenment*. Nova Jersey: Princeton University Press, 1988.

DAVIDSON, P. "Black Swans and Knight's Epistemological Uncertainty: Are These Concepts Also Underlying Behavioral and Post-Walrasian Theory?" *Journal of Post Keynesian Economics*, v. 32, n. 4, pp. 567-70, 2010.

DAVIS, Devra. *The Secret History of the War on Cancer*. Basic Books, 2007.

DAWES, Robyn M. *Everyday Irrationality: How Pseudo-Scientists, Lunatics, and the Rest of Us Systematically Fail to Think Rationally*. Westview, 2001.

DE FINETTI, B. *La prévision: ses lois logiques, ses sources subjectives*. Institut Henri Poincaré, 1937.

________. Theory of Probability, v. 1. Londres: John, 1974.

________. "Probabilism". *Erkenntnis*, v. 31, n. 2, pp. 169-223, 1989.

DE LA HUNTY, A.; GIBSON, S.; ASHWELL, M. "A Review of the Effectiveness of Aspartame in Helping with Weight Control". *Nutrition Bulletin*, v. 31, n. 2, pp. 115-28, 2006.

DE LONG, J. Bradford; SHLEIFER, Andrei. "Princes and Merchants: European City Growth Before the Industrial Revolution". *Journal of Law and Economics*, v. 36, pp. 671-702, 1993.

DE SOTO, H. *The Mystery of Capital: Why Capitalism Triumphs in the West and Fails Everywhere Else*. Basic Books, 2000.

DE VANY, A. *The New Evolution Diet*. Vermillion, 2011. [Ed. bras.: *A nova dieta da evolução*. São Paulo: Larousse, 2011.]

DELON, Michel (Org.). *Dictionnaire européen des lumières*. Presses Universitaires de France, 1997.

DENEUBOURG, J. L. et al. "The Blind Leading the Blind: Modelling Chemically Mediated Army Ant Raid Patterns". *Journal of Insect Behavior*, v. 2, pp. 719-25.

DENEUBOURG, J. L.; PASTEELS, J. M.; VERHAEGHE, J. C. "Probabilistic Behavior in Ants: A Strategy of Errors?" *Journal of Theoretical Biology*, v. 105, pp. 259-71, 1983.

DERMAN, E.; TALEB, N. N. "The Illusions of Dynamic Replication". *Quantitative Finance*, v. 5, n. 4, 2005.

DHABHAR, F. S. "Enhancing Versus Suppressive Effects of Stress on Immune Function: Implications for Immunoprotection and Immunopathology". *Neuroimmunomodulation*, v. 16, n. 5, pp. 300-17, 2009.

________. et al. "Short-term Stress Enhances Cellular Immunity and Increases Early Resistance to Squamous Cell Carcinoma". *Brain, Behavior and Immunity*, v. 24, n. 1, pp. 127-37, 2010.

________. et al. "High-Anxious Individuals Show Increased Chronic Stress Burden, Decreased Protective Immunity, and Increased Cancer Progression in a Mouse Model of Squamous Cell Carcinoma". *PLOS ONE*, v. 7, n. 4, p. e33069, 2012.

DIAMOND, Jared. "Why Cats Have Nine Lives". *Nature*, v. 332, 14 abr. 1988.

DIXIT, A. K.; PINDYCK, R. S. *Investment Under Uncertainty*. Nova Jersey: Princeton University Press, 1994.

DJEBBAR, Ahmed. *Une histoire de la science arabe*. Éditions du Seuil, 2001.

DOOK, J. E. et al. "Exercise and Bone Mineral Density in Mature Female Athletes". *Medicine and Science in Sports and Exercise*, v. 29, n. 3, pp. 291-6, 1997.

DOUADY, R.; TALEB, N. N. "Statistical Undecidability", 2011. Pré-publicação.

DRIVER, P. M.; HUMPHRIES, D. A. *Protean Behaviour: The Biology of Unpredictability*. Oxford: Oxford University Press, 1988.

DUFFIN, Jacalyn. *History of Medicine: A Scandalously Short Introduction*. Toronto: University of Toronto Press, 1999.

DUNNE, J. A. et al. "Network Topology and Biodiversity Loss in Food Webs: Robustness Increases with Connectance". *Ecology Letters*, v. 5, n. 4, pp. 558-67, 2002.

EARLE, J. "Thyroid Cancer. Delayed Effects of Head and Neck Irradiation in Children (Medical Information)". *Western Journal of Medicine* v. 123, n. 340, out. 1975.

EASTERLY, W. *The Elusive Quest for Growth: Economists' Adventures and Misadventures in the Tropics*. Boston: MIT Press, 2004. [Ed. bras.: *O espetáculo do crescimento: Aventuras e desventuras dos economistas na incessante busca pela prosperidade nos trópicos*. Rio de Janeiro: Ediouro, 2004.]

________. KRAAY, A. "Small States, Small Problems? Income, Growth, and Volatility in Small States". *World Development*, v. 28, n. 11, pp. 2013-27, 2000.

________. et al. "Good Policy or Good Luck? Country Growth Performance and Temporary Shocks". *Journal of Monetary Economics*, v. 32, n. 3, pp. 459-83, 1993.

EASTERLY, William. *The White Man's Burden. Why the West's Efforts to Aid the Rest Have Done So Much Ill and So Little Good*. Penguin Group, 2006.

EBERHARD, Wolfram. *A History of China*. Berkeley: University of California Press, 1950, 1977.

EDELSTEIN, Ludwig. *Ancient Medicine*. Baltimore: Johns Hopkins University Press, 1987.

EDGERTON, David. "The 'White Heat' Revisited: British Government and Technology in the 1960s". *Twentieth Century British History*, v. 7, n. 1, pp. 53-82, 1996a.

________. *Science, Technology, and the British Industrial 'Decline', 1870-1970*. Cambridge: Cambridge University Press, 1996b.

________. "The 'Linear Model' Did Not Exist: Reflections on the History and Historiography of Science and Research in Industry in the Twentieth Century". In: GRANDIN, Karl; WORMBS, Nina. (Orgs.), *The Science-Industry Nexus: History, Policy, Implications*. Nova York: Watson, 2004.

EDGERTON, David. *The Shock of the Old: Technology and Global History Since 1900*, Oxford, 2007.

EKERN, S. "Increasing Nth Degree Risk". *Economics Letters*, v. 6, n. 4, pp. 329-33, 1980.

ELKINGTON, John; HARTIGAN, Pamela. *The Power of Unreasonable People: How Social Entrepreneurs Create Markets That Change the World*. Boston: Harvard Business Press, 2008.

EMER, J. "An Evolution of General Purpose Processing: Reconfigurable Logic Computing". *Proceedings of the 7th Annual IEEE/ACM International Symposium*, 2009.

ESNAULT, Y. "François Jacob, l'éloge du bricolage". *Biofutur*, v. 213, 2001.

FABRIZIO, P. et al. "Regulation of Longevity and Stress Resistance by Sch9 in Yeast". *Science's STKE*, v. 292, n. 5515, p. 288, 2001.

FEJTÖ, François. *Requiem pour un Empire défunt. Histoire de la destruction de l'Autriche-Hongrie*. Paris: Lieu Commun, 1989.

FERGUSON, Niall. *Civilization: The West and the Rest*. Penguin, 2011. [Ed. bras.: *Civilização: Ocidente x Oriente*. São Paulo: Planeta, 2012.]

FERNANDEZ, G. et al. "Statin Myopathy: A Common Dilemma Not Reflected in Clinical Trials". *Cleveland Clinic Journal of Medicine*, v. 78, n. 6, pp. 393-403, 2011.

FERRANTE, Louis. *Mob Rules: What the Mafia Can Teach the Legitimate Businessman*. Penguin, 2011. [Ed. bras.: *O poderoso chefão corporativo: As regras da máfia – O que as empresas podem aprender com a mais temida corporação da história*. São Paulo: Saraiva, 2012.]

FINCH, C. et al. "Inflammation in Alzheimer's Disease". In: CHESSELET, M.-F. (Org.). *Molecular Mechanisms of Neurodegenerative Diseases*, pp. 87-110, 2001.

FINK, W. et al. "Diagnoses by General Practitioners: Accuracy and Reliability". *International Journal of Forecasting*, v. 25, n. 4, pp. 784-93, 2009.

FINLEY, M. I. "Land, Debt, and the Man of Property in Classical Athens". *Political Science Quarterly*, v. 68, n. 2, pp. 249-68, 1953.

FLYVBJERG, Bent. *Making Social Science Matter: Why Social Inquiry Fails and How It Can Succeed Again*. Cambridge: Cambridge University Press, 2001.

________. "Survival of the Unfittest: Why the Worst Infrastructure Gets Built – and What We Can Do About It". *Oxford Review of Economic Policy*, v. 25, n. 3, pp. 344-67, 2009.

________; BUDZIER, Alexander. "Are You Sitting on a Ticking Time Bomb?" *Harvard Business Review*, set. 2011.

FOSSEDAL, G. A.; BERKELEY, A. R. III. *Direct Democracy in Switzerland*. Transaction Pub, 2005.

FOUREST, Caroline; VENNER, Fiametta. *Les interdits religieux*. Éditions Dalloz, 2010.

FRANKLIN, James. *The Science of Conjecture: Evidence and Probability Before Pascal*. Baltimore: Johns Hopkins University Press, 2001.

FREEDMAN, D. A.; PETITTI, D. B. "Salt and Blood Pressure: Conventional Wisdom Reconsidered". *Evaluation Review*, v. 25, n. 3, pp. 267-87, 2001.

FREEDMAN, D. et al. *Statistical Models and Causal Inference: A Dialogue with the Social Sciences*. Cambridge: Cambridge University Press, 2010.

FREEMAN, C.; SOETE, L. *The Economics of Industrial Innovation*. Londres: Routledge, 1997. [Ed. bras.: *A economia da inovação industrial*. Campinas: Editora da Unicamp, 2009.]

FREIDSON, Eliot. *Profession of Medicine: A Study of the Sociology of Applied Knowledge*. Chicago: Chicago University Press, 1970. [Ed. bras.: *Profissão médica: Um estudo de sociologia do conhecimento aplicado*. São Paulo: Editora da Unesp, 2009.]

FRENCH, Roger. *Medicine Before Science: The Rational and Learned Doctor from the Middle Ages to the Enlightenment*. Cambridge: Cambridge University Press, 2003.

FROOT, K. A. "The Market for Catastrophe Risk: A Clinical Examination", *Journal of Financial Economics*, v. 60, n. 2-3, pp. 529-71, 2001.

FUJIWARA, Y. "Zipf Law in Firms Bankruptcy". *Physica A: Statistical and Theoretical Physics*, v. 337, pp. 219-30, 2004.

FUKUMOTO, S.; MARTIN, T. J. "Bone as an Endocrine Organ". *Trends in Endocrinology and Metabolism*, v. 20, pp. 230-6, 2009.

FULLER, Steve. *The Intellectual*. Londres: Icon Books, 2005. [Ed. bras.: *O intelectual: O poder positivo do pensamento negativo*. Rio de Janeiro: Relume Dumará, 2006.]

GARCÍA-BALLESTER, Luis. "Health and Medical Care in Medieval Galenism". In: BATES, Don (Org.) *Knowledge and the Scholarly Medical Traditions*. Cambridge: Cambridge University Press, 1995.

GARLAND, Robert. *Daily Life of the Ancient Greeks*. Indianápolis: Hackett, 1998.

GAUCH, Ronald R. *It's Great! Oops, No It Isn't: Why Clinical Research Can't Guarantee the Right Medical Answers*. Springer, 2009.

GAWANDE, Atul. *Complications: A Surgeon's Note on an Imperfect Science*. Picador. 2002.

GEACH, Peter. "Plato's Euthyphro", *The Monist*, v. 50, pp. 369-82, 1966.

GEISON, Gerald L. *The Private Science of Louis Pasteur*. Nova Jersey: Princeton University Press, 1995. [Ed. bras.: *A ciência particular de Louis Pasteur*. Rio de Janeiro: Contraponto, 1995.]

GEMS, D.; PARTRIDGE, L. "Stress-Response Hormese and Aging: That Which Does Not Kill Us Makes Us Stronger". *Cell Metabolism*, v. 7, n. 3, pp. 200-3, 2008.

GIBBERT, M.; SCRANTON, P. "Constraints as Sources of Radical Innovation? Insights from Jet Propulsion Development". *Management & Organizational History*, v. 4, n. 4, p. 385, 2009.

GIGERENZER, Gerd. "Why Heuristics Work". *Perspectives on Psychological Science*, v. 3, n. 1, pp. 20-9, 2008.

________; BRIGHTON, H. "*Homo heuristicus*: Why Biased Minds Make Better Inferences". *Topics in Cognitive Science*, v. 1, n. 1, pp. 107-43, 2009.

________; GAISSMAIER, W. "Heuristic Decision Making". *Annual Review of Psychology*, v. 62, pp. 451-82, 2011.

GLADWELL, Malcolm. *What the Dog Saw: And Other Adventures*. Hachette Group, 2009 [Ed. bras.: *O que se passa na cabeça dos cachorros*. Rio de Janeiro: Sextante, 2010.]

GLAESER, E. *Triumph ot the City: How Our Greatest Invention Makes Us Richer, Smarter, Greener, Healthier, and Happier*. Nova York: Penguin, 2011. [Ed. bras.: *Os centros urbanos: A maior invenção da humanidade – como as cidades nos tornaram mais ricos, inteligentes, saudáveis e felizes*. Rio de Janeiro: Campus Elsevier, 2011.]

GLASER, Scott; SHAH, Rinoo. "Root Cause Analysis of Paraplegia Following Transforaminal Epidural Steroid Injections". *Pain Physiciann*, v. 13, pp. 237-44, 2010.

GOLD, Rich. *The Plenitude: Creativity, Innovation, and Making Stuff*. Boston: MIT Press, 2007.

GOLDACRE, B. "Benefits and Risks of Homoeopathy". *Lancet*, v. 370, n. 9600, pp. 1672-3, 2007.

________. *Bad Science: Quacks, Hacks, and Big Pharme Flacks*. Londres: Harper Perennial, 2009. [Ed. bras.: *Ciência picareta*. Rio de Janeiro: Civilização Brasileira, 2015.]

GOLDSTEIN, D. G.; GIGERENZER, G. "The Recognition Heuristic: How Ignorance Makes Us Smart", 1999.

________. "Models of Ecological Rationality: The Recognition Heuristic". *Psychological Review* v. 109, n. 1, p. 75, 2002.

________; TALEB, N. N. "We Don't Quite Know What We Are Talking About When We Talk About Volatility", *Journal of Portfolio Management*, verão de 2007.

GOTT, Richard J. III. "Implications of the Copernican Principle For Our Future Prospects". *Nature*, v. 363, n. 6427, pp. 315-9, 1993.

________. "Future Prospects Discussed". *Nature*, v. 368, p. 108, 1994.

GRAEBER, David. *Debt: The First 5000 Years*. Melville House Publishing, 2011. [Ed. bras.: *Dívida: os primeiros 5000 anos*. São Paulo: Três Estrelas, 2016.]

GRAHAM, M. R. et al. "Mathematical Modelling to Centre Low Tidal Volumes Following Acute Lung Injury: A Study with Biologically Variable Ventilation". *Respiratory Research*, v. 6, n. 1, p. 64, 2005.

GRANGER, Clive W. J. *Empirical Modeling in Economics: Specification and Evaluation*. Cambridge: Cambridge University Press, 1999.

GRANT, Ruth W. *Strings Attached: Untangling the Ethics of Incentives*. Nova Jersey: Princeton University Press, 2011.

GRAVER, M. *Stoicism and Emotion*. Chicago: University of Chicago Press, 2007.

GRAY, John. *Hayek on Liberty*. Psychology Press, 1998.

________. *Straw Dogs: Thoughts on Humans and Other Animals*. Londres: Granta Books, 2002. [Ed. bras.: *Cachorros de palha: Reflexões sobre humanos e outros animais*. Rio de Janeiro: Record: 2005.]

________. *The Immortalization Commission: Science and the Strange Quest to Cheat Death*. Allen Lane, 2011. [Ed. bras.: *A busca pela imortalidade: A obsessão humana em ludibriar a morte*. Rio de Janeiro: Record, 2014.]

GREENWOOD, R.; SUDDABY, R. "The Case of Disappearing Firms: Death or Deliverance?" *Journal of Organizational Behavior*, v. 27, n. 1, pp. 101-8, 2006.

GRICE, E. A.; SEGRE, J. A. "The Skin Microbiome". *Nature Reviews Microbiology*, v. 9, n. 4, pp. 244-53, 2011.

GRIFFITH, S. C.; OWENS, I. P. F.; THUMAN, K. A. "Extrapair Paternity in Birds: A Review of Interspecific Variation and Adaptive Function". *Molecular Ecology*, n. 11, pp. 2195-212.

GROB, Gerald N. *The Deadly Truth: A History of Disease in America*. Boston: Harvard University Press, 2002.

GRUBER, Jonathan; KLEINER, Samuel A. *Do Strikes Kill? Evidence from New York State* (NBER versão preliminar n. 15855). Departamento Nacional de Pesquisa Econômica, 2010.

GUADALUPE-GRAU, A. et al. "Exercise and Bone Mass in Adults". *Sports Medicine*, v. 39, n. 6, pp. 439-68, 2009.

GUARNER, F. et al. "Mechanisms of Disease: The Hygiene Hypothesis Revisited". *Nature Clinical Practice Gastroenterology & Hepatology*, v. 3, n. 5, pp. 275-84, 2006.

GUIDONE, C. et al. "Mechanisms of Recovery from Type 2 Diabetes After Malabsorptive Bariatric Surgery". *Diabetes*, v. 55, pp. 2025-31, 2006.

HACKING, Ian. *The Emergence of Probability: A Philosophical Study of Early Ideas About Probability, Induction and Statistical Inference*. Cambridge: Cambridge University Press, 1984.

HACKING, Ian. *The Taming of Chance*. Cambridge: Cambridge University Press, 1990.

________. *The Emergence of Probability*. 2. ed. Nova York: Cambridge University Press, 2006.

HADLER, Nortin M. *Worried Sick: A Prescription for Health in na Overtreated America*. Chapel Hill: University of North Carolina Press, 2008.

________. *Stabbed in the Back*. Chapel Hill: University of North Carolina Press, 2009.

HAIDT, J. *The Righteous Mind: Why Good People Are Divided by Politics and Religion*. Nova York: Pantheon, 2012.

HAIGH, J. "The Kelly Criterion and Bet Comparisons in Spread Betting", *Journal of the Royal Statistical Society*: Série D (*The Statistician*), v. 49, n. 4, pp. 531-9.

HAJEK, A. *Interpretations of Probability*. Citeseer, 2003.

HALAGAPPA, V. K. M. et al. "Intermittent Fasting and Caloric Restriction Ameliorate Age-Related Behavioral Deficits in the Triple-Transgenic Mouse Model of Alzheimer's Disease". *Neurobiology of Disease*, v. 26, n. 1, 2007.

HALD, Anders. *A History of Mathematical Statistics from 1750 to 1930*. Nova York: Wiley, 1998.

________. *A History of Probability and Statistics and Their Applications Before 1750*. Hoboken: Wiley, 2003.

HALEBLIAN, J. et al. "Taking Stock of What We Know About Mergers and Acquisitions: A Review and Research Agenda". *Journal of Management*, v. 35, n. 3, pp. 469-502, 2009.

HALLSTRÖM, H. et al. "Coffee Consumption and CYP1A2 Genotype in Relation to Bone Mineral Density of the Proximal Femur in Elderly Men and Women: A Cohort Study". *Nutrition and Metabolism*, v. 7, n. 12, 2010.

HAMAZAKI, T. et al. "Rethinking Cholesterol Issues", *Journal of Lipid Nutrition*, v. 21, 2012.

HAMMOND, John S.; KEENEY, Ralph L.; RAÏFFA, Howard. *Smart Choices: A Practical Guide to Making Better Life Decisions*. Boston: Harvad Business Press, 1999. [Ed. bras.: *Decisões inteligentes. Somos movidos a decisões: Como avaliar alternativas e tomar a melhor decisão*. Rio de Janeiro: Campus, 1999.]

HARRISON, A. R. W. *The Law of Athens: The Family and Property*. Indianápolis: Hackett, 1998.

HARRISON, D. E.; ARCHER, J. R.; ASTLE, C. M. "Effects of Food Restriction on Aging: Separation of Food Intake and Adiposity". *Proceedings of the National Academy of Sciences USA*, v. 81, pp. 1835-8, 1984.

HAUG, E. G. *The Complete Guide to Option Pricing Formulas*. McGraw-Hill Companies, 1998.

________; TALEB, N. N. "Option Traders Use Heuristics, Never the Formula Known as Black-Scholes-Merton Equation", *Journal of Economic Behavior and Organizations*, v. 27, 2010.

HAYEK, F. A. "The Use of Knowledge in Society", *American Economic Review*, v. 35, n. 4, pp. 519-30, 1945.

________. *The Fatal Conceit: The Errors of Socialism*. Chicago: University of Chicago Press, 1991. [Ed. bras.: *Os erros fatais do socialismo: Por que a teoria não funciona na prática*. Barueri: Faro Editorial, 2017.]

HAYFLICK, L. "Hormesis, Aging and Longevity Determination". *Human & Experimental Toxicology*, v. 20, n. 6, p. 289, 2001.

HEYDE, C. C.; SENETA, E. (Orgs.). *Statisticians of the Centuries*. Nova York: Springer, 2001.

HILTON-JONES, D. "I-7. Statins and Muscle Disease". *Acta Myologica*, v. 28, n. 1, p. 37, 2009.

HIND, K.; BURROWS, M. "Weight-Bearing Exercise and Bone Mineral Accrual in Children and Adolescents: A Review of Controlled Trials". *Bone*, v. 40, pp. 14-27, 2007.

HOLLAND, John H. *Hidden Order: How Adaptation Builds Complexity*. Basic Books, 1995. [Ed. port.: *A ordem oculta: Como a adaptação gera a complexidade*. Lisboa: Gradiva, 1997.]

HOLLIS, Martin. *The Philosophy of Social Science: An Introduction*. Cambridge: Cambridge University Press, 1994.

HORKHEIMER, Max; ADORNO, Theodor W. *Dialectic of Enlightenment*. Stanford: Stanford University Press, 2002. [Ed. bras.: *Dialética do esclarecimento*. Rio de Janeiro: Zahar, 1985.]

HU, M. et al. "Safety of Statins: An Update". Therapeutic Advances in Drug Safety, v. 3, n. 3, pp. 133-44, 2012.

HUANG, Chi-fu; LITZENBERGER, Robert H. *Foundations of Financial Economics*. Prentice-Hall, Inc., 1988.

HUDSON, M. M. et al., *Debt and Economic Renewal in the Ancient Near East: A Colloquium Held at Columbia University*. Potomac: CDL Press, 2002.

ILLICH, Ivan. *Limits to Medicine: Medical Nemesis, the Expropriation of Health*. Londres: Marion Boyars, 1995.

IOANNIDIS, J. P. A. "Why Most Published Research Findings Are False". *PloS Medicine*, v. 2, n. 8, pp. 696-701, 2005.

________. TRIKALINOS, T. A. "An Exploratory Test for an Excess of Significant Findings". *Clinical Trials*, v. 4, pp. 245-53, 2007.

ISSAWI, Charles. *The Fertile Crescent, 1800-1914: A Documentary Economic History*. Oxford: Oxford University Press, 1988.

________. In: ISSAWI, Charles (Org.). *The Economic History of the Middle East, 1800-1914*. Chicago: University of Chicago Press, 1966.

JACOB, François. "Evolution et bricolage". *Le Monde*, v. 6, n. 7, p. 8, 1977a.

________. "Evolution and Tinkering". *Science*, v. 196, n. 4295, pp. 1161-6, 1977b.

JANSON, J. et al. "Increased Risk of Type 2 Diabetes in Alzheimer Disease". *Diabetes*, v. 53, n. 2, pp. 474-81, 2004.

JAYNES, E. T. *Probability Theory: The Logic of Science*. Cambridge: Cambridge University Press, 2003, 2004.

JENSEN, J. L. W. V. "Sur les fonctions convexes et les inégalités entre les valeurs moy ennes". *Acta Mathematica*, v. 30, 1906.

JOHNSGARD, P. A., "Ducks, Geese, and Swans of the World: Tribe Stictonettini (Freckled Duck)". In: ________. *Ducks, Geese, and Swans of the World*. University of Nebraska Press, 2010.

JOHNSON, P. D. R. "Extensively Resistant Tuberculosis in the Lands Down Under". *Medical Journal of Australia*, v. 194, n. 11, p. 565, 2011.

JOHNSON, Steven. *Where Good Ideas Come From: The Natural History of Innovation*. Riverhead Books, 2010. [Ed. bras.: *De onde vêm as boas ideias: Uma história natural da inovação*. Rio de Janeiro: Zahar, 2011.]

JOSIPOVICI, Gabriel. *What Ever Happened to Modernism?* New Haven: Yale University Press, 2010.

KAHN, James. "Can We Determine the Optimal Size of Government?" *Cato Institute*, n. 7, set. 2011.

KAHNEMAN, D. *Thinking, Fast and Slow*. Nova York: Farrar, Straus and Girous, 2011. [Ed. bras.: *Rápido e devagar: Duas formas de pensar*. Rio de Janeiro: Objetiva, 2012.]

KAHNEMAN, D. "On the Study of Statistical Intuitions". In: ________; SLOVIC, P.; TVERSKY, A. (Orgs.) *Judgment Under Uncertainty: Heuristics and Biases*. Cambridge: Cambridge University Press, 1982.

________; TVERSKY, Amos. "Prospect Theory: An Analysis of Decision Under Risk". *Econometrica*, v. 46, n. 2, pp. 171-85, 1979.

KAISER, Jocelyn. "Hormese: Sipping from a Poisoned Chalice". *Science*, v. 302, n. 5644, pp. 376-79, 2003.

KANTOROVICH, Aharon. *Scientific Discovery: Logic and Tinkering*. State University of New York Press, 1993.

KAPLAN, H. et al. "A Theory of Human Life History Evolution: Diet, Intelligence, and Longevity". *Evolutionary Anthropology*, v. 9, pp. 156-85.

KARSENTY, G. "The complexities of skeletal biology". *Nature*, 423, n. 6937, pp. 316-8, 2003.

________. *Regulation of Male Fertility by Bone*. Cold Spring Harbor Laboratory Press, 2011.

________. "Bone as an endocrine tissue". *Annual Review of Physiology*, v. 74, n. 1, 2012a.

________. "The Mutual Dependence Between Bone and Gonads". *Journal of Endocrinology*, v. 213, n. 2, pp. 107-14, 2012b.

KAUFFMAN, Stuart. *At Home in the Universe: The Search for Laws of Self-Organization and Complexity*. Oxford: Oxford University Press, 1995.

KAY, John. *Obliquity*. Penguin, 2010. [Ed. bras.: *A beleza da ação indireta*. Rio de Janeiro: Best Business, 2011.]

KEALEY, T., *The Economic Laws of Scientific Research*. Londres: Macmillan, 1996.

KENNEDY, Michael T. *A Brief History of Disease, Science and Medicine: From the Ice Age to the Genome Project*. Mission Viejo: Asklepiad Press, 2004.

KERR, N. L. "HARKing: Hypothezising After the Results Are Known". *Personality and Social Psychology Review*, v. 2, pp. 196-217, 1998.

KHANNA, P. "Beyond City Limits". *Foreign Policy*, v. 181, pp. 120-8, 2010.

KHMALADZE, E. V.; BROWNRIGG, R.; HAYWOOD, J. "Memoryless Reigns of the 'Sons of Heaven'". *International Statistical Review*, v. 78, pp. 348-62, 2010.

________. "Brittle Power: On Roman Emperors and Exponential Lengths of Rule". *Statistics & Probability Letters*, v. 77, pp. 1248-57, 2007.

KHOSLA, V. "Whose Rules? Terms of Discussions Around a Global Cap-and-Trade System". *Innovations: Technology, Governance, Globalization*, v. 4, n. 4, pp. 23-40, 2009.

KIRIKOS, G.; NOVAK, D. "Convexity Conundrums". *Risk Magazine*, pp. 60-1, mar. 1997.

KOHR, Leopold. *The Breakdown of Nations*. Rinehart, 1957.

KONDO, Y.; KANZAWA, T.; SAWAYA, R. "The Role of Autophagy in Cancer Development and Response to Therapy". *Nature Reviews Cancer*, v. 5, pp. 726-34, 2005.

KRUGMAN, P. "Why Intellectuals Don't Understand Comparative Advantage". *Freedom and Trade: The Economics and Politics of International Trade*, v. 2, n. 22, 1998.

KURZBAN, R. "Does the Brain Consume Additional Glucose During Self-Control Tasks?" *Evolutionary Psychology*, v. 8, pp. 244-59. Disponível em: http://www.epjournal.net/wp-content/uploads/ep08244259.pdf, 2010.

LA LATTINA, John L., *Drug Truths: Dispelling the Myths About Pharma R&D*. Wiley, 2009.

LATOUR, Bruno; WOOLGAR, Steve. *La vie de laboratoire: La production des faits scientifiques*. La Découverte, 1996.

LAUMAKIS, M. et al. "The Sloan-C Pillars and Boundary Objects as a Framework for Evaluating Blended Learning". *Journal of Asynchronous Learning Networks*, v. 13, n. 1, pp. 75-87, 2009.

LAVERY, J. V. "How Can Institutional Review Boards Best Interpret Preclinical Data?" *PLoS Medicine*, v. 8, n. 3, p. e1001011, 2011.

LE BOURG, Eric. "Hormese, Aging and Longevity". *Biochimica et Biophysica Acta* (BBA): *General Subjects*, v. 1790, n. 10, pp. 1030-9, 2009.

LE BRETON-MILLER, I.; MILLER, D. "Why Do Some Family Businesses Outcompete? Governance, Long-Term Orientations, and Sustainable Capability". *Entrepreneurship Theory and Practice*, v. 30, n. 6, pp. 731-46, 2006.

LEBRUN, François. *Se soigner: Médicins, saints et sorciers aux XVII et XVIII siècles*. Éditions du Seuil, 1995.

LE FANU, James. *The Rise and Fall of Modern Medicine*. Carroll and Graf, 2002.

LE GOFF, Jacques. *Les intellectuals au moyen age*. Éditions du Seuil, 1985. [Ed. bras.: *Os intelectuais na Idade Média*. Rio de Janeiro: José Olympio, 2003.]

________. *Un autre moyen age*. Gallimard, 1999. [Ed. bras.: *Para uma outra Idade Média: Tempo, trabalho e cultura no Ocidente*. Petrópolis: Vozes, 2013.]

LEONI, B., "The Meaning of 'Political' in Political Decisions". *Political Studies*, v. 5, n. 3, pp. 225-39, 1957.

________.; KEMP, A. *Freedom and the Law*. Indianápolis: Liberty Fund, 1991.

LEVI, Isaac. *The Enterprise of Knowledge*. Boston: MIT Press, 1980.

LÉVI-STRAUSS, Claude. *La pensée sauvage*. Plon, 1962. [Ed. bras.: *O pensamento selvagem*. São Paulo: Nacional/Edusp, 1970; Campinas: Papirus, 1989.]

LEWIS, Bem. *Hammer and Tickle*. Londres: Weidenfeld & Nicolson, 2008.

LEWONTIN, Richard. *Biology as Ideology: The Doctrine of DNA*. Harper Perennial, 2001. [Ed. bras.: *Biologia como ideologia: A doutrina do DNA*. Ribeirão Preto: Funpec, 2001.]

LI, Jie Jack. *Laughing Gas, Viagra, and Lipitor: The Human Stories Behind the Drugs We Use*. Oxford: Oxford University Press, 2006.

LIGHT, D.; LEXCHIN, J. "Pharmaceutical Research and Development: What do We Get For All That Money?" *British Medical Journal*, v. 345, 2012.

LIM, E. L. et al. "Reversal of Type 2 Diabetes: Normalisation of Beta Cell Function in Association With Decreased Pancreas and Liver Triacylglycerol". *Diabetologia*, v. 54, pp. 2506-14, 2011.

LINDSAY, James E. *Daily Life in the Medieval Islamic World*. Indianápolis: Hackett, 2005.

LLOYD, R. et al. "A Pilot Investigation of Load-Carrying on the Head and Bone Mineral Density in Premenopausal, Black African Women". *Journal of Bone and Mineral Metabolism*, v. 28, n. 2, pp. 185-90, 2010.

LONGO, V.; KENNEDY, B. "Sirtuins in Aging and Age-Related Disease". *Cell*, v. 126, n. 2, pp. 257-68, 2006.

LONGO, V.; LIEBER, M.; VIJG, J. "Turning Anti-Ageing Genes Against Cancer". *National Review of Molecular Cell Biology*, v. 9, n. 11, pp. 903- 10, 1471-2, 2008.

LONGRIGG, James. *Greek Medicine from the Heroic to the Hellenistic Age: A Source Book*. Londres: Routledge, 1998.

LUCHSINGER, J. A. et al. "Hyperinsulinemia and Risk of Alzheimer Disease". *Neurology*, v. 63, n. 7, pp. 1187-92, 2004.

LUEHRMAN, T. A. "Strategy as a Portfolio of Real Options". *Harvard Business Review*, v. 76, pp. 89-101, 1998.

LUSTICK, I. et al. "From Theory to Simulation: The Dynamic Political Hierarchy in Country Virtualization Models". *Associação Americana de Ciência Política*, 2010.

MACHINA, Mark; ROTHSCHILD, Michael. "Risk". In: DURLAUF, Steven N.; BLUME, Lawrence E. (Orgs.) *The New Palgrave Dictionary of Economics*, 2. ed. Londres: Macmillan, 2008.

MACKIE, R. "Family Ownership and Business Survival: Kirkcaldy, 1870-1970". *Business History*, v. 43, pp. 1-32, 2001.

MAKRIDAKIS, S.; TALEB, N. N. "Decision Making and Planning Under Low Levels of Predictability", *International Journal of Forecasting*, n. 25 (4), pp. 716-33, 2009.

________ et al. "The Accuracy of Extrapolation (Time Series) Methods: Results of a Forecasting Competition". *Journal of Forecasting*, v. 1, pp. 111-53, 1982.

________; HIBON, M. "The M3-Competition: Results, Conclusions and Implications". *International Journal of Forecasting*, v. 16, pp. 451-76, 2000.

________ et al. "The M2-Competition: a Real-Time Judgmentally Based Forecasting Study" (com comentários). *International Journal of Forecasting*, v. 5, n. 29, 1993.

MALHOTRA, Y. "Knowledge Assets in the Global Economy: Assessment of National Intellectual Capital". *Journal of Global Information Management*, v. 8, n. 3, p. 5, 2000.

MALMENDIER, U.; TATE, G. "Who Makes Acquisitions? CEO Overconfidence and the Market's Reaction". *Journal of Financial Economics*, v. 89, n. 1, pp. 20-43, 2008.

________. "Superstar CEOs". *Quarterly Journal of Economics*, v. 124, n. 4, pp. 1593-638, 2009.

MANDELBROT, Benoît B. *The Fractal Geometry of Nature*. W. H. Freeman, 1983.

________. *Fractals and Scaling in Finance: Discontinuity, Concentration, Risk*. Nova York: Springer--Verlag, 1997.

________. TALEB, N. N. "Random Jump, Not Random Walk". In: HERRING, Richard (Org.). *The Known, the Unknown, and the Unknowable*. Nova Jersey: Princeton University Press, 2010.

MANSEL, P. *Levant*. Hachette, 2012.

MARGLIN, S. A. "Farmers, Seedsmen, and Scientists: Systems of Agriculture and Systems of Knowledge". In: APFFEL-MARGLIN, Frédérique; MARGLIN, Stephen A. *Decolonizing Knowledge: From Development to Dialogue*. Oxford University Press, pp. 185-248, 1996.

MARTIN, B.; MATTSON, M. P. et al. "Caloric Restriction and Intermittent Fasting: Two Potential Diets for Successful Brain Aging". *Ageing Research Reviews*, v. 5, n. 3, pp. 332-53, 2006.

MASORO, E. J. "Hormese and the Antiaging Action of Dietary Restriction". *Experimental Gerontology*, v. 33, n. 1-2, pp. 61-6, 1998.

MATTSON, M. P. "Hormesis Defined". *Ageing Research Reviews*, v. 7, n. 1, pp. 1-7, 2008.

________; WAN, R. "Beneficial effects of Intermittent Fasting and Caloric Restriction on the Cardiovascular and Cerebrovascular Systems". *Journal of Nutritional Biochemistry*, v. 16, n. 3, pp. 129-37, 2005.

MATZ, David. *Daily Life of the Ancient Romans*. Indianápolis: Hackett, 2002.

MCALEER, M.; PAGAN, A.; VOLKER, P. "What Will Take the Con Out of Econometrics?" *American Economic Review*, v. 75, n. 3, pp. 293-307, 1985.

MCCABE, D. P.; CASTEL, A. D. "Seeing is Believing: The Effect of Brain Images on Judgments of Scientific Reasoning". *Cognition*, v. 107, pp. 343-52, 2008.

MCCLOSKEY, D.; ZILIAK, S. "The Standard Error of Regressions". *Journal of Economic Literature*, v. 34, n. 1, pp. 97-114, 1996.

MCCONAUGBY, D.; MATTHEWS, C.; FIALKO, A. "Founding Family Controlled Firms: Performance, Risk and Value". *Journal of Small Business Management*, v. 39, pp. 31-49, 2001.

MCCRAW, Thomas. *Prophet of Innovation: Joseph Schumpeter and Creative Destruction*. Boston: The Belknap of Harvard University University, 2007. [Ed. bras.: *O profeta da inovação: Joseph Schumpeter e a destruição negativa*. Rio de Janeiro: Record, 2012.]

MCGILL, S. *Low Back Disorders: Evidence-Based Prevention and Rehabilitation*. Human Kinetics Publishers, 2007.

MCGRATH, R. G. "Falling Forward: Real Options Reasoning and Entrepreneurial Failure". *Academy of Management Review*, pp. 13-30, 1999.

MCKNIGHT, Scot. *Fasting*. Thomas Nelson, 2009.

MCMAHON, Darrin M. *Enemies of the Enlightenment: The French Counter-Enlightenment and the Making of Modernity*. Oxford: Oxford University Press, 2001.

MÉGRAUD, F.; LAMOULIATTE, H. "*Helicobacter pylori* and Duodenal Ulcer". *Digestive Diseases and Sciences*, v. 37, n. 5, pp. 769-72, 1992.

MEHTA, R.; ZHU, R. J. et al. "Is Noise Always Bad? Exploring the Effects of Ambient Noise on Creative Cognition", 2012.

MEISENZAHL, R.; MOKYR, J. *The Rate and Direction of Invention in the British Industrial Revolution: Incentives and Institutions*. Departamento Nacional de Pesquisa Econômica, 2011.

MENARD, W.; SHARMAN, G. "Random Drilling". *Science*, v. 192, n. 4236, pp. 206-8, 1976.

MENG, X.; QIAN, N.; YARED, P. *The Institutional Causes of China's Great Famine, 1959-61*. Departamento Nacional de Pesquisa Econômica, 2010.

MERCIER, H.; SPERBER, D. "Why Do Humans Reason? Arguments for an Argumentative Theory". *Behavioral and Brain Sciences*, v. 34, n. 2, pp. 57-74, 2011.

MESLIN, Michel; PROUST, Alain; TARDAN-MASQUELIER, Ysé (Orgs.). *La quête de guérison: Médicine et religions face à la souffrance*. Paris: Bayard, 2006.

MEYERS, Morton A. *Happy Accidents: Serendipity in Modern Medical Breakthroughs*. Nova York: Arcade, 2007.

MICHÁN, S. et al. "SIRT1 is Essential for Normal Cognitive Function and Synaptic Plasticity". *Journal of Neuroscience*, v. 30, n. 29, pp. 9695-707, 2010.

MICKLESFIELD, L. et al. "Bone Mineral Density and Lifetime Physical Activity in South African Women". *Calcified Tissue International*, v. 73, n. 5, pp. 463-9, 2003.

MILLER, John H.; SCOTT, E. Page. *Complex Adaptive Systems: An Introduction to Computational Models of Social Life*. Nova Jersey: Princeton University Press, 2007.

MINDELL, D. A. *Between Human and Machine: Feedback, Control, and Computing Before Cybernetics*. Baltimore: Johns Hopkins University Press, 2002.

MITCHELL, Mark T. *Michael Polanyi: The Art of Knowing*. ISI Books, 2006.

MOKYR, Joel. *The Lever of Riches: Technological Creativity and Economic Progress*. Oxford: Oxford University Press, 1990.

________ (Org.). *The British Industrial Revolution: An Economic Perspective*. Westview Press, 1999.

________. *The Gifts of Athena: Historical Origins of the Knowledge Economy*. Nova Jersey: Princeton University Press, 2002.

MOKYR, Joel. "Long-term Economic Growth and the History of Technology". In: AGHION, Philippe; DURLAUF, Steven N. (Orgs.). *Handbook of Economic Growth*, v. 1B. Elsevier.

________. *The Enlightened Economy: An Economic History of Britain, 1700-1850*. New Haven: Yale University Press, 2009.

MORENS, David M. "Death of a President". *New England Journal of Medicine*, v. 342, p. 1222, 1999.

MORRIS, Ivan I. *The Nobility of Failure: Tragic Heroes in the History of Japan*. Farrar, Strauss and Giroux, 1975.

MUDD, L.; FORNETTI, W.; PIVARNIK, J. "Bone Mineral Density in Collegiate Female Athletes: Comparisons Among Sports". *Journal of Athletic Training*, v. 42, n. 3, pp. 403-8, jul.-set. 2007.

MUDRY, Philippe. *Medicina, soror philosophiae*. Éditions BHMS, 2006.

MULDREW, C. "Credit and the Courts: Debt Litigation in a Seventeenth-Century Urban Community". *Economic History Review*, v. 46, n. 1, pp. 23-38, 1993.

MUTCH, W. A. C. et al. "Biologically Variable Ventilation Improves Gas Exchange and Respiratory Mechanics in a Model of Severe Bronchospasm". *Critical Care Medicine*, v. 35, n. 7, p. 1749, 2007.

NASR, G. "Applying Environmental Performance Indices Towards an Objective Measure of Sustainability in the Levant". *International Journal of Sustainable Development*, v. 11, n. 1, pp. 61-73, 2008.

________. "Limitations of the Hydraulic Imperative: The Case of the Golan Heights". *Water Resources Development*, v. 25, n. 1, pp 107-22, 2009.

NELSON, R. R. *Technology, Institutions, and Economic Growth*. Boston: Harvard University Press, 2005.

NEUMAIER, T. et al. "Evidence for Formation of DNA Repair Centers and Dose-Response Nonlinearity in Human Cells". *Proceedings of the National Academy of Sciences*, v. 109, n. 2, pp. 443-8, 2012.

NICHOLAS, Jean. *La rébellion française: Mouvements populaires et conscience sociale 1661-1789*. Gallimard, 2008.

NICHOLS, J. F. et al. "Low Bone Mineral Density in Highly Trained Male Master Cyclists". *Osteoporosis International*, v. 14, n. 8, pp. 644-9, 2003.

NORTH, Douglass C. *Institutions, Institutional Change and Economic Performance*. Cambridge: Cambridge University Press, 1990.

NOWAK, Martin A. *Evolutionary Dynamics: Exploring the Equations of Life*. Boston: The Belknap Press of Harvard University, 2006.

NUTTON, Vivian. *Ancient Medicine*. Psychology Press, 2004. [Ed. bras.: *Medicina antiga*. Rio de Janeiro, Forense Universitária, 2017.]

O'HARA, Kieron. *Trust: From Socrates to Spin*. Icon Books, 2004.

OAKESHOTT, Michael. *On Human Conduct*. Oxford: Clarendon Press, 1975.

________. "The Rationalist". *Quadrant*, v. 35, n. 3, p. 87, 1991.

________. *Rationalism in Politics and Other Essays*. Liberty Fund, 1962, 1991.

OBER, J. *Wealthy Hellas*, v. 140. Baltimore: Johns Hopkins University Press, 2010.

OGILVIE, Sheilagh. *Institutions and European Trade: Merchant Guilds 1000-1800*. Cambridge: Cambridge University Press, 2011.

ORLOV, Dmitry. *Reinventing Collapse: The Soviet Experience and American Prospects*. New Society Publishers, 2011.

PALMIERI, Nicoletta (Org.). *Rationnel et irrationnel dans la médecine ancienne et médiévale*. Saint--Étienne: Université de Saint-Étienne, 2003.

PAMUK, Sevket. "Estimating Economic Growth in the Middle East Since 1820". *Journal of Economic History*, n. 66 (3), 2006.

PARSONS, P. A. "Hormesis: an Aaptive Expectation with Emphasis on Ionizing Radiation". *Journal of Applied Toxicology*. v. 20, n. 2, pp. 103-12, 2000.

PAT-HORENCZYK, R.; BROM, D. "The Multiple Faces of Post-Traumatic Growth". *Applied Psychology*, v. 56, n. 3, pp. 379-85, 2007.

PAUTLER, P. A. "Evidence on Mergers and Acquisitions". *Antitrust Bulletin*, v. 48, p. 119, 2003.

PAVITT, K. "The Inevitable Limits of EU R&D Funding". *Research Policy*, v. 27, n. 6, pp. 559-68, 1998a.

________. "The Social Shaping of the National Science Base". *Research Policy*, v. 27, n. 8, pp. 793-805, 1998b.

PAYER, Lynn. *Medicine and Culture*. Nova York: Henry Holt, 1996.

PEARS, David. *Paradox and Platitude in Wittgenstein's Philosophy*. Oxford: Oxford University Press, 2006.

PÉREZ-JEAN, Brigitte. *Dogmatisme et scepticisme*. Presses Universitaires du Septentrion, 2005.

PETCHEY, O. L.; DUNNE, J. A. "Predator-Prey Relations and Food Webs". *Metabolic Ecology: A Scaling Approach*. Wiley, p. 86, 2012.

PETROSKI, Henry. *Success Through Failure: The Paradox of Design*. Nova Jersey: Princeton University Press, 2006.

PIGEAUD, Jackie. *La maladie de l'âme*. Les Belles Lettres, 2006.

PIGOLOTTI, S. et al. "Species Lifetime Distribution for Simple Models of Ecologies". *Proceedings of the National Academy of Sciences of the United States of America*, v. 102, n. 44, p. 15 747, 2005.

PIRENNE, Henri. *Mahomet et Charlemagne*. Presses Universitaires de France, 2005. [Ed. bras.: *Maomé e Carlos Magno: O impacto do Islã sobre a civilização europeia*. Rio de Janeiro: Contraponto, 2010.]

PISANO, G. P. "Can Science Be a Business?" *Harvard Business Review*, v. 10, pp. 1-12, 2006a.

________. *Science Business: The Promise, The Reality, and the Future of Biotech*. Boston: Harvard Business Press, 2006b.

PISCHON, T. et al. "General and Abdominal Adiposity and Risk of Death in Europe". *New England Journal of Medicine*, v. 359, pp. 2105-20, 2008.

PI-SUNYER, X. et al. "Reduction in Weight and Cardiovascular Disease Risk Factors in Individuals with Type 2 Diabetes: One-Year Results of the Look AHEAD Trial". *Diabetes Care*, v. 30, pp. 1374-83, 2007.

PITERBARG, V. V.; RENEDO, M. A. "Eurodollar Futures Convexity Adjustments in Stochastic Volatility Models". Versão preliminar, 2004.

PLUCHINO, A. et al. "Accidental Politicians: How Randomly Selected Legislators Can Improve Parliament Efficiency". *Physica A: Statistical Mechanics and Its Applications*, 2011.

POLANYI, M. *Personal Knowledge: Towards a Post-Critical Philosophy*. Londres: Routledge e Kegan Paul, 1958.

POMATA, Gianna; SIRAISI, Nancy G. (Orgs.). *Historia: Empiricism and Erudition in Early Modern Europe*. Boston: MIT Press, 2005.

POPKIN, Richard. *The History of Scepticism: From Savonarola to Bayle*. Oxford: Oxford University Press, 2003.

POPPER, Karl. *The Poverty of Historicism*. Londres: Routledge, 1961. [Ed. bras.: *A miséria do historicismo*. São Paulo: Cultrix / Edusp, 1980.]

PORIES, W. J. et al. "Who Would Have Thought It? An Operation Proves to Be the Most Effective Therapy for Adult-Onset Diabetes Mellitus". *Annals of Surgery*, v. 222, pp. 339-50; discussão 350-2, 1995.

PORMANN, Peter E.; SAVAGE-SMITH, Emilie. *Medieval Islamic Medicine*. Georgetown University Press, 2007.

PORTER, Roy. *Blood and Guts: A Short Story of Medicine*. Penguin, 2004. [Ed. bras.: *Das tripas coração: Uma breve história da medicina*. Rio de Janeiro: Record, 2004.]

________. *Flesh in the Age of Reason*. W. W. Norton, 2003.

PORTET, P. *La mesure géométrique des champs au moyen âge*. Librairie Droz, 2002.

POSNER, M. V. "Corrupted By Money?" *Nature*, v. 382, pp. 123-4, 1996.

PRATT, John W. "Risk Aversion in the Small and in the Large", *Econometrica*, v. 32, pp. 122-36, jan.-abr. 1964.

PRITCHARD, James B. (Org.). *The Ancient Near East: An Anthology of Texts and Pictures*. Nova Jersey: Princeton University Press, 2011.

PRITCHETT, L. "Where Has All the Education Gone?" *World Bank Economic Review*, v. 15, n. 3, p. 367, 2001.

RADAK, Z. et al. "Exercise and Hormesis: Oxidative Stress-Related Adaptation for Successful Aging". *Biogerontology*, v. 6, n. 1, pp. 71-5, 2005.

RAFFAGHELLO, L. et al. "Fasting and Differential Chemotherapy Protection in Patients". *Cell Cycle*, v. 9, n. 22, p. 4474, 2010.

RASHED, Marwan. *L'héritage aristotélien*. Les Belles Lettres, 2007.

RATTAN, S. I. S. "Hormesis in aging". *Ageing Research Reviews*, v. 7, n. 1, pp. 63-78, 2008.

RAUTAVA, E. et al. "The Reduction of Physical Activity Reflects on the Bone Mass Among Young Females: A Follow-up Study of 143 Adolescent Girls". *Osteoporosis International*, v. 18, n. 7, pp. 915-22, 2007.

RAZAY, G.; WILCOCK, G. K. "Hyperinsulinaemia and Alzheimer's Disease". *Age and Ageing*, v. 23, n. 5, pp. 396-9, 1994.

READ, D.; FREDERICK, S.; AIROLDI, M. "Four Days Later in Cincinnati: Longitudinal Tests of Hyperbolic Discounting". *Acta Psychologica*, v. 140, n. 2, pp. 177-85, PMID. 22634266, 2012.

REDBERG, R. F.; KATZ, M. H. "Healthy Men Should Not Take Statins". JAMA, v. 307, n. 14, pp. 1491-2, 2012.

REES, Martin. *Our Final Century: Will Civilisation Survive the Twenty-First Century?* Arrow Books, 2003.

REIN, R. et al. "Adaptive and Phase Transition Behavior in Performance of Discrete Multi-Articular Actions by Degenerate Neurobiological Systems", 2010. *Experimental Brain Research*, v. 201, n. 2, pp. 307-22, 2010.

RIDLEY, Matt. *The Rational Optimist: How Prosperity Evolves*. 4th Estate, 2010. [Ed. bras.: *O otimista racional*. Rio de Janeiro: Record, 2014.]

RIFFARD, Pierre. *Les philosophes: Vie intime*. Presses Universitaires de France, 2004.

ROBB, Graham. *The Discovery of France*. Picador, 2007. [Ed. bras.: *A descoberta da França: Uma jornada histórico-geográfica*. Rio de Janeiro: Record, 2010.]

ROBERTS, B. H. *The Truth About Statins: Risks and Alternatives to Cholesterol-Lowering Drugs*. Nova York: Simon and Schuster, 2012.

ROBERTS, Royston M. *Serendipity: Accidental Discoveries in Science*. Wiley, 1989. [Ed. bras.: *Descobertas acidentais em ciências*. Campinas: Papirus, 1993.]

ROLL, R. "The Hubris Hypothesis of Corporate Takeovers". *Journal of Business*, v. 59, pp. 197-216, 1986.

ROOK, G. A. W. "Hygiene and Other Early Childhood Influences on the Subsequent Function of the Immune System". *Digestive Diseases*, v. 29, n. 2, pp. 44-153, 2011.

ROSE, K. A. et al. "Outdoor Activity Reduces the Prevalence of Myopia in Children". *Ophthalmology*, v. 115, n. 8, pp. 1279-85, 2008.

ROTHSCHILD, M.; STIGLITZ, J. E. "Increasing Risk: I. A Definition". *Journal of Economic Theory*, v. 2, n. 3, pp. 225-43, 1970.

________. "Increasing risk: II. Its Economic Consequences". *Journal of Economic Theory*, v. 3, n. 1, pp. 66-84, 1971.

RUBINO, F. et al. The Mechanism of Diabetes Control After Gastrointestinal Bypass Surgery Reveals a Role of the Proximal Small Intestine in the Pathophysiology of Type 2 Diabetes". *Annals of Surgery*, v. 244, pp. 741-9, 2006.

SACKETT, David L. et al. Evidence-Based Medicine: How to Practice and Teach EBM. Churchill Livingstone, 1998.

SAFDIE, F. et al. "Fasting and Cancer Treatment in Humans: A Case Series Report". *Aging* (Albany), v. 1, n. 12, p. 988, 2009.

SALSBURG, David. *The Lady Tasting Tea: How Statistics Revolutionized Science in the Twentieth Century*. Fremen, 2001. [Ed. bras.: *Uma senhora toma chá: Como a estatística revolucionou a ciência no século XX*. Rio de Janeiro: Zahar, 2009.]

SANDIS, Constantine. *The Things We Do and Why We Do Them*. Londres: Palgrave Macmillan, 2012.

SCANU, A. M.; EDELSTEIN, C. "HDL: Bridging Past and Present with a Look at the Future". *Faseb Journal*, v. 22, n. 12, pp. 4044-54, 2008.

SCHLUMBERGER, M. J. "Papillary and Follicular Thyroid Carcinoma", *New England Journal of Medicine*, v. 338, n. 5, pp. 297-306, 1998.

SCHNOHR, P. et al. "Intensity Versus Duration of Cycling: Impact on All-Cause and Coronary Heart Disease Mortality: The Copenhagen City Heart Study". *European Journal of Cardiovascular Prevention & Rehabilitation*, 2011.

SCHON, Donald. *The Reflective Practitioner: How Professionals Think in Action*. Basic Books, 1983.

SCHUMACHER, E. F. *Small is Beautiful: A Study of Economics as if People Mattered*. Londres: Blond & Briggs, 1975. [Ed. bras.: *O negócio é ser pequeno*. Rio de Janeiro: Zahar, 1977.]

SCHUMPETER, Joseph A. *Capitalism, Socialism and Democracy*. Nova York, Harper and Brothers, 1942. 5. ed., Londres: George Allen and Unwin, 1976.

________. *History of Economic Analysis*. Oxford: Oxford University Press, 1994. [Ed. bras.: *História da análise econômica*. Rio de Janeiro: Fundo de Cultura/Usaid, 1964.]

SCOTT, A. et al. "Mechanotransduction in Human Bone: In Vitro Cellular Physiology That Underpins Bone Changes with Exercise". *Sports Medicine*, v. 38, n. 2, pp. 139-60, 2008.

SCOTT, James C. *Seeing Like a State: How Certain Schemes to Improve the Human Condition Have Failed*. New Haven: Yale University Press, 1998.

SCRANTON, P. "Urgency, Uncertainty, and Innovation: Building Jet Engines in Postwar America". *Management & Organizational History*, v. 1, n. 2, p. 127, 2006.

________. "Turbulence and Redesign: Dynamic Innovation and the Dilemmas of US Military Jet Propulsion Development". *European Management Journal*, v. 25, n. 3, pp. 235-48, 2007.

________. "The Challenge of Technological Uncertainty". *Technology and Culture*, v. 50, n. 2, pp. 513-8, 2009.

SEERY, M. D. "Resilience". *Current Directions in Psychological Science*, v. 20, n. 6, pp. 390-4, 2011.

SESTINI, P.; IRVING, L. B. "The Need for Expertise and the Scientific Base of Evidence-Based Medicine". *Chest*, v. 135, n. 1, p. 245, 2009.

SHACKLE, G. L. S. *Epistemics and Economics: A Critique of Economic Doctrines*. Transaction Publishers, 1992.

SHAH, A. K.; OPPENHEIMER, D. M. "Easy Does It: The Role of Fluency in Cue Weighting". *Judgment and Decision Making*, v. 2, n. 6, pp. 371-9, 2007.

SHARPE, Virginia A.; FADEN, Alan I. *Medical Harm: Historical, Conceptual, and Ethical Dimensions of Iatrogenic Illness*. Cambridge: Cambridge University Press, 1998.

SHELFORD, April G. *Transforming the Republic of Letters: Pierre-Daniel Huet and European Intellectual Life, 1650-1720*. Rochester: University of Rochester Press, 2007.

SHIMABUKURO, M. et al. "Lipoapoptosis in Beta-Cells of Obese Prediabetic Fa/Fa Rats. Role of Serine Palmitoyltransferase Overexpression". *Journal of Biological Chemistry*, v. 273, pp. 32487-90, 1998.

SILVERMAN, William A. *Where's the Evidence: Debates in Modern Medicine*. Oxford: Oxford University Press, 1999.

SINGER, S. et al. *Cleveland: Science*, nova série, v. 213, n. 4515, 25 set. 1981.

SINGH, Simon; EDZARD, Ernst. *Trick or Treatment: The Undeniable Facts About Alternative Medicine*. Nova York: W. W. Norton, 2008. [Ed. bras.: *Truque ou tratamento: Verdades e mentiras sobre a medicina alternativa*. Rio de Janeiro: Record, 2013.]

SKYLER, J. et al. "Intensive Glycemic Control and the Prevention of Cardiovascular Events: Implications of the ACCORD, ADVANCE, and VA Diabetes Trials". *Circulation*, v. 119, n. 2, pp. 351-7, 2009.

SMITH, V. L. *Rationality in Economics: Constructivist and Ecological Forms*. Cambridge: Cambridge University Press, 2008.

SOBER, Elliott. *Evidence and Evolution: The Logic Behind Science*. Cambridge: Cambridge University Press, 2008.

SOLOMON, L. "Bone Density in Ageing Caucasian and African Populations". *Lancet*, v. 2, pp. 1326-30, 1979.

SORABJI, Richard. *Emotion and Peace of Mind: From Stoic Agitation to Christian Temptation*. Oxford: Oxford University Press, 2000.

SORNETTE, Didier. *Why Stock Markets Crash: Critical Events in Complex Financial Systems*. Nova Jersey: Princeton University Press, 2003.

________. *Critical Phenomena in Natural Sciences: Chaos, Fractals, Self-organization and Disorder: Concepts and Tools*, 2. ed. Berlim e Heidelberg: Springer, 2004.

SORNETTE, Didier; KNOPOFF, L. "The Paradox of the Expected Time Until the Next Earthquake". *Bulletin of the Seismological Society of America*, v. 87, n. 4, pp. 789-98, 1997.

________; ZAJDENWEBER, D. "Economic Returns of Research: the Pareto Law and Its Implications". *The European Physical Journal, B: Condensed Matter and Complex Systems*, v. 8, n. 4, pp. 653-64, 1999.

STANLEY, J. "Knowing (How)". *Noûs*, 2010.

STARBUCK, W. H. "Strategizing in the Real World". In: "Technological Foundations of Strategic Management". Edição especial, *International Journal of Technology Management* 8, n. 1-2, 1992.1/2.

________. "Why I Stopped Trying to Understand the Real World". *Organizational Studies*, v. 25, n. 7), 2004.

________ et al. "Payoffs and Pitfalls of Strategic Learning". *Journal of Economic Behavior & Organization*, v. 66, n. 1, pp. 7-21, 2008.

STASAVAGE, D. "Was Weber Right? City Autonomy, Political Oligarchy, and the Rise of Europe". *The American Political Science Review*, v. 108, n. 2, pp. 337-54, 2014.

STEINMO, S. *The Evolution of Modern States: Sweden, Japan, and the United States* (Cambridge Studies in Comparative Politics). Cambridge University Press, 2010.

________. "Considering Swedish Exceptionalism", rascunho, European University Institute, 2012.

STERNBERG, Robert J., *Wisdom, Intelligence and Creativity Synthesized*. Cambridge: Cambridge University Press, 2003.

STERNHELL, Zeev. *The Anti-Enlightenment Tradition*. New Haven: Yale University Press, 2010.

STEVEN, S. et al. "Dietary Reversal of Type 2 Diabetes Motivated by Research Knowledge". *Diabetic Medicine*, v. 27, pp. 724-5, 2010.

STIGLER, Stephen M. *The History of Statistics: The Measurement of Uncertainty Before 1900*. Boston: The Belknap Press of Harvard University, 1990.

STIPP, David. *The Youth Pill*. Current, 2010.

STOKES, Donald E. *Pasteur's Quadrant: Basic Science and Technological Innovation*. Brookings Institution Press, 1997. [Ed. bras.: *O quadrante de Pasteur: A ciência básica e a inovação tecnológica*. Campinas: Editora da Unicamp, 2005.]

STRANAHAN, A. M.; MATTSON, M. P. "Recruiting Adaptive Cellular Stress Responses for Successful Brain Ageing". *Nature Reviews Neuroscience*, 2012.

STROUD, Barry. *The Significance of Philosophical Scepticism*. Oxford: Oxford University Press, 1984.

STUBBART, C. I.; KNIGHT, M. B. "The Case of the Disappearing Firms: Empirical Evidence and Implications". *Journal of Organizational Behavior*, v. 27, n. 1, pp. 79-100, 2006.

SUNSTEIN, Cass, 2010. *On Rumors: How Falsehoods Spread. Why We Believe Them, What Can Be Done*. Allen Lane, 2009. [Ed. bras.: *A verdade sobre os boatos. Como se espalham e por que acreditamos neles*. Rio de Janeiro: Campus Elsevier, 2010.]

TAAGEPERA, R. "Size and Duration of Empires: Growth-Decline Curves, 3000 to 600 B.C." *Social Science Research*, v. 7, pp. 180-96, 1978.

TAINTER, J. *The Collapse of Complex Societies: New Studies in Archaeology*. Cambridge: Cambridge University Press, 1988.

TALEB, N. N. "Infinite Variance and the Problems of Practice". *Complexity*, v. 14, n. 2, 2008.

________. "Errors, Robustness, and the Fourth Quadrant". *International Journal of Forecasting*, v. 25, 2009.

TALEB, N. N. "The Future Has Thicker Tails Than the Past: Model Error as Branching Counterfactuals". *Benoît Mandelbrot's Scientific Memorial*, Pré-publicação (ver volume do manual técnico).
________; BLYTH, M. "The Black Swan of Cairo". *Foreign Affairs*, v. 90, n. 3, 2011.
________; PILPEL, A. "Epistemology and Risk Management". *Risk and Regulation*, v. 13, verão de 2007.
________; TAPIERO, C. "The Risk Externalities of Too Big to Fail". *Physica A: Statistical Physics and Applications*, 2010.
________; GOLDSTEIN, D. G.; SPITZNAGEL, M. "The Six Mistakes Executives Make in Risk Management", *Harvard Business Review*, out. 2009.
________; DOUADY, R. "A Map and Simple Heuristic to Detect Fragility, Antifragility, and Model Error", arXiv pré-publicação, 2012.
________; MARTIN, G. "How to Avoid Another Crisis", *Sias Review of International Affairs*, 2012a.
________;______. "The Illusion of Thin Tails Under Aggregation (a Reply to Jack Treynor)". *Journal of Investment Management*, 2012b.
________; GOLDSTEIN, D. "The Problem is Beyond Psychology: The Real World Is More Random Than Regression Analyses", *International Journal of Forecasting*, v. 28, n. 3, pp. 715-6, 2012.
________ et al. "A New Heuristic Measure of Fragility and Tail Risks: Application to Stress Testing", IMF versão preliminar.
TATONETTI, Nicholas P. et al. "Data-driven Prediction of Drug Effects and Interactions". *Science Translational Medicine*, v. 4, 125ra31, 2012.
TAUBES, G. *Good Calories, Bad Calories: Fats, Carbs, and the Controversial Science of Diet and Health*. Nova York: Anchor Books, 2008.
TAUBES, G. *Why We Get Fat: And What to Do About It*. Nova York: Anchor Books, 2011. [Ed. bras.: *Por que engordamos e o que fazer para evitar*. Porto Alegre: L&PM, 2014.]
TAYLOR, R. "Pathogenesis of Type 2 Diabetes: Tracing the Reverse Route from Cure to Cause". *Diabetologia*, v. 51, pp. 1781-9, 2008.
TEDESCHI, R. G.; CALHOUN, L. G. "The Posttraumatic Growth Inventory: Measuring the Positive Legacy of Trauma". *Journal of Traumatic Stress*, v. 9, n. 3, pp. 455-71, 1996.
TETLOCK, Philip E.; LEBOW, Richard Ned; PARKER, Geoffrey (Orgs.). *Unmaking the West: "What--If?" Scenarios That Rewrite World History*. Ann Arbor: University of Michigan Press, 2009.
THOMAS, Keith. *Religion and the Decline of Magic*. Oxford: Oxford University Press, 1997. [Ed. bras.: *Religião e o declínio da magia*. São Paulo: Companhia das Letras, 1991.]
THOMPSON, M. R. "Reformism vs. Populism in the Philippines". *Journal of Democracy*, v. 21, n. 4, pp. 154-68, 2010.
THORP, E. "Portfolio Choice and the Kelly Criterion". *Stochastic Models in Finance*, pp. 599-619, 1971.
________. "The Kelly Criterion in Blackjack, Sports Betting, and the Stock Market". *Finding the Edge: Mathematical Analysis of Casino Games*, 1998.
THORSRUD, Harald. *Ancient Scepticism*. Acumen, 2009.
TODD, E. "The International Risk Governance Council Framework and Its Application to Listeria Monocytogenes in Soft Cheese Made from Unpasteurised Milk". Controle alimentar, 2010.
TOWNSEND, A., CLARK, A.; MCGOWAN, K. "Direct Benefits and Genetic Costs of Extrapair Paternity for Female American Crows (*Corvus brachyrhynchos*)". *American Naturalist*, v. 175, n. 1, 2010.

TRABELSI, K. et al. "Effects of Fed- Versus Fasted-State Aerobic Training During Ramadan on Body Composition and Some Metabolic Parameters in Physically Active Men". *International Journal of Sport Nutrition and Exercise*, 2012.

TRIANA, P. *Lecturing Birds on Flying: Can Mathematical Theories Destroy the Financial Markets?* Wiley, 2009.

________. *The Number That Killed Us: A Story of Modern Banking, Flawed Mathematics, and a Big Financial Crisis*. Wiley, 2011.

TRIGEORGIS, L. "Real Options and Interactions with Financial Flexibility". *Financial Management*, pp. 202-24, 1993.

________. *Real Options: Managerial Flexibility and Strategy in Resource Allocation*. Boston: MIT Press, 1996.

TRIVERS, Robert. *The Folly of Fools: The Logic of Deceit and Self-Deception in Human Life*. Basic Books, 2011.

TURCHIN, P. *Historical Dynamics: Why States Rise and Fall*. Nova Jersey: Princeton University Press, 2003.

________. "A Theory for Formation of Large Empires". *Journal of Global History*, v. 4, n. 2, pp. 191-217, 2009.

URVOY, Dominique. *Les penseurs libres dans l'Islam classique*. Champs Flammarion, 1996.

VALDOVINOS, F. et al. "Consequences of Adaptive Foraging for the Structure and Dynamics of Food Webs". *Ecology Letters*, v. 13, pp. 1546-59, 2010.

VANDERBILT, T. "The Traffic Guru". *Wilson Quarterly* , v. 32, n. 3, pp. 26-32, 2008a.

________. *Traffic: Why We Drive the Way We Do (and What It Says About Us)*. Nova York: Knopf, 2008b. [Ed. bras.: *Por que dirigimos assim (e o que isso diz sobre nós)*. Rio de Janeiro: Campus Elsevier, 2009.]

VAN ZWET, W. R. *Convex Transformations of Random Variables*. Centro Matemático Amsterdam, 7, 1964.

VELEZ, N. et al. "The Effect of Moderate Impact Exercise on Skeletal Integrity in Master Athletes". *Osteoporosis International*, v. 19, n. 10, pp. 1457-64, out. 2008.

VERMEIJ, Geerat J. *Nature: An Economic History*. Nova Jersey: Princeton University Press, 2004.

VERNON, Mark. *Plato's Podcasts: The Ancient's Guide to Modern Living*. Londres: Oneworld, 2009.

VEYNE, Paul. "Païens et chrétiens devant la gladiature". *Mélanges de l'École française de Rome. Antiquité*, v. 111, edição 111-2, pp. 883-917, 1999.

________. *La Société romaine*. Paris: Éditions du Seuil, 2001. [Ed. port.: *A sociedade romana*. Lisboa: Edições 70, 1993.]

VIGARELLO, Georges. *Histoire des pratiques de santé*. Paris: Éditions du Seuil, 1998.

VON HEYD, Wilhelm. *Histoire du commerce du Levant au moyen-âge* (tradução francesa). Éd. fr., refondue et augmentée, Leipzig, 1886.

VON PLATO, Jan. *Creating Modern Probability: Its Mathematics, Physics and Philosophy in Historical Perspective*. Nova York: Cambridge University Press, 1994.

WAGNER, Andreas. *Robustness and Evolvability in Living Systems*. Nova Jersey: Princeton University Press, 2005.

WAI-HUNG, Wong. "The Problem of Insulation". *Philosophy*, v. 77, n. 301, pp. 349-73, jul. 2002.

WALES, J. K. "Treatment of Type 2 (Non-Insulin-Dependent) Diabetic Patients with Diet Alone". *Diabetologia*, v. 23, pp. 240-5, 1982.

WALLENBORN, White McKenzie. "George Washington's Terminal Illness: A Modern Medical Analysis of the Last Illness and Death of George Washington". Papéis de George Washington, Universidade da Virginia, 1997.

WALLER, John. *Fabulous Science: Fact and Fiction in the History of Scientific Discovery*. Oxford: Oxford University Press, 2002.

WATERFIELD, Robin. *Why Socrates Died: Dispelling the Myths*. Londres: Faber and Faber, 2009.

WEAR, Andrew. "Anatomy". In: CONRAD, Lawrence et al. (Orgs.). *The Western Medical Tradition*, v. 1, Cambridge: Cambridge University Press, 1995.

WEBER, Max. L'éthique protestante et l'esprit du capitalisme. Flammarion, 1905, 2000. [Ed. bras.: *A ética protestante e o "espírito" do capitalismo*. São Paulo: Companhia das Letras, 2004.]

WEINDRUCH, R. "The Retardation of Aging by Caloric Restriction: Studies in Rodents and Primates". *Toxicologic Pathology*, v. 24, pp. 742-5, 1996.

WEISBERG, D. et al. "The Seductive Allure of Neuroscience Explanations". *Journal of Cognitive Neuroscience*, v. 20, pp. 470-7, 2008.

WELCH, H. Gilbert; SCHWARTZ, Lisa M.; WOLOSHIN, Steven. *Overdiagnosed: Making People Sick in the Pursuit of Health*. Boston: Beacon Press, 2011.

WEST, G. B. "Can There Be a Quantitative Theory for the History of Life and Society?" *Cliodynamics*, v. 2, n. 1, 2011.

WESTMAN, E.; VERNON, M. "Has Carbohydrate Restriction Been Forgotten as a Treatment for Diabetes Mellitus? A Perspective on the Accord Study Design". *Nutrition and Metabolism* (Lond), v. 5, n. 10, 2008.

WHITACRE, J. M. "Degeneracy: A Link Between Evolvability, Robustness and Complexity in Biological Systems". *Theoretical Biology and Medical Modelling*, v. 7, n. 1, p. 6, 2010.

WHITE, David A.; FITZGERALD, Thomas A. "On Menard and Sharman Random Drilling". *Science*, nova série, v. 192, n. 4236, 16 abr. 1976.

WHITEHEAD, Alfred North. *Science and the Modern World*. The Free Press, 2006. [Ed. bras.: *A ciência e o mundo moderno*. São Paulo: Paulus, 2006.]

WILCKEN, Patrick. *Claude Lévi-Strauss: The Poet in the Laboratory*. Penguin, 2010. [Ed. bras.: *Claude Lévi-Strauss: O poeta no laboratório*. Rio de Janeiro: Objetiva, 2011.]

WILSON, E. A. et al. "Dietary Management of Maturity -Onset Diabetes". *BMJ* v. 280, pp. 1367-9, 1980.

WILSON, Emily. *The Death of Socrates: Hero, Villain, Chatterbox, Saint*. Londres: Profile Books, 2007. [Ed. bras.: *A morte de Sócrates – herói, vilão, falastrão e santo*. Rio de Janeiro: Record, 2013.]

WILSON, Stephen. *The Bloomsbury Book of the Mind*. Londres: Bloomsbury, 2003.

WINCHESTER, Simon. *Bomb, Book and Compass: Joseph Needham and the Great Secrets of China*. Nova York: Viking, 2008.

WOLF, Alison. *Does Education Matter? Myths About Education and Economic Growth*. Londres: Penguin, 2002.

WOLFF, J. *Das Gesetz der Transformation der Knochen*, 1892. Reimpressão: Pro Business, Berlim, 2010.

WOMEN, P.; SPEED, W. et al. "Statins and Musculoskeletal Pain", 2012.

WOOTTON, David. *Bad Medicine: Doctors Doing Harm Since Hippocrates*. Oxford: Oxford University Press, 2006.

YAFFE, K. et al. "Diabetes, Impaired Fasting Glucose, and Development of Cognitive Impairment in Older Women". *Neurology*, v. 63, n. 4, pp. 658-63, 2004.

YARKONI, T. "Big Correlations in Little Studies: inflated Fmri Correlations Reflect Low Statistical Power", comentário sobre VUL et al., 2009, *Perspectives on Psychological Science*, v. 4, n. 3, pp. 294-8, 2009.

YOUNG, S. S.; KARR, A. "Deming, Data and Observational Studies". *Significance*, v. 8, n. 3, pp. 116-20, 2011.

YUAN, K. H.; MAXWELL, S. "On the Post Hoc Power in Testing Mean Differences". *Journal of Educational and Behavioral Statistics*, v. 30, n. 2, pp. 141-67, 2005.

ZELLER, Eduard (reimpressão). *Outlines of History of Greek Philosophy*. Whitefish: Kessinger Publishing, 1905.

ZERUBAVEL, Eviatar. *The Elephant in the Room: Silence and Denial in Everyday Life*. Oxford: Oxford University Press, 2006.

ZILIAK, S.; MCCLOSKEY, D. *The Cult of Statistical Significance: How the Standard Error Costs Us Jobs, Justice, and Lives*. Ann Arbor: University of Michigan Press, 2008.

Índice remissivo

1ª EDIÇÃO [2020] 10 reimpressões

ESTA OBRA FOI COMPOSTA PELA ABREU'S SYSTEM EM INES LIGHT
EM OFSETE E IMPRESSA PELA LIS GRÁFICA SOBRE PAPEL PÓLEN DA
SUZANO S.A. PARA A EDITORA SCHWARCZ EM ABRIL DE 2024

A marca FSC® é a garantia de que a madeira utilizada na fabricação do papel deste livro provém de florestas que foram gerenciadas de maneira ambientalmente correta, socialmente justa e economicamente viável, além de outras fontes de origem controlada.